MW00584319

Las culturas y civilizaciones latinoamericanas

Segunda edición

Floyd Merrell y
María Teresa DePaoli

University Press of America,® Inc.
Lanham · Boulder · New York · Toronto · Plymouth, UK

Copyright © 2017 by
University Press of America,® Inc.
4501 Forbes Boulevard
Suite 200
Lanham, Maryland 20706
UPA Acquisitions Department (301) 459-3366

Unit A, Whitacre Mews, 26-34 Stannary Street,
London SE11 4AB, United Kingdom

All rights reserved
Printed in the United States of America
British Library Cataloging in Publication Information Available

Library of Congress Control Number: 2016938836
ISBN: 978-0-7618-6800-2 (paperback : alk. paper)
eISBN: 978-0-7618-6801-9

∞™ The paper used in this publication meets the minimum requirements of American National Standard for Information Sciences—Permanence of Paper for Printed Library Materials, ANSI Z39.48-1992

ÍNDICE

PREFACE

WHY THIS TEXTBOOK IS UNIQUE

The second edition of a text on Latin American cultures and civilizations you have in your hands involves the creation of complex multicultural societies. It is the story of Columbus's voyages, and all that followed. Giving rise to utopian dreams the effects of which led to a brilliant display of fused ethnicities, culinary habits and new customs, lifestyles and artistic creations, as well as commerce between two continents, Europe and America, that helped pave the way for the coming industrial revolution and its consequences.

The story begins with an overview of Latin America's topographical features and a discussion of the area's pre-Hispanic cultures. It then takes you through the "discovery," conquest, and colonization of the New World, and on to Independence and the national period, from the nineteenth century to the present. Rather than pack your mind with a labyrinth of "facts," however, the goal is to set a certain *tone*, with the idea of creating a general *mood*. This *mood* should allow you more effectively to *sense* Latin America's cultures and civilizations. During the process you will be able to gain *insight* into the hopes and fears, the joys and sorrows, the periods of euphoria and depression, of a talented, industrious, and energetic but problem-ridden and long-suffering people. Due to the limitations of a one-volume text, we offer a detailed highlight of most of Latin America's nations: their cultures, political systems, social customs, and economic practices. Other nations will not be so highlighted. This is unfortunate, since those nations are by no means unimportant. However, limited space simply does not allow equal coverage of the entire area south of the United States.

Your acquiring the *insight* we mention is most effective by means of a *conceptual approach* to Latin America. Such an approach is accessible solely by way of your collaborating with my story by creating your own *mood* regarding the continent's cultures and civilizations. This involves your responding to questions, writing creative responses to problem situations regarding the topics discussed, and engaging in debates with other students. Upon finishing the adventure this book offers, we would hope you might have a personal *feel* for Latin America.

The broad range of the Latin American people's *historical experiences* and *political, social,* and *economic experiments* cannot simply be ignored. Latin America's geographical conditions exert an undeniable influence on the area's history, its social customs and conventions, its political structures and institutions, its economic trends and practices, and its creative cultural processes. Without a *conceptual approach,* Latin America's complex social patterns, political structures, and economic activity, as well as its history and culture, would be hardly more than a series of relatively disconnected names, places, dates, and events. This is to say, understanding Latin America cannot be forthcoming either through a catalog of names, places, dates, and events, or through sweeping generalizations about the area's rich traditions. This, *Las culturas y civilizaciones* maintains focus on the Latin American people's everyday life, their sentiments, predispositions, and thought, as they go about organizing and conducting their affairs.

All this packed into a solitary text might seem like an ominous task indeed. Nevertheless, since this book is designed to provoke *insights* regarding the subject matter without the use of myriad details the vast majority of which would soon be relegated to the dusty closets of forgetfulness, we believe it will effectively pique curiosity and create new ideas and attitudes. Your reading of the following pages will tell the tale.

HELPFUL HINTS

But before you begin, a few words are in order regarding the book's organization. A helpful *Vocabulary* list and a *Glossary* of terms are included at the end of this volume. A large number of the italicized words in the text consist of key terms most of which are found in the *Vocabulary* list. This list focuses on the manner in which the words are used in the text. Many of them are given more extensive definitions in the *Glossary,* for quick reference as a handy memory-refreshing guide. Some of these terms and concepts will re-emerge as the chapters unfold in order that they may be given further emphasis within new contexts. Many of the Spanish and Portuguese idiomatic expressions and certain technical phrases are defined or otherwise explained in footnotes. Discussion of important concepts is provided in boxes along the margins of the text, and should be read in conjunction with the narrative's flow for the most effective comprehension. After serious deliberation, we decided to omit the maps and tables from this text, since the internet now offers a rich variety of information in this regard.

At the beginning of each chapter, you will find (1) a list of *general concepts* that you should bear in mind while reading the chapter, and (2) a list of important *terms* attention to which will aid you in answering the *Questions* at the end of the chapter. Following this list of *Questions,* you will also find (1) a brief list of suggested *Topics* for further discussion and writing exercises, and (2) a controversial issue for the purpose of classroom *Debates.* Focus on these issues will give you an opportunity to (1) think through some of the more complex problems regarding Latin America and, (2) verbalize your ideas in collaboration with other students.

The *Topics* and *Debates* might at times tax your mind. They often ask you to make comparisons and contrasts between certain aspects of Latin American cultures and comparable aspects of cultures in your own country. These comparisons and contrasts will involve your active engagement in the subject matter at hand. They will require thoughtful interpretation and penetrating reflection; in fact, occasionally some of your own values may be up for questioning. In this light, before engaging in a dialogue regarding some or all of the issues you confront, it is advisable that you review the previous chapter or chapters carefully, and if time allows, you will find it helpful to consult outside sources, an ample list of which is included at the conclusion of the last chapter.

Professors María Teresa DePaoli and Floyd Merrell wish you a pleasurable experience.

CAPÍTULO 1

¿PUEDE HABER GENERALIDADES SOBRE LATINOAMÉRICA?

Para facilitar la lectura de este capítulo, fijarse en:

- El problema en darles a todos los países al sur de los Estados Unidos un nombre general.
- La dificultad de formar generalidades sobre Latinoamérica.
- La diversidad de la geografía del continente, que dificulta su desarrollo económico y la distribución de sus riquezas.
- La variedad étnica, que dificulta la integración social.
- Las contradicciones que prevalecen acerca de Latinoamérica y los latinoamericanos.
- La necesidad esencial de comprender a los latinoamericanos.

Términos importantes:

- Coca, Concordato, Localismo, Mestizo(a), Monocultura, Mulato(a), Oligarquía, Socio-Político-Económico.

UN PROBLEMA DE NOMENCLATURA

La gente al sur de los Estados Unidos (EE.UU.) se ofende que nosotros, los norteamericanos, nos llamemos "americanos." Y con razón. Ellos también son "americanos." El nombre de América viene del italiano Amerigo Vespucci (1454–1512)—piloto de cinco expediciones al Nuevo Mundo entre 1497 y 1502—quien describió sus viajes a sus amigos en Europa. Una vez publicadas, las descripciones de Vespucci fascinaron tanto a Martin Waldseemüller—un cartógrafo alemán—que bautizó al Nuevo Mundo con el nombre de "América" en honor a su autor. Poco a poco, "América," como nombre de los dos nuevos continentes, alcanzó cierta popularidad en varias naciones europeas, aunque España siguió usando el nombre de "Indias" para referirse a sus colonias.

Hoy en día muchos de los latinoamericanos prefieren hablar de EE.UU. como "Norteamérica" y de nosotros como "norte-americanos" (los brasileños sencillamente dicen "americanos"). ¿Entonces ellos? ¿Quiénes son? No pueden ser solamente "sudamericanos," porque la parte de México al norte del Trópico de Cáncer queda en Norteamérica, y la parte al sur de México, en conjunto con Guatemala, El Salvador, Honduras, Nicaragua, Costa Rica, y Panamá, constituye América Central. El escritor peruano Víctor Raúl Haya de la Torre (1895–1979) propuso el nombre "Indoamérica," y el Argentino Ricardo Rojas (1882–1957), "Euroindia," para toda la región. Estos nombres podrían ser razonables para países con marcada influencia indígena, como Bolivia, Ecuador, Guatemala, México, Paraguay, y Perú. Pero "Indoamérica" y "Euroindia" no son nombres válidos si tomamos en consideración solamente a Argentina y Uruguay, cuya población es en su mayoría europea. Existen zonas de notable influencia "afroamericana," sobre todo en el Caribe, las costas de Centroamérica, Colombia, Venezuela, y el noreste de Brasil. Esta influencia afroamericana se debe a la concentración de esclavos africanos desde el periodo colonial hasta el siglo XIX. Entonces el nombre "Afroamérica" sería igualmente regional en vez de general. Con mucha frecuencia se oye el término "Hispanoamérica." El problema es que este nombre excluye a "Lusoamérica" (Brasil), "Francoamérica" (Guadeloupe, Haití, Martinique, Surinam, y otras islas), y "Angloamérica" (las Bahamas, los Barbados, Belice, Jamaica, y otras Islas)—sin mencionar la presencia de Holanda en el Caribe. Igualmente el término "Iberoamérica" excluye a Francia, Inglaterra y Holanda. Lo más factible, parece, es que nos quedemos con la denominación "Latinoamérica," ya que casi todo el territorio durante el colonialismo pertenecía a tres países con lenguas de origen principalmente latino: España, Francia, y Portugal.

Vemos una vez más que la diversidad de la región resiste clasificación. De todas maneras, vamos a usar el término "Latinoamérica," aunque no sea tan perfecto como quisiéramos.

UN PANORAMA DE LO MÁS "GENERAL"

Latinoamérica tiene un poco más de 7.9 millones de millas cuadradas, casi igual a Europa y EE.UU. combinados. La distancia desde la frontera de México y EE.UU. hasta la Tierra de Fuego al sur de Argentina, es de más de 7.000 millas, aproximadamente la distancia de Londres a Cape Town, África.

La mayor parte de Latinoamérica se encuentra en la zona tropical. Sin embargo, en las zonas montañosas, la altura sirve para cancelar los efectos de la latitud. Como gran parte de Colombia, Ecuador, Perú, y Bolivia está incluida en la cordillera andina, una parte de ésta es de clima templado en vez de tropical. Por ejemplo, Quito, la capital de Ecuador, tiene una altura de más de 9,000 pies sobre el nivel del mar, y un promedio de temperatura de solamente 55°F durante el mes más caliente. Además, la distribución de lluvias en el continente es irregular. La costa del Océano Atlántico por regla general es más húmeda que la del Océano Pacífico. En las grandes cuencas de los ríos Amazonas, Magdalena, Orinoco y Paraná, hay lluvias torrenciales durante las temporadas menos cálidas, que dan origen a extensiones de selva casi impenetrables. En los desiertos del norte de México, el noreste de Brasil, y de la Patagonia en el sur de Argentina, las lluvias son esporádicas, pero en las costas de Perú y el norte de Chile, llueve muy poco o casi nada. En resumen, aproximadamente la cuarta parte de Latinoamérica está cubierta de montañas, la misma cantidad de selvas, y el resto consiste de llanuras, desiertos y áreas semiáridas.

A pesar de que Latinoamérica tiene cuatro de los cinco sistemas fluviales[1] más grandes del mundo—El Amazonas, el Magdalena, el Orinoco, y el de La Plata—la topografía irregular del continente presenta obstáculos para el transporte y el comercio debido a que segmentos de estos grandes ríos son innavegables. Además, hay grandes cordilleras que son casi impasables. Las principales son (1) la Sierra Madre Occidental y Oriental de México y las montañas de Centroamérica, que de repente suben de las llanuras costeras y se abren a mesetas de entre 3.000 y 7.500 pies de altura, y (2) los Andes de América del Sur, cordillera superada sólo por el Himalaya de Asia. Debido a estas regiones montañosas, hay obstáculos para el transporte y la comunicación, lo que ha dado lugar al fenómeno llamado *localismo*. El *localismo* es una característica de pueblos separados de otros pueblos por valles y montañas escabrosas, aunque estos pueblos estén relativamente cerca. De este modo, los pueblos aislados mantienen una autonomía que impide su convergencia en la corriente de la vida nacional del país (recuerde el término *localismo*, porque con frecuencia va a discutirse respecto a los países latinoamericanos contemporáneos).

Aparte de los obstáculos de comunicación y de transporte, existe también el problema de terremotos que a través de la historia han causado mucha destrucción y un número bastante elevado de muertes. De hecho, casi todas las grandes ciudades establecidas en—o cerca de las regiones montañosas de—Cuzco de Perú, la ciudad de Guatemala, Mendoza de Argentina, La ciudad de México, Quito de Ecuador, y Santiago de Chile han sido destruidas repetidas veces. Las erupciones volcánicas han sido igualmente devastadoras, sobre todo en Costa Rica, Chile, Ecuador, Guatemala, y México. También hay otras zonas donde la vida es insegura. Los huracanes en el Caribe han destruido ciudades y campos enteros. Además, las inundaciones periódicas a lo largo de los cauces[2] de los grandes ríos han causado múltiples daños y muertes.

En Latinoamérica existe además el problema de una insuficiencia en la producción de comestibles. Con la excepción de la Pampa argentina, el sur de Brasil, los valles centrales de Chile, y otras zonas menores, relativamente hay poca tierra en Latinoamérica donde la agricultura es favorable y el acceso al agua para la irrigación es poco accesible (el noreste de Brasil, México, y Paraguay). También hay zonas demasiado frías para la agricultura (Patagonia de Argentina, el sur de Chile, y las Alturas de la cordillera andina). Aunque en las últimas décadas han abierto grandes extensiones de selvas—en Brasil, Colombia, Venezuela, y Centroamérica—a la producción agrícola, el problema

---

[1] Sistema fluvial = watershed (of river system).

[2] Cauce = riverbed, channel.

es que dentro de varios años esas tierras resultan infértiles, sin la vegetación acostumbrada y sin defensa contra la erosión.

Por otra parte, las zonas montañosas ofrecen una abundancia de riquezas minerales. Los yacimientos de hierro en Brasil y Venezuela se cuentan entre los más ricos del mundo. Además, Latinoamérica produce una abundancia de minerales que se combinan con el hierro para la fabricación de acero. Hay manganeso en Brasil, Cuba, México, y el norte de Chile, cromo en Cuba y Guatemala, níquel en Brasil y Cuba, tungsteno en Argentina, Bolivia, Brasil, y Perú, y vanadio[3] en Perú. Desafortunadamente, el carbón, elemento básico en la industria siderúrgica,[4] se encuentra en limitada cantidad, y muchas veces es casi inaccesible o queda lejos de los depósitos de hierro. En cuanto a otros metales, hay plomo y cinc en Bolivia, Guatemala, México, y Perú; estaño en Argentina, Bolivia, Brasil, y México; plata en México (es productor número uno en el mundo), Bolivia, Perú, y Centroamérica; oro en Brasil, Colombia, México, y Perú. Hay platino en Colombia. Chile ha sido el productor número dos del mundo en cuanto a cobre, y hay cantidades notables de este metal en México y Perú también. México sobresale en producción de azufre. Hay petróleo en todos los países menos Paraguay y Uruguay. México y Venezuela son los dos grandes exportadores del "oro negro," mientras Argentina, Bolivia, Brasil, Colombia, Ecuador, y Perú tienen suficiente para el uso de las crecientes necesidades internas. La producción de gas tiene importancia solamente en Argentina, Bolivia, México, y Venezuela.

En comparación con Asia, África y Europa, hay un nivel relativamente alto de homogeneidad lingüística en Latinoamérica debido a la imposición de los idiomas español y portugués a las poblaciones indígenas durante la época colonial. El español es el idioma oficial en dieciocho países dentro de los cuales la mayor parte de la población lo habla. Sin embargo, todavía se usan lenguas indígenas en Bolivia, Ecuador, Guatemala, Paraguay, Perú, y México. Hay alrededor de 130 grupos lingüísticos indígenas en Latinoamérica, de los cuales los más importantes son el Náhuatl y el Quiché-Maya (México y Guatemala), Quechua y Aymara (Ecuador, Perú, y Bolivia), y Guaraní (Paraguay). Se calcula que en la actualidad hay aproximadamente veintiocho millones de amerindios en Latinoamérica. Hay que decir "se calcula" y "aproximadamente," porque es frecuentemente difícil establecer una división definitiva entre amerindio y "mestizo,"[5] ya que ha habido una fusión étnica en la mayor parte de las regiones. Lo cierto es que el número de amerindios está aumentando. De hecho pudo haberse doblado durante las últimas dos décadas.

Hay regiones en donde hasta finales del siglo XIX los esclavos de África formaban la base principal del trabajo, y hoy en día la presencia afroamericana es muy visible. Estas incluyen el Caribe y las costas de Centroamérica, las

---

[3] Vanadio = vanadium.

[4] Industria siderúrgica = steel industry.

[5] *Mestizo(a)* = a mixture of two ethnic groups, most commonly Spanish and Amerindian.

costas de Colombia y Venezuela en el Atlántico y de Ecuador en el Pacífico, y sobre todo, Brasil, de cuya población 6% es negra y 38% *parda* (*mulata*),[6] con la mayor concentración en las costas del noreste. En muchas partes de Latinoamérica donde la influencia afroamericana es más notable, hay un alto índice de pobreza. Eso se debe en parte a la "discriminación"[7] desde los tiempos de la esclavitud, que ha moldeado los valores culturales hasta la actualidad. La pobreza y la discriminación se encuentran sobre todo en las costas de Colombia y Ecuador, y en ciertas partes de Brasil—sobre todo en las favelas,[8] donde hay más concentración de gente de etnicidad afroamericana.

Tanto para los afroamericanos como para los amerindios pobres de las zonas rurales, la inmigración a las ciudades les ha ofrecido una promesa que muchas veces ha desaparecido. En primer lugar, en las zonas urbanas, el índice de desempleo es alto generalmente, y en segundo lugar, muchos de los trabajos disponibles requieren capacidad técnica que no tienen los campesinos de las zonas rurales. Incluso hay evidencia en Brasil y Colombia de que los afroamericanos recién llegados a las ciudades viven en condiciones más paupérrimas que los no-afroamericanos. Pues, los pocos trabajos que se les ofrece son de sirvientas, jardineros, trabajadores sin oficio, y vendedores en la calle. Sin embargo, cada vez más afroamericanos tanto en Colombia como en Brasil han podido recibir una educación formal y se han integrado a la clase profesional, sobre todo cuando han migrado a las ciudades que tienen un porcentaje alto de europeos, como São Paulo de Brasil o Medellín de Colombia.

En fin, esta composición étnica de Latinoamérica, le da un aspecto único en el mundo. Si la región pudiera resolver estos problemas que se deben principalmente a las tensiones entre clases sociales, entonces serviría como un gran modelo para otras partes del mundo (Europa, Rusia, el Medio-este, EE.UU.) donde existen graves problemas de etnicidad, unos nuevos y otros antiguos.

UNA VARIEDAD PERPLEJA

En vista de nuestras observaciones hasta ahora, debemos estar conscientes de que en realidad, "Latinoamérica," en el sentido puro del término, no existe. Lo que existe son veinte repúblicas principales, y otras entidades políticas que incluyen las Bahamas, los Barbados, Belice, Guadeloupe, las Guianas, Jamaica, Martinique, Puerto Rico, Surinam, Tobago, Trinidad, y algunas islas más. Latinoamérica no es, desde luego, una región fácil de comprender.

---

[6] *Mulato(a)* o *Pardo(a)* = mulatto, a mixture of European and African ethnic groups.

[7] Observaremos más adelante que, por regla general (aunque haya un número considerable de excepciones), la "discriminación" en Latinoamérica obedece más a un prejuicio de tipo "clase social" que de "raza," aunque sea difícil definir la frase "El prejuicio es más de clase social que racial" para lectores de la cultura Anglo.

[8] *Favela* (Port.) = ghetto: lower socio-economic area of the city.

> El término, "*socio-político-económico*" se usará con frecuencia, primero porque el conjunto de los aspectos sociales, políticos, y económicos, facilitan la articulación de las condiciones generales de *Latinoamérica*. En segundo lugar, porque una consideración de lo *social, político, y económico*, en conjunto con las artes y la vida cotidiana, revelan en el sentido más amplio lo que son las *Culturas* y *Civilizaciones* del continente.

Cada País tiene su propia individualidad, y algunos países se distinguen radicalmente de otros. Por ejemplo, menos de cien millas separan a Uruguay de Paraguay. Sin embargo, el contraste entre los dos países es enorme. Durante las primeras décadas del siglo pasado Uruguay fue uno de los países más avanzados del mundo respecto a sus programas *socio-político-económicos*, gracias a los esfuerzos del gran estadista, José Battle y Ordóñez (1856–1929). Paraguay, en cambio, se quedó en el siglo XIX. Hace menos de setenta años, Uruguay era considerado la "Suiza de las Américas" por su alto nivel de conciencia social, su sistema democrático, y su impresionante desarrollo económico. Paraguay, en la misma época, tenía una población en su mayor parte analfabeta. Además, Paraguay ha sufrido de una larga serie de dictaduras. En la época más desastrosa de su historia (1864–1870) el tirano, Francisco Solano López, obligó a los paraguayos a luchar al mismo tiempo en contra de Argentina, Uruguay y Brasil. Esa "Guerra de la Triple Alianza" acabó con gran parte de la población masculina del país, lo que agotó sus recursos humanos.

Otro ejemplo. Al norte de Sudamérica está Colombia, Ecuador y Venezuela. Aunque la geografía los conecte—los tres países tienen zonas costeñas y tropicales con una cordillera de por medio—difieren radicalmente en cuanto a su historia. Se ha dicho que Venezuela es producto de un cuartel militar, Colombia de una universidad, y Ecuador de un monasterio. La clasificación, por supuesto, es exagerada. No obstante, lo cierto es que Venezuela ha sufrido de una larga tradición de dictaduras brutales. Colombia ha estado tradicionalmente dividida entre liberales y conservadores, teniendo debates tan enardecidos que muchas veces terminaron en guerras civiles. Sin embargo, los colombianos siempre han dado prioridad a la educación. Ecuador, con un gran número de gente indígena, ha existido bajo mucha influencia eclesiástica—hasta el punto que el 1863 hubo un *Concordato*[9] entre el Vaticano y el presidente-dictador Gabriel García Moreno.

Disparidades económicas también crean distinciones agudas entre varias naciones de la región. Venezuela ha gozado de una riqueza petrolera que todavía –hace algunas décadas—y antes de la presidencia de Hugo Chávez (1954–2013)—le había dado a las clases media y aristocrática los recursos para

---

[9] *Concordato* = concordat, an agreement between the Pope and a sovereign government regarding the regulation of ecclesiastical matters.

mantener un nivel de vida relativamente alto. Por el contario, Ecuador es un país pobre en recursos naturales—aunque últimamente han podido exportar petróleo. Mientras que la mayoría de la población en Bolivia es indígena, con el índice de pobreza más alto de Sudamérica, su país vecino, Chile, tiene una población mayormente europea, con un nivel de vida relativamente alto. Al otro lado de los Andes, Argentina a principios del siglo XX gozaba de una economía que competía con la de los EE.UU.—aunque desde los años 1930 se ha quedado atrás, y desde principios del presente siglo ha sufrido de una serie de desastres económicos que impiden su avance en la economía global moderna. Existe otro problema que ha contribuido a la disparidad económica dentro de algunas sociedades: *la plaga de la cocaína.* En Bolivia, Colombia y Ecuador, esta droga es extraída de las hojas de *coca* que cultivan comunidades enteras de indígenas en las cordilleras. Los campesinos venden la *coca* a precios muy bajos, pero cuando el producto, la cocaína, aparece en las calles de las ciudades de EE.UU., vale oro.[10] Entonces, se puede decir que la "industria" de la cocaína mantiene pobres a los pobres y enriquece a un grupo pequeño de criminales.

Así es que, con algunos ejemplos vemos que hay muchas diferencias pero también muchas características en común entre los países latinoamericanos. Todas las *sociedades* latinoamericanas manifiestan contrastes asombrosos—entre ciudades y campo, gente educada y analfabeta, aristocracias y clases populares (es decir, los pobres, la gran mayoría de los cuales son amerindios, afroamericanos, mestizos y mulatos). Con respecto a la *política*, hasta hace poco tiempo hubo de todo, desde dictaduras militares hasta democracias electorales, además del régimen socialista de Fidel y Raúl Castro en Cuba, y la tendencia populista más reciente de Hugo Chávez en Venezuela. Afortunadamente, en la mayoría de los países latinoamericanos la inclinación ha ido hacia gobiernos relativamente democráticos. Por lo que toca a la *economía*, por regla general Latinoamérica pertenece a los países "en desarrollo," y sufre de problemas tales como disparidad de salarios, desempleo, inflación sin control, y a veces *monocultura*—esto es, mucha dependencia económica de un sólo producto (petróleo en Venezuela, café en Colombia, bananas en Honduras, etcétera).

Y una condición compleja

En fin, la región latinoamericana parece sufrir de cinco *contradicciones* principales.

(1) *Latinoamérica es a la vez joven y vieja.* Es *joven* porque desde el principio la conquista y la colonización crearon un orden social que el mundo hasta entonces no había conocido. Ese *nuevo orden* estaba basado en la combinación, la jerarquización, y la asimilación mutua de las culturas indígenas, africanas, y europeas. La intervención europea cambió profunda e irreversiblemente a las civilizaciones indígenas. Sin embargo, los amerindios no dejaron de influir también directa e indirectamente en las culturas dominantes de

---

[10] Vale oro = it's worth its weight in gold.

los colonizadores. Además, el mercado de los esclavos de África y la influencia que los afroamericanos tuvieron en las culturas dinámicas de las Américas han contribuido profundamente al *nuevo orden*. Por otra parte, lo *nuevo* de Latinoamérica es en cierto sentido ya *viejo*. Latinoamérica es *vieja*, porque una mezcla profunda de culturas y grupos étnicos, que tiene una historia antigua en Latinoamérica, es reciente en otras regiones del mundo—por ejemplo, la mezcla entre gente de Latinoamérica y del Oriente con gente de EE.UU., gente del Medio-este y África con gente de Europa, gente de Europa del Este con gente de Europa del Oeste. También, Latinoamérica es en cierto sentido *vieja*, porque la mayoría de las repúblicas consiguieron su independencia política—de España y Portugal—a principios del siglo XIX, más de cien años antes de los movimientos anticoloniales en otros países del llamado "tercer mundo."

(2) *Latinoamérica tiene una historia de estabilidad, pero ha habido periodos esporádicos de tumulto.* La conquista de América inició una tradición de violencia e inestabilidad que sobrevivió el colonialismo (siglos XV-XIX). Durante el período nacional (siglos XIX, XX y hasta ahora) muchas veces esa tradición ha culminado en golpes de estado, intervenciones militares, asesinatos, y movimientos sociales. Ha habido violentas confrontaciones ideológicas entre liberalismo y conservadurismo, y entre capitalismo y socialismo. Sin embargo, a pesar de tanta violencia e inestabilidad, hay estructuras *socio-político-económicas* antiguas que han perdurado casi intactas. Como veremos en los Capítulos 16 y 18, hasta en países que han tenido revoluciones sociales—México (1910), Nicaragua (1979)—muchos aspectos de la sociedad tradicional han sobrevivido. La Revolución Cubana (1959) parece ser la única excepción a esta generalidad, pero aún en Cuba, muchas costumbres tradicionales continúan profundamente arraigadas—además de que en los últimos años Cuba está "capitalizándose," con creciente influencia de EE.UU. y Europa.

(3) *Latinoamérica es independiente y a la vez dependiente, es autónoma y a la vez controlada.* A principios del siglo XIX un gran esfuerzo por parte de las colonias para lograr su *independencia política* tuvo éxito hasta el año 1930, menos en algunas islas del Caribe. Pero a la vez, hubo una nueva penetración colonial de forma económica por parte de naciones poderosas tales como la Gran Bretaña, Francia, y EE.UU., que pusieron en riesgo a las jóvenes repúblicas latinoamericanas. Ya había *independencia política*, pero estaba acompañada por una nueva *dependencia económica*. Esa *dependencia económica* con frecuencia limitaba las alternativas disponibles de los países latinoamericanos; es decir, habían llegado a ser países políticamente autónomos, pero ahora estaban *controlados* por fuerzas económicas internacionales.

(4) *Latinoamérica es tan pobre como próspera.* Desde la conquista, ha perdurado la imagen del continente como un tesoro de riquezas, una *cornucopia*[11] de opulencia fabulosa. Hoy en día, existe en Latinoamérica, según parece, una abundancia de petróleo, gas, cobre, hierro, café, azúcar, ganado,

---

[11] Cornucopia = horn of plenty.

frutas tropicales, verduras, y otros productos. Mientras la idea de riquezas perdura, existe también—en contraste—una visión de pobreza: campesinos sin tierras, trabajadores sin empleo, niños hambrientos, madres sin esperanza. Hay dos refranes que se oyen entre los latinoamericanos y que crean una imagen fiel de la paradoja *pobreza/riqueza*: "Latinoamérica parece un limosnero sentado en una montaña de oro," y "Latinoamérica consiste de unos cuantos ricos sentados encima de un montón de basura." Son crueles pero desafortunadamente, tienen algo de razón.

(5) *Latinoamérica es culta y a la vez ha quedado encarcelada dentro del analfabetismo.* En Latinoamérica hay ingenieros que escriben poesía, abogados que enseñan literatura en las universidades, políticos que publican libros de historia, y novelistas que llegan a ser presidentes. Uno puede encontrar tanto grandes empresarios[12] como choferes de taxis que leen las obras clásicas de literatura. Hay gente que apenas puede leer y escribir que se esfuerza por entender libros de economía, política, antropología e historia. Es así porque los latinoamericanos en general sienten mucho orgullo de lo que saben; tienen un gran interés en su propia cultura y en otras culturas. Por otra parte, con la excepción de Argentina, Chile, Uruguay, Costa Rica y Cuba, el analfabetismo ha sido siempre uno de los grandes problemas sociales. Los indígenas del sur de México y de Bolivia, Ecuador, Guatemala, y Perú, los afroamericanos del noreste de Brasil y del Caribe, y en general los campesinos de todos los países latinoamericanos, quedan *marginados*. Es decir, no tienen suficiente educación formal para entrar en la corriente principal de la vida de su país y contribuir activamente a la economía.

Estas cinco *contradicciones* le dan a Latinoamérica un aspecto de "subdesarrollo." Mientras se puede reconocer que las grandes ciudades de Latinoamérica son tan "modernas" como las de EE.UU. y Europa, la vida en el campo puede mantenerse casi igual que hace siglos. A fin de cuentas[13] no hay cultura que no tenga sus propias contradicciones. ¿Puede usted nombrar algunas contradicciones de su propio país? ¿Cómo son en comparación con las de Latinoamérica?

LATINOAMÉRICA Y ESTADOS UNIDOS

Históricamente EE.UU. ha tenido fuertes relaciones políticas con los países latinoamericanos. Sin embrago, en el siglo XX, sublevaciones en las repúblicas del sur por parte de grupos revolucionarios de *izquierda*,[14] y respuestas represivas por parte de gobiernos y ejércitos de *derecha*,[15] han presentado problemas para la política exterior de EE.UU.

---

[12] Empresario = entrepreneur, business tycoon.
[13] A...cuentas = in the end, in the final analysis.
[14] La izquierda = leftist political groups, including liberals, socialists, and Marxists.
[15] La derecha = right-wing, conservative political groups, traditionally supported by the upper classes, the military, and the Church.

Hay *oligarquías*[16] tradicionales que siguen en el poder en algunos países latinoamericanos. Estas oligarquías resisten el cambio y la verdadera democratización. Sin embargo, son precisamente esas clases sociales conservadoras las que gozan de las relaciones más fuertes con las grandes empresas estadounidenses. Entonces, ¿cómo puede EE.UU. promover tendencias democráticas (en contra de la ideología de las oligarquías) y al mismo tiempo proteger el capital que sus empresas han invertido en Latinoamérica? Existe un conflicto de intereses. Si EE.UU. promueve la democratización del continente, tendrá que combatir a las oligarquías, y entonces los empresarios estadounidenses, que tienen el apoyo de las oligarquías, estarán inconformes. Si EE.UU. se hace amigo de las oligarquías, lo más probable es que tendrá que olvidarse de la verdadera democratización del continente, lo que irá en contra de sus principios más profundos. Este conflicto ha causado tensiones en las relaciones diplomáticas entre EE.UU. y los países latinoamericanos.

A pesar de estas tensiones, parecía que en los últimos años había un poco más diálogo entre los líderes de EE.UU. y los países latino-americanos. Pero a veces las apariencias engañan. Por ejemplo, en 1980 después de su inauguración, el presidente Ronald Reagan tuvo una reunión con el entonces presidente mexicano, José López Portillo. Sin embargo, como notaremos en el Capítulo 17, algunos años después, hubo un serio desacuerdo tanto entre EE.UU. y México—como en la mayoría de las otras repúblicas latinoamericanas—respecto a la simpatía de EE.UU. hacia los "contras" en su intento de eliminar el gobierno "sandinista"[17] de Nicaragua. Otro ejemplo. En 1993 unas semanas antes de su inauguración, Bill Clinton tuvo una conferencia con otro presidente de México, Carlos Salinas de Gortari. Esa conferencia alentó renovadas esperanzas para que hubiera un entendimiento mutuo y duradero. En realidad no lo hubo. Después, durante la presidencia de Clinton, y con la aprobación del Tratado de Libre Comercio (TLC, "North American free Trade Agreement" [NAFTA]), otra vez hubo esperanzas. Sin embargo el mismo día de la inauguración del TLC (Enero 1, 1994), en el estado de Chiapas hubo una sublevación de campesinos que puso en riesgo[18] el tratado y las relaciones entre EE.UU. y México. Al principios de 1995, y en vista de una fuerte crisis económica en México, Clinton, contra el sentimiento de muchos legisladores de EE.UU., le concedió al país vecino un préstamo de 20 mil millones de dólares. Lamentablemente ese acto sirvió para agravar las hostilidades entre ciertos grupos de EE.UU. contra México. En fin, esa clase de relaciones a veces

---

[16] Oligarquía = a small class of conservative and powerful people, generally of the aristocracy, composed of families related by intermarriage, who largely control the political and economic affairs of the country.

[17] Sandinista = a member of the Sandinista National Liberation Front, which is a social democratic political party in Nicaragua, named after Augusto César Sandino, who led the Nicaraguan resistance against the U.S. occupation of Nicaragua in the 1930s.

[18] Poner…riesgo = to place at risk, jeopardize.

amistosas y a veces discordes, a ratos calientes y a ratos frías, marcan toda la historia de los acuerdos y las contiendas entre EE.UU. y Latinoamérica.

Además, hay un fenómeno que no deja de ser importante: la "hispanización" de EE.UU. Esta "hispanización," que la periodista norteamericana Betty Holcomb ha llamado "the browining of America," se debe a la influencia de inmigrantes, sobre todo de México, Puerto Rico, Centroamérica, y el Caribe. Desde Miami, Houston. San Antonio, Phoenix, Los Ángeles, Nueva York, Chicago y otras ciudades principales, hasta las zonas rurales del Medio-oeste de EE.UU., cada vez hay más familias de hispanohablantes. Sin embargo, un gran número de norteamericanos sigue en la ignorancia respecto a los hispanos de EE.UU. y los países latinos del sur. Algunos ciudadanos de nuestro país están pidiendo un control de la inmigración y medidas a veces crueles con respecto a los inmigrantes que ya radican aquí en EE.UU. Siguen vigentes los estereotipos: los latinoamericanos son "sencillos," "volubles," "volátiles," "irracionales," "desorganizados" y "flojos," aunque también "hospitalarios," "alegres" y "orgullosos de su herencia." Además, ha existido la tendencia a que se perpetúen los estereotipos fomentados por imágenes populares y comerciales como "Frito Bandito," el café de "Juan Valdés," y la "Chiquita Banana," el perrito Chihuahua de "Taco Bell," los "Latin Lovers," las "mulatas brasileñas" del carnaval y las playas de Copacabana, y el amerindio mexicano con su sombrero ancho y durmiendo debajo de un cactus. Piénselo usted. ¿Hasta qué punto pueden estos estereotipos enmascarar lo que es la *realidad* latinoamericana?

Bueno, basta ya de observaciones preliminares. Ahora hay que tratar de comprender esa enredada complejidad que es Latinoamérica.

Preguntas

1. ¿Por qué a los latinoamericanos no les gusta que nos llamemos a nosotros mismos "americanos"?
2. ¿Cuáles son las razones para adoptar el término "Latinoamérica" en vez de otras denominaciones?
3. ¿Por qué es arriesgado hacer generalizaciones sobre Latinoamérica?
4. ¿Cuáles son las zonas geográficas principales de Latinoamérica?
5. ¿Por qué la geografía de Latinoamérica limita el desarrollo económico en estos países?
6. ¿Cuál es el problema principal con respecto a la distribución de los recursos minerales de Latinoamérica?
7. ¿Cuál es la composición étnica de Latinoamérica y cómo está distribuida?
8. ¿Cuáles son las contradicciones de Latinoamérica?
9. ¿Qué problemas han existido entre Estados Unidos y Latinoamérica?
10. ¿Por qué es esencial—sobre todo hoy— que entendamos a los latinoamericanos?
11. ¿Qué es la "hispanización" de los Estados Unidos?

TEMAS PARA DISCUSIÓN Y COMPOSICIÓN

1. Haga una lista de las ventajas y desventajas con respecto a las "contradicciones" que existen en Latinoamérica.
2. Discuta qué problemas se presentan cuando se hablan muchas lenguas y cuando hay muchas culturas y subculturas diferentes dentro de un mismo país.

UN DEBATE AMIGABLE

Se forman dos grupos en la clase. Uno defiende el nombre de EE.UU. como "América" y el otro critica este término por "etnocentrista."

CAPÍTULO 2

¿QUIÉN ERA, Y QUIÉN ES, LA GENTE DE LA PENÍNSULA?

Fijarse en:

- Las características particulares de la formación de España como entidad social, política y económica que lo distingue de los demás países de Europa.
- La naturaleza especial del punto de vista idealista-realista de los españoles.
- La importancia del "hidalguismo," personalismo, paternalismo, y caudillismo con respecto a la gente de la península, y por lo tanto, de Latinoamérica.
- El "yo," y las idiosincrasias, de la gente ibérica.
- La manera en que el individualismo de la gente de la península moldea las relaciones interhumanas.

Términos:

- Caballero, Caudillismo, Converso(a), El Dorado, Hidalguismo, Idealismo-Realismo. Individualismo Moro(a), Paternalismo, Peninsular, Personalismo, Reconquista, Requerimiento, Reyes Católicos, Yo.

EL MUNDO SEGÚN LA MENTE PENINSULAR[1]

Antes que nada debe hacerse un esfuerzo por entender al tipo de individuo que inmigró al Nuevo Mundo, y la manera en que éste ha contribuido a la naturaleza de los latinoamericanos contemporáneos.

Igual como en Latinoamérica hay regiones y culturas distintas, ha habido, y todavía hay, varias "Españas": Castilla, Aragón, Galicia, Asturias, Andalucía, Cataluña, y Vizcaya, para enumerar las principales. Algunas provincias fueron reinos independientes antes de su unificación a las repúblicas que hoy en día se llaman España y Portugal. Como reinos independientes, representaban tendencias hacia *lealtades locales* por parte de gente que seguía resistiendo la unificación nacional—tal como estaba ocurriendo en otras partes de Europa en aquella época. Cuando por fin la unificación de la península comenzó a tomar forma, una de las provincias, el reino de Portugal, se separó como estado

---

[1] Aunque este capítulo se trata esencialmente de la naturaleza de los españoles, hay que tomar en cuenta que varias—aunque no todas—las características que se les atribuyen a los españoles también se les puede aplicar a los portugueses.

completamente independiente en 1128. Dos provincias más, Cataluña y la región Vasca, se quedaron con España, pero hasta hoy siguen inconformes y con algunas tendencias independentistas.

Gente de todas las "Españas" participó en la colonización del nuevo mundo. Sin embargo, la gente de Castilla formó la base de los inmigrantes, pues eran ellos los que con más fidelidad representaban al prototipo cultural que distinguía al español de otra gente de Europa. Fue por eso que en las colonias, España tenía una representación más diversificada que Portugal. No obstante, a pesar de los orígenes complejos de los españoles durante el tiempo del descubrimiento y la conquista, ellos componían un pueblo de características bastante firmes. La manera en que los escritores clásicos describían a los españoles de la época medieval y del Siglo de Oro[2] en muchos sentidos podría aplicarse hoy en día. Es decir, las características de los iberos que vamos a observar en este capítulo no son exclusivamente de los tiempos remotos, sino también las de nuestros días.

La península ha sufrido muchas invasiones. Los principales invasores de la península antigua—los *visigodos* y *romanos* (202ac–711dc), y los *moros* (711–1492)[3]—contribuyeron con muchos detalles menores al diseño del mosaico cultural que se había caracterizado desde hacía varias generaciones. Sin embargo, una vez que terminó la lucha y que los españoles habían aceptado a los romanos, la integración de los elementos culturales romanos al mosaico peninsular no presentó problemas, y poco a poco España llegó a ser en algunos sentidos "más romana" que la misma Roma. Las dos culturas aprendieron a convivir con bastante respeto mutuo. Después, la imposición de la cultura *islámica* con la invasión de los moros encontró un medio dispuesto en la cultura española. El resultado fue un intercambio cultural sutil y profundo, alterando en el proceso la cosmovisión de los españoles y su vida cotidiana. Sin embargo, una vez que los moros fueron expulsados de la península, España entonces volvió a ser la España de la tradición católica, aunque ahora hubo un notable elemento arabesco en su mosaico cultural. Persiste la idea, en parte, debido a esa serie de asimilaciones y acomodos culturales, que los españoles son excéntricos. Tan excéntricos que a menudo otros europeos se rehúsan a comprenderlos a fondo: sólo los consideran como algo distinto y ya. De esta manera, parece que la naturaleza de los españoles—y hasta cierto punto la de los portugueses—se define como algo *distinto* y *separado* de las tradiciones principales de Europa. Debido a esta distinción entre la península y otros países europeos, existe una tensión o conflicto interior que tiende a marginar a la gente peninsular. Por lo tanto, los españoles manifiestan una disposición hacia la introspección, la contemplación, el *ensimismamiento*,[4] y a veces hasta el misticismo.

---

[2] Siglo de Oro = Spanish Golden Age of letters and the Arts, that includes the 17th century and spills over into the succeeding century.

[3] Los *moros* eran de origen árabe y de religión islámica.

[4] Ensimismamiento = a term particularly applicable to the Hispanic mind, signifying one's absorption in one's thoughts, in one's inner feelings.

Esa tensión se revela maravillosamente por medio de la pareja clásica, Don Quijote y Sancho Panza, de la obra maestra de Miguel de Cervantes Saavedra (1547–1616), *Don Quijote de la Mancha* (1605, 1615). A través de su obra, Cervantes demuestra la manera en que el individuo de la Península manifiesta, dentro de sí, una coexistencia incongruente de las dos personalidades: el *realismo* de Sancho Panza y el *idealismo* de Don Quijote, lo *práctico* y lo *no-práctico*, lo *mundano* y lo *visionario*. Tiene que ver con dos perspectivas contradictorias. Desde una perspectiva (la de Quijote) un molino de aire puede ser un "gigante," pero desde otra perspectiva (la de Panza) no es más que un "molino" común. De esta manera, los españoles a veces muestran su cara *idealista*, y otras veces muestran otra cara, la *realista*. Es decir, cuando se encuentran en su estado de ánimo "quijotesco," sus acciones tienen su propio sentido, pero para otra persona fuera de su medio ambiente y su contexto cultural, estas acciones pueden carecer de razón y sentido. En cambio, cuando el español se sienten "sanchopancista," su comportamiento no difiere mucho del de cualquier otro ciudadano práctico del mundo. Esta característica profundamente española del *idealismo* en lucha perpetua con el *realismo* ha surgido incontables veces en la historia de Latinoamérica, como notaremos más adelante.

Pero quedan las preguntas: ¿No tenemos todos hasta cierto punto algún conflicto entre nuestros deseos, por *idealistas* que sean, y la brusca *realidad*? Entonces, ¿de qué manera es distinta la mentalidad peninsular, y por extensión la latinoamericana, a la de todo el mundo? Hay que tener estas preguntas en mente mientras usted lee las siguientes páginas. A ver si encontramos respuestas.

EL *IDEALISMO* ESPAÑOL

Por ahora, hay que conceder que a pesar de la tensión perpetua entre *idealismo* y *realismo*, muchas veces la tendencia que predominante es el *idealismo*. Sin embargo, el español es un idealista con los pies plantados en tierra firme. Tiene una visión (o sueño) de lo que debe ser el mundo en que vive, y se obstina en conducir su vida según esa visión. Brevemente veamos varios ejemplos del *idealismo* español.

(1) Cuando en la costa de Veracruz los soldados de Hernán Cortés (1485–1547), el conquistador del imperio de los aztecas, manifestaron señales de sublevación, Cortés mandó quemar los barcos para que no pudieran regresar a Cuba, exponiéndolo todo con tal de lograr su ambicioso sueño. Fue un acto sumamente arriesgado, pero de acuerdo con el proyecto visionario del conquistador.

(2) Después de que Gonzalo Jiménez de Quesada (1506–1579) conquistó Colombia y fundó la ciudad de Bogotá en 1535, parecía haber llegado a la edad de descansar de sus aventuras y pasar sus últimos años disfrutando de una vida pacífica. Sin embargo, emprendió una búsqueda desaforada del fabuloso *El*

Dorado.[5] ¿Por qué? La respuesta indudablemente sería: "¡Porque sí!" y se acabaría la discusión. El espíritu del aventurero, de acuerdo con el espíritu de los españoles en general, no necesitaba de razones. Sólo exigía que cada momento de su vida se llenara hasta más no poder.[6]

(3) Francisco Pizarro (1471–1541), el conquistador principal de Perú, con solo 180 soldados y rodeados de miles de guerreros incas, tomó prisionero al jefe, Atahualpa, y lo detuvo como rehén[7] hasta que los amerindios le hubieran presentado tres salas grandes llenas de oro y otros metales y piedras preciosas. Después cuando los indígenas habían cumplido con la demanda, Pizarro mandó formar un tribunal que culpó a Atahualpa de sublevación en contra de su hermano Huáscar—quien debía ser el emperador legítimo— de idolatría, y de poligamia, y lo condenó a muerte. Ese acto debe ser uno de los más atrevidos en la historia de todas las conquistas.

(4) Uno de los ejemplos máximos del idealismo fue el notorio *Requerimiento*, un documento redactado para justificar la conquista de América. El mensaje del Requerimiento contenía un resumen de toda la historia del cristianismo, desde la creación escrita en el *Génesis* de la *Biblia.* Antes de que los españoles pudieran emprender un ataque a un grupo determinado de amerindios, les tenían que leer el Requerimiento, con intérpretes si era posible, y si no, en español. El documento exigía que los amerindios aceptaran la autoridad de la iglesia, el Papa, la monarquía de España, y que entregaran sus armas en paz. Si no lo hicieran, su subyugación a la fuerza sería necesaria. De esta manera los españoles creían quedar limpios de toda culpabilidad en caso de que la conquista tomara un rumbo violento. A veces el documento se leía en aldeas vacías, ya que los habitantes habían escapado. Cuando se leía en español, desde luego el mensaje era incomprensible. A menudo los conquistadores ni siquiera se tomaban la molestia de leerlo. El encomendero y luego fraile dominico y "defensor de los indios," Bartolomé de las Casas (1474?–1566) escribió en su *Brevísima relación de la destrucción de las Indias* (1542), que no sabía si reír o llorar al escuchar aquel documento, de tan absurdo que lo consideraba. Pero hay que ponerse a pensar: ¿Era simplemente absurdo el documento, o era el resultado de un intento noble, aunque demasiado *idealista*, de evitar excesiva violencia durante la conquista? Sin el documento, ¿hubieran los españoles cometido todavía más abusos? Desde luego, hay que tener cuidado de no prejuzgar los motivos de otros pueblos en otras épocas.

(5) Otro caso notable del *idealismo* español fue el del mismo visionario, las Casas. Con un grupo de frailes y un mínimo de protección de soldados españoles, se metió entre un grupo de indios belicosos en Guatemala, y después entre otros en Venezuela, que con vehemencia habían resistido al ejército invasor. Sin tomar en cuenta el gran riesgo que corría, intentó convertirlos al

---

[5] La leyenda de El Dorado da cuenta de una civilización con una abundancia inagotable de oro.

[6] Hasta...poder = to the maximum.

[7] Rehén = hostage.

catolicismo por medio del amor y la paz en lugar de la espada. Es que, como veremos más adelante, las Casas tenía ideas un poco "utopistas," de modo que creyó en la posibilidad de establecer una sociedad ideal entre los habitantes de América, seres que él consideraba "puros" e "incorruptos." Para abreviar una historia larga de proporciones épicas, el Padre las Casas tuvo múltiples problemas en Guatemala cuando su sueño visionario se enfrentó con la brusca *realidad*, y apenas escapó con vida de Venezuela. Estos ejemplos, entre muchos más, nos dan una idea de los grandes proyectos y las desilusiones, las locuras y las visiones, de la gente española. Nunca dejan de *soñar*, pero con un ojo siempre fijo en la *realidad*. Lo cierto es que los españoles tienen un gusto por la vida como poca gente del mundo. En parte por eso, su gran *sueño* ha sido el de superar todos los obstáculos que les presentaba la vida. Son capaces de prosperar con facilidad al enfrentarse a situaciones que seguramente romperían el espíritu de la mayoría de la gente de otros pueblos. A la vez, los españoles no tienen la visión de dominar sus circunstancias, sino tratan de adaptarse y convivir con éstas. Como consecuencia, el pueblo español tiene relativamente poca preocupación por las condiciones materiales de la vida, en cambio se inclina más hacia los valores ético-morales y espirituales. Esta indiferencia de los españoles respecto a su vida material se debe en gran parte a la serenidad y tranquilidad de su espíritu algo *estoico*[8] con el cual organizan su vida. La crítica de que su indiferencia es improductiva no les impresionaría mucho. Pues lo más probables es que responderían: "No importa," dando por terminada la conversación.

En fin, el objetivo principal de los españoles de la época de la conquista y la colonización era mantenerse en control de sí mismos a pesar de lo que ocurriera en su medio ambiente. Es decir, siempre querían conducir su vida como *caballeros*, como *hidalgos*,[9] sin permitir la destrucción de su espíritu, a pesar de que hubiera condiciones pésimas y peligrosas en su medio ambiente. La meta era la de proyectar la apariencia de dominio de sí mismo a través de una aparente indiferencia, y además, de proyectar un orgullo profundo de *España, el Rey*, y la *Iglesia*.

La Iberia de Fernando e Isabel

En la cumbre de la pirámide social de Castilla y Portugal durante el tiempo del descubrimiento y la conquista, se encontraban las grandes familias que tenían entre ellas individuos con títulos nobiliarios de *condes*, *duques*, y *marqueses*.[10] En Castilla, los grandes nobles controlaban la mitad de las tierras del reino, y en Portugal, las condiciones no eran muy diferentes. El resto de la nobleza consistía de los que se consideraban *caballeros* o *hidalgos*—aunque no lo fueran. Los

---

[8] Estoico = Stoic, a person apparently unaffected by grief and pain, and at times even by pleasure and joy.

[9] Hidalgo (Port. Fidalgo) = Hijo-de-Algo, de Alguien, the son of somebody important, preferably—or presumably—of noble blood, but not necessarily rich.

[10] Conde = Count; Duque = Duke; Marqués = Marquis.

recursos económicos de los hidalgos variaban considerablemente: los hidalgos ricos de Castilla a veces no se distinguían de los nobles pobres, mientras en muchos casos los hidalgos relativamente pobres estaban en posesión de menos bienes materiales[11] que gente de la clase popular. Casi no hubo españoles que no estuvieran obsesionados con el *sueño* de que de una forma u otra pudieran llegar a contarse entre la nobleza.

Ser hidalgo casi siempre tomaba preferencia sobre los bienes materiales. Reconociendo el deseo generalizado del pueblo de obtener un título, los monarcas se los otorgaban a un número impresionante de españoles, y a partir del año 1520, vendían títulos de hidalguía. De tal modo que tanto en Castilla como en Portugal, hubo cierta movilidad social, aunque ésta fuera lenta. De todos modos los *plebeyos*—gente del pueblo, las masas—formaban aproximadamente el 90% de la población ibérica. Aunque un número considerable de plebeyos era dueño de sus propias tierras, por regla general esas tierras no eran más que pequeñas parcelas. Los plebeyos, por lo tanto, pasaban gran parte de su tiempo trabajando en la tierra de los nobles por un salario mínimo. Algunos al mismo tiempo ejercían profesiones tales como clerecía, derecho, y comercio. Otros eran artesanos, y pertenecían a los *gremios*.[12]

> La Reconquista fue la campaña que los españoles emprendieron en contra de los moros, que habían invadido España viniendo desde África en 711. Los españoles creían que el territorio—originalmente habitado por gente cristiana—debía volver a ser tierra de cristianos, según los designios de Dios mismo. Por lo tanto, la Reconquista se llevaba a cabo en nombre de Dios, del Rey, y de España. Hay que notar que la Conquista fue hasta cierto punto una extensión de la Reconquista: es decir, las dos batallas eran religiosas, glorificando a Dios, a los monarcas, y a la patria.

Durante la última etapa de la Reconquista, y con el matrimonio de los primeros *Reyes Católicos*, Isabel de Castilla y Fernando de Aragón en 1469, se dio el primer paso en la reunificación de España como entidad nacional en sentido moderno. A la vez, tuvo lugar una campaña vigorosa de "purificación" de la tradición y los valores católicos. Pocos meses después de la expulsión de los últimos moros de la península en 1492, Fernando e Isabel les concedieron a los judíos cuatro meses para convertirse al cristianismo o expatriarse. Se calcula que entre 80.000 y 200,000 judíos de Castilla y Aragón decidieron huir. Algunos de los que se quedaron, renunciar a su fe, aceptando el catolicismo, y tomando su lugar entre los *conversos*. Sin embargo, otros siguieron practicando la religión judía clandestinamente. En su último intento de realizar la "pureza" religiosa, en 1502 Fernando e Isabel dictaron una conversión genuina a todos los judíos, y si no se hacían católicos legítimos, serían

[11] Bienes materiales = material goods (possessions).

[12] Gremio = guild, association, society.

inmediatamente expulsados. Ya que la expulsión equivalía a la confiscación de sus propiedades, la mayoría de ellos prefirieron quedarse, "convirtiéndose" al cristianismo—aunque en muchos casos permanecieron como católicos en sentido nominal. Así es que la "purificación" de la península resultó en una homogeneidad religiosa que fue en realidad superficial. Además, los llamados *conversos*, tanto judíos como moros, seguían sufriendo de discriminación debido a sus pasadas prácticas religiosas.

Durante esa época en España, nobles y plebeyos, ricos y pobres, preferían vivir en las ciudades y las aldeas en vez del campo: la cultura era más bien urbana. A medida que[13] los cristianos iban avanzando hacia el sur en servicio de la Reconquista, los monarcas otorgaban privilegios a los que habían prestado más servicio al reino para poblar las zonas recientemente ocupadas. Clérigos, oficiales locales, mercaderes, y artesanos se establecían en las ciudades y aldeas, pero también los nobles preferían ocupar casas en las zonas urbanas durante gran parte del año. Tanto nobles como profesionales y labradores cultivaban un sentido de orgullo respecto a su región, lo que fomentó un profundo sentido de *localismo*. Por consiguiente, a pesar de las evocaciones al rey y a España, su lealtad muchas veces tendía a descansar en *intereses locales* en lugar de en el reino en general. Eso dificultó la integración de todas las regiones en una sola entidad nacional.

Ahora bien, hay que recordar la naturaleza de la Reconquista y el fenómeno del localismo, porque la primera ayudará a comprender la conquista de las Américas, y el segundo facilitará el entendimiento de la Latinoamérica contemporánea.

UN ASPECTO SOBRESALIENTE DE LOS IBEROS

Después de conocer el proceso de la unificación de España y Portugal—lo que es importante para entender la naturaleza de las colonias latinoamericanas—ahora conviene revelar otra característica importante de la gente ibérica: el *individualismo*.

El notorio individualismo de los españoles es uno de los aspectos principales de su genio[14] Para el español, el individuo dentro de sus circunstancias es como si fuera el centro del mundo. Es el centro de *su mundo*, el *mundo* de su "yo." Desde el punto de vista de este "yo" céntrico, se ensancha la zona de influencia del individuo para incluir a otros seres humanos ligados por lazos de amor, parentesco, amistad, y trabajo. Por otra parte, rechaza la influencia de gente que no pertenece al círculo. Este "yo" céntrico, el "yo" con

---

[13] A…que = while, at the same time that.

[14] La discusión del individualismo del español se limitará principalmente al sexo masculino. No es que la mujer no haya sido importante, sino que la expresión del *individualismo* ha sido por razones histórico-culturales predominantemente masculina. En el Capítulo 8 habrá una discusión sobre la relevancia de la mujer en América, sobre todo durante el colonialismo.

sus circunstancias, forman un mundo, el mundo del "yo" (como dice el refrán, "cada cabeza es un mundo").

Consideremos, como ejemplo de la manifestación del "yo," una situación imaginaria: una charla acalorada entre un español y varios amigos. Como todos los españoles, ese individuo tiene sus ideas sobre la política y las defiende a como dé lugar.[15] Mientras está envuelto en esta discusión sobre política—uno de sus temas predilectos—espera con impaciencia su turno para manifestar sus ideas. Cuando le toca hablar, presenta su opinión con gusto, energía y entusiasmo, al parecer sin ningún temor a equivocarse. Generalmente no acepta ni la concesión ni la reconciliación cuando le hacen ver que está en un error, porque sería como una confesión de sus propias flaquezas; sería equivalente a haber fracasado al intentar defender su opinión. Es que su *punto de vista* es *suyo*, y de nadie más; no hay línea divisoria bien marcada entre su "yo" y su *punto de vista*. Prácticamente dicho, el punto de vista de una persona, y de hecho su filosofía de la vida, sirven para definir su propio "yo," que es la naturaleza de su existencia como individuo ("Yo soy yo y mis circunstancias," como lo expresó el filósofo José Ortega y Gasset [1883–1955]).

Es por eso que hoy en día en la esfera política nacional de las culturas hispánicas—tanto peninsulares como latinoamericanas—a menudo los asuntos políticos se reducen a una cuestión de personalidades. De hecho, lo que llaman el *personalismo*[16] es la clave—tanto para comprender a los hispanos de la época de la conquista como a los de hoy en día. El *personalismo* se trata de interrelaciones humanas de índole subjetiva e íntima. Como veremos en las páginas que siguen, el *personalismo* influye en la política. De acuerdo con la *política personalista* de España y Latinoamérica, el *personalismo* es una cuestión de personajes, del "yo," en lugar de principios abstractos. Es una cuestión de actores en lugar de leyes, de dramas humanos en lugar de debates legislativos. Es decir, en la política personalista, la legitimidad está puesta en el *personaje político* (una entidad concreta, un "yo") no en el *puesto político* (una categoría abstracta) que este personaje ocupa. De esta manera, las relaciones interhumanas valen más que las instituciones políticas como entidades impersonales y abstractas. Como consecuencia, el personalismo, fenómeno que llegó a conocerse como el *caudillismo*,[17] es una forma natural de la expresión política de España, y más todavía, de Latinoamérica. Entonces, ya que abrimos el tema, hay que hablar más de esta característica típicamente hispana.

Un *caudillo* (a veces se llama *jefe político*) es el que manda—es, en su expresión máxima, *El señor Presidente* de su república. Es un *patrón*,

---

[15] A...lugar = come what may.

[16] Personalismo = a tendency to focus on one's identity as a unique individual; it involves inter-human relations established through concrete, intimate feelings rather than by means of abstract, institutional, systematic ties.

[17] Caudillismo: from "caudillo" = political boss, often a military figure, who at times exercises tyrannical power. The term is an adaptation from the Arabic, meaning "leader," and in Latin America is tied to the Amerindian term, "cacique," meaning "chieftain."

frecuentemente un *patrón militar* de una región local, de una ciudad, de un estado, o de una nación. El caudillo puede ser la encarnación del honor y el poder, la dignidad y la integridad, del pueblo que está bajo su mando: simbólicamente su "yo" puede concentrar la colectividad del pueblo. Como decía de sí mismo el General Francisco Franco (1892–1975), "jefe máximo" que gobernó España después de la guerra civil (1936–1939) hasta 1975, era el "Caudillo de España por la Gracia de Dios," el "Generalísimo." Las relaciones entre el caudillo de la gente que lo rodea son *concretas* e *íntimas* en lugar de *impersonales*, *abstractas* y regidas por un sistema de reglas y leyes precisamente definidas. Mientras en EE.UU. las leyes generalmente definen la conducta de las figuras políticas, en los países de habla española las reglas se forman y se moldean según las circunstancias y según la persona que manda.

Por lo tanto, es de suponer que una *sociedad caudillesca* no se preste fácilmente a la "democracia" tal como la conocemos en EE.UU. Pero sí se acomoda a una profunda estructura social basada de "arriba" hacia "abajo" en *relaciones personales* más que de *instituciones abstractas y secas*. La jerarquía de una *sociedad caudillesca* se basa en que "los de abajo" pueden entrar en confianza con sus "patrones"—la madre, el padre, el clérigo, el jefe de trabajo, el *caudillo local*, y hasta *El Señor Presidente*. Todo se arregla entre personas (parientes, amigos, socios, compadres y comadres) y muchas veces sin recibos, contratos, o acuerdos escritos. Es decir, la sociedad caudillesca es un sistema *paternalista*[18] por excelencia. Para los hispanos (tanto los españoles como los latinoamericanos), "así es la vida." Generalmente aceptan el *paternalismo*, porque existe en los niveles más profundos de la conducta del pueblo. Es una *forma de vida social* que rige tanto la *política* y la *economía* nacional como *la vida cotidiana*. Cuando dentro de esta forma de vida las relaciones formales establecidas por la ley entran en conflicto con las relaciones personales, a veces la ley es ignorada para perpetuar las relaciones personales, porque son más importantes. Entonces frecuentemente las cosas se arreglan a través de relaciones personales, porque a fin de cuentas para los hispanos, las *relaciones interhumanas* toman precedencia sobre las reglas y *leyes formales*—que muchas veces consideran como "hojas de papel," y nada más.

Si en EE.UU. Las actividades y el prestigio giran principalmente alrededor del poder político y económico, y de reglas y leyes abstractas, en España y Latinoamérica de ayer y hoy, éstas giran alrededor del personalismo, y el culto a las relaciones interhumanas. Si el *status* de los individuos en EE.UU. se debe en gran parte a lo que tienen—su poder, sus posesiones materiales en una sociedad consumista—para los hispanos su *status* se basa en un nivel más intenso de *interacciones humanas*, de *relaciones personales* (es decir, una persona no adquiere prestigio por lo que tiene, sino por quién conoce).

---

[18] Paternalista = paternalistic, from paternalism, the practice of treating or governing people in a patriarchal manner, especially by providing for their needs while allowing them a minimum of responsibility.

Por otra parte, si los españoles no están tan ligados a las compulsiones de la economía y de la adquisición de bienes materiales como los norteamericanos, es porque su instinto más básico es el de trabajar sólo cuando "se les dé la gana." Son capaces de impacientarse con alguna tarea y dejarla a medio terminar. No la dejan por pereza. Es que sencillamente se fastidiaron de ella, o perdieron la voluntad de llevarla a su fin. Si su impulso original pierde fuerza, es posible que nunca vayan a terminar con tal tarea. Esa tarea seguirá en espera de alguna inspiración que quizá nunca llegue. Pues, "¿qué se puede hacer?," quizás digan, "así son las cosas." Lo que pasa es que hasta las últimas décadas del siglo XX, cuando España entró en la furia del desarrollo económico, los españoles por lo general se habían negado a glorificar los valores de la sociedad materialista, que exige una industria y diligencia que en realidad habían desconocido. Es que los españoles no tienden a trabajar como máquinas. En cambio, trabajan de una manera esporádica, ahora con una energía asombrosa, ahora con distracciones, según su propio ritmo. Su propio ritmo es *suyo* y solamente *suyo*—está íntimamente ligado a su "yo." Por eso en el trabajo, los españoles tienden a ser irregulares e inconstantes. Tienen picos de actividad volcánica que alternan con valles de apatía. A veces esa apatía es solo aparente, porque dentro de su mente pueden estarse preparando para su próxima explosión de labor.

En otras esferas de actividad, como el arte, la música, y el deporte, si no hay vínculos armoniosos de amistad entre un individuo y otros de la comunidad, entonces puede que ese individuo prefiera su autonomía y la soledad. Por ejemplo, tanto en la península como en Latinoamérica, ha habido pintores de renombre mundial, pero relativamente pocos han fundado escuelas o movimientos para perpetuar la tradición que crearon. En la música la gente española y latinoamericana sobresale en producciones vocales e instrumentales, pero por regla general a nivel individual, y destacan con menos frecuencia en la música coral y orquestal—una excepción notable, sin embargo, es la música colectiva influida por la tradición afroamericana. En el deporte, no ha sido fácil que el individuo se sistematice para moldear sus talentos de modo que el equipo entero se beneficie. Participa el individuo como individuo más que de miembro íntimamente ligado al equipo o a una comunidad. De hecho, después de haber varios campeonatos de fútbol soccer ganados por equipos latinoamericanos, los equipos europeos comenzaron a desarrollar estrategias en las que los individuos alternaban su rol personal con la función de beneficiar al grupo en general. Los latinoamericanos tuvieron más dificultad con la competencia, porque seguían jugando con su grupo de individuos.[19]

Sin embargo, la sociabilidad gregaria de los españoles y los latinoamericanos no es tan incompatible con su temperamento individual como quizás parezca. Les encanta, y necesitan, la compañía perpetua de otros. Les gusta

---

[19] Esta característica del fútbol latinoamericano fue evidente en la Copa Mundial de 1998 en Francia, cuando el equipo brasileño—aunque dotado indudablemente con más talento que cualquier otro equipo—perdió por hacerle falta la colaboración de esfuerzos como una comunidad en vez de jugar como una colección de "estrellas."

conversar y competir con sus compañeros en su capacidad de manipular la lengua con toda la sutileza que permita la situación. No hay gente que se exprese con más elegancia y fuerza que los españoles y los latinoamericanos. En una sala llena de gente que ha entrado en una charla amistosa, a un extranjero le parecerá como una tormenta de relámpagos verbales a medida que ideas y opiniones vienen y van con explosiones incandescentes. Es que sobresalen en la expresión de sí mismos y de sus ideas. La expresión de sus ideas define su "yo," y ese "yo" nunca se separa de su modo de expresión.

Ahora, con ese panorama de la Península, vamos a ver qué fue lo que vieron los peninsulares al estar en presencia de otro mundo, el mundo americano.

Preguntas

1. ¿Cuál era la composición de las varias "Españas" antes y durante el descubrimiento?
2. ¿Qué invasores principales hubo en España, y cuál fue el resultado de éstas?
3. ¿Cómo son diferentes los españoles a los demás europeos?
4. ¿Cómo se puede caracterizar el idealismo español? Ofrezca ejemplos.
5. ¿Cómo era la estructura social de España y Portugal a fines del siglo XV?
6. ¿Qué pasó con los moros en España y Portugal?
7. ¿Qué es el hidalguismo?
8. ¿Qué fue la Reconquista?
9. ¿Qué es el personalismo y el caudillismo?
10. ¿Por qué es que las relaciones interhumanas son más importantes que las leyes y reglas abstractas en España y en Latinoamérica?
11. ¿Qué importancia tiene el individualismo de los españoles y latinoamericanos en el arte, la música, y el deporte?

Temas de discusión y composición

1. Imagine un encuentro entre el "yo" de un español o latinoamericano con el de un norteamericano. ¿Qué diferencias de expresión, de interés, y de visiones del futuro, tendrían?
2. ¿Qué diferencias hay entre el individualismo norteamericano y lo que ha leído sobre el individualismo del español o latinoamericano? ¿Cómo se pueden explicar estas diferencias?

Un debate amigable

Algunos estudiantes toman el rol de individuos con inclinación hacia el *idealismo*, mientras que otros juegan el papel de gente con tendencia hacia el *realismo*. ¿Qué tipo de choques culturales podría haber entre estos dos tipos de personas si vivieran en nuestros días en EE.UU.?

CAPÍTULO 3

LO QUE ERA EL NUEVO MUNDO

Fijarse en:

- América como una idea creada por los europeos, porque querían *ver* en ese Nuevo Mundo algo que hacía falta en su propio continente ya "gastado."
- La tendencia de ver a América como una utopía posible.
- El impacto psicológico que tuvo la geografía del Nuevo Mundo en los conquistadores, exploradores, y colonizadores.
- Las diferentes maneras en que se adaptaron los europeos a la vida en ese continente.

Términos:

- Amazonas, Andes, Bandeirantes, Espacio Ideal, Gaucho, Idea del Descubrimiento, Invención de América, Llano, Pampa, Utopía.

AMÉRICA: ¿DESCUBRIMIENTO O "INVENCIÓN"?

Usted estará pensando que el uso del término "invención" con respecto a América es un abuso de licencia poética. "Inventar" es transformar algo a través de una intervención de la mente y de la acción humana, mientras "descubrir" implica el encuentro de algo que ya existía. Generalmente se considera que Cristóbal Colón (1451–1506) reveló la existencia de América al mundo: no tuvo que inventarla, porque ya existía antes del 12 de octubre de 1492. Por lo tanto, la idea de la "invención de América" parece lejos de la verdad, porque Colón seguramente "descubrió" algo que ya estaba bien acomodado en su lugar. Y ese "algo" hubiera seguido estando ahí aunque Colón y sus aventureros nunca hubieran emprendido su viaje en la Niña, la Pinta, y la Santa María.[1]

Sin embargo, existe la hipótesis de que América fue "inventada." ¿Cómo es eso? El historiador mexicano, Edmundo O'Gorman, escribe en *La invención de América* (1958) que cuando se dice que Colón "descubrió" América, no se trata de lo que pasó tal como pasó, sino de *la idea de lo que pasó.* Ahora bien, *el descubrimiento* y *la idea del descubrimiento* son dos cosas distintas. *Descubrir*

---

[1] Colón, hay que recordar, no fue el primer europeo en llegar a América. Como es bien sabido, el vikingo noruego, Leif Erikson, precedió al navegante genovés, y es posible que haya habido algunos africanos en América antes de Erikson.

algo es encontrar una entidad sobre la que antes no existía una idea precisa o bien desarrollada. En cambio, la *idea de inventar algo* presupone que ese algo fue primero el producto de la imaginación—o la invención—y luego fue "descubierto." Por lo tanto, es necesario investigar la *idea* de América antes del viaje de Colón.

EL PRESENTIMIENTO DE AMÉRICA

Pero ¿Cuál fue esa *idea*, esa imaginación de América antes de que fuera conocida? Vamos a ver.

Desde hacía más de dos mil años antes del primer viaje de Colón, había en Europa especulaciones sobre la existencia de una cuarta región del mundo para completar las tres regiones ya conocidas: Europa, África, y Asia. Estas especulaciones existían en forma de leyendas, crónicas, fábulas medievales, y poemas visionarios. En su conjunto esas historias se referían a tierras imaginarias que tenían una característica en común: la idea de un *espacio ideal*, de *un lugar puro*, sin la contaminación de las imperfecciones humanas. Ese tipo de espacio ideal como producto de la imaginación europea fue lo que después llegó a conocerse como *utopía*—un lugar imaginario, un paraíso perdido pero recobrable—en que el ser humano podía vivir sin los sufrimientos y problemas que siempre hay en la vida real.

En la época de Colón, existía la creencia de que ese *espacio ideal* se encontraba al oeste de Europa, dentro de una zona nebulosa de cartografía fantástica. Ese *espacio ideal* era producto de la fantasía; era algo deseado, algo soñado. Pero una vez que América fue conocida, el *espacio ideal* parecía entrar en la *realidad*. Por lo tanto, se puede afirmar, al igual que el intelectual mexicano, Alfonso Reyes (1889–1959), que América fue "deseada" antes de ser "encontrada," porque fue un presentimiento antes de llegar a ser una realidad. Entonces, no es exagerado decir que la *idea* del *descubrimiento* de América fue inspirada por la imagen y el deseo de un *espacio ideal*.

Como consecuencia, el llamado "descubrimiento" sirvió para confirmar la *idea* del *descubrimiento*—es decir, la "invención"—de América, porque ofreció pruebas tangibles que justificaban la búsqueda de ese *espacio ideal* deseado desde hacía siglos. Dicho de otra manera, la "invención" no fue refutada sino apoyada por el "descubrimiento." Bien puede ser por eso que el cronista, Bernal Díaz del Castillo (1496–1584), al aproximarse con Hernán Cortés a la gran ciudad azteca de *Tenochtitlan*, pudo escribir en su *Historia verdadera de la conquista de la Nueva España* (1568) que creyó ver la maravilla de las novelas de caballería[2] que se leían en Europa en esos tiempos. Igualmente puede ser por eso que Bartolomé de las Casas en su *Historia de las Indias* (1527–1561), pudo declarar que Colón fue el escogido por Dios para llevar a cabo tan grande y noble empresa (el descubrimiento). Por lo tanto Colón, al enfrentarse a los indígenas del Caribe, confiaba en saber lo que ellos estaban diciéndole, aunque

---

[2] Novelas de caballería = novels of chivalry about the gallantry, honor, generosity, and courtesy of knighthood during the medieval period.

no conocía su lengua. Con la misma confianza procedió Colón a interpretar ("inventar") todo lo referente a América de acuerdo con sus ideas preconcebidas, aunque su interpretación de las apariencias obviamente chocaba con la *realidad* que le rodeaba.

Escribe Tzvetan Todorov en *The Conquest of America* (1984) que Colón no tuvo éxito al tratar de comunicarse con los amerindios, porque en realidad no le interesaban como seres humanos de carne y hueso. No le interesaban, porque ellos eran más bien *ideas* ("invenciones") que personas. Parece que Colón percibía su mundo con los ojos del Caballero de la Mancha, Don Quijote, de una manera *ideal*. América era la manifestación de lo que los españoles *idealizaban*. Querían ver en América lo que había sido el objeto de sus *deseos*. Por lo tanto, América fue más bien "inventada" que descubierta. Fue "inventada," porque los españoles habían encontrado lo que buscaban en los mitos: un mundo de nostalgia, de sueños, un mundo paradisíaco de la legendaria Edad de Oro. De este modo, la *idea* de América llegó a ser un capítulo más en las grandes historias de las utopías.

Entonces quizás no sea mera coincidencia que el filósofo inglés, Tomás Moro (Thomas More [1478–1535]) haya publicado su libro titulado *Utopia* (1517), pocos años después de la "invención" de América. Probablemente no es coincidencia que la obra de Moro tenga influencia del libro de Pedro Mártir, *De Orbe Novo* (1511), que se trata del Nuevo Mundo, y de las cartas de Amerigo Vespucci, en *Quatre Navigations* (1504). Es que en aquellos años la idea de la *utopía* estaba de moda. Como veremos más adelante, esa fue la idea que a principios del siglo XVI, motivó a los Franciscanos Bartolomé de las Casas y Vasco de Quiroga (1470–1565) en sus intentos de crear una utopía entre los amerindios. Las Casas trató de realizar una *utopía* entre los mayas de Vera Paz de Guatemala y luego entre los indígenas de Venezuela. Quiroga quiso establecer la *utopía* entre los amerindios de lo que hoy constituye el estado mexicano de Michoacán. Además tenemos, un poco después, el gran *sueño utópico* de los Jesuitas al establecer misiones entre los amerindios Guarani de Paraguay y el norte de Argentina.

Las primeras grandes utopías socio-cristianas de las Casas y Quiroga fueron abandonadas poco tiempo después, debido a diversos problemas. El proyecto utópico de los Jesuitas terminó en 1767, cuando toda la orden de la Compañía de Jesús fue expulsada de América. Sin embargo, los viejos *mitos utópicos* ya se habían mezclado con otras *utopías nuevas* en otros momentos de la colonia y de la historia nacional de Latinoamérica. Como se verá en los capítulos 10, 11 y 13, los *sueños utópicos* estaban destinados a re-emerger con diferentes nombres durante el movimiento para la independencia a principio del siglo XIX. También en los Capítulos 15, 16 y 17, vamos a ver cómo continúan brotando tendencias de *sueños utópicos* dentro de varios países Latinoamericanos. La noción de *utopía* nunca muere.

Pero no hay que adelantarse. Volviendo al principio de la historia de América como *utopía* para ponernos una tarea más básica: concebir al *Nuevo Mundo* de alguna manera semejante a la forma en que lo percibieron los primeros exploradores y conquistadores. Entonces, quizás, podamos llegar a sentir lo que fue la *idea* de América.

LO QUE SE VEÍA (INVENTABA) EN EL NUEVO MUNDO

Cuando hay gente que se desarraiga de la tierra de su nacimiento con el propósito de forjar una nueva vida en otro lugar, por regla general queda cierta añoranza por la patria que esa gente dejó, y en parte por eso, existe el deseo de buscar en la nueva tierra lo que se conocía en el lugar de origen.

Por lo tanto, los españoles—y los portugueses—buscaban algo parecido a la tierra que habían dejado en el Viejo Mundo. La gente de Castilla, que constituía la mayor parte de los inmigrantes, salió de una tierra bastante hostil. El corazón de la península era árido, casi sin árboles, quemado por un sol implacable en el verano y batido en el invierno por un viento frío de las montañas sombrías quebraban las llanuras. Además, los castellanos siempre habían vivido en lugares con panoramas montañosos a lo lejos. Las montañas les ofrecían un punto de orientación para que no se sintieran perdidos dentro de la inmensidad del paisaje. Esa semblanza que presentaba Castilla, aunque parecía adusta e inhospitable para extranjeros, era bastante cómoda para los castellanos. Incluso complementaba su espíritu austero: la naturaleza recia y algo intransitable de su psicología, correspondía al panorama escabroso de su medio ambiente. El escenario no dejaba de influir en los castellanos, y éstos se asimilaban a su medio ambiente. Estaban profundamente arraigados a su tierra—ellos eran una parte de ésta—y la tierra penetraba íntimamente en el espíritu de ellos.

Contraria a la meseta central de España, la periferia del mismo país mostraba otra cara. Con amplias llanuras en el sur (la Costa Azul, la vega de Valencia, la faja entre Alicante y Cartagena, el valle del río Guadalquivir, y la costa de Portugal), que gozaba de un clima mediterráneo de lluvias esporádicas y calor subtropical. Por otro lado, en el norte (Asturias, Galicia, y la provincia Vasca), había más lluvias, con los inviernos fríos de las zonas templadas.

En resumen, esa fue la topología que la mayoría de los españoles guardaba en su memoria, y la que había llegado a constituir el empuje de su cultura. En el Nuevo Mundo encontraron pocas réplicas de su madre patria, y cuando las hubo, los colonizadores las abrazaban con un afán nostálgico. En general, la naturaleza del nuevo continente fue de una escala magnificada hasta el infinito, o cuando menos así les parecía a los españoles. Todo—montañas, ríos, bosques, selvas, llanura, pantanos—era para ellos inconcebiblemente enorme. Además, el temperamento de la naturaleza americana era más violento y esporádico que el de la península, con sus terremotos, erupciones volcánicas, huracanes, inundaciones, sequías, y lluvias torrenciales. Es sobre todo por eso que la mayoría de los españoles que colonizaron el Nuevo Mundo se sentían más cómodos en las mesetas rodeados de sierras (la altiplanicie de México y Guatemala, las zonas montañosas de Colombia, Ecuador, y Perú), que en tierras bajas. Las ciudades de Bogotá, México, Lima, y Quito son más altas que

Madrid, pero dentro de estas alturas se encuentran las ciudades principales de la época colonial.

Por ejemplo, en el Valle de México, Cortés encontró una tierra hecha a su gusto. Había algo en ésta que le recordaba a él—y a muchos de sus compatriotas— a España. Cortés escribió al emperador Carlos V que en cuanto a su fertilidad, tamaño, clima, y el paisaje en general, el nombre más apropiado debía ser La Nueva España, y así la bautizó, en el nombre del *Dios*, el *Rey*, y *España*. En el hemisferio sur, los españoles igualmente buscaron algo que les recordara su tierra acostumbrada para curar su añoranza. Reportaron que Quito de Ecuador les parecía una tierra amena, y semejante a España con respecto a su clima, césped, flores y valles. Sin embargo, fue en el Valle de Chile—después de la larga conquista de los belicosos amerindios, los *araucanos*—donde los españoles encontraron su tierra predilecta. Aquí, en el pasillo estrecho entre los Andes, y el Mar Pacífico, se encontraba el objeto ideal del gran sueño español. El conquistador, Pedro de Valdivia, la denominó la tierra más primorosa del mundo—a pesar de que había poco oro y de que los amerindios eran sumamente combativos. No obstante parece cierto. El valle central de Chile tiene un clima casi mediterráneo, ideal para la producción de vino que tanto agradaba el paladar de la gente de la península—hasta hoy en día los vinos chilenos se cuentan entre los mejores de Latinoamérica.

Entre los sistemas geográficos principales que encontraron los españoles y portugueses en el nuevo continente están los *Andes*, la *Pampa* argentina, y la *selva* del Río Amazonas. Sin embargo, a principio no les agradaba ninguno de los tres. Se sentían impotentes ante la enormidad indomable de los *Andes*, se perdían dentro de la inmensidad vacía de la *Pampa*, y se confundían en la laberíntica *selva* amazónica, con su interminable maraña de vegetación, sus ríos espantosamente grandes, y las torrenciales y deprimentes lluvias. Las tres zonas empequeñecían a los europeos. Por eso tenemos la observación de Alexander von Humboldt de que en el Viejo Mundo las civilizaciones, producto del esfuerzo humano, ocupaban la atención principal, mientras en el Nuevo Mundo la humanidad y el fruto de sus esfuerzos casi desaparecían dentro del estupendo espectáculo de la gigantesca naturaleza virgen.

Además, aunque los españoles se sentían a gusto en las mesetas, los puntos más altos de los Andes no les gustaban. Al contrario de los amerindios *incas* que se sentían cómodos en las grandes alturas de los Andes, los españoles nunca podían sentirse en casa. Las minas de Potosí, Castrovirreina, y Oruro no se consideraban más que paraderos provisionales. El deseo de los españoles era solamente de explotarlas, y luego huir lo más pronto posible a las mesetas bajas donde la vida fuera más agradable. Sólo los vascos y los asturianos del norte de España estaban dispuestos a permanecer en tierras altas. Pero aún ellos tenían sus retiros en lugares de menos altura, como Cochabamba, de Bolivia, donde pasaban sus días de ocio. Con referencia a la vida en las alturas, parece que la fisonomía geográfica servía como un freno al crecimiento demográfico. En Potosí pasó mucho tiempo antes de que la natalidad incrementara notablemente, y después los pocos niños que sobrevivían los primeros años de vida se contaban entre los más afortunados. Allá, la existencia era dura (incluso hasta hoy los Andes tienen una población relativamente escasa de gente europea; la mayoría son amerindios y mestizos). Los españoles de la zona mediterránea generalmente evitaban la altiplanicie latinoamericana cunado era posible. Esa gente, acostumbrada a una topografía y clima más moderados de la península ibérica, no se adaptaba con facilidad al frío, al aire claro, y a la frugalidad de las alturas en esta zona.

La *Pampa* es una llanura vasta que comienza al este de la costa del Atlántico y al sur del río Paraná. Sube poco a poco de altura hasta que se acerca a los Andes en el oeste. Además, las ricas tierras entre los ríos Paraná y Uruguay son una continuación de la *Pampa*. Toda la zona, que se extiende centenares de millas sin interrupción, no tiene igual en el mundo. La primera vez que la gente de la península penetró en este vacío topográfico por tres direcciones diferentes—desde los pasos altos de los Andes al oeste, desde el norte por el río Paraguay, y desde las riberas del estuario del Río de la Plata—su intrepidez típica, tan evidente durante las conquistas de la Nueva España y Perú, se desvaneció. Los conquistadores quedaron estupefactos ante esta enormidad; perdieron su identidad dentro de ella; no había punto de referencia para orientarse.

Esta tensión—de admiración y pavor al mismo tiempo—respecto a la *Pampa*, se perpetuaba. Tres siglos después, para el gaucho argentino, producto de la mezcla de razas—europeo y amerindio—y de la fuerza telúrica[3] de la *Pampa*, no había más que "paja y cielo."[4] Esa vida gauchesca del siglo XIX fue descrita en *Tales of the Pampas* (1929) por el aventurero inglés W.H. Hudson (1849–1922), como una transformación del español agricultor—lo que había sido en España—a un habitante pastoril y cazador, llegando a veces a una vida nómada. Esa vida fue la "barbarie" que Domingo Faustino Sarmiento (1811–1888), en su obra clásica, *Facundo: Civilización y Barbarie* (1845), contrastó con la civilización de Buenos Aires. Ezequiel Martínez Estrada (1895–1964) en *Radiografía de la Pampa* (1933), denominó "los señores de la nada" a los primeros españoles que se enfrentaban con la *Pampa* y se perdían en ella. Eran dueños de una infinidad espacial, es decir, de la "nada." Es que la *Pampa* poco a poco remodelaba a la gente que se atrevía a penetrarla, forzándola a conformar con ella de acuerdo a su propia semblanza parca, sencilla y taciturna.

En el interior del norte de América del sur, hay otra zona con una topografía semejante a la de la *Pampa*—aunque de menor extensión—pero de clima opuesto: el *Llano* de Venezuela y Colombia, que incluye gran parte de la cuenca del Río Orinoco. Como la *Pampa*, el *Llano* es un "mar de césped," un sinfín de matorrales divido por el río y sus vertientes. Los primeros españoles que atravesaron el *Llano* en busca del legendario *El Dorado* lo encontraron poco agradable a la existencia humana. Durante gran parte del año se encuentra

---

[3] Fuerza telúrica = telluric force, the influence of geographical conditions on the psyche of the people.

[4] Paja = straw.

abrasado por un sol inclemente que lo seca, partiendo su suelo en un mosaico caótico de grietas. Luego, durante la temporada de lluvias, se convierte en un mar de poca profundidad. Entre las dos temporadas, ese mar se convierte en puro barro, casi intransitable, y luego se seca de nuevo. A través de los siglos, el *Llano* ha llegado a sostener una industria ganadera un poco primitiva. Los llaneros, que trabajan con el ganado, son sombríos y están acostumbrados a una vida dura que exige mucho y rinde poco. Rómulo Gallegos (1884–1969)—en su conocidísima novela, *Doña Bárbara* (1929)—describe la lucha perpetua entre el ser humano y la naturaleza en el *Llano*, lo que representa la impenetrable barrera entre la "civilización" y la "barbarie"—el mismo tema de Sarmiento. La visión un poco utópica de la novela de Gallegos implica un esfuerzo civilizador contra la naturaleza, que tiende a reducir al ser humano a la barbarie. Pero a fin de cuentas parece que hay pocas esperanzas, ya que la naturaleza está destinada a ejercer influencia sobre sus habitantes.

La última zona en someterse a la mano domadora de los europeos era la de las enormes selvas fluviales. Una gran parte de esta zona queda hasta hoy en día como un vacío demográfico, aunque ha habido ambiciosos proyectos recientes para traer el "desarrollo," sobre todo en Brasil, con una destrucción ecológica irreversible. La región amazónica, como hemos notado en el capítulo anterior, representa la extensión forestal del trópico más grande del mundo. Al norte llega hasta la cuenca del Orinoco, al sur hasta el sistema del Río de la Plata, y al oeste hasta la división andina. Hay igualmente otras zonas selváticas—en el sur de México y las costas de Centroamérica, en Colombia y Venezuela, en Paraguay y el norte de Argentina, y en la costa del este de Brasil—pero no se compara con el Amazonas. Las características ecológicas básicas de la Amazonía son los ríos, la selva, las lluvias, y el calor. Las cuatro se complementan, de modo que parecen conspirar en contra de los seres humanos que se atreven a penetrarla en busca de sus secretos.

Como ya se ha mencionado, a los primeros españoles y portugueses que penetraron esta oscura región, no les agradó lo que tenían a la vista. No quisieron permanecer allí, y un vez que escapaban de esa "prisión verde," de ninguna manera tenían ganas de volver. No había a la vista ni oro, ni ningún indicio de los templos de *El Dorado*, que, según la leyenda, empequeñecería a Cuzco de Perú—capital de los incas—y a Tenochtitlan de Nueva España—capital de los aztecas. La incomodidad y cansancio que la Amazonia le provocaba al explorador, no le ofrecía compensación. En 1540 Francisco de Orellana bajó por el río Amazonas desde el Perú hasta el Océano Atlántico, y ya había visto bastante. Para mediados del siglo XVI, Cortés, Jiménez de Quesada, y Pizarro, ya habían penetrado sus secretos pero salieron desilusionados. El portugués, Pedro de Teixeira subió el río desde su embocadura, reclamándolo para el Rey de Portugal, pero poco después huyó de prisa. Desde el sur, los intrépidos *bandeirantes* de São Paulo en Brasil—grupos de exploradores que emprendían expediciones en el interior en busca de esclavos amerindios y riquezas—no encontraban nada que los animara a quedarse. Es que el interior de América del Sur, y sobre todo la selva amazónica constituía un ambiente que limitaba incluso a los de espíritu más aventurero—gente generalmente inquieta que no estaba acostumbrada a quedarse solamente en un lugar. Fue el Padre Acuña, quien en 1693 bajó por el lado de los Andes, el primero en dar un reporte favorable respecto del área. El jesuita aseguró que lo habría considerado un "paraíso," de no haber sido por la incesante plaga de mosquitos. Después, las misiones establecidas en el Río Marañón—el nombre que se le da al Río Amazonas por el lado de Perú—fueron las primeras colonias europeas en la región.

Cabe mencionar que por regla general los portugueses demostraban una mayor capacidad para adaptarse a medios desconocidos que los españoles. Los españoles, que siempre habían vivido a la vista de un paisaje abierto con montañas en el horizonte, evitaban la "prisión verde" que les representaba la selva. Las pocas veces que intentaban crear una vida en el trópico, insistían en llevar consigo demasiado equipaje cultural. Por lo tanto trataban de imponer su propio modo de vida a un ambiente natural que lo resistía. Por otra parte, los portugueses estaban dispuestos a desechar todo lo de su cultura tradicional que no tuviera relevancia, y consecuentemente se lograban adaptar con más destreza al nuevo ambiente. Además, los esclavos africanos, que los portugueses importaban en cantidades mayores que los españoles—que tenían más acceso a los amerindios como mano de obra[5]—encontraban en la Amazonía un elemento favorable.

En perspectiva, nosotros hoy en día—acostumbrados a una vida relativamente fácil gracias a los avances de la ciencia y la tecnología—tendríamos dificultad en identificarnos con los "inventores" y exploradores del Nuevo Mundo. Pero no vamos a darnos por vencidos.[6] Hay que seguir, ahora dirigiendo la mirada hacia la gente que ya estaba en América cuando llegaron los europeos.

PREGUNTAS

1. ¿Cuál es la diferencia entre una "invención" y un descubrimiento?
2. ¿De qué manera se distingue el descubrimiento de la *idea* del descubrimiento?
3. ¿Cuál fue la naturaleza particular de la "invención" de América?
4. ¿Qué es un espacio ideal?
5. ¿De qué manera contribuyó Colón a la "invención"?
6. ¿Cómo funcionó la noción de la utopía en América?
7. ¿Qué intentos hubo de establecer una utopía en América después de la conquista? ¿Cuál fue el resultado?
8. ¿Qué clase de tierra buscaban los españoles, y por qué?
9. ¿Qué efectos tuvieron las montañas, las selvas, y las llanuras en la psicología de los exploradores y colonizadores?
10. ¿Qué aspecto tiene la Pampa? ¿Quiénes han escrito sobre zona geográfica y qué dicen?

---

[5] Mano de obra = physical labor.
[6] No vamos a …vencidos = let's not give up.

11. ¿Cuáles son las diferencias entre la Pampa y el Llano?
12. ¿Qué aspecto tiene la región amazónica? ¿Dónde hay otras zonas selváticas?
13. ¿Por qué tardaron tanto los colonizadores en penetrar las selvas?
14. ¿Quiénes son los *bandeirantes*?
15. ¿Por qué los portugueses podían adaptarse mejor al ambiente americano?

Temas de discusión y composición

1. Si América hubiera sido solamente "descubierta," ¿qué diferencias piensa usted que habría en Latinoamérica hoy en día?
2. ¿Hasta que punto cree usted que la geografía puede influir—por la "fuerza telúrica"—en la psicologia de la gente?

Un debate amigable

Se forman tres grupos para defender las siguientes hipótesis: (1) Que la utopía es alcanzable y que hay que trabajar hacia ese fin. (2) Que la utopía no es factible y que se debe olvidar. (3) Que la utopia no es realizable, pero que de todos modos es necesario tratar de alcanzarla. solamente así se puede asegurar el mejoramiento de las condiciones.

CAPÍTULO 4

LOS QUE HABITABAN EL NUEVO MUNDO

Fijarse en:

- La distinción entre América tal como era y tal como la percibían los conquistadores y los exploradores.
- La dificultad que la gente de un pueblo siempre tiene en comprender a la gente de otro pueblo radicalmente distinto.
- La manera en que América llegó a ser considerada como una utopía virtual.
- El origen de los amerindios y el aspecto que tenían sus culturas cuando llegaron los europeos.
- La contribución de las culturas americanas a Europa, y viceversa.
- La naturaleza de la conquista de los pueblos amerindios.
- El sincretismo, como base de las características de las culturas latinoamericanas.
- La naturaleza de la conquista religiosa y la función de la religión durante los primeros años de la colonización.

Términos (del español y de lenguas prehispánicas):

- Acatl, Anahuac, Araucanos, Ayllus, Aymara, Aztecas, Calpulli, Coatlicue, Cuzco, Guadalupana, Guarani, Guerra Florida, Huitzilopochtli, Incas, Maya, Mita, Nahuatl, Obraje, Quechua, Quetzalcoatl, Quipus, Sincretismo, Tenochtitlan, Texcoco, Tihuanaco, Titicaca, Tlaloc, Tlatoani, Tlaxcaltecas, Toltecas, Tonantzin, Virreinato, Virrey, Yanacona.

LOS AMERINDIOS ANTES DE LA CONQUISTA

Según el capítulo anterior, la gente de la península tendía a ver lo que estaba predispuesta a encontrar en ese Nuevo Mundo "inventado." Es por eso que la primera vez que Colón contempló a un grupo de indígenas en la playa de la isla Guanahani, los observó con ojos *idealistas*, de acuerdo con sus preconceptos. En una carta a la Reina Isabel, escribió que sería aconsejable enseñarles la modestia de cubrir su cuerpo con ropa, pero acompañó esta opinión con una muestra de admiración por la belleza de las mujeres y el estado de salud de los hombres. Los vio como gente sencilla, humilde, mansa, generosa, y reiteró su consejo de guardar respeto hacia todos. Algunos años después, sin embargo, la opinión de Colón cambió: los ojos con los que observaba a los amerindios se habían vuelto más *prácticos*. Ahora escribió a la Reina que los amerindios serían vasallos dignos de la corona de España, y por lo tanto sería necesario ponerlos a trabajar la tierra lo más pronto posible. Serían bastante aptos para esos trabajos, razonó Colón, y como no poseían armas de guerra, tenían aptitud natural para el cristianismo. De esta manera, Colón sacó a la luz la contradicción irreconciliable de *convertir* a los amerindios al cristianismo y, al mismo tiempo, *esclavizarlos*. Este conflicto, como vamos a notar, marcaría toda la época colonial. Así que desde el principio América estaba envuelta en exageraciones, contradicciones, y mitos—lo que era de suponer, ya que fue tanto una "invención" como una *realidad*. ¿Cómo eran verdaderamente esos nuevos pueblos que contemplaban los aventureros europeos?

A pesar del *idealismo* con que Colón y otros peninsulares percibían a los indígenas, la realidad era que el aspecto tan diverso de las culturas de Sudamérica y América Central era algo que no tuvo lugar en la experiencia de los ingleses que llegaron a América del norte. En contraste con Norteamérica donde la gran mayoría de los amerindios consistía principalmente de grupos relativamente pequeños, en Latinoamérica, había una gran variedad de civilizaciones y de culturas. En general, se pueden clasificar las civilizaciones indígenas de Latinoamérica en tres categorías: (1) *cazadores* de Argentina, Uruguay, las costas de Brasil, y el norte de México. (2) *agricultores de tierras bajas* en Bolivia, el Caribe, Centroamérica, Colombia, Chile, Ecuador, la Guyana, México, Perú, Venezuela, y el interior de Brasil. (3) *agricultores de civilizaciones desarrolladas* en las altiplanicies de Centroamérica, México, y la región andina.

Ha habido vigorosos debates sobre la población indígena en vísperas de la conquista. Los estimados varían desde 13 hasta 100 millones de habitantes para toda América. Lo más probable es que en Latinoamérica había alrededor de 80 millones de amerindios, con 60 millones en México, Centroamérica y la región andina, y los demás distribuidos escasamente en otras regiones. Durante y poco después de la conquista, hubo una gran baja de la población indígena que ahora los historiadores califican como "desastre demográfico." Ese desastre tuvo como causas principales las guerras de la conquista, nuevas enfermedades que trajeron los europeos contra las cuales los indígenas no tenían resistencia, la esclavitud y otros abusos. Es posible que para el año 1650 no hubieran quedado más de cuatro millones de amerindios al sur de EE.UU.

Sin duda, el premio mayor de la conquista del Nuevo Mundo no fue ni el oro ni la plata sino la apropiación—por medio de esclavitud y trabajo forzado—de seres humanos. Desde el principio había muy pocos españoles y portugueses para llevar a cabo[1] la gran tarea de establecer colonias, administrarlas, y mantenerlas en un camino dinámico de producción. Además, el temperamento de los peninsulares no conducía al amor hacia las labores manuales. Ellos vinieron, como se ha anteriormente observado, a ser *hidalgos*, no siervos. Entonces, desde el principio fue el indígena americano el que proveyó la mano

---

[1] Llevar…cabo = to carry through, accomplish.

de obra para la construcción del imperio ibérico en este continente. Dondequiera que se abrían las montañas para las minas, fueron los amerindios los que llevaban las rocas en sus espaldas. Gracias a su sudor, las Américas abastecieron a Europa de azúcar, tabaco, y otros productos. La edificación de iglesias, palacios, monumentos, y casas suntuosas no habría sido posible sin su arte y esfuerzo. Miles de tareas cívicas, eclesiásticas, y domésticas no se habrían realizado si no hubiera sido por la existencia del indígena americano.

Las regiones pobladas por las civilizaciones indígenas relativamente avanzadas fueron conquistadas en poco tiempo y defendidas apasionadamente contra la infiltración de otras naciones europeas. Estas comunidades sedentarias y bien establecidas ya tenían una tecnología avanzada en cuanto a métodos agrícolas y la elaboración de oro, plata, piedras preciosas, cerámica, artículos de madera, y el arte de tejer. Los conquistadores no tardaron en apropiarse de sus materias y su industria. Los tejedores fueron organizados en *obrajes*[2] para tejer ropa de algodón y lana, y las minas en poco tiempo ya estaban produciendo minerales en gran escala.[3] Sin embargo, como escribe el historiador Raymond Sokolov en *Why We Eat What We Eat* (1991), en realidad hay que olvidarse un poco del oro y la plata, porque la aportación principal del Nuevo Mundo fue la nutrición. Y se puede decir lo mismo de las aportaciones de Europa a América. Antes del siglo XVI en Europa, no había maíz, papa, papa dulce (*camote* en México), tomate, chile, chocolate, vainilla, frijol (de toda clase), calabaza, aguacate, maní (cacahuate en México), piña, varias clases de nueces, y pavo (guajolote en México). Por otra parte, en el nuevo mundo no había ganado, puerco, oveja, pollo, trigo cebada, avena, caña de azúcar, cebolla, sandía, durazno, pera, banana, naranja, y limón. Entonces, uno de los impactos de más alcance durante la colonización fue el cambio de dieta.

Además, una de las transformaciones principales en el Nuevo Mundo, y lo que poco a poco cambió el balance ecológico, fue la importación de animales del Viejo Mundo a América. La gran mayoría de los amerindios vivía sin bestias de carga de ninguna clase hasta que los españoles y portugueses trajeron caballos, burros, mulas, y bueyes (la excepción más notable de la escasez de bestias de carga existía en la zona andina, donde usaban llamas y alpacas). A causa de esa importación de animales, durante los siglos XVI y XVII, animales descarriados—sobre todo caballos y ganado vacuno—vagaban en las llanuras, los desiertos, y las montañas. Los animales se multiplicaron rápidamente, lo que proveyó una fuente de comestibles y de bestias de trabajo para las tribus de indígenas, sobre todo las nómadas. Ahora es conveniente observar brevemente el panorama prehispánico.

---

[2] Obrajes = workers guilds, forerunners to modern-day trade unions.
[3] En…escala = on a large scale, in great quantities.

Los aztecas

El valle donde actualmente se encuentra la ciudad de México era la sede de diversas civilizaciones antiguas. Los grupos de habla *nahuatl*—entre otros, los *chichimecas* y *mexicas*, mejor conocidos como los aztecas—fueron los más sobresalientes. Los chichimecas migraron desde el norte de México, quizá durante principios del siglo XI, y se establecieron cerca del lago de *Texcoco* al este del valle. Con el tiempo, invadieron y ocuparon otras ciudades de la civilización antigua de los *toltecas*.

A principio del siglo XIII los *aztecas* migraron desde el noroeste—del estado de Sonora o quizás Arizona en EE.UU.—guiados por *Huitzilopochtli*, su dios de la guerra. Según la leyenda, esa deidad les dio instrucciones de migrar hacia el sur hasta encontrar la señal de un águila, posada en un nopal, devorando una serpiente. Cuando por fin apareció ese fenómeno en 1325 en una isla del lago de *Texcoco*, establecieron allí la ciudad de *Tenochtitlan*. Para mediados del siglo XIV la élite azteca había forjado una alianza con los sobrevivientes de las naciones decadentes del área. Esa alianza sirvió para vigorizar su propia cultura, dando así lugar a la creación de una dinastía política imperialista. Originalmente la sociedad tenía una estructura que consistía de unidades socio-económicas o clanes (*calpulli*). Esta unidad social, que incluía generalmente a un grupo de familias que vivía en un sólo lugar, era común en toda Mesoamérica.[4] La cabecera de cada *calpulli* ofrecía seguridad militar, controlaba las tierras de cultivo y pastura, y otorgaba los derechos de cazar y de pescar. Además, administraba la redistribución de los bienes de acuerdo con os cambios demográficos. Durante el imperio azteca, el sistema de *calpulli* se transformó en un sistema monárquico, los jefes del cual ahora formaban un grupo aristocrático (*tlatoani*). Con la consiguiente pérdida de las características igualitarias, apareció un aumento de organización socio-política y un nuevo nivel de vida y cultura, con el desarrollo de las artes y las artesanías.

Durante el reinado del emperador Moctezuma (Ilhuicamina) I (1440–1468), los aztecas se aliaron con dos ciudades-estados adicionales en las riberas del lago Texcoco, y poco a poco tomaron control de todo el valle. Siguieron con la expansión territorial, conquistando Oaxaca, parte de Guatemala, y la costa del golfo directamente al este de Tenochtitlan. La civilización azteca alcanzó su apogeo en 1487, año de la inauguración del templo-pirámide de Huitzilopochtli—donde hoy en día está la catedral de México—con un sacrificio, según los cálculos, de 20.000 prisioneros de guerra. Cuando Moctezuma (Xocoyotzin) II heredó el trono en 1502, tomó mando de una sociedad que en menos de un siglo se había levantado de la oscuridad para llegar a ser una dinastía política de una región comparable a la del imperio romano. Tenochtitlan ya tenía una población de entre 300,000 y 400,000 habitantes, muchos de ellos inmigrantes, y se calcula que el valle de México tenía aproximadamente 1.5 millones de habitantes. *Tlatelolco* era un enorme mercado

---

[4] Mesoamérica = "middle America," consisting of southern Mexico and Central America.

al aire libre—con filas simétricas de puestos notablemente organizados y limpios—que servía a miles de compradores cada día.

Ritos religiosos, dirigidos por un grupo grande y poderoso de sacerdotes, regían la vida de Tenochtitlan. Los aztecas adoraban una mezcla compleja de deidades que incluía a *Quetzalcoatl* (serpiente emplumada) que representa la dualidad inherente a la condición humana: la "serpiente" es cuerpo físico, y las "plumas" son los principios espirituales, *Tlaloc* (el antiguo dios mesoamericano de la lluvia y la fertilidad), *Coatlicue* (la madre diosa), y *Huitzilopochtli* (el único dios original de los aztecas). A medida que los aztecas conquistaban fama, poder y territorio, crecía la influencia de *Huitzilopochtli*. Poco a poco, un aura de misticismo y misterio alrededor de esta deidad se convirtió en un culto sangriento—sobre todo con la práctica de los sacrificios humanos—que absorbía los ritos en nombre de los otros dioses. Ese culto llegó a ser la justificación de la expansión militar y la imposición de impuestos a las otras tribus de la zona.

En fin, el imperio azteca existía a base de muchas vidas y mucho sufrimiento. No obstante, hay que reconocer sus hazañas: ciudades suntuosas, organización social sofisticada, culto impresionante de las artes, y estructuras de una magnitud y arquitectura notables.

Los mayas

La complejidad de los imperios *azteca* e *inca* y el nivel de organización de sus instituciones socio-políticas no tenía igual en toda América en el año 1500. Sin embargo, no hay que ignorar a los *mayas*, que en algunos aspectos alcanzaron una civilización superior a las de los aztecas e incas desde antes de iniciar el siglo XV. El origen de los mayas es de una antigüedad oscura, posiblemente antes de las civilizaciones de Egipto y Mesopotamia.[5] En tiempos más recientes, existía el Imperio Antiguo Clásico (siglos IV–IX) y el Imperio Nuevo (siglos IX–XIV). El primero se desarrolló en las selvas del sur de la península de Yucatán, las mesetas de Guatemala y el oeste de Honduras. El segundo ocupó principalmente el norte de Yucatán. Pero se puede decir que la expresión máxima de la civilización maya, la del Imperio Antiguo y comienzo del Nuevo Imperio, había alcanzado su máximo esplendor varios siglos antes de la conquista española.

Se sabe relativamente poco de la vida cotidiana, el sistema socio-político, y las instituciones del pueblo maya. Parece que el sistema político era bastante sencillo: preferían un grado mínimo de administración. Prácticamente dicho, no había imperio maya en el sentido monolítico, sino una colección de ciudades-estados, cada uno con su propia soberanía. Con una red de comunicación entre todos. Las ciudades-estados compartían diversos aspectos de su cultura, e intercambiaban productos locales. Un emperador hereditario regía cada ciudad-estado. Esta persona tenía poderes laicos y religiosos, y sus funciones eran

---

[5] Mesopotamia = Mesopotamia, the territory between the Tigris and Euphrates rivers in the Near East.

principalmente administrativas, con poca política, lo que servía para dar una libertad relativamente amplia a las actividades de los ciudadanos.

Entre las hazañas más notables de los mayas cuentan su arte, su arquitectura, su conocimiento de la astronomía, y sobre todo de las matemáticas. Tenían el concepto del cero, que no existió en Europa hasta la invasión de los moros (711 d.c.), cuando introdujeron el álgebra. Además, el calendario maya, que coincidía con las ceremonias religiosas y los ritos de fertilidad, fue, como el calendario azteca, más avanzado que el calendario gregoriano que usaban los conquistadores. Solamente los mayas, entre todos los grupos americanos, habían desarrollado un sistema de escritura jeroglífica—que no se ha podido descifrar en su totalidad hasta hoy. Hay que hacer mención también del libro sagrado de los mayas, el *Popol Vuh*, que revela el grado de desarrollo de su religión, su filosofía, y su creación poética.

Desafortunadamente, debido a la destrucción de los códigos mayas, poco se sabe acerca de esa misteriosa y enigmática civilización. No obstante, los vestigios arqueológicos de las ciudades mayas son numerosos y extensos, ofreciendo indicios de la existencia de una población numerosa (que se calcula entre 13 y 53 millones de habitantes durante el Imperio Antiguo, aunque las aproximaciones más grandes son seguramente exageradas).

Los incas

Los *incas*, con lenguaje principalmente *quechua* y *aymara*, crearon el imperio indígena más extenso de América—desde el sur de Colombia hasta el norte de Argentina y Chile—con una estructura militar, política y administrativa bastante sofisticada. Mientras las civilizaciones en general se miden a través de su ciencia, tecnología, artes, filosofía, y religión, lo más sobresaliente de los incas fue su sistema imperialista, indudablemente uno de los más avanzados de la historia del mundo hasta su época.

Hay varios mitos acerca del origen de los incas. Lo más probable es que alrededor del año 1200 una tribu de poco renombre comenzó a dominar otras tribus en los valles del *Cuzco*, desarrollando en el proceso instituciones socio-políticas superiores a las que ya existían en el territorio. A fines del siglo XIII, Manco Capac, primer emperador oficial y fundador de la nación inca, consolidó el poder de las comunidades de la comarca. En el transcurso tomó posesión de la antigua fortaleza de *Tihuanaco*, cerca del lago *Titicaca* en Bolivia. A principios del siglo XIV, los incas iniciaron una expansión progresiva hacia el norte, el este, y el sur.

En 1438, Yupanqui Inca Pachacuti, quizás el emperador más poderoso de todos los amerindios, terminó por consolidar el imperio. Las tribus conquistadas fueron divididas en grupos pequeños y dispersos entre *caciques*[6] oficiales hasta que pudieran ser suficientemente "incaizados" e integrados a la corriente de la sociedad conquistadora. Un sistema de calzadas (casi 16,000 millas) y puentes, así como una red de comunicación a través de mensajeros que corrían en relevos

---

[6] Cacique = Amerindian chief, boss.

entre los pueblos, mantenían un régimen rígido y bien organizado desde Cuzco hasta los lugares más remotos. Los corredores llevaban informes en hilos de múltiples colores y con nudos, que descifraban según un código especial. Estos hilos, que se llamaban *quipus*, se pasaban de mano en mano entre los corredores hasta que alcanzaban su destino.

Según la tradición, era la responsabilidad de cada emperador extender el dominio incaico. Poco a poco, el territorio se dividió en cuatro regiones principales, ochenta provincias, y más del doble en número de distritos, cada uno con una cantidad variable de *ayllus* (las unidades territoriales más pequeñas, semejantes a los *calpulli* de los aztecas). El sistema social era rígidamente jerárquico. Los individuos pagaban tributo al estado con productos de la tierra, de la artesanía, y por medio del trabajo en obras públicas.

Desafortunadamente, muchos de los líderes que siguieron a Yupanqui Inca Pachacuti en el poder no tuvieron su capacidad. Por consiguiente, el imperio poco a poco se fue degenerando hasta la muerte del emperador Huayna Capac en 1527, cuando Huáscar, su hijo, asumió el poder. Pero el hermano ilegítimo de Huáscar, Atahualpa, lo asesinó y usurpó el mando del imperio. Entonces, al llegar el conquistador Francisco Pizarro en 1532 con sólo 180 soldados, la nación incaica era apenas una memoria de su grandeza pasada. Si Pizarro hubiera entrado en Cuzco varios años antes, quizá hubiera encontrado un enemigo formidable e invencible.

Además, hay que notar que después de la conquista, los conquistadores encontraron muchos aspectos del sistema socio-político en armonía con sus propios fines. Los españoles emplearon las mismas instituciones gubernamentales de los incas. También se apropiaron de sus métodos de asignar trabajadores a labores públicas y proyectos particulares. Estos trabajos eran de una institución administrativa que se llamaba *mita*, que en quechua quiere decir el "turno" en las obras públicas. La gente de la *mita* formaba la *yanacona*, una clase de *siervos*.[7] Sin embargo, a diferencia del sistema medieval en España, la servidumbre en Perú no fue voluntaria sino forzada y poco mejor que la esclavitud. Los *siervos* permanecían ligados a la propiedad de su amo hasta la fecha de su emancipación, que no llegó hasta las reformas de la monarquía española durante el siglo XVIII. Sea como sea,[8] fue en parte debido a la adaptación de instituciones incaicas al sistema colonial en Perú que esa sociedad colonial evolucionó como una fusión de costumbres españolas e indígenas con menos problemas que en México.

LA CONQUISTA

Los Aztecas y Mayas

La ocupación militar de las islas del Caribe fue una campaña metódica y sin el provecho—de oro, plata, y otras riquezas—que se esperaba. En comparación, la subyugación de las grandes civilizaciones del continente americano fue de

[7] Siervos = serfs.
[8] Sea…sea = be that as it may.

magnitud épica. Como antecedente a la conquista de los aztecas, tenemos la expedición de Vasco Núñez de Balboa (1475–1519), explorador popular e intrépido, que atravesó el istmo de Panamá en 1513 y descubrió el Océano Pacífico. Juan Ponce de León (1460?–1521), gobernador de puerto Rico, navegó al noroeste y descubrió la Florida en el mismo año. En 1516 Juan de Solís (1470–1516), intentando encontrar el legendario paso del Atlántico al Pacífico, navegó hasta la boca del Río de la Plata. Francisco Hernández de Córdoba (1475?–1517) recorrió la costa de Yucatán en 1517, y el año siguiente Juan de Grijalva (1507–1527) exploró el litoral de la misma península.

Durante las expediciones por la costa de México, había llegado a los oídos de los exploradores españoles noticias de ciudades en el interior del continente colmadas de oro y otras riquezas—es decir, lo que eran riquezas para la gente europea, pues para los amerindios, esas riquezas (artículos de ciertos metales y piedras) no tenían el mismo valor. En 1519, Diego Velázquez (1465–1524), gobernador de Cuba, nombró a Hernán Cortés (1485–1547) como jefe de una expedición para explorar el interior del continente y subyugar a las civilizaciones que allí se encontraran. Después, Velázquez se dio cuenta de que Cortés era demasiado ambicioso, y decidió relevarlo de su cargo. Cortés, sin embargo, al enterarse de los nuevos planes de su gobernador, partió a la aventura durante la noche en once barcos con 508 soldados y dieciséis caballos. A la mañana siguiente, el gobernador no pudo hacer más que pararse a la orilla de la playa y ver en el horizonte cómo los barcos se alejaban poco a poco rumbo al nuevo continente.

Parece que a Cortés lo favoreció la suerte. En la isla de *Cozumel* cerca de la península de Yucatán, rescató a Jerónimo de Aguilar (1489–1531), un fraile franciscano que había sobrevivido al naufragio de una expedición anterior, y después hecho prisionero y esclavo por una tribu maya. Aguilar había vivido con los mayas durante ocho años y aprendió la lengua. Después, entre los amerindios de la costa del Istmo de *Tehuantepec*, Cortés conoció a *Malintzin* (1505–1529) o la "*Malinche*" (como la llamaban los españoles, al ser bautizada y convertida al catolicismo su nombre cristiano fue doña Marina). La Malinche sabía varias lenguas, incluyendo el nahuatl, idioma de los aztecas. Con el servicio de la Malinche como intérprete, y con la experiencia de Jerónimo de Aguilar, se le facilitó a Cortés la comunicación con los indígenas de toda la región. Después, navegando por la costa rumbo al norte, Cortés mandó fundar la base de operaciones en Veracruz, donde estableció un *cabildo*,[9] nombrándose a sí mismo capitán de la expedición. Algunos marineros que seguían apoyando a Diego de Velázquez dieron señales de rebeldía, y Cortés los mandó a ahorcar. Además, como fue mencionado en el Capítulo 2, Cortés quemó los barcos para que nadie regresara a Cuba, un acto de intrepidez raras veces conocido en los anales históricos. Ahora no había más remedio, todos tenían que seguir a Cortés.

Lo cierto es que una campaña victoriosa prometía mucho. En Veracruz, Cortés había recibido regalos de parte de emisarios de Moctezuma II—

---

[9] Cabildo = municipal government.

emperador de los aztecas—que desde hacía tiempo ya estaba enterado de los pasos de la expedición. Según una interpretación, Moctezuma creía que quizás Cortés era el dios *Quetzalcoatl*. Según la leyenda del dios de la serpiente emplumada, Quetzalcoatl fue engañado por otras deidades, perdió su honor, y fue desterrado. Sin embargo, al irse pronosticó que a su regreso en el año *ce acatl* del calendario azteca, destruiría completamente el imperio. Ese año fue precisamente 1519 del calendario gregoriano, el mismo año de la llegada de los conquistadores. Es por eso que los embajadores de Moctezuma propusieron a Cortés—al que creían Quetzalcoatl—que abandonara su proyecto a cambio de todo el oro que quisiera, pues quizás Moctezuma pensaba que, como "dios," Cortés sería invencible.

Cortés, gracias a su intérprete y ahora también su amante, la Malinche, ya había recibido noticias de la leyenda de las riquezas fabulosas que se encontraban en el interior. Por lo tanto, de ninguna manera estaba dispuesto a quedarse en la costa. En agosto de 1519, con sólo 400 soldados, Cortés emprendió la marcha hacia el valle de *Anahuac*—hoy el valle de México—donde se encontraba la ciudad e *Tenochtitlan*. Durante su camino, pasó por la tierra de los *tlaxcaltecas*, pueblo enemigo de los aztecas durante la larga *"Guerra Florida."* El propósito de esta guerra era la toma de prisioneros para los sacrificios humanos de los aztecas. Por lo tanto, no querían la victoria, sino una fuente de víctimas para sus dioses insaciables, sobre todo Huitzilopochtli. Dándose cuenta de la naturaleza de esa guerra, Cortés astutamente se alió con el pueblo tlaxcalteca, y con un ejército de españoles y reclutas indígenas, siguió la marcha hacia Tenochtitlan.

Después de entrar a la ciudad, que era una isla en el lago de Texcoco ligada a las orillas por tres calzadas, Cortés, temiendo un ataque por parte de los aztecas, tomó prisionero a Moctezuma. Los vasallos de éste consideraron ese acto indigno de su emperador—que era considerado un *semidiós*. Por esta razón, los aztecas perdieron el respeto que tenían por Moctezuma, y ahora era un líder sin fuerza ni integridad. Un día cuando Moctezuma les hablaba a un grupo de sus enojadísimos vasallos desde la cima de un muro, lo apedrearon, y poco después el emperador murió a consecuencia de las heridas. Los españoles temieron por su vida y huyeron de la ciudad, pero no fue fácil. Aquella noche, que tiene como nombre la *noche triste*, fue desastrosa para los españoles. Los aztecas pronto se enteraron de la huida de los españoles y los atacaron. Los españoles, que llevaban mucho oro y otras riquezas que habían saqueado, no tenían la movilidad acostumbrada. Durante la batalla, Cortés y sus hombres, rodeados de una multitud de enemigos pudieron defenderse un poco debido a que los amerindios no querían matarlos, sino tomarlos prisioneros para los sacrificios—como había sido la costumbre de la *"Guerra Florida."* Lo peor de todo es que durante la batalla muchos españoles cayeron en el agua, ahogándose con el peso del oro y su armadura de metal.

A pesar de la gran pérdida al regresar a Veracruz, Cortés inmediatamente empezó a reorganizar su pequeño ejército y a consolidar su alianza con los tlaxcaltecas para volver a la guerra contra los aztecas. Tuvo suerte de que en

Veracruz recibió refuerzos de Cuba, y sin demorar, regresó a Tenochtitlan con nueva energía. Los aztecas, ahora bajo el mando del nuevo emperador, Cuauhtémoc ("águila que cae"), se prepararon para la defensa. Sin embargo, con los refuerzos de Cuba y el renovado ímpetu de los españoles, la etapa final de la conquista fue catastrófica. Los conquistadores comenzaron a destruir sistemáticamente la ciudad, casa por casa. Después de una larga lucha sangrienta, llegaron a la plaza central—donde hoy se encuentra el Zócalo de la ciudad de México—y continuaron el ataque hasta la cima de la pirámide de Huitzilopochtli y Tláloc. Se calcula que en la conquista de Tenochtitlan, cerca de 100,000 amerindios murieron en batallas, a causa de enfermedades, y de hambre.

Con la derrota de Tenochtitlan en 1521, y después de la tortura y muerte de Cuauhtémoc—que ahora es considerado como un héroe-mártir nacional de México por resistir la invasión española—Cortés fundó la ciudad de México sobre las ruinas de Tenochtitlan. En 1522, el Rey Carlos V lo nombró gobernador, Capitán General, y Justicia Mayor de la Nueva España. En 1535, al llegar Antonio de Mendoza (1493–1552) como *virrey*,[10] se estableció el primer *Virreinato*[11] en las Américas. Para entonces, bajo el mando de Cortés, Pedro de Alvarado (1485–1541) había llevado la conquista hasta Centro América, donde otros aventureros habían penetrado las regiones al oeste y al norte de la nueva ciudad de México, En 1546, Francisco Montejo (1479–1553) y su hijo habían conquistado a los mayas en Yucatán.

Los Incas

Los conquistadores de Perú, Ecuador, Bolivia y Chile, Francisco Pizarro (1478–1541) y Diego de Almagro (1475–1538), en contraste con Cortés, eran de origen humilde. Desde Panamá, los dos se llenaron de ilusiones al recibir noticias de ciudades en la zona andina colmadas de metales preciosos. Con la típica ambición de los conquistadores de la época, hicieron planes para conquistar la región. Sin embargo, después de algún tiempo dedicado a infructuosos trámites y preparaciones, en 1527, Pizarro se encontraba casi sin provisiones en la isla de *Gallo*, por la costa del Océano Pacífico, mientras Almagro estaba en Panamá intentando conseguir nuevos soldados. El gobernador de Panamá no sólo se negó a concederle reclutas, sino que también mandó tropas a la isla Gallo para traer a la fuerza los soldados que estaban allá con Pizarro.

La mayoría de los hombres de Pizarro parecían dispuestos a abandonar un proyecto que ya prometía poco pero desconocían la tenacidad de su líder. Durante una confrontación con sus soldados, Pizarro, en un acto de desesperación, sacó su espada y trazó en la arena de la playa una línea de este a oeste, diciendo, mientras señalaba al sur, "por aquí se va a Perú, a ser ricos." Luego, señalando al norte gritó, "por aquí se va a Panamá, a ser pobres." Según se dice, doce hombres atravesaron la línea en apoyo de Pizarro, los que llegaron

[10] Virrey = Viceroy: the governor of a colonial province.
[11] Virreinato = Viceroyalty: the name for the colonial provinces.

a conocerse como "los doce Gallo." Éstos se quedaron con Pizarro, apenas sobreviviendo durante siete meses hasta que llegó un barco con provisiones, pero sin refuerzos. Pizarro decidió regresar a España con una petición al rey para que le diera licencia de emprender la conquista. Le fue por fin concedida, y en 1530 Pizarro embarcó con cuatro de sus hermanos rumbo al Nuevo Mundo.

Después de otras intrigas, y con sólo 180 soldados, en 1532 Pizarro se enfrentó en Cajamarca con un emisario de Atahualpa, quien era entonces el emperador ilegítimo de los incas. En vista del número poco impresionante de los invasores, Atahualpa se sintió confiado y los invitó a la ciudad—le habría convenido primero una charla con el desdichado Moctezuma. Como ya se mencionó, en un acto de intrepidez y valor típico de los conquistadores de la época, Pizarro tomó prisionero a Atahualpa. Le prometió dejarlo libre con la condición de que llenara una sala de oro y dos más de plata. Sin embargo, después de que los incas habían cumplido con la demanda, Pizarro comenzó a reflexionar sobre lo que sería de su destino y de su pequeño ejército cuando el emperador incaico quedara libre. Por lo tanto, decidió acusar al emperador de varios crímenes, incluyendo fratricidio—había ordenado la muerte de su hermano, Huáscar, heredero legítimo del imperio—y poligamia. Lo juzgaron culpable y lo ejecutaron. Pizarro entonces nombró emperador al Inca Manco Capac, hijo de Huáscar, aunque este último emperador inca no fue más que un títere de Pizarro.

En 1533 Pizarro tomó posesión de Cuzco, convirtiéndose en poco tiempo en amo y señor del vasto imperio que había sido de los incas. Buscando un lugar para el centro político que tuviera mayor facilidad de comunicación con España—y con un clima más agradable—en 1935 Pizarro fundó la "Ciudad de los Reyes," Lima. Sin embargo, aunque el imperio de los incas había sido prácticamente conquistado, todavía no había paz. Los mismos conquistadores empezaron a pelear entre sí por codicia, y pronto brotó una guerra civil que duró de 1538 a 1548. Por fin, con la llegada del Virrey Antonio de Mendoza, ex-virrey de México, se logró pacificar la región.

OTROS RUMBOS

Mientras había múltiples intrigas en Perú, la expansión del imperio español en América del Sur tomó tres rumbos:

(1) En 1533, Sebastián de Benalcázar había conquistado lo que es hoy Ecuador, y seguía su marcha hacia el noreste. Después de haberse establecido en Venezuela en 1534, Nicolás de Federman, de la compañía Welser (banqueros alemanes con comisión de Carlos V de España), iba penetrando la región hacia el suroeste. Jiménez de Quesada había salido del puerto de Santa Marta de la actual Colombia hacia el sur en 1536. En 1537, Jiménez de Quesada fue el primero en llegar al interior de Colombia donde fundó la ciudad de *Santa Fe de Bogotá*—hoy la capital del país. Después de poco tiempo, en ese mismo lugar convergieron las expediciones de Federman y Benalcázar en una reunión épica. En lugar de un encuentro violento, los tres exploradores llegaron al acuerdo de

que a Jiménez de Quesada le correspondía llevar a cabo la colonización de la región, la que llegó a conocerse como la *Nueva Granada*.

(2) En 1535 Diego de Almagro emprendió una fracasada campaña en contra de los indomables amerindios de Chile, los *araucanos*. Después en 1540, Pizarro le encargó a Pedro de Valdivia la misión de conquistar la misma región. Penetró la zona y fundó *Santiago* en 1541. Sin embargo los araucanos se reorganizaron, reanudando la lucha en contra de los invasores. Hubo una serie de batallas sobre las que un soldado-poeta, Alonso de Ercilla y Zúñiga (1533–1594), escribió un largo poema épico titulado *La Araucana* (publicado en tres partes en 1569, 1579, y 1589), alabando el heroísmo de Caupolicán, líder de los araucanos. Después de que la región fue provisionalmente pacificada, otros españoles desde Chile atravesaron los Andes y fundaron *Mendoza* en Argentina, iniciando la expansión y colonización del lado oriental. Sin embargo, todavía no había paz duradera en Chile: los intrépidos araucanos siguieron resistiendo a los españoles (resistencia que duró hasta después de la Independencia de ese país en 1818).

(3) Mientras las batallas seguían en contra de los araucanos, exploradores del norte bajaron de la sierra andina hacia el sur, y en 1537, entre los amerindios *guarani*, fue construido en Asunción—hoy la capital de Paraguay—un fuerte como base de expediciones futuras. Ahora, con la excepción de la resistencia araucana, las principales civilizaciones pre-hispánicas habían quedado subyugadas a la corona española.

La exploración, conquista, y colonización no paró con los aztecas, mayas, incas, araucanos, y guarani, sino que continuó hasta abarcar el territorio de diversas tribus nómadas y/o poco desarrolladas—en Argentina, al norte de México, y en varias zonas selváticas. Los españoles no dejaron de penetrar esos territorios, y poco a poco lograron establecer aldeas fronterizas y fortalezas en las zonas de los indígenas más guerreros. La subyugación de algunos de los grupos indígenas no terminó, continuando después del período colonial, cuando durante el siglo XIX, naciones latinoamericanas ya independientes—como Argentina y México—emprendieron campañas, incluso de exterminio, en contra de los amerindios. Ahora que podían aprovecharse de la tecnología, tenían una gran ventaja.

LA "CONQUISTA RELIGIOSA"

Hubo también otra "conquista" que la historia muchas veces ha ignorado: la "conquista religiosa," no con espadas y cañones sino con amor, paz, y religión. Pues, hay que aceptar el hecho de que la evangelización de los amerindios fue uno de los motivos principales de la conquista.

En 1524 los famosos "doce frailes" franciscanos desembarcaron en Veracruz para iniciar la conversión, en masa, de la población amerindia de la meseta de México (Nueva España). El número elegido—doce para evocar a los apóstoles de Cristo—refleja la seriedad del proyecto—además de su *idealismo*. Se quería recobrar la pureza, y la simpleza, que la Iglesia tenía antes de que iniciaran los trastornos de *La Reforma* y la creación de las religiones protestantes—de acuerdo con el *utopismo* descrito en el capítulo anterior. La gran visión de los franciscanos tenía influencia a partir de una comprensión casi mística de su empresa que consistía en obtener una gigantesca ola de conversos antes del comienzo del reino de mil años de Cristo en la tierra. El *milenarismo* de esos franciscanos tenía una urgencia apocalíptica, que contribuyó a la idealización de los amerindios y al intento de protegerlos de lo que consideraban la "corrupción" del Viejo Mundo. Los amerindios eran considerados almas sencillas cuya existencia ofrecía la última oportunidad para que el cristianismo recobrara sus valores tradicionales. Por lo tanto, poco a poco se fue formando una campaña por parte de los clérigos para aislar a los amerindios, hasta donde fuera posible, de la gente de la península.

En 1526 se unieron a los frailes franciscanos doce dominicos más, y en 1533 llegó un grupo de agustinos. La obra de evangelización comenzó en el valle de México, y a medida que llegaban más frailes, los franciscanos se iban dispersando por Michoacán o la Nueva Galicia, los agustinos al noreste, y los dominicos hacia el sur de Oaxaca. En 1568 llegaron los jesuitas. Pronto establecieron misiones en México, y después, organizaron la misión más notable de todas, la de Paraguay con el propósito de realizar el *sueño utópico* entre los amerindios guarani. Los Jesuitas y franciscanos persiguieron su obsesión por la obra misionera en las fronteras de la expansión colonial hasta bien entrado el siglo XVIII.

Un problema constante es que había relativamente pocos misioneros para asistir al número inmenso de amerindios, quienes tenían que ser primero convertidos y luego guiados en la fe para evitar su descarrío.[12] Para aliviar este problema, los frailes viajaban de pueblo en pueblo celebrando misa y administrando diversos sacramentos. Otro problema era que en algunas regiones los pueblos estaban demasiado retirados. Entonces los misioneros adoptaron el sistema de *reducciones*, o sea, reorganizaron a los conversos en comunidades más accesibles, con el fin principal de facilitar no tanto la progresiva evangelización de los amerindios, sino también su aculturación a la civilización hispánica. Estos métodos hoy en día los denominaríamos "imperialismo colonial." Sin embargo, en esta época hay que conceder que tuvieron cierta eficacia. Como consecuencia, las órdenes religiosas tuvieron éxito en cuanto a la fundación de nuevos pueblos, la organización municipal, y la construcción de iglesias y otros edificios con arte y arquitectura impresionantes.

El ejemplo máximo de la reorganización de la reorganización de las comunidades amerindias fue el del ya mencionado sacerdote, Vasco de Quiroga, en Michoacán. Los amerindios, bajo la dirección de Quiroga y sus frailes, seguían un régimen riguroso de labor en tierras comunales, producían artesanías de todo tipo, fundaban hospitales y escuelas, y establecieron un proyecto lucrativo de seda con tecnología importada de la China. Quiroga estaba muy interesado en el progreso material, intelectual y espiritual de los amerindios.

---

[12] Descarrío = going astray.

Durante los años 1530, poco después de la conquista inicial, llegaron los misioneros a Perú. Sin embargo, con los conflictos que había entre los españoles y los amerindios, la evangelización fuera de las ciudades principales iba a paso lento, cobrando ímpetu hasta que el virrey, Francisco de Toledo, inició una campaña de pacificación durante los 1560s. Al contrario de México, fueron las autoridades reales de Perú las que fomentaron un programa de concentración de los amerindios en *reducciones*. Aun con esta medida, la obra misionera no tuvo mayor impulso hasta la llegada de otro grupo de jesuitas en 1568.

Es difícil juzgar la calidad y profundidad de la "conquista religiosa." Uno de los resultados más notables fue lo que generalmente se conoce como *sincretismo*[13] del catolicismo y las religiones prehispánicas. De manera simultánea con las prácticas externas de la iglesia católica, frecuentemente perduraba una corriente obstinada de ritos y creencias prehispánicas. Había, en la opinión de la historiadora, Anita Brenner, "ídolos detrás de los altares." Es que las prácticas religiosas de los amerindios no eran de una esencia católica pura ni tampoco de las tradiciones prehispánicas exclusivamente, sino un *sincretismo*, una yuxtaposición y un "mestizaje," de las dos corrientes. El balance entre catolicismo y creencias prehispánicas difería mucho de región a región. A veces la sobrevivencia de las regiones amerindias no eran más que supersticiones populares y prácticas curiosas de magia y brujería. Por otra parte, en los Andes, Guatemala, el sur de México y otras regiones apartadas, las creencias prehispánicas seguían casi intactas.

Sin embargo, no hay duda de que para fines del siglo XVI se celebraban ceremonias católicas en gran parte de América. El ejemplo clásico es el culto a la *Virgen de Guadalupe* entre los amerindios del valle de México. La Basílica de Guadalupe conmemora el lugar de la aparición de la virgen en 1531 al amerindio, Juan Diego. El edificio fue precisamente construido donde antes estaba el santuario construido en memoria de la diosa azteca, *Tonantzin* ("nuestra madre tierra"). Tenemos en la fusión o "mestizaje" de Guadalupe y Tonantzin, dos diosas combinadas en una, con aspectos de dos religiones *sincretizadas* para formar una sola. Si bien es la religión de los conquistadores, ya no es precisamente la religión de España, sino ahora es una religión "americanizada." Carlos Fuentes (1928–2012) escribe en *The Buried Mirror* (1992) sobre la leyenda de la aparición de la Virgen de Guadalupe y el impacto que tuvo en la vida de todos los amerindios. Según Fuentes, a partir de ese fenómeno, los amerindios fueron profundamente transformados de hijos de madre indígena perseguida, conquistada, violada, y explotada, a hijos simbólicos de una virgen católica con la que ahora se podían identificar mejor—pero *sincréticamente*, a través de *Tonantzin*. Nada, opina Fuentes, ha consolado y unificado el espíritu de las víctimas de la dominación europea tanto como la Virgen de Guadalupe, además de otras vírgenes como la Virgen de la Caridad del Cobre en Cuba y la Virgen del Caromoto en Venezuela.

---

[13] Sincretismo = syncretism, the juxtaposition, and coordination of disparate doctrines, beliefs, or practices.

El culto a la Virgen de Guadalupe, ahora una institución denominada la *Guadalupana*, ha ejercido una fuerza indudable en la mente de los campesinos de México. Con el pendón de la Virgen de Guadalupe, el cura Miguel Hidalgo y Costilla animó a los amerindios en 1810 a rebelarse en contra de la corona española. Aunque esa rebelión fue pronto sofocada, ese evento marcó el inicio de la lucha por la Independencia de México. Fue la misma virgen la que acompañó a los campesinos de la altiplanicie de México en su lucha contra los terratenientes[14] durante la Revolución Mexicana (1910–1917).

Aunque varios historiadores consideran "la conquista religiosa" como parte de la conquista militar y una violación atroz de las civilizaciones amerindias, otros opinan que la seguridad y el bienestar moral-espiritual que los amerindios han obtenido de su fe católica es indiscutible. ¿Qué opina usted? Tomando en cuenta las luchas militares-religiosas en nuestros días, ¿podía haber en América una distinción categórica entre el aspecto militar y el religioso de la conquista, o tenían que estar los dos aspectos íntimamente ligados?

PREGUNTAS

1. ¿Qué opinión tenía Colón de los primeros amerindios que vio?
2. ¿Por qué la percepción de Colón estaba distorsionada respecto a la "realidad" americana?
3. ¿Cuáles fueron algunos intentos de establecer utopías en América? ¿Qué pasó?
4. ¿Qué le aconsejó Colón al Rey sobre el futuro de los indígenas? ¿Cuál es la contradicción en estos consejos?
5. ¿Qué tipo de culturas amerindias existían cuando llegaron los europeos?
6. ¿Cuáles son las causas de la asombrosa disminución de la población amerindia después de la conquista?
7. ¿Cuál fue el premio máximo de la conquista, y por qué?
8. ¿Cuáles son las contribuciones de América a Europa, y viceversa?
9. Antes de la conquista, ¿qué aspecto tenía Tenochtitlan? ¿Cómo era su organización socio-política?
10. ¿Qué dioses tenían los aztecas? ¿En qué sobresalía su civilización?
11. ¿Cuál fue el origen de los mayas? ¿Cómo se desarrolló su civilización? ¿Qué aspecto tenía el sistema socio-político-económico maya?
12. ¿Cuál fue el origen de los incas? ¿Cómo se puede describir su civilización?
13. ¿Cómo llegaron los incas a dominar otras comunidades de la zona?
14. ¿Qué era la "mita" y la "yanacona"?
15. ¿ Por qué Cortés obró con astucia?
16. ¿Cómo lograron la conquista de Tenochtitlan los españoles?
17. ¿Qué problemas encontraron Pizarro y Almagro al comenzar la conquista de los incas?
18. ¿Cómo fue el primer encuentro entre Pizarro y Atahualpa? ¿Qué estrategia utilizó Pizarro con él?

[14] Terratenientes = large land owners.

19. ¿Por qué no había paz después de la conquista de Perú? ¿Cómo fue pacificada la región?
20. ¿Cómo fue la fundación de Santa Fe de Bogotá?
21. ¿Qué conflictos había entre los españoles y los araucanos? ¿Quién fue Alonso de Ercilla y Zúñiga?
22. ¿Cómo se extendió la conquista religiosa? ¿Cuáles fueron los problemas que surgieron?
23. ¿Por qué es difícil juzgar el éxito de la "conquista religiosa"?
24. ¿Cuál es el impacto histórico de la tradición de la Virgen de Guadalupe?

TEMAS PARA DISCUSIÓN Y COMPOSICIÓN

1. ¿Qué demuestran las conquistas de los aztecas y los incas acerca de la personalidad de los españoles, su individualismo (ver el Capítulo Dos), el concepto de su "yo," y su dedicación a *Dios*, el *Rey*, y *España*?
2. Según la lectura de este capítulo, ¿cómo se expresa el utopismo después de la "invención" de América con la "conquista religiosa"? ¿Es todavía posible una utopía?

UN DEBATE AMIGABLE

Organice una discusión polémica sobre la conquista militar de las civilizaciones indígenas. ¿Era necesaria? ¿hubiera sido posible y necesaria una conquista puramente "religiosa"?

CAPÍTULO 5

INSTITUCIONES COLONIALES

Fijarse en:

- El porqué de la falta de comunicación entre la península y los colonos americanos.
- El nivel de control que intentaban ejercer los peninsulares en América, la manera en que lo hacían, y la eficiencia de sus esfuerzos.
- La lucha perpetua de los conquistados y la forma en que resistían las imposiciones políticas, económicas y culturales de los conquistadores.
- La eficacia de España y Portugal en su lucha con otros países europeos por el control de Nuevo Mundo.

Términos:

- Adelantado, Alcalde Mayor, Audiencia, Cabildo, Capitanía, Casa de contratación, Consejo de las Indias, Contrato, Corregidor, Corregimiento, Donatário, Encomienda, Fazenda, Gobernador, Hacienda, Leyenda negra, Mameluco(a), Obedezco pero no cumplo, Repartimiento, Sueldo fijo, Tupi-Guarani.

Es necesario reflexionar un poco sobre la distancia enorme que existía entre la península y las colonias, y el tiempo necesario para transportar mensajes y productos de un lado a otro durante la época colonial. Para nosotros, acostumbrados a las facilidades tecnológicas de hoy, puede ser difícil comprender las dificultades que tenían los dos reinos peninsulares en mantener la paz y el orden en sus colonias tan grandes y distantes. Entonces, es esencial tomar en cuenta las severas limitaciones que tenían España y Portugal—debido a la distancia y los *problemas de comunicación*—en estos primeros capítulos. Solamente de esta forma se podrá empezar a entender el espíritu de la cultura colonial en Latinoamérica. Prosigamos, pues.

LA ADMINISTRACIÓN COLONIAL: ESPAÑA

Desde un principio, dos administraciones españolas fueron establecidas para administrar las colonias: la *Casa de contratación* (1503) y el *Consejo de las Indias* (1524). La *Casa de contratación* servía para regular el comercio con el

Nuevo Mundo, mientras que la función principal del *Consejo de las Indias* era la avisar al Rey sobre las transacciones americanas.

En términos más específicos, la *Casa* tenía el cargo de conservar el monopolio español sobre el comercio. Ese cargo incluía: (1) autorización de los barcos, los comerciantes y los inmigrantes, (2) colección de importes e impuestos, y en general (3) administración de las operaciones marítimas. El *Consejo* servía como instrumento supremo para gobernar las colonias. Era la institución que: (1) preparaba las leyes y tenía la responsabilidad de asegurar su vigencia, (2) interpretaba las leyes y funcionaba como corte suprema, (3) supervisaba el tratamiento de los amerindios, (4) administraba las *audiencias*,[1] universidades, y el cuerpo eclesiástico, (5) concedía licencia para nuevas expediciones con el fin de fomentar la expansión de la colonia.

Sin embargo, como vamos a notar, debido a las ya mencionadas enormes distancias, la falta de comunicación, y los escasos recursos administrativos y militares de los colonizadores—sobre todo porque España estaba en guerra perpetua con los países protestantes en defensa de la fe católica—era casi imposible mantener un respeto cabal[2] de la ley. Debido a la incapacidad de España de regir eficazmente los asuntos de sus colonias, poco a poco llegó a ser costumbre la aplicación del dictamen, "Obedezco pero no cumplo." Ese concepto encapsulaba la mentalidad de los colonos. Era como si dijeran, "rindo honores al *Rey*, a *España*, y a *Dios* de modo *formal*, aunque no puedo poner en *práctica* sus leyes en vista de que no se ajustan a las condiciones que existen aquí en las colonias." Es decir, "obedecer" según la corona era literalmente eso: "obedecer." Para los colonos, en cambio, el término "obedecer" correspondía a algunas de las *formalidades institucionalizadas* que muchas de las *actividades cotidianas*[3] de la vida colonial sugerían como algo incompatible con "obedecer": "no cumplir." En otras palabras, las leyes de la corona, aunque hechas con buenas intenciones, eran *idealistas*, porque no se podían aplicar a la *realidad* de las colonias, debido a que el ambiente en América era muy distinto al de España, y por lo tanto exigía otras normas de vida. Por lo tanto, desde el punto de vista de los colonos, era tan difícil "cumplir" con las leyes que, con el respeto de la corona, "no cumplían" con éstas. La noción de "cumplir" para la corona era una cosa, pero para los colonos, era otra (vale la pena recordar la brecha que existía entre la "invención"[el espacio *ideal*] de las Américas, y su descubrimiento [la *realidad*]). El "Obedezco pero no cumplo," entonces, daba testimonio de la imposibilidad de ejercer poder y control absolutos sobre las colonias. Vamos a ver cómo esta idea de "obedecer pero no cumplir" es una

[1] Audiencia = A high court with jurisdiction over a specified territory that existed within a viceroyalty.

[2] Cabal = thorough, exact.

[3] Formalidades institucionalizadas, actividades cotidianas = institutionalized formalities, everyday activities. Ideally, in a well-oiled colonial system, the two should be compatible, which was not the same in the New World.

característica de las colonias que ha perdurado en las culturas latinoamericanas, incluso hasta nuestros días.

En lo que corresponde al establecimiento de las instituciones formales y la administración de las colonias, los principios que mandaban la distribución de los frutos de la conquista quedaban a cargo de los *adelantados*,[4] jefes de los grupos de conquistadores. El *adelantado* nombraba un concilio municipal, o *cabildo*, generalmente en colaboración con el clérigo que había acompañado a los conquistadores. El cabildo, junto con la *encomienda*,[5] componían el núcleo principal de la colonización. Además, al *adelantado* se le había autorizado la distribución de los premios de la conquista. Los privilegios especiales eran la tierra y el derecho a la mano de obra de los amerindios que vivían en ésta, de acuerdo con la importancia del conquistador. Los conquistadores de mando supremo recibían *encomiendas*, de un número fijo de *hectáreas*,[6] que incluían a los amerindios que radicaban allí. Esos amerindios ahora tenían que pagar tributos a sus nuevos amos. Así es que la responsabilidad que tenían los conquistadores—al recibir una encomienda—era algo similar a una jurisdicción feudal. De este modo, los amerindios tenían un papel semejante al de los *siervos feudales* de la Europa medieval. Sin embargo, había una diferencia fundamental entre Europa y América: los siervos feudales en España generalmente eran del mismo grupo étnico y hablaban la misma lengua que sus amos, mientras en las colonias, los amerindios eran de lengua, cultura, y etnicidad diferentes. Por lo tanto, era irremediable que hubiera choques culturales en las colonias, los que crearon problemas graves en las relaciones interhumanas (como se discutirá en el Capítulo 6). Debido a esas colisiones culturales la *brecha*[7] entre España y sus colonias tendía a crecer, y la noción paradójica del "Obedezco pero no cumplo" llegó a ser cada vez más problemática.

En general, la organización de las minas seguía un plan diferente al de las encomiendas. Mientras los amerindios vivían dentro de la encomienda y proveían la mano de obra, frecuentemente no había una concentración suficiente de mano de obra cerca de las zonas mineras. Las minas principales de México quedaban bastante lejos de las grandes ciudades del imperio azteca, aunque en Perú y Bolivia la distancia era menor. De todos modos, había que desplazar a la gente indígena hasta el lugar donde se ubicaban las minas. En México el sistema de trabajo en las minas era el *repartimiento*,[8] que predominó hasta el comienzo del siglo XVIII. Después del año 1700 la práctica de *contratos* entre los amerindios (como *trabajadores libres*) y los mineros a cambio de un *sueldo fijo*

---

[4] Adelantado = Royal deputy and colony founder, who often paid his own expenses, and as a reward became governor and received certain privileges and tax exemptions.

[5] Encomienda = Grant of authority over land and the Amerindians residing therein, which carried the obligations of Christianizing and protecting them in exchange for their labor and a certain predetermined tribute (this institution was established in 1503).

[6] Hectárea = Hectare, slightly over two and one-half acres.

[7] Brecha = breach, gap, opening.

[8] Repartimiento = division of Amerindians for labor, principally in the mines and agricultural zones, according to local needs (put into effect during the 1550s).

iba en aumento. El problema del sistema de trabajo de sueldos resultó en que el sueldo era tan bajo que no cubría los gastos diarios, de manera que la mayoría de los trabajadores acumulaba deudas que los hacía prisioneros de las minas. Era un círculo vicioso: mientras los trabajadores no pagaban la deuda, no podían dejar el trabajo, y por regla general no podían pagar la deuda, porque el trabajo no dejaba bastante dinero. Eran poco mejor que esclavos (como se verá más adelante, este sistema se perpetuaba de la misma forma en las *haciendas* en el siglo XIX). En Perú y Bolivia al equivalente del *repartimiento* se llamaba la *mita*.[9] Era semejante al antiguo sistema que habían usado los mismos incas. Los españoles no hicieron más que imitar la *mita* en nombre del *repartimiento*. Al parecer, la *mita* fue al principio más brutal e inhumana que el *repartimiento* en México, ya que en los primeros años la producción de plata y otros metales de Perú y Bolivia fue más intensa.

En cuanto a la organización política de las colonias, la administración local consistía de *corregimientos*,[10] cada uno a cargo de un *corregidor* (también conocido como *alcalde mayor*[11] en Nueva España). Más allá del corregimiento, la autoridad dependía de un *gobernador de la provincia*. Sobre la jurisdicción del gobernador, había una *audiencia*. El conjunto de las audiencias de una región específica quedaba bajo el mando del *virrey* del *virreinato*. Los *virreinatos* iniciales fueron México (Nueva España, en 1535), y Perú (Nueva Castilla en 1542). Había *audiencias* en Santo Domingo (1511), México (1528), Panamá (1538), Lima (1542), Los Confines (Guatemala en 1542), Nueva Galicia (al oeste de la ciudad de la ciudad de México en 1548), y Bogotá (1549). Después se establecieron los *virreinatos* de Nueva Granada (que incluía Ecuador, Colombia, y Venezuela en 1717), y La Plata (que incluía Bolivia, Paraguay, Ecuador, y Argentina en 1776).

La administración local de los amerindios mantenía la forma tradicional de un *caciquismo hereditario* hasta mediados del siglo XVI. Desde entonces la corona comenzó a implementar instituciones dentro de las comunidades de amerindios, basadas en el molde que ya existía en España. En las comunidades principales se establecieron *cabildos* con funciones comparables a las de los *cabildos* en la península. Este tipo de concilio también era jerárquico: había continuación a través de los caciques y los ancianos, que eran los que ostentaban más poder y respeto. Sin embargo, poco a poco el sistema hispano de elección y nombramiento de los oficiales fue sustituido por el viejo sistema hereditario. Esta sustitución fue acelerada a fines del siglo XVI y a principios del XVII, cuando muchas de las comunidades estaban sujetas a *reducciones*—los ya mencionados programas de reorganización en comunidades nuevas—tanto por los misioneros como por los oficiales de la corona. Las municipalidades de tipo

---

[9] Mita = forced service of Amerindians: as mentioned in Chapter 4, "mita" was the term used by the Incas, and later the Spaniards, meaning one's "turn" to provide service (put into effect during the 1570s).

[10] Corregimiento = a province of which the governor was a *Corregidor*.

[11] Alcalde mayor = governor of a township or province called an *Alcaldía mayor*.

hispano contribuyeron mucho a la destrucción de las jerarquías amerindias y a una aculturación al estilo de la vida española.

La administración colonial: Portugal

En el año 1500, Pedro Álvares Cabral (1460–1520) llegó a la costa de Brasil. Según el reporte oficial, se dirigía a la India, pero perdió su curso debido a una serie de tempestades inesperadas. Según otra versión, desde hacía tiempo Portugal había tenido el proyecto de establecer una colonia en América de forma clandestina. Cualquiera que sea la verdadera historia, lo importante es que con la expedición de Cabral, Portugal ya reclamaba una gran parte del continente como colonia suya.

La colonia portuguesa tenía características muy diferentes a las de las colonias españolas. En primer lugar, en comparación con las civilizaciones indígenas que encontraron los españoles, los grupos de amerindios de la costa de Brasil eran comunidades pequeñas, dispersas y en constante guerra entre sí, a pesar de tener una base lingüística común, el *Tupi-Guarani*. Las comunidades en general se ocupaban de la caza, la pesca, y la siembra de tipo "slash and burn."[12] Como los portugueses no habían tenido noticias de riquezas en el interior de Brasil, y tampoco tenían tanta experiencia en conquistas y expansiones territoriales como los españoles, se conformaron con quedarse cerca del mar, lo que les era más conocido. A través de un sistema de intercambio, obtenían de los amerindios todos los productos que deseaban para vender en Europa. También se aprovechaban de los amerindios como fuente de labor, pero como frecuentemente dependían de éstos como aliados para defenderse de los españoles, franceses, y holandeses que siempre amenazaban con invadir territorio portugués, hubiera sido arriesgado esclavizarlos. Los necesitaban más a su lado para ayudarles a defenderse en contra de invasores de otros países europeos. Por esto, la esclavitud tanto de amerindios como de africanos en Brasil existía casi exclusivamente dentro de las *fazendas*,[13] que exigían trabajo intensivo y gran cantidad de mano de obra. Por consiguiente, la mestización del portugués y el amerindio (que dio origen a los *mamelucos*, el equivalente de los *mestizos*), y después del portugués y el afroamericano (que dio origen a los *pardos*, o *mulatos*) fue más rápida en Brasil que en las colonias españolas.

Pero también hubo otro factor que cuenta en la mestización relativamente rápida en Brasil. Un porcentaje considerablemente menor de portugueses inmigró a América con su familia; pues, la colonia no se concebía como un lugar para echar raíces sino sólo para intercambio comercial con los amerindios. Por lo tanto, al principio hubo más apareamiento[14] entre portugueses y mujeres indígenas, y después con esclavas africanas recién llegadas, que entre españoles

---

[12] Limpiaban pequeñas parcelas de la selva para la siembra, pero como la tierra era relativamente pobre, duraba sólo unos cuantos años, y entonces pasaban a otra parcela para comenzar de nuevo el ciclo.

[13] Fazenda (Port.) = plantation.

[14] Apareamiento = to match, mate, have sexual relations with.

y mujeres de otros grupos étnicos. De todos modos, ya que el afán colonizador de Portugal no era tan intenso como el de España, para fines del siglo XVI, en comparación con las colonias españolas, Brasil estaba relativamente despoblado, salvo algunos lugares en la costa. En realidad no había bastante gente que se atreviera a penetrar el interior (con la notable excepción de los *bandeirantes*), como era la costumbre en las colonias españolas.

Desde el principio, el Rey Dom João III (1521–1557) inició un sistema de colonización para evitar que los franceses se posesionaran de Brasil, pues éstos estaban rápidamente infiltrándose en territorio portugués. Martim Afonso de Sousa, a quien le fue dado el encargo de defender la región contra los invasores, mandó construir una fortaleza en el sitio de lo que es hoy Rio de janeiro, y una base provisional en Bahia. Después Dom João mandó dividir las tierras en *capitanias*,[15] que eran comisionadas a *donatários*,[16] quienes tenían a su cargo la responsabilidad de llevar a cabo la colonización. Los *donatários*, con un poder semejante al de los amos medievales (y encomenderos), generalmente desempeñaban su cargo formalmente. Aunque hubo, al igual que en las encomiendas, atrocidades en contra de los amerindios, según la evidencia accesible el sistema colonial portugués generalmente era un poco menos intolerante con respecto a la gente de otras culturas.

Los reglamentos comerciales de Brasil también eran diferentes a los de las colonias españolas. Mientras a los colonos españoles se les permitía comerciar solamente con España, los brasileños tenían más libertad para mandar sus productos a puertos portugueses o extranjeros sólo con el permiso de los *donatários*. Aunque los productos vendidos a los extranjeros tenían importes más altos, de todos modos el comercio relativamente libre les dio a los portugueses ventaja sobre los españoles. Además, los impuestos tendían a ser más bajos en Brasil que en las colonias españolas. Por ejemplo, Tomé de Sousa, el primer gobernador de Bahía (1549–1553), les concedió a los *fazendeiros* que producían azúcar un lapso de diez años antes de tener que pagar impuestos. Con esa iniciativa, en poco tiempo el azúcar era la base de la prosperidad brasileña, llegando a ser el productor número uno de azúcar en el mundo.

La lucrativa industria del azúcar dio origen a una sociedad aristocrática enfocada en la institución de la *fazenda*. El cultivo de la caña de azúcar requería grandes extensiones de tierra y un número considerable de siervos baratos, lo que motivó una creciente demanda de esclavos. Como la cantidad de esclavos africanos no era suficiente para satisfacer la demanda, la esclavitud de amerindios también empezó a crecer, lo que inició una desconocida hostilidad entre amerindios y europeos. El tráfico de esclavos amerindios motivó las expediciones de los legendarios *bandeirantes* hacia el interior del sur de Brasil en busca de indígenas para la esclavitud. Las excursiones de los *bandeirantes* fueron objeto de furiosas represalias por los jesuitas desde su misión, que incluía

---

[15] Capitania (Port.) = immense land grants, comparable to the encomiendas.

[16] Donatários (Port.) = recipients of *capitanias*, comparable to the encomenderos of the Spanish colonies.

a los amerindios guaraní en Paraguay. Sin embargo, a partir de 1550, Paraguay llegó a ser una de las regiones predilectas para obtener esclavos, ya que allá había un número considerable de amerindios relativamente pacíficos.

En resumen, tanto para España como para Portugal, la época de la conquista y los primeros años de la colonización constituyeron un tiempo breve pero de profunda importancia. Durante esa época las civilizaciones precolombinas demostraron resistencia y debilidad frente a la tecnología de la civilización occidental, así como también una gran capacidad de asimilar la cultura colonizadora y al mismo tiempo retener elementos profundos de su propia cultura original.

ESPAÑA DIFAMADA: LA "LEYENDA NEGRA"

Desgraciadamente, esa época vio la creación de la notoria *leyenda negra*, difundida por los enemigos—sobre todo los ingleses—de España. La Leyenda negra fue en parte derivada de la crítica mordaz que Bartolomé de las Casas escribió en su *Brevísima relación de la destrucción de las Indias* (1552). Aunque la crítica de las Casas fue en parte una exageración sobre las atrocidades de los españoles durante la conquista, no se puede negar que sí las hubo, como siempre ha ocurrido cuando un pueblo ha colonizado a otro. De cualquier modo, los promotores de la leyenda negra se concentraban exclusivamente en las atrocidades de los conquistadores para denigrarlos y justificar sus ataques en contra de España.

Sin embargo, hay que explorar la leyenda negra dentro de un contexto amplio. No hay que creer que los españoles solamente violaron mujeres, mutilaron, torturaron, y mataron de manera sádica, destruyendo civilizaciones indígenas que existían en un estado de bienestar paradisiaco y placer comunal. Muchas veces las prácticas religiosas y militares de los amerindios eran tan brutales como las de los españoles. No es que España haya introducido el hambre y la pestilencia a América; aparte de las nuevas enfermedades que sí decimaron poblaciones enteras, los amerindios, salvo algunas excepciones, de ninguna manera vivían rodeados de abundancia. La explotación de los amerindios por los españoles tampoco fue una crueldad desconocida en los anales de la historia. En ciertos aspectos, hasta aquella época no se había visto la colonización de un pueblo por otro bajo leyes y ordenanzas más humanizadas (aunque, como se ha notado, por el "Obedezco pero no cumplo," los colonos frecuentemente ignoraban las buenas intenciones de los Reyes).

Tampoco hay que desatender el hecho de que los conquistados hasta cierto punto también conquistaron a los europeos, ofreciéndoles un nuevo modo de vivir diferente al de la península—lo que evitaron los ingleses en Norteamérica, debido a su mayor intolerancia hacia los amerindios. Desde que llegaron a América, el medio ambiente ejerció una influencia innegable en los españoles. Se podría decir que los europeos se sentían como en otro planeta, tan alejados que estaban de su tierra, y como consecuencia el Nuevo Mundo los fue transformando con el tiempo. Así es que a medida que los europeos transformaban a América—a través de la llamada "invención"—América los transformaba también, "inventado" para ellos nuevos modos de expresión y nuevas costumbres.

Esta transformación de los españoles durante los primeros años de la colonia en ningún lugar es más dramática que en *Naufragios* (1542), obra biográfica de Núñez Cabeza de Vaca (1507–1559). Cabeza de Vaca describe el aspecto fantástico de América visto a través de ojos españoles, y la manera en que paulatinamente los españoles iban asimilando este ambiente de magia y maravilla, haciéndolo suyo.[17] Cabeza de Vaca pasó ocho años vagabundeando por el paisaje americano desde la Florida, pasando por el sur de EE.UU. y el norte de México hasta el Océano Pacífico. Después de su larga jornada él terminó más amerindio que español, más identificado con el conquistado que con el conquistador. La historia de Cabeza de Vaca es un caso extremo y excepcional. Sin embargo, de alguna manera todos los colonizadores se transformaban dentro del ambiente americano a medida que reformaban a los amerindios y su cultura.

En fin, es como si hubiera habido una gran brecha entre Europa y la América de la "invención," la conquista y la época colonial. El gran deseo del europeo era que América se transformara según su *idea* de América, pero lo que pasó fue que en América, los europeos y en cierto sentido Europa se transformaban en América según la *realidad* del medio ambiente. Es decir, como apunta Carlos Fuentes en *Tiempo mexicano* (1971), es casi como si en la mente de los europeos, América había sido un mundo *ideal* que contrastaba con la América *real* que los españoles tuvieron que enfrentar tal como era.

PREGUNTAS

1. ¿Puede describir la Casa de Contratación y el Consejo de las Indias?
2. ¿Qué era una audiencia? ¿Un virreinato?
3. ¿Cómo puede usted explicar el dictamen, "Obedezco pero no cumplo"?
4. ¿Qué es un adelantado, un cabildo, y una encomienda?
5. ¿Cuál es la diferencia básica entre el sistema feudal europeo y el sistema de la encomienda?
6. ¿Qué es el repartimiento? ¿Qué institución lo desplazó? ¿Qué problemas hubo con esa institución?
7. ¿Qué es un corregimiento y un alcalde mayor?
8. ¿Cuáles fueron los virreinatos y las audiencias?
9. ¿Cuáles son las principales diferencias entre la colonia portuguesa y las colonias españolas?
10. ¿Qué son mamelucos, pardos, y mulatos?
11. ¿Por qué al principio hubo más mestización en Brasil que en Hispanoamérica?
12. ¿Qué son capitanias y donatários?
13. ¿Cuál fue el impacto del cultivo de la caña de azúcar en Brasil?

---

[17] Haciéndolo suyo = making something part of one's mind-set and way of life.

14. ¿Qué es la "Leyenda negra," y por qué es hasta cierto punto una exageración?
15. ¿Quién fue Cabeza de Vaca?

Temas para discusión y composición

1. ¿Cómo es que los conquistados al fin conquistaron a los conquistadores? ¿Era inevitable esa conquista a la inversa?
2. ¿Puede pensar en algún tipo de "Leyenda negra" sobre algún país hoy en día? ¿Cómo es diferente a la "leyenda negra" sobre España?

Un debate amigable

Se forman dos grupos, uno defendiendo la idea de los colonos de "Obedezco pero no cumplo," y el otro defendiendo el mandato de la corona de que los colonos debían cumplir fielmente con la ley.

CAPÍTULO 6

UNA VISTA PANORÁMICA

Fijarse en:

- Los tres temas del período colonial y sus características particulares.
- El porqué de los conflictos entre España y otras naciones europeas, y las consecuencias de éstos.
- El creciente conflicto entre grupos sociales y étnicos durante la colonia.
- Los cambios que hubo durante las últimas décadas del período colonial, y la manera en que éstos prepararon las condiciones para la Independencia.

Términos:

- Borbón, Bucaneros, Casa Real, Contrarreforma, Criollo(a), Habsburgo, Ideal-Real, Intendente, La Reforma, Quinto, Reformas Borbónicas, Resentimiento Criollo, Siglo de las Luces.

EL COLONIAJE: TRES SIGLOS Y TRES TEMAS

En términos generales, el coloniaje español—aunque no tanto el portugués—se puede definir por medio de tres temas principales, que corresponden aproximadamente a tres siglos: (1) siglo XVI, *conquista* y *expansión*, (2) siglo XVII, *contracción* y *defensa*, y (3) siglo XVIII, *reformas borbónicas* de España. Vamos a fijarnos brevemente en cada una de esas épocas.

Durante el siglo que siguió a la conquista, los españoles parecían creer que la divina providencia les había concedido adueñarse de todo el territorio a su alcance. Con algunas excepciones—la defensa de los amerindios de Bartolomé de las Casas, por ejemplo—no había ninguna duda sobre ese proyecto político-social-teológico. No había debate sobre si las acciones de los españoles eran o no justas, ellos pensaban que lo que hacían era su deber, clara y sencillamente. Lo que servía para fortalecer esa creencia era el gran éxito alcanzado en: (1) la Reconquista de España y la expulsión de los moros, (2) La Conquista y Colonización de América, y (3) las medidas iniciales en defensa de las colonias contra la intervención de ingleses, franceses, holandeses, y otros. Por lo tanto, después de tanto éxito en nombre de *Dios*, el *Rey*, y *España*, ¿no le parece a usted lógico que los españoles se sintieran como omnipotentes?

La expansión durante el siglo XVI tuvo tres fases. La primera fue militar: abarcaba la conquista y la exploración. La segunda fue económica: se trataba de la búsqueda de riquezas en las civilizaciones prehispánicas, y cuando se agotó este *sueño*, empezó otro por descubrir yacimientos minerales preciosos y explotarlos a través del trabajo de los mismos amerindios. La tercera fase era de la obra misionera: la "conquista religiosa," que también ocupó una gran parte del siglo XVII. Para repasar brevemente lo que usted ha leído en capítulos previos, la obra misionera fue en parte el producto de los cambios de la Iglesia en 1517 a partir de la *Contrarreforma*, es decir, la lucha en contra de la *Reforma* protestante en el norte de Europa iniciada con las protestas de Martin Lutero (Martin Luther [1483–1546]).

> La *Contrarreforma* incluía la *auto-reforma* del mismo catolicismo. Lo admirable de la institución católica es que ha tenido la capacidad de reformarse a sí misma más o menos cada siglo. En el siglo XVI la auto-reforma iba en contra de la opulencia y lujo de que gozaba la clerecía. Por consiguiente, proponía un regreso a la vida simple y austera, con una re-dedicación de programas para el beneficio de la humanidad según las enseñanzas de San Francisco de Asís (1182–1226), fundador de la Orden de los Franciscanos. Esa auto-reforma alcanzó su máxima expresión hacia finales del siglo XVI.

Al comenzar el siglo XVII—el de la *contracción* y *defensa*—el poder militar y marítimo de España iba en decadencia. La gran desilusión fue la derrota de la Armada Española por la Reina Isabel I de Inglaterra en 1588. Se suponía que la Armada era invencible, consecuentemente su derrota dañó gravemente el prestigio de España en Europa. Al mismo tiempo, la actividad marítima de Francia, Inglaterra, y Holanda iba en aumento. Sin embargo, durante todo el siglo XVII, esos países tuvieron menos éxito en su campaña en contra de España de lo que esperaban, sobre todo debido a la tenacidad de los españoles. Para fines del siglo, los logros territoriales de los invasores franceses habían sido escasos, aparte de Haití—la región del oeste de Santo Domingo—otras islas pequeñas del Caribe, la Guayana francesa, y el norte de Brasil. En 1697, los franceses se apropiaron del puerto de Cartagena, lo que habría sido una hazaña notable si se hubieran quedado. Sin embargo, decimados por enfermedades tropicales, sus ambiciones desaparecieron poco después, y abandonaron el proyecto.

Inglaterra tuvo un poco más de éxito en su lucha contra España y Portugal en América. Desde la segunda mitad del siglo XVI los ingleses estaban cada vez más interesados en el continente. Al principio, entraron en interacciones comerciales con los colonos de la península, sobre todo con el tráfico de esclavos y contrabando. Poco a poco se volvieron más atrevidos. En 1585, Francis Drake saqueó la ciudad de Santo Domingo, y luego capturó Cartagena, manteniéndola bajo su poder durante una breve temporada. Diez años después, una flota bajo el mando de Drake y John Hawkins invadió varios puertos e interceptó galeones españoles por todo el Caribe. Estas actividades sirvieron para establecer el modo de conducta de los invasores extranjeros en el siguiente siglo, lo que han llamado la *Era de los Bucaneros*. La culminación de las atrocidades ocurrió en 1671 cuando Henry Morgan destruyó la ciudad de Panamá. Durante los siguientes quince años la intensidad de los bucaneros favoreció a la corona española con la adquisición de Belice, Curaçao, Jamaica, y otras islas pequeñas de Caribe, y al sur, la Guyana Británica.

Por parte de los holandeses, el acto de piratería más notable ocurrió en 1628 cuando en el Caribe Piet Hein derrotó una flota de galeones españoles llenos de riquezas, lo que fue uno de los encuentros más lucrativos en toda la historia de los piratas. Sin embargo, el gran éxito de los holandeses consistió en la invasión de Brasil. En 1624 tomaron posesión de Bahía, ocupación que duró poco tiempo, pero en 1630 se apoderaron de Pernambuco y pronto se extendieron hasta el río Amazonas en el norte. Los holandeses establecieron una colonia próspera con el nombre de "Nueva Holanda," y estuvieron allí hasta 1654 cuando los expulsaron los portugueses.

En fin, durante el siglo XVII España—y hasta cierto punto Portugal—se vio obligada a refrenar la expansión territorial, la explotación de riquezas minerales, y el desarrollo de la producción agrícola. Esa moderación era el resultado del decaimiento de los imperios y el agotamiento de los recursos económicos de los dos reinos de la península. Esa decadencia se debía en parte a la depresión económica que sufría toda Europa, pero también a la agresividad de otros pueblos europeos, que cada vez eran más audaces. Sin embargo, tomando en cuenta el debilitamiento de España y Portugal a fines del siglo XVI y durante todo el siglo XVII, el hecho de que no hayan perdido más territorio frente a otros invasores es testimonio de su perseverancia, su tenacidad, y su capacidad de adaptarse a las circunstancias. Gente con menos vigor y flexibilidad no habría podido defenderse con tanta eficiencia.

Los cambios del siglo XVIII—el de las *reformas*—pertenecen principalmente a España y a Portugal. En el año 1701, subió Felipe V al trono de España, el primer rey de la casa de los *Borbón* de Francia, marcando el fin del reino de la *casa real*[1] de los *Habsburgo* de Austria desde Carlos V, cuyo reinado empezó en 1517 (véase *Borbón* y *Habsburgo* en el Glosario). Ya que el último rey Habsburgo había muerto sin herederos, un cambio de la familia real era inevitable. Después de las intrigas acostumbradas en aquella época con respecto a estos asuntos, por fin pasó el trono de la casa austriaca a la francesa. La política borbónica, sobre todo durante la segunda mitad del siglo—a la que han denominado "despotismo ilustrado" en nombre del movimiento del *Siglo de las Luces* o la *Ilustración*[2]—era centralizadora, y su objetivo era radicalmente reformista.

Con las reformas borbónicas se fortalecieron las colonias, de modo que recobraron algo de la vitalidad que habían tenido al principio. Esas reformas incluían lo siguiente. (1) Las restricciones del comercio fueron liberadas,

---

[1] Casa real = royal household.

[2] Siglo de las Luces o Ilustración = Enlightenment, the 18th century movement in Europe placing renewed emphasis on logic, reason, and criticism of ethical and aesthetic norms.

dándoles a los colonos la oportunidad de entrar en un intercambio comercial más independiente y fuera de las relaciones que antes estaban estrechamente atadas al monopolio español. (2) Los impuestos fueron modificados o abolidos, y se prohibió la mano de obra esforzada de los amerindios. (3) La actividad comercial fue notablemente reforzada, y como resultado, nuevas clases comerciales empezaron a reemplazar la vieja aristocracia de tipo feudal. (4) En las provincias, nuevos métodos de minería fueron establecidos y la administración de la producción agrícola fue reorganizada para mayor eficacia. (5) Gobernadores, corregidores, y alcaldes mayores fueron reemplazados por un sistema más eficiente de *intendentes* de nuevas provincias llamadas *intendencias* (cambio de administración que causó mucho resentimiento, porque los oficiales tradicionales consideraban la posesión de sus títulos como un derecho incuestionable). (6) El cuerpo burocrático de los reyes Habsburgo—que había crecido considerablemente durante el coloniaje—fue reducido. (7) A los nuevos oficiales se les dio un salario respetable, lo que contribuyó a reducir la corrupción que había aumentado durante el último siglo y medio. Consecuentemente los oficiales comenzaron a responder más directa y favorablemente a sus respectivos reyes.

Es necesario mencionar el período del Rey Carlos III (1759–1788) de España, que el historiador Hubert Herring llama "el capítulo más inteligente del coloniaje español." Con su consejero, José Campilla, Carlos III denunció la marginación de los amerindios durante los dos y medio siglos del colonialismo. Recomendó que a los indígenas se les diera su propia tierra para trabajar, con garantías que incluían todos los derechos humanos de los que gozaban los españoles. También quiso poner fin al monopolio económico—que había existido en el sistema colonial desde el principio. Para realizar esto, redujo los impuestos y creó un sistema de comercio más libre. Carlos III logró poner algunas de sus recomendaciones en efecto, contribuyendo a una prosperidad hasta entonces desconocida. Al parecer se estaba cerrando poco a poco la gran brecha entre las leyes *idealistas* aunque bien intencionadas de España, y la *realidad* de las colonias en la que los colonos "obedecían pero no cumplían." En otros términos, parecía que el *espacio ideal* de la América "inventada" se acercaba a la América "real" (quiere decir, la visión quijotesca se hacía un poco "sanchopancista"). Sin embargo, las apariencias a veces engañan.

Esa distancia entre lo *ideal* y lo *real* de ninguna manera se cerró del todo. Al fin de cuentas, la visión borbónica *cuasi utopista* también quedó, como todos los *utopismos*, alejada de la realidad. Aunque la nueva eficacia borbónica tuviera varios resultados, también creó nuevos problemas. (1) A pesar de las reformas borbónicas, España ya no estaba alcanzando tanto éxito en su lucha contra los demás países europeos. (2) El liberalismo francés del *Siglo de las Luces* chocaba con las viejas tradiciones españolas, lo que causó malestar y a veces tendencias de rebelión. (3) Lo que más alteró el sistema colonial fue que muchos de los puestos menores del cuerpo burocrático que ocupaban los *criollos*—españoles nacidos en América—se les empezó a otorgar a representantes recién llegados de España.[3] Esta discriminación obviamente no les agradó a los *criollos*, que se sentían tan "españoles" como la gente de la península. Por lo tanto esa transformación agudizó el *resentimiento criollo*—tema que se atiende a continuación.

EL RESENTIMIENTO CRIOLLO

Como ya se ha observado, la distancia enorme entre América y Europa iba en contra del empeño en administrar eficientemente las colonias—manteniendo un control respetable y justo—por parte de las coronas de la península. De hecho, el contraste entre los designios humanitarios irremediablemente *idealistas* de España y Portugal y la *realidad* americana, tal como la percibían y concebían los colonos, llegó a ser un tema que perduraría durante toda la época colonial.

Desde el principio, los conquistadores—demasiado ambiciosos con frecuencia—deseaban convertirse en aristócratas genuinos (*hidalgos*), con todos los privilegios y derechos que disfrutaban los administradores de las *casas reales* de España y Portugal. En cambio, los monarcas estaban en contra de la creación de una nobleza con su propia autonomía en las colonias—a causa de la distancia y los problemas de comunicación y control. Los reyes deseaban ejercer su autoridad, a como diera lugar[4] exigiendo el quinto,[5] y administrando la importación y exportación, la inmigración a América, la educación y la religión. Para establecer el control deseado, España y Portugal dependían cada vez más de fuerzas burocráticas, lo que por fin bloqueó la comunicación y casi paró la movilidad social. Lo peor era que la creciente burocratización de las colonias deterioraba todavía más el *contraste entre las buenas intenciones de los reyes, por idealistas que fueran, y lo que en realidad ocurría en América*. En vista de la extensión enorme de las colonias y su distancia de Europa, no podía más que haber una distinción entre la concepción de las colonias, por parte de sus respectivas coronas, y las colonias tal como las forjaban los mismos colonos. Por consiguiente, la mentalidad de "obedezco pero no cumplo" (que revelaba una lealtad formal hacia la corona y a la vez una tendencia anárquica) alcanzaba su máxima expresión. A pesar de las reformas borbónicas, en muchos casos crecía la distinción entre los *ideales* de la corona y la *realidad americana*.

Esa distinción, más marcada en las colonias españolas que en la portuguesa, tuvo su génesis en la misma "invención" y conquista de América por razones antes descritas. El contraste entre *ideales* y *realidad* era profunda después de la conquista, cuando comenzó una segregación social que involucraba el nacimiento y desarrollo de una nueva clase social: los *criollos*. Según las prácticas socio-político-económicas, los *criollos* no gozaban de los mismos

---

[3] Si un hijo o hija de españoles nacía en España, era considerado(a) *peninsular*, si nacía en América, era *criollo (a)*.

[4] A...lugar = come what may.

[5] Quinto = a tax consisting of 1/5 of the income from the mines. The "quinto" was at times reduced to as much as a "décimo," according to what was perceived to be the colonists' capacity to pay the King his due share.

privilegios y no podían ejercer los mismos cargos administrativos que los *peninsulares*. Como es de suponer, eso motivó un resentimiento por parte de los *criollos* que paulatinamente se fue agudizando hasta que llegó a los movimientos de Independencia en contra de España por parte de las colonias. En realidad, el problema consistía de una demanda de privilegios y puestos burocráticos por parte de los *criollos* que excedía la posibilidad de la corona de satisfacer tal demanda. Había un número insuficiente de títulos disponibles.

Este conflicto crecía durante todo el período colonial. Aunque el Rey de España otorgó el título de *duque* a Cortés y a Pizarro como justo pago por su rol en la conquista de los aztecas e incas, subsecuentemente confirió pocos títulos. Para el año 1680 sólo había concedido seis títulos en México, cinco a españoles y uno a un *mestizo*, descendiente de la familia real de los aztecas. En Perú, a principio la situación fue un poco diferente, probablemente debido a la riqueza inmensa de las minas durante los años iniciales. Hasta 1750 más de 85 títulos se habían otorgado a habitantes de Perú, en comparación con 27 en México. Por regla general, después de la conquista, los que recibían títulos eran burócratas prominentes, líderes sobresalientes de la fuerza militar, e individuos con grandes recursos pecuniarios que habían contribuido a las fuentes de riqueza en las colonias—pero a veces esa gente simplemente compraba los títulos. Casi todos los que recibían títulos, en cualquier forma, eran *peninsulares*, aunque con frecuencia sus hijos (que eran clasificados como *criollos*) los heredaban.

Peninsulares y *criollos* desde el principio participaban en actividades diferentes. Los criollos llegaban a dominar el comercio de las provincias, en las minas, en la producción agrícola, y a fines del período colonial, en los oficios locales. Los peninsulares preferían ocuparse del comercio urbano y los altos oficios. Los puestos superiores de la burocracia, como fue descrito arriba, estaban prohibidos para los criollos, ya que la corona opinaba que la gente nacida en suelo americano no sería tan leal a España que la gente nacida en la península. De cualquier forma, la entrada de los criollos en los oficios burocráticos de mayor prestigio iba en aumento hasta mediados del siglo XVIII.

Tanto los peninsulares como los criollos manifestaban una inclinación hacia títulos, honores y oficios de renombre. Evitaban, hasta donde fuera posible, el trabajo manual: para reiterar, según su concepción de sí mismos, nacieron para ser *hidalgos*. Ya que los peninsulares gozaban de mayor acceso a los altos puestos burocráticos, los criollos pensaban que los peninsulares eran arrogantes, altaneros, y esnobs—por eso les aplicaron términos de desprecio como *gachupines* (México) y *chapetones* (Perú). A través de los años, el resentimiento de los criollos por los peninsulares aumentaba, sin embargo había una contradicción en ese resentimiento. Con frecuencia, sobre todo en presencia de gente de estratos sociales "inferiores," los criollos imitaban la misma conducta de los peninsulares, pues estaba de moda ser "cosmopolita" hasta donde fuera posible. Por consiguiente, generalmente las instituciones en su mayoría criollas, reflejaban una "psicología criolla"—es decir, una tendencia a copiar las costumbres "más respetables" de la península.

En fin, el antagonismo entre criollos y peninsulares llegó a ser más grave entre las clases menos ricas que entre los aristócratas, pero la tensión entre las dos clases siempre se manifestaba. A menudo, padres criollos adinerados proveían dotes generosas para sus hijas con la esperanza de emparentarlas con uno de los españoles recién llegados de "pureza de sangre." Esos casamientos poco a poco daban origen a una aristocracia "mixta" de peninsulares y criollos. Sin embargo la tensión continuaba por debajo de la superficie, lo que dio origen a los movimientos de Independencia hacia finales del siglo XVIII.

Preguntas

1. ¿Cuáles son los tres temas del período colonial? ¿Por qué es posible decir que había tres mundos diferentes durante esos períodos?
2. ¿En nombre de quién y de qué ocurrió la conquista y la colonización? ¿Por qué?
3. Describa la naturaleza del siglo de la expansión.
4. ¿Qué es la Reforma y la Contrarreforma? ¿Quiénes fueron Martín Lutero y Francisco de Asís?
5. ¿Qué acontecimientos marcan la caída del poderío militar y marítimo de España?
6. ¿Cuál fue el premio de Inglaterra en América y por qué este país fue más exitoso que Francia?
7. Describa la era de los bucaneros
8. ¿Quiénes fueron los Habsburgo y los Borbón?
9. ¿Qué fue la Ilustración? ¿Por qué se le llama el Siglo de las Luces?
10. ¿Por qué es tan importante el período durante el que estuvo Carlos III en el trono?
11. ¿Qué fue lo que provocó las reformas borbónicas?
12. ¿Cuál es el origen o génesis de la contradicción entre lo ideal y la realidad con respecto al tratamiento de las colonias por parte de España?
13. ¿Cuál es la diferencia entre un peninsular y un criollo? ¿Cuál era la rivalidad más grande entre ellos?
14. ¿Qué es la "pureza de sangre"? ¿Qué es la aristocracia "mixta"?

Temas para discusión y composición

1. Los españoles y portugueses debían tener un talento personal y colectivo especial para poder defenderse con tanta eficacia en las Américas. ¿Por qué cree usted que tenían esas cualidades precisamente en esa época?
2. ¿Habrá algún fenómeno cultural en nuestros días que sea semejante al "resentimiento criollo"?

Un debate amigable

Se forman tres grupos para defender: (1) los privilegios de los peninsulares, (2) el resentimiento criollo, y (3) el punto de vista, generalmente apagado, de los mestizos y amerindios.

CAPÍTULO 7

GRUPOS ÉTNICOS DURANTE EL COLONIAJE Y DESPUÉS

Fijarse en:

- El problema de comunicación entre las coronas y sus colonias.
- La diferencia entre el idealismo de los colonizadores y la realidad americana, y las razones por las cuales existe tal discrepancia.
- La situación de los amerindios durante los tres siglos del colonialismo.
- Las características de la esclavitud de la gente negra en las colonias.
- Las diferencias entre la esclavitud de Brasil y la de Hispanoamérica.
- El fenómeno del mestizaje en Latinoamérica.
- Las características de los mestizos y las relaciones entre ellos y los amerindios.

Términos:

- Aleijadinho, Asiento, "Blue Laws," Casa grande, Casticismo, Cholo(a), Cimarrón, Estancia, Finca, Gañán, Hacienda, Ladino(a), Leyes de Burgos, Negro(a), de Ganho, Nuevas leyes, Pícaro, Preto(a), Quilombo, Saudade, Senzala, Sertão, Zambo(a).

LOS AMERINDIOS

Como se ha observado, los peninsulares—en particular, los españoles—desde el principio establecieron un sistema de explotación no sólo de tierras y minas, sino también de amerindios como fuente de trabajo forzado. Siempre hubo una variedad de artificios institucionales para que los amos europeos se aprovecharan del trabajo de esas desafortunadas "bestias de carga" (la *esclavitud*, la *encomienda*, el *repartimiento* [*mita*], y el *contrato* con el amerindio como obrero "libre" con *sueldo fijo*).

De cualquier modo, hay que volver a hacer hincapié[1] en que los colonizadores peninsulares siempre redactaban leyes con el propósito de crear en América una sociedad *ideal*. Desde el principio, las *Leyes de Burgos* (1512–1513) de la corona española, incorporaban un código de legislatura humana establecido con el fin de proteger a los amerindios de toda clase de opresión y explotación. Estas leyes eran un buen ejemplo—quizá uno de los mejores—del *idealismo* español. Pues, en aquella época no había ningún país colonizador que

[1] Hacer hincapié = to emphasize.

solicitara un tratamiento tan justo y humanitario hacia los colonizados—ni lo hubo en toda la historia del mundo occidental hasta siglos después. La Leyes de Burgos eran generales en cuanto a su aplicación. Sin embargo, había artículos específicos que hoy parecen absurdos, tales como el de prohibir a los colonos que forzaran a los amerindios a: (1) desenterrar a sus antepasados, (2) cargar a sus amos en hamacas, (3) traer hielo desde la sierra de los Andes hasta Lima para refrescar a sus amos. Tales ordenanzas eran el resultado de los abusos con respecto a las prácticas particulares en ciertos lugares que luego se sujetaron a las leyes generales. A través de esas ordenanzas se nota el gran esfuerzo de la corona por poner fin a toda clase de abusos. Otras ordenanzas de aplicación general que ejemplifican ese esfuerzo incluyen la estipulación de que los crímenes cometidos en contra de los nativos merecerían castigos más severos que los crímenes en contra de los mismos peninsulares—la corona consideraba que los peninsulares podían defenderse a sí mismos y los indígenas no. Además, las leyes reiteraban con frecuencia el concepto de que los amerindios eran libres y no debían estar sujetos a ninguna clase de servidumbre forzada.

De nuevo, el mismo tema de siempre: las leyes llegaban a ser producto del *idealismo* de la corona que contrastaba con la *realidad* de América. Consistía en el conflicto entre el deseo de la corona de proteger a los amerindios, pero al mismo tiempo había un pleno reconocimiento de que si los indígenas no proveían la mano de obra para los colonos, el imperio entero no sería operativo. Como los amerindios a menudo resistían el trabajo forzado, se concebía la posibilidad de aplicarles castigos. Sin embargo, al castigar a los amerindios los colonos violaban las leyes redactadas para proteger a los mismos indígenas. Era un círculo vicioso que al parecer no tenía solución. En su afán por encontrar un balance entre esas dos necesidades, la corona—con la aprobación de la Iglesia—por una parte dictaba en las leyes un principio según el cual los colonos debían vigilar que los indígenas no fueran perezosos y siguieran siendo vasallos productivos. Por otra parte, se les garantizaba a los amerindios la libertad de ofrecer a sus amos sólo la cantidad de trabajo que estuviera dentro de su capacidad según su sexo, edad, y estado de salud.

Con respecto a las Leyes de Burgos, los colonos tenían que entrar en el notorio "Obedezco pero no cumplo," según dictaban las exigencias de la *realidad* de las colonias. Al mismo tiempo, la corona y la Iglesia continuaban en su mundo *ideal*, como para decir: "Así se administran las colonias para cumplir con toda justicia." Las leyes eran bien intencionadas, de eso no hay duda. Sin embargo, como ya se ha visto, varios de los artículos quedaban fuera de la *realidad* según los colonos, y a menudo eran ignorados. Las leyes merecían todo respeto como originarias de *España*, la *Iglesia*, y *Dios*. Éstas eran concebidas como si fueran una especie de "blue laws."[2] Su existencia se debía a la buena

---

[2] "Blue laws" = From colonial New England, the "blue laws" were extremely rigorous laws designated to regulate morals. They were looked upon as extreme to the absurd, and in fact, so ridiculous that the citizens often paid them little mind.

voluntad de su autor, la Corona, pero no tenían lugar dentro de las prácticas cotidianas de las colonias, por lo tanto eran invariablemente olvidadas.

El gran problema fue cuestión de *perspectivas que quedaban en parte incompatibles*. Lo que dictaba la corona respecto a las colonias se trataba desde una *perspectiva peninsular*, mientras la manera en que se interpretaban los dictámenes de la corona desde América se trataba desde una *perspectiva americana*. La comunicación no era comunicación, sino "no-comunicación" o "incomunicación." Es decir, entre la corona y los colonos no había diálogo abierto en el que cada dialogante haría un esfuerzo por comprender el punto de vista del otro. Sólo había dos grupos irremediablemente separados en cuanto a "tiempo y espacio" que no podían entenderse cabalmente porque tenían perspectivas distintas e incompatibles.

Un buen ejemplo de la falta de diálogo genuino es la famosa serie de debates—sobre el destino de los amerindios— que sostuvieron Bartolomé de las Casas, "protector" de los amerindios, y Juan Ginés de Sepúlveda (1489–1573). Al principio, las Casas parecía estar en la *realidad*, porque conocía personalmente las condiciones que existían en América. Sepúlveda, en cambio, era del pensamiento *escolástico* medieval. Seguía al pie de la letra[3] la autoridad del dogma eclesiástico y la filosofía aristotélica según la cual las condiciones que existían debían perpetuarse porque era el orden natural—es decir, el orden de Dios. Las Casas mantenía la idea que los amerindios merecían los mismos derechos que tenían los conquistadores, mientras Sepúlveda respondía que la subyugación de los indígenas a la esclavitud era adecuada. Las Casas por fin convenció a los reyes sobre su punto de vista, y como consecuencia dictaron las *Nuevas Leyes* de 1542 exigiendo un tratamiento más humanitario para los amerindios. Desafortunadamente, esas leyes eran *idealistas* y muy lejos de la *realidad* según la concebían los colonos. O sea, las *Nuevas Leyes* eran como "Blue Laws." Entonces, resultaba que las Casas no tenía los pies tan firmes en la *realidad* como parecía. Al parecer, él creía que por el hecho de haberse realizado nuevas leyes (de acuerdo al *idealismo* de la corona) las condiciones de los amerindios mejorarían. Sin embargo, la realidad americana dictaba todo lo contrario: en muchos casos los colonos seguían tratando a los amerindios de acuerdo a las prácticas acostumbradas (interpretaban las *Nuevas Leyes* como "blue laws"). El argumento de Sepúlveda, basado no en la condición americana tal como era sino en ideas abstractas, irónicamente resultó más cercano al punto de vista de los colonos. Era como si la "incomunicación" fuera el resultado de hablar "dos lenguas" dentro de la "misma lengua."

En vista de las condiciones que existían en las colonias, los conflictos eran inevitables. Por una parte, había encomenderos y mineros que sostenían que la tierra y los minerales pertenecían a los españoles como premio de la conquista. Por lo tanto, los amerindios estaban obligados a servir a sus nuevos amos. Por otra parte, tenemos a los clérigos y a los representantes de la corona que argumentaban que el derecho a muchas tierras debía seguir perteneciendo a los

[3] Al…letra = to the letter of the law.

amerindios, porque merecían el mismo respeto que cualquier otro vasallo del rey. Mientras las leyes concedían favores a los amerindios, en algunos casos poniéndolos al mismo nivel que los colonos, los colonos tendían a relegarlos a una posición inferior. A veces su estado social era aún más bajo que el de los esclavos africanos, a pesar de que fue categóricamente prohibido esclavizar a los amerindios.

Quizás no había remedio. Tal vez la única manera de administrar las colonias era por medio de la *dualidad*—que era inevitable, en vista de la naturaleza *doble* de la misma administración de las colonias. Ya se ha observado que la *dualidad* entre los *colonos*, absorbidos como estaban en lo que concebían como la *realidad*, y la *corona*, con su marcado *idealismo*. Sin embargo, había también otra *dualidad*: por un lado los *representantes de la corona* y los *caciques indígenas*, y por otro, los mismos *amerindios*. Esa *dualidad* se debía en gran parte a que el papel de los amerindios era *doble*. Debían proveer una fuente de trabajo para sus amos españoles, y a la vez tenían que pagar tributos en forma de trabajo a sus caciques locales cuando no estaban bajo la jurisdicción de sus amos peninsulares. En primer lugar, como se describió en el Capítulo 5—sobre las instituciones coloniales—a nivel local se les permitía a los indígenas la continuación de su organización social y política prehispánica. En segundo lugar, a nivel de la administración global de las colonias, gobernaban representantes casi exclusivamente de la península. De esta manera, los *corregidores peninsulares* y los *caciques amerindios* formaban un tipo de alianza para extraer trabajo y tributo de "los de abajo," los *desdichados trabajadores amerindios*. Queda el hecho, sin embargo, de que quizás solamente de esta manera pudieron las colonias producir las riquezas que salieron de los puertos de América para Europa.

No obstante, a medida que la explotación de riquezas aumentaba, disminuía la población de amerindios. Eso se nota de manera dramática cuando se comparan la población de amerindios con la cantidad de animales domésticos en algunas regiones. Por ejemplo, en la parte central de la meseta de México, en 1550 se calcula que había entre siete y ocho millones de amerindios y menos de un millón de ganado vacuno, ovejas, y cabras. Para el año 1610, la cantidad de ganado vacuno, ovejas, y cabras había alcanzado más de ocho millones, mientras que la población de indígenas había disminuido a poco más de un millón. ¡Los animales "se comían" a los amerindios! La situación en las minas de México y Perú fue igualmente pésima. Desde luego, hay que tener presente que ese "desastre ecológico" no solamente se debía al tratamiento atroz de los amerindios. Como ya se mencionó, hubo factores imprevisibles, como enfermedades y otras calamidades naturales (terremotos, huracanes, erupciones volcánicas, inundaciones, y sequías). De cualquier manera, a los siervos amerindios les iba horriblemente mal.

En general, se dio una evolución de relaciones sociales entre los varios grupos en las colonias: la dicotomía *peninsular/amerindio* fue poco a poco reemplazada por la de *encomendero/siervo*, y por fin, por la de *hacendado/*

peón.[4] Esta evolución se nota en las transformaciones que hubo de la *encomienda* al *repartimiento* (o *mita*) hasta el contrato con el amerindio como *obrero en un mercado libre*. Para mediados del siglo XVI, la *encomienda* había perdido mucha de su importancia, y el *repartimiento*, apenas introducido en algunos lugares por aquellos años, llegó a predominar durante el siglo XVII. El sistema de *contratos* inició, y durante el siglo XVIII, cada vez más amerindios entraban en contratos con los amos europeos como trabajadores y con la supuesta libertad de seleccionar al patrón que quisieran. Esos trabajadores, llamados *gañanes*,[5] desde un principio preferían permanecer en sus comunidades, manteniendo una condición más o menos prehispánica, pero ahora sujetos a la jurisdicción de oficiales municipales. Se les exigían tributos, y mientras no tuvieran deudas, podían cambiarse a otras comarcas a su gusto. Los oficiales locales de la corona—que eran de los mismos amerindios—intentaban reducir la cantidad de los tributos de mano de obra que se les exigía. Sin embargo, estos esfuerzos eran inútiles, porque los colonos resistían, porque en realidad la existencia de los *gañanes* resolvía el problema de la escasez de la mano de obra que con el tiempo iba en aumento, a causa de la disminución de la población indígena.

Hasta mediados del siglo XVIII muchos de los *gañanes* vivían en sus respectivas comunidades. No querían prestar sus servicios a los amos europeos, porque preferían llevar una vida austera, cultivando la poca tierra que les quedaba. Como último recurso, los peninsulares comenzaron a despojarlos de sus tierras, muchas veces a la fuerza, para obligarlos a entrar en contratos con ellos. Fue entonces cuando un número cada vez mayor de amerindios comenzó a trabajar en las tierras de los amos—que en México ahora tomaban el nombre de *haciendas* (*fincas* en Centroamérica y el norte de Sudamérica). Los amerindios eran atraídos a las *haciendas* en parte porque ahora se les ofrecía una pequeña parcela de tierra a cambio de sus servicios durante la siembra, cosecha, y otras temporadas agrícolas. En el campo, sin embargo, aunque la población de las comunidades amerindias seguía disminuyendo, de todos modos se les exigía el mismo tributo de antes, una obligación cada vez más excesiva que provocaba aún más la migración hacia las haciendas. Lo que fue peor, con el número de *mestizos* en aumento, en la mayoría de los casos eran ellos mismos los que formaban el grupo de los *caporales*[6] trabajando en las haciendas. Por lo tanto, esto agravó el conflicto que casi siempre existía entre amerindios y mestizos.

Hacia el final del siglo XVIII y hasta los movimientos de Independencia a principios del siglo XIX, el número de amerindios que vagaba de un lado a otro, sin tierra ni rumbo aparente, iba en aumento. Lo desastroso fue que muchos de ellos habían perdido para entonces su lugar seguro en la sociedad. Desde luego, siempre habían estado marginados, pero en contraste con los afroamericanos, la

---

[4] Hacendado = plantation or large ranch (*hacienda*) owner. Peón = unskilled peasant laborer.

[5] Gañán = an Amerindian free to choose for whom he will work for a wage.

[6] Caporal = foreman.

mayoría de los amerindios habían seguido viviendo en las mismas tierras que llamaban suyas desde antes de la llegada de los españoles. Eso les daba cuando menos un poco de seguridad. Sin embargo, con la política borbónica del trabajo en el mercado libre, estaban perdiendo este sentido de seguridad.

Las reformas daban la impresión de que gozando de libertad, los amerindios podrían establecerse en alguna hacienda o migrar a la ciudad, para poder asociarse con gente de otra cultura y otro grupo étnico en un ambiente nuevo. De esta manera podrían asimilarse a aspectos fundamentales de la cultura dominante, acomodándose a ésta. De hecho, al dejar su ropa tradicional, aprender español, y entrar a laborar en algún oficio, a menudo a los amerindios se les llamaba *mestizos* (*ladinos* y *cholos* en Centroamérica y Sudamérica respectivamente) en lugar de simplemente *indios*. Para los amerindios, esa transformación de categoría a veces les abría puertas para que subieran en la escala social para mejorar su condición. Ahí estaba la prueba, les parecía a los administradores Borbón: si sólo los amerindios pudieran perderse dentro de la cultura colonizadora, como un tipo de "melting pot," todo estaría resuelto.

Pero la supuesta solución del problema amerindio con las reformas borbónicas en realidad no fue ninguna solución. Los amerindios resistían la asimilación a la cultura dominante, a veces con pasión. Se mantenían alejados de la corriente principal, como algo distinto, como una presencia muda. De todos modos, hay que conceder que en las colonias españolas (y hasta cierto punto la portuguesa), el proceso de aculturación de los amerindios incluía relaciones humanas entre europeos y amerindios considerablemente más íntimas que en las colonias francesas, inglesas y holandesas. La existencia de la *leyenda negra* es evidencia de que había más pruebas sobre las atrocidades de los españoles que las cometidas por otros pueblos colonizadores de Europa. En realidad los españoles estaban obsesionados con documentar todo lo que pasaba, lo que ofreció materia amplia para la misma *leyenda negra*. Sin embargo, el hecho de que la documentación exista también es testimonio de que los sistemas peninsulares—sobre todo los españoles—eran más jurídicos, y que la administración se ejercía con más rigor que en las colonias de otras naciones europeas. La posibilidad de que existiera la *leyenda negra* en cierto sentido ofrece la idea de que ésta era una exageración, y que la condición humana en las colonias francesas, inglesas, y holandesas, en donde había menos legislación, y por lo tanto menos materias para *leyendas*, podría haber sido mucho peor.

Los afro-latinoamericanos

A menudo se ignora el hecho de que, como esclavos o siervos, hubo africanos que llegaron al nuevo mundo junto con los primeros conquistadores. Nuño de Olano estaba con Balboa cuando descubrieron el Océano Pacífico. Bernal Díaz del Castillo escribe sobre un africano que viajó con Cortés, otro estaba con Francisco Pizarro al comienzo de la conquista de Perú. Por supuesto, también tenemos al famoso Estevanico, que acompañaba a Cabeza de Vaca.

Sin embargo, la historia de los Africanos en las Américas es principalmente la del transporte sistemático de esclavos desde África para trabajar en el campo y las minas. El tráfico de esclavos africanos comenzó en 1502, diez años después del desembarque de Colón en las islas Bahamas. Durante esos diez años, debido al trabajo forzado y pesado, y las múltiples enfermedades hasta entonces desconocidas en América, la población amerindia había disminuido con una rapidez alarmante. Algunos de los frailes dominicanos—sobre todo Bartolomé de las Casas, tratando de defender a los indígenas—sugirieron que los africanos serían más adaptables al sol del trópico y al trabajo forzado que los amerindios. Esta "recomendación" fue recibida con entusiasmo—aunque seguramente la compra y venta, así como la brutal opresión de pueblos enteros, no había sido el propósito de las Casas—y así comenzó un tráfico de seres humanos de una magnitud que el mundo jamás había conocido.

En 1517, España concedió un *asiento*[7] oficial a un grupo de comerciantes para transportar 4000 esclavos anualmente al Nuevo Mundo, de los cuales la tercera parte deberían ser mujeres, para multiplicar la población de esclavos. Durante la misma época, los portugueses, para quienes la esclavitud de africanos dentro de Portugal era ya un hecho desde hacía tiempo, iniciaron también el comercio de esclavos en Brasil. Hacia el año 1600, los africanos ya formaban la base de la economía de áreas extensas en las regiones tropicales donde se cosechaba la caña de azúcar (en el noreste de Brasil, las costas de Colombia, y Venezuela, la costa del oeste de México, y todo el Caribe). Por regla general, en el trópico los africanos reemplazaron a los amerindios como trabajadores, mientras en las sierras, tierra ingrata y casi inhospitable para los africanos, los amerindios seguían proveyendo la mano de obra. Los africanos han tenido una influencia profunda en Latinoamérica, a pesar de que sus aportaciones culturales se han tratado de borrar en varios países por diversos motivos, como señala Henry Louis Gates en *Black in Latin America* (2011). Sin embargo, ha sido en el noreste de Brasil donde los africanos tuvieron el mayor impacto, y por eso éste será el enfoque principal de lo que resta de esta sección.

La influencia de los africanos en la cultura brasileña se debe no sólo a la cantidad de los esclavos en comparación con la población europea, sino también a la mayor aceptación de los portugueses de culturas exóticas del continente africano. Los portugueses ya habían tenido un contacto intenso con gente del interior de África desde hacía algún tiempo. La diferencia entre Portugal y España se puede notar, por ejemplo, en la naturaleza del catolicismo de las dos culturas. La clerecía portuguesa no llegó al extremo del fanatismo con respecto a la Contrarreforma como sí fue el caso con la clerecía española. Lo mismo se puede decir de los reyes portugueses en contraste con los españoles. La corona portuguesa siempre estuvo menos ligada al Vaticano. Además, en comparación con el catolicismo de España, el de Portugal tenía más influencia islámica. Según escribe el sociólogo brasileño Gilberto Freyre en *Casa-grande y senzalas* (1946),[8] es por eso que la religión portuguesa no era tan austera como la de

---

[7] Asiento = monopoly.

[8] Casa Grande (Port.) = mansión, owned by the landed gentry. Senzala (Port.) = slave quarters.

Castilla, era más una liturgia social que religiosa, suavizada por elementos aportados de otras religiones y culturas.

Además, hay que reconocer que la naturaleza del catolicismo en Portugal en gran parte se debe a que la población era relativamente pequeña, pero estaba diseminada por todo el mundo, gracias a las extensas exploraciones marítimas. Por lo tanto, un porcentaje relativamente alto de portugueses conocía otras partes del mundo y otras culturas, lo que había creado en ellos un espíritu un poco menos intolerante. Sin embargo, el costo de la expansión marítima también había sido caro, y ahora Portugal tenía relativamente pocos recursos humanos disponibles para su colonia gigante en América. Como consecuencia, el proyecto fue el de mantener la población de la península hasta donde fuera posible, empleando hasta el máximo los recursos que les ofrecía la institución de la esclavitud.

Como resultado de este proyecto, en Brasil los afro-brasileños eran los que cultivaban y procesaban la caña de azúcar, pero además, servían como arrieros, cargadores, herreros, carpinteros, tejedores, barberos, sastres, artesanos, en fin, servían para todos los quehaceres. Habia en los campos de Brasil, más que en Hispanoamérica, una comunidad auto-contenida, el llamado conjunto de la *casa grande* y las *senzalas*. En los pueblos y otras ciudades, los afro-brasileños hacían toda clase de trabajo. Una práctica común—e hipócrita, hay que notar—se trataba del *negro(a) de ganho*. El *negro(a) de ganho* era un esclavo(a) que durante su tiempo libre podía trabajar, según su oficio—como portador(a) o en trabajos especializados—por una jornada (un pago al final de su trabajo). Podía quedarse con una "cuota" fija cada día, pero tenía que entregar a su amo todo el dinero que excediera la "cuota." Como resultado de esta práctica, había portugueses que pasaban una vida de puro ocio, gracias a la "renta" cobrada a sus esclavos. Lo que era peor, a veces los amos se contaban entre los mismos afro-brasileños o *mulatos* (Port. *Pardos*), que antes habían sido esclavos.

Al contrario de las colonias españolas, en Brasil, la *casa grande* de las *fazendas*[9] tomaba precedencia sobre las ciudades y hasta las iglesias. En la colonia portuguesa, generalmente no se construyeron iglesias de la talla y majestuosidad que aún hoy se pueden apreciar en México, Guatemala, Ecuador, Perú y Bolivia. Las excepciones más notables son las iglesias barrocas de los estados de Bahía, y Minas Gerais. En Minas Gerais se encuentran impresionantes monumentos eclesiásticos adornados por el arte del mulato Antonio Francisco Lisboa, conocido como "Aleijadinho" (1730–1814).[10] Las ciudades de Brasil tampoco tenían la importancia de las *casas grandes*. En 1800, Río de Janeiro apenas alcanzaba una población de 80,000 y São Paolo 15,000. Su arquitectura no impresionaba mucho, y los servicios públicos (calles, aceras, desagües, parques, vías de transporte) casi no existían. A diferencia de las

[9] Fazenda (Port.) = a plantation in colonial Brazil.

[10] "Aleijadinho" quiere decir "mutilado." A pesar de que el uso de sus manos estaba severamente limitado por la lepra, llegó a ser el escultor de más renombre en Brasil durante la época barroca.

colonias españolas, la portuguesa era más rural que urbana. Mientras en Hispanoamérica las ciudades predominaban, en Brasil, las ciudades servían a las *fazendas*.

Aunque algunas características de la sociedad de Brasil tenían cierta semejanza con las del sur de los EE.UU. antes de la guerra civil, había también diferencias notables. Ha existido la idea—aunque los críticos digan que es puro mito—de que en ninguna parte del mundo hubiera un tratamiento más humanitario y menos deshumanizador para los esclavos africanos que en Brasil. Según escribe Freyre, los portugueses eran demasiado placenteros, sedentarios y liberales como para tratar a sus esclavos de un modo tan bárbaro y cruel como sí fueron tratados en otros lugares.[11] Los castigos tendían a ser más moderados, y el sadismo de parte del amo era relativamente escaso en comparación con el tratamiento de los esclavos en EE.UU. En Brasil las relaciones de tipo *paternalista* entre amo y esclavo eran a veces bastante íntimas, y por tanto había, al parecer, menos prejuicio a causa del color de la piel. Esto es porque, para reiterar, los portugueses—y hasta cierto punto los españoles al sur de España—estaban acostumbrados desde hacía tiempo a vivir con gente morena. Además, en Brasil la mezcla de sangre era menos restringida por tabúes de tipo moral y tradiciones sociales que en los EE.UU. Eso produjo lo que más se aproxima a una verdadera *pluralidad* cultural. Esa mezcla sirvió para procrear gente donde precisamente hacía falta población, porque como ya se mencionó, había relativamente pocos portugueses. De todos modos, el vació demográfico de la gran expansión brasileña se llenó, cuando menos en algunas zonas costeñas, con africanos—ya como afro-brasileños. Desde entonces, hubo poco a poco una mezcla de afro-brasileños y europeos para formar la compleja fusión étnica que existe hoy en Brasil. En fin, fue sobre todo gracias a los afro-brasileños que los portugueses pudieron colonizar y desarrollar el noreste y las llanuras costeñas de Brasil, que luego sirvió para proteger la colonia en contra de la infiltración de franceses y holandeses.

Según parece, los afro-latinoamericanos se adaptaban con bastante facilidad a las exigencias de la vida en su nuevo ambiente. Fueron brutalmente desarraigados de África, vendidos a europeos por traficantes de esclavos y de su propia raza, sujetos a condiciones horriblemente subhumanas durante el viaje a América, y reducidos a la esclavitud en lugares desconocidos. Sería razonable pensar que, después de esta serie de experiencias traumáticas, hubieran caído en un estado de añoranza y hasta depresión anémica. En parte así fue, por eso cierta melancolía y nostalgia vaga e inefable influía en el carácter de todos los brasileños, tanto afro-brasileños como europeos. Esa influencia de melancolía y

---

[11] La tesis de Freyre, hay que señalar, ha sido censurada con severidad. Según la crítica, Freyre exagera las características humanitarias de la esclavitud brasileña. Sin embargo, es probable que las condiciones de los esclavos en Brasil fueran menos pésimas que en otras colonias, lo que de todos modos era poco consuelo para los afro-brasileños.

nostalgia continúa hasta hoy, con la tendencia hacia lo que se le ha denominado en portugués "*saudade*."[12]

Sin embargo, el espíritu de los afro-brasileños era tan elástico que de modo admirable se fueron acostumbrando al ritmo de su nueva vida. Es decir, se aprovecharon de las nuevas relaciones entre ellos y sus amos lo mejor que pudieron. Su adaptación sutil a las nuevas circunstancias tuvo repercusión en la sociedad en general, cambiando en el proceso a sus amos también. Como resultado, la presencia de los afrobrasileños sirvió para alegrar y dar sabor a la vida monótona y rutinaria de la colonia con su música, baile, folklore, y vestigios de sus creencias religiosas que han tenido influencia en el Brasil contemporáneo—la música brasileña con marcado elemento vital de ritmo y vida contrasta con el rito y la lírica de la música de Portugal. De hecho, el *Carnaval* de Salvador, capital del estado de Bahía, es la manifestación suprema del "africanismo" en las culturas americanas.

La emancipación de los esclavos de Brasil fue progresiva. No fue un cataclismo, a manera de la sangrienta historia de EE.UU. En Brasil, el proceso de liberación de los esclavos traza una línea paralela con la historia misma de la esclavitud brasileña. Es decir, la puerta a la libertad siempre estuvo un poco abierta, y a través de los años hubo ocasiones y pretextos, basados en las costumbres y las leyes, para abrirla más. Había varias maneras en que los esclavos podían ganar su libertad. Primero, el amo por regla general daba libertad a sus propios hijos mulatos. Segundo, después de muchos años de servicio, a veces a un(a) esclavo(a) se le concedía su libertad como premio (lo malo es que como ya estaba viejo[a] y no servía para el trabajo, muchas veces le iba mal, ya que ahora quedaba fuera del cuidado paternalista del amo). Tercero, a los esclavos que se les permitía trabajar por su propia cuenta como *negros de ganho* (negros que ganaban su propio dinero) podían ahorrar y comprar su propia libertad. Y por último, los hijos de un esclavo y una mujer libre no quedaban bajo el yugo de la esclavitud.

Aunque las condiciones de los afro-brasileños y afro-hispanos quizás no hayan sido tan pésimas como en EE.UU., de cualquier manera, como era natural, los esclavos siempre tuvieron el deseo de romper las ataduras de su esclavitud de una forma u otra. En Brasil a menudo huían al *sertão*,[13] a veces fuera del alcance de los europeos que por regla general preferían quedarse cerca de la costa (otra vez con la excepción de los *bandeirantes*). En el siglo XVII, un gran número de *cimarrones*[14] fundó un *quilombo*,[15] con el nombre de la

---

[12] Saudade (Port.) = longing, nostalgia. This word is difficult to translate. It entails a vague longing for something: something remote, intangible and ineffable, but something representing the object of some undefinable, deep-seated desire. Saudade can be sensed in much Brazilian music, for example, the Bossa Nova, with its smooth, melancholic rhythm and its nostalgic lyrics.

[13] *Sertão* (Port.) = the backlands of Brazil west of the northeastern coast.

[14] Cimarrón(a) = escaped slave.

[15] Quilombo (Port.)= name given to a community of escaped slaves.

República de Palmares, que tenía un sistema político y eclesiástico bien organizado. Al crecer la fama de este "estado libre" de afro-brasileños, esto fue atrayendo a esclavos de toda la comarca que también deseaban escapar, lo que causó mucha inquietud entre los portugueses. La República de Palmares fue destruida sólo después de una campaña total por parte del ejército del noreste de Brasil y un grupo de *paulistas*. (gente de São Paulo). Aunque ni ésta ni otras rebeliones tuvieron éxito duradero, el esfuerzo dio más ánimos a los abolicionistas, que siempre habían existido desde el comienzo de la esclavitud.

Hay que aclarar que, como consecuencia del tipo de esclavitud y la naturaleza de la cultura brasileña, hoy quizás no hay tanta *discriminación racial* como en EE.UU., sino más bien lo que existen son *distinciones*, y por lo tanto *discriminación*, basadas en la posición que tiene cierta gente en la escala social. En general los *negros* y *mulatos* tienen un nivel de vida inferior a la gente blanca. Es decir, hay indicios de prejuicio contra la gente *preta*[16] no simplemente a causa de su etnicidad sino por su clase social. En el Brasil contemporáneo, si un(a) afro-brasileño(a) logra bastante éxito económico, tendrá más respeto por parte de sus compatriotas—según un refrán popular brasileño, *no hay como el dinero para emblanquecer la piel*. La discriminación existe en el Brasil aunque sea más social que racial. De todas formas, reiterando, no hay ni ha habido otro país en el mundo donde personas de origen africano y europeo hayan convivido con tan poco conflicto social. Como consecuencia, mucha gente con antepasados africano ha alcanzado prestigio y fama en la historia de Brasil. Un ejemplo ya mencionado es el arquitecto y escultor Aleijadinho, que diseñó y creó el arte de muchas iglesias del estado de Minas Gerais. Otro ejemplo sobresaliente es Joaquim María Machado de Assis (1839–1909), gran novelista del siglo XIX, hijo de padre portugués y madre afrobrasileña.

En las colonias españolas, la esclavitud carecía de relaciones *paternalistas* tan suaves como las que se daban en Brasil, porque antes de la época colonial los españoles no habían tenido tanta experiencia conviviendo con africanos. A pesar de ser bastante tolerantes con respecto al concepto racial, los españoles estaban muy orgullosos de su *casticismo*[17] y su catolicismo. Además, había condiciones específicas en las colonias que producía un tipo de esclavitud diferente al de la colonia portuguesa. En primer lugar, el emplear a los esclavos en las minas, donde el trabajo era dificilísimo, fue la causa de una situación violenta que no ocurría hasta el mismo grado en Brasil. En segundo lugar, la abundante presencia de amerindios—de temperamento normalmente más dócil que el de los negros—complicaba las relaciones entre los grupos étnicos. Los amerindios con frecuencia proveían una fuente de trabajo cuando había insuficiencia de esclavos africanos, de manera que había cierta clase de competencia entre los dos grupos. Debido a que los amerindios tenían un lugar más seguro dentro de su comunidad—en contrate con los negros que habían sido

---

[16] Preto(a) (Port.) = dark skinned (*moreno*[*a*]), usually referring to Blacks, but occasionally also to mulattoes, in addition to their being called *pardos*.

[17] Casticismo = "purity" of one's Spanish "blood."

desplazados de sus pueblos—los africanos por regla general se manifestaban más agresivos, y a menudo surgían situaciones que terminaban en violencia.

Entre todas las combinaciones raciales, para complicar más las cosas, los *zambos* (combinación de amerindios y gente de origen africano) eran por desgracia considerados como la mezcla étnica menos deseable. A veces se les percibía como una amenaza social. La población más densa de *zambos* en las colonias españolas se encontraba en la zona costera de Ecuador, Colombia, Venezuela, y Centroamérica. En algunos casos, la mezcla entre amerindios y negros en el campo producía un tipo humano independiente, orgulloso y bastante guerrero. Por ejemplo, hubo muchos *zambos* en las comunidades de la costa del Miskito en el norte de Nicaragua. Durante la década de los años de 1980, cuando el gobierno revolucionario "sandinista" intentó integrarlos a su revolución social, muchos *zambos* manifestaron su fuerte espíritu independiente. Sin embargo, con el tiempo, en muchos lugares de Latinoamérica los *zambos* y sus descendientes han encontrado su lugar en la jerarquía social, aunque casi siempre en los niveles más bajos.

Las rebeliones de esclavos en las colonias españolas eran más frecuentes que en la colonia portuguesa antes del siglo XIX. A veces causaban disturbios profundos en la población de toda la comarca. A mediados del siglo XVIII, los afro-guatemaltecos habían infundido tanto terror en la gente europea, que los mismos amos tenían miedo de sus esclavos, aún los de más confianza. En la ciudad de México, llegó a ser una práctica común la ejecución de esclavos escogidos al azar si se descubrían indicios de una rebelión. Los esclavos que lograban escapar eran considerados como una amenaza. Hay poca evidencia de que los afro-mexicanos tuvieran la intención de organizar una rebelión en contra de los españoles, solamente querían su libertad, y que los dejaran en paz para sobrevivir entre gente de su misma raza. Por ejemplo, entre la ciudad de México y el estado de Veracruz un grupo de *cimarrones*, encabezados por Gaspar Yanga, establecieron un pueblo llamado San Lorenzo de los Negros en 1570. Al parecer, esta comunidad estaba poblada por gente trabajadora y relativamente pacífica que sencillamente quería convivir con su propia gente. A través de casi cuarenta años el pueblo alcanzó una prosperidad notable pero los colonizadores la destruyeron en 1609, sin poder capturar ni a Yanga ni a sus seguidores.

Posteriormente, los españoles accedieron a un tratado de paz y, ya viejo, Yanga negoció el derecho de construir su propia sociedad libre, siempre y cuando se le pagara el tributo correspondiente a la corona. Este pueblo—primera comunidad libre, oficialmente reconocida, de gente negra en las Américas—fue finalmente establecida en 1630 y todavía existe hoy con el nombre de Yanga en el estado de Veracruz.

Hay que notar que los *mulatos* llegaron a ser un elemento importante en la vida de las colonias hispanoamericanas. Con fisonomía más parecida a la de los españoles, eran considerados una mezcla étnica "más progresiva." En general, durante el último siglo del coloniaje y el siglo XIX, todo prejuicio que surgía en contra de los mulatos era paulatinamente suavizado a medida que se integraban en los diferentes niveles sociales y en los trabajos y profesiones. Cada vez más socializaban con mestizos y españoles, mejorando su condición económica y asimilando las costumbres de la sociedad dominante. Gradualmente se asimilaban a la cultura, alcanzando a veces posiciones de prestigio que antes estaban reservadas sólo para españoles y mestizos. La sociedad que había sido relativamente inflexible ahora les permitía entrada por varias vías antes prohibidas.

En conclusión, a medida que avanzaba la época colonial, las diferencias étnicas eran menos evidentes, de modo que había más tolerancia y las mezclas raciales eran más aceptadas. Hacia finales del colonialismo, ciudades principales como Lima, y México, donde antes había una cantidad notable de esclavos de raza africana pura, manifestaban un espectro sutil de gradaciones entre los pocos afro-hispanoamericanos que quedaban y tipos humanos más europeos que africanos.

Los mestizos

En las colonias españolas la composición étnica de mayor alcance como producto de la conquista del Nuevo Mundo se manifiesta en el resultado de la mezcolanza entre españoles y amerindios para formar a los *mestizos*. Sin embargo Hispanoamérica no es, propiamente dicho, un continente *mestizo*, como a veces se le ha calificado.

Una de las razones de este error tiene que ver con la expresión "mestizo(a)." Conectado con "mezcla" y "mixto," "mestizo" podría generalizarse para incluir todas las combinaciones étnicas. El problema es que si se adopta este significado general al término "mestizo(a)," entonces toda la gente del mundo sería "mestiza." Si se adopta el significado más limitado—la combinación de europeo con amerindio—sólo algunos países de Latinoamérica, y regiones específicas de algunos países, se pueden calificar de "países mestizos." De acuerdo al significado limitante del término, la clase mestiza constituye la base de las poblaciones solamente en algunas regiones de México, Paraguay, Guatemala, Honduras, El Salvador, Nicaragua, Venezuela, Colombia, Chile, y Brasil.

Desde el tiempo del coloniaje, algunos mestizos alcanzaron prestigio, El más famoso durante la época de la conquista fue el Inca Garcilaso de la Vega (1539–1616), cuya madre era una princesa inca, amante de su padre español. De la Vega llegó a resentir el desprecio de los peninsulares por el grupo étnico del que él formaba parte. Odiaba el "esnobismo" de la clase aristocrática, y se consideraba más peruano que español. En sus *Comentarios Reales* (1609), obra clásica de la literatura hispanoamericana, narra la historia del pueblo de su madre y la conquista de los incas. El dilema de Garcilaso de la Vega es un microcosmos del macrocosmos del mestizaje.

Los mestizos desde el principio no eran ni europeos ni amerindios, y sentían dentro de sí una tensión que los colocaba en una especie de "limbo" cultural. Por eso en algunas comarcas de las colonias hacia mediados el siglo XVI se consideraba a la clase mestiza como vagabunda y violenta, con inclinaciones maliciosas. Esa generalización era un estereotipo exagerado. Sin embargo, hay una marcada diferencia entre la "mentalidad mestiza" y la "mentalidad amerindia." El etnólogo Eric Wolf escribe en *Sons of the Shaking Earth* (1959) que los mestizos, tanto parias sociales[18] como culturales, llegaron a convertirse en la antítesis de los amerindios, que estaban íntimamente ligados a su tierra. Mientras los amerindios se identificaban con su comunidad local, los mestizos quedaban en la periferia tanto de la cultura peninsular como de la indígena. Mientras los amerindios preferían la vida del campo o las provincias, los mestizos gravitaban hacia las ciudades para integrarse a la vida urbana. Los amerindios se sentían cómodos labrando la tierra en la que tenían profundas raíces espirituales, los mestizos encontraban su elemento en el mercado entre la gente, la actividad, y el intercambio de palabras, ideas, dinero, y posesiones materiales.

En realidad, para sobrevivir al margen de la sociedad, los mestizos tuvieron que aprender a cambiar según las circunstancias con la misma facilidad que una persona puede cambiar de máscara. Tuvieron que vivir de su astucia, sagacidad, y artimaña, volviéndose en personas que en los casos más extremos se asemejaban al prototipo del *pícaro*.[19] Mientras los amerindios se mantenían en contacto con el mundo físico, reconociendo que sólo por el sudor de su frente podrían ganarse la vida, los mestizos con frecuencia se refugiaban en un mundo de *sueños* y *fantasía*. Señala Wolf que, colocándose al margen de la sociedad, los mestizos se ponían también al margen de la "realidad." Su gran *sueño* era el de realizar esa fantasía en la vida *real*, de crear o transformar las condiciones de tal forma que su mundo armonizara con su *sueño*—*sueño* sutilmente descrito en la novela de Carlos Fuentes, *La muerte de Artemio Cruz* (1962).

> La idea del *pícaro* se describe en un tipo de novela, la "novela picaresca," de España, ejemplos clásicos de ésta se encuentran en *Lazarillo de Tormes* (1554) y *Guzmán de Alfarache* (1599). El *pícaro*—como se notará con más detalle en el Capítulo 15—se distingue por ser el protagonista de un grupo marginado de la sociedad. Es un anti-héroe que se presenta a sí mismo narrando primera persona. Es un individuo, como el *mestizo* en Hispanoamérica, que nació en circunstancias desventajosas; por consiguiente, se ve obligado a sobrevivir por medio de su astucia, ingenio, gracia, y facilidad de palabra que siempre tiene.

Así es que la misma marginación de los mestizos de la cultura criolla dominante les sirvió como fuente de su impulso. Llegaron a formar la clase intermediaria entre los amos y sus trabajadores (los amerindios y los afro-latinoamericanos). Dedicándose al comercio, muchas veces llegaron a ser agentes de compra y venta. En algunas regiones llegaron a conformar la espina dorsal de la economía del imperio colonial. En el proceso, muchos se elevaron en la escala social a través del dinero y los contactos con gente de poder. Sobre

[18] Paria social = pariah, social outcast.
[19] Pícaro = rogue, a person who is wily, scheming, tricky.

todo, adquirieron un gusto por lo que les proporcionaba el dinero: respeto, prestigio, autoridad, y poder. Entonces, mientras los amerindios valoraban la tierra, los mestizos veían la prosperidad como un medio hacia otro fin; mientras los amerindios se perdían en su comunidad a la cual debían su existencia, los mestizos quedaban aparte de la comunidad de la cual nunca habían sido una parte integral de todos modos. Paulatinamente a los mestizos se les fue formando la idea de que la comunidad existía para el beneficio del individuo que supiera aprovecharse de la situación. En eso también los mestizos eran todo lo contrario de los amerindios, cuya existencia estaba dedicada a la existencia de la comunidad. Fue esa característica precisamente la que después de la época colonial hizo a los mestizos candidatos ideales para el *caudillismo* (características discutidas en el Capítulo 2). Ya que los mestizos habían llegado a manifestar la expresión máxima de vigor, fuerza de voluntad, facilidad de expresión, carisma, y hasta *machismo*, es bastante lógico que el *caudillismo* haya sido una de las manifestaciones más naturales de su psicología.

Durante la época colonial después de haberse establecido en las ciudades, y con su naturaleza frecuentemente agresiva, los mestizos empezaron a dispersarse por los campos otra vez para intervenir en las actividades de los amerindios, generalmente para explotarlos. Se unían a ellos con la apariencia de familiaridad, pero con el motivo de tener una fuente de trabajadores a la mano cuando los necesitaran. Sobre todo, les atraía a los mestizos el prestigio de convertirse en *terratenientes*, y fue entonces cuando comenzaron a despojar—en gran escala—a los amerindios de sus tierras. A pesar de que existían mestizos en las comunidades amerindias, de todos modos los amerindios seguían bajo la administración de oficiales indígenas. Se observa la misma paradoja de siempre. Por un lado, había autoridades locales y leyes de la corona que dictaban protección a los amerindios (el *idealismo*), y por otro lado, existía la explotación de los amerindios por los mestizos (la *realidad*) a causa de su insaciable deseo de adquirir tierra, como fuente de prestigio. (De esta manera, hasta cierto punto se preservaba el *sueño* del *hidalguismo*). Con razón había conflictos entre los mestizos y los amerindios. No obstante, a veces las relaciones entre ellos eran relativamente armoniosas. Eso es testimonio de la naturaleza dócil, para bien o para mal, de los amerindios *vis-à-vis* la agresividad mestiza. La sed de *dinero* y *prestigio* de los mestizos es quizás su característica más sobresaliente pero no se puede ignorar también la codicia del poder, como ha notado Wolf, y como sugiere Octavio Paz (1914–1998) en *El Laberinto de la soledad* (1950). Para los mestizos el poder, sobre todo el poder político típico de la mentalidad *caudilllesca*, es el camino hacia el prestigio—que en épocas anteriores guardaba la imagen del *hidalguismo*. Esa codicia del poder se debe en parte a las circunstancias coloniales, y en parte a las condiciones sociales. En cuanto a las circunstancias coloniales, ya que la mayoría de los judíos fueron expulsados de España en 1492, año que vio el nacimiento de la "invención" de América, y ya que ellos habían constituido el sector comercial, ahora quedaba un vacío: prácticamente no había quién se ocupara de los negocios. En vista de que a los judíos no se les permitía la entrada a América—aunque algunos vinieron de todos modos, violando la ley—había necesidad de una clase que llenara ese vacío que había dejado el sector comercial judío, sobre todo en las colonias. En general, los mestizos ofrecieron sus servicios en ese rubro. Se puede decir que así tenía que pasar por la siguiente razón.

Durante la época colonial, los españoles gozaban de todos los privilegios que les extendía la ley. A los criollos, aunque relegados a una posición "inferior" a la de los peninsulares, les iba relativamente bien de todas maneras. Aunque su propia cultura había sido arrasada, los amerindios cuando menos encontraban su lugar en el cosmos a través de su comunidad amerindia dentro de la cual continuaban como miembros. Los afro-latinoamericanos, desplazados de su tierra de origen, a veces no tenían más remedio que acercarse a sus amos, los europeos, e integrarse a la sociedad dominante. En cambio, los mestizos, que no tenían un lugar en el mundo que pudieran llamar suyo, poco a poco fueron conformando varios niveles de la clase comercial, ese mismo sector que habían ocupados los judíos en España. Por lo tanto, más o menos semejante al tipo del mencionado *pícaro*, los mestizos aprendieron a vivir a base de sus propios recursos, voluntad, y astucia.

En cuanto a la naturaleza general de los mestizos de hoy en día, Germán Arciniegas en *El continente de siete colores* (1965) examina lo que podemos llamar la "idiosincrasia mestiza." Ese temperamento les da por un lado, una ingeniosidad y un afán creador, y por otro, una personalidad doble, que puede culminar en la ansiedad y tensión interiores que se han ya mencionado. Es decir, hasta cierto grado los mestizos tienen la naturaleza triste y estoica de los amerindios, pero esta naturaleza está limitada a sus horas de soledad y contemplación. Mientras tanto, esperan el momento propicio para re-entrar en la algarabía[20] de su sociedad, y se esfuerzan por destacarse en el trabajo o en la calle, reunirse con los amigos (compadres y comadres), o entrar en una u otra fiesta. Sus momentos de tristeza son como uvas que luego se exprimen hasta sacarles las últimas gotas de vida, de frenética actividad, de alegría, y a veces de violencia. Esta doble personalidad de los mestizos, es una ventaja mientras es una amalgama que enriquece al individuo con nuevo ánimo, y sirve para abrir nuevos horizontes de posibilidades futuras.

La llamada "personalidad mestiza," en fin, no es fácil de comprender, y cada generalización de ella demuestra un sinfín de excepciones. Quizás lo único que se puede concluir es que cualquier definición del mestizo tiene que ser incompleta y parcialmente errónea, porque el mestizo es un tipo humano sumamente complejo. Bueno, cuando menos hicimos la lucha, ¿no?

PREGUNTAS

1. ¿Cómo ejemplifican las Leyes de Burgos la brecha que hay entre "idealismo" y "realidad?
2. ¿Qué son las "blue laws"? Ofrezca algunos ejemplos de éstas.

---

[20] Algarabía = clamor, din, gabble.

3. ¿Cuáles son las perspectivas incompatibles acerca de las colonias?
4. ¿Qué son la Nuevas Leyes?
5. ¿Cuál es la dualidad que define la administración de las colonias?
6. ¿Cuál fue la alianza que resultó de la explotación de los amerindios?
7. ¿Por qué perdieron los amerindios su sentido de seguridad durante las reformas borbónicas?
8. ¿Quiénes eran los ladinos, y los cholos?
9. ¿En qué lugares existía la esclavitud más extensiva, y por qué?
10. ¿Cuáles eran las diferencias entre las relaciones de los portugueses con los africanos y de los españoles con los africanos? ¿A qué se deben estas diferencias?
11. ¿Quién fue Aleijadinho?
12. ¿Qué quiere decir *saudade*?
13. ¿Qué relaciones había entre afro-latinoamericanos y amerindios?
14. ¿Quién fue Gaspar Yanga? ¿Qué fue la República de Palmares?
15. Describa las condiciones de los mulatos en las colonias españolas.
16. ¿Por qué no es Latinoamérica un continente puramente mestizo?
17. ¿Quién fue uno de los primeros mestizos en alcanzar prestigio y qué es lo que hizo?
18. ¿Cuáles son las principales características de los mestizos?
19. Por qué eran los mestizos candidatos ideales para el caudillismo?
20. ¿Qué es un pícaro?
21. ¿Cómo eran las relaciones entre los mestizos y los amerindios?

TEMAS PARA DISCUSIÓN Y COMPOSICIÓN

1. ¿Hay conflictos y debates hoy que pueden ser parecidos a los de Bartolomé de las Casas y Ginés de Sepúlveda? Explique.
2. ¿Cuál es la diferencia entre la discriminación racial y la discriminación social, y las desventajas de las dos? ¿Podría haber en EE.UU. una clasificación sutil entre negros (o *pretos*), mulatos (o *pardos*), amerindios, y mestizos (*ladinos, cholos*) como en Latinoamérica?
3. ¿Cree usted que los mestizos tomaron la mejor ruta para localizar su espacio en la sociedad?

UN DEBATE AMIGABLE

Dos puntos de vista y dos defensas: (1) tomando en consideración el contexto histórico, el tratamiento de los esclavos en Latinoamérica fue relativamente humanitario, y (2) la institución de la esclavitud es intolerable, a pesar del tiempo o lugar, y no se puede más que censurarla.

CAPÍTULO 8

La mujer: ingeniosa según exigían las condiciones

Fijarse en:

- Las características de la mujer amerindia y la peninsular.
- El papel de la mujer durante la conquista.
- El marianismo, y su simbolismo con respecto a la idea de la mujer que tiene el hombre latinoamericano.
- La condición actual de la mujer latinoamericana.

Términos:

- Amazonas, Coyas, Esposa y Madre sumisa, Familia inmediata, Limeña, Machismo, Marianismo, Virreina.

Ignorada pero siempre presente

¿Qué papel tuvo la mujer en la formación de las culturas y las civilizaciones latinoamericanas? Seguramente la mujer tuvo un rol central pero al principio este papel se caracterizó más por su ausencia que por su presencia. Se desconoce a ciencia cierta quién fue la primera mujer de la península que hizo la jornada a América. Quienquiera que haya sido, esta mujer merece más que el silencio que le ha dado la historia.

Desde luego, antes de la llegada a América de la primera mujer peninsular, había millones de mujeres indígenas: mayas, guaranis, quechuas, aztecas, chibchas, y taínas, entre otras. Algunas, quizás, eran un poco semejantes a las legendarias *amazonas*[1] que en 1540 Francisco de Orellana y sus exploradores creían ver en las selvas impenetrables mientras bajaban por el río que bautizaron con el mismo nombre. Quizás no. Lo más probable es que las mujeres amerindias eran afables y crueles, mansas y violentas, modestas y arrogantes, amables y groseras, igual que todas las mujeres (y, desde luego, como todos los hombres) de Europa.

En algunas comarcas—los desiertos, las selvas—las comunidades de amerindios existían al borde del hambre, y a veces del exterminio total. Dentro

---

[1] Amazonas = Amazons, warrior women.

de esas culturas, la mujer era un poco más que brutalizada por los quehaceres domésticos[2] que la agotaban antes de llegar a una edad madura. En otros lugares—las islas, las llanuras, las costas, y sobre todo en los valles donde existían civilizaciones avanzadas—la vida no era más tolerable. Es interesante notar que en algunas culturas indígenas de Colombia, Nicaragua, y el sur de México, las mujeres tenían papeles dominantes: eran culturas hasta cierto punto *matriarcales* en vez de *patriarcales*. A los hombres les correspondían los trabajos más pesados y los quehaceres domésticos, y las mujeres eran las que daban órdenes.

Las múltiples comunidades de amerindios diferían mucho en cuanto a los valores sexuales. Algunas culturas eran sumamente austeras y púdicas, otras tolerantes, y en algunas casi se puede decir que no existían tabúes sexuales. En algunos lugares, por ejemplo entre los mayas, el adulterio era considerado como un pecado que merecía la pena de muerte, mientras que en otros, no era más que tema para chismes, chistes y burlas. En algunas culturas se practicaba la poligamia y en otras la monogamia. En algunas, a los huéspedes se les ofrecía la compañía de las jóvenes más bellas, y en otras, se guardaba la virginidad como la vida. En algunas culturas, existía la costumbre del intercambio de esposas durante las festividades, y en otras no. En Perú, las *coyas*, o hijas de la aristocracia incaica, eran consideradas como "princesas" por los conquistadores, y las que se casaban con españoles llegaban a ser *doñas*, mereciendo el mismo respeto que las grandes damas españolas. Entre los aztecas, tanto las madres como los padres, les dedicaban un tiempo considerable a sus hijas, una vez que llegaban a la edad de ser señoritas, dándoles consejos y preparándolas para el futuro. En fin, no hay caracterización homogénea en cuanto a la mujer indoamericana. Seguramente, desde la Malinche (doña Marina) y su unión con Cortés,[3] la mujer de las Américas tuvo un papel primordial en la creación, y la formación psicológica y social, de un tipo étnico que ahora compone gran parte de la población del continente: el *mestizo*.

En lo que concierne a las características de la mujer de la península, hace tiempo el historiador Havelock Ellis en *The Soul of Spain* (1937) escribió que las españolas eran de notable valor, fuerza de voluntad y estabilidad emocional. En general no eran ni de la personalidad tempestuosa de Carmen[4] ni débiles y dependientes como con frecuencia las pintan en el extranjero. Es interesante notar que Ellis considera a las mujeres de España superiores a los hombres, ya que las constantes guerras entre España y otros países otros países europeos, así como las migraciones esporádicas de muchos hombres al Nuevo Mundo, le había quitado un poco de su dinamismo—como dice el refrán, "Castilla hace y

---

[2] Quehaceres domésticos = household chores.

[3] La Malinche y Cortés tuvieron un hijo ilegítimo, don Martín Cortés (1523–1595?) que con frecuencia es simbólicamente considerado el primer mestizo de América.

[4] La referencia es a una ópera en cuatro actos con el mismo nombre de la heroína, Carmen, basada en una novella de Prosper Merimeé (1846–1924) y con música de Georges Bizet (1838–1875).

deshace a los hombres." Sea cierto o no, queda el hecho de que las españolas en general tienen una seguridad en sí mismas y una serenidad personal notables. Esta característica de la mujer es perdurable, y seguramente existió durante la conquista y la colonización.

Aunque hay pocos informes acerca de las primeras mujeres peninsulares en América, es un hecho que un número considerable de mujeres había inmigrado al Nuevo Mundo antes de la conquista de los aztecas. Algunas vinieron con sus maridos, otras con la misma promesa de prosperidad y aventura que atraía a los hombres. Sin importar sus motivos, eran mujeres valientes, porque los peligros que enfrentaban eran enormes. Al principio, el *Consejo de las Indias* consideraba que la presencia de las mujeres entre los exploradores y conquistadores los restringiría, limitando su actividad. Se creía que las mujeres serían una distracción, desviando a los conquistadores de lo que debería ser su único objetivo: la expansión territorial para glorificar a *Dios*, al *Rey*, y a *España*. En realidad lo que pasó es que aunque en las Américas había pocas mujeres de la península, los españoles se aprovecharon de las amerindias con bastante libertad, y al parecer sus relaciones con ellas no fueron limitaban sus actividades militares. Después, cuando ya había emergido la primera generación de mestizos, la corona temía que esos descendientes de españoles y amerindias no manifestaran lealtad a España. Para evitar la profusión de gente de raza mixta, se les aconsejó a los hombres que llevaran a sus esposas consigo cuando partieran al Nuevo Mundo. Así es que cada vez era más fácil que las mujeres consiguieran permiso de viajar a América. Sin embargo, hubo casos como el de Francisco de Aguirre, uno de los conquistadores de Chile, que no mandó a traer a su esposa hasta después de un período de veinte años durante los cuales había engendrado, según su propia cuenta, más de cincuenta hijos mestizos.

Para el año 1519 cuando Cortés emprendió la conquista de los aztecas, un número notable de mujeres casadas y solteras ya había hecho el viaje al nuevo mundo. Ya había algunas con el mismo Cortés durante la conquista. Incluso protestaron cuando el Capitán quería dejarlas en Tlaxcala con sus aliados tlaxcaltecas durante el sitio de Tenochtitlán. Sin embargo, persiste el hecho de que Bernal Díaz del Castillo (1492?–1584) en su *Historia verdadera de la conquista de la Nueva España* (escrita en 1568, publicada en 1632) dedicó más páginas a los caballos de los conquistadores que a sus esposas, por muchas o pocas que hayan sido. En fin, las mujeres peninsulares que lograron llegar a América después de la conquista ofrecieron a la colonia un sentido de permanencia, aunque sus maridos continuaran con sus aventuras por nuevos rumbos.

El proceso de la integración de esas mujeres en las colonias comenzó poco a poco pero cobró velocidad paulatinamente. Para mediados del siglo XVI, la aventura e la conquista había terminado. Llegó el momento de instituir una manera estable de vida, ocuparse de los quehaceres cotidianos, y comenzar a forjar una civilización. Era tiempo de crear relaciones de parentesco, trabar nuevas amistades, prepararse para los ritos y las festividades religiosas, así como gozar de los placeres que ofrecía la nueva vida. El período ya no era una edad de heroísmo. Más bien, era una época de tareas rutinarias, es decir, de establecer prácticas necesarias para construir casas, iglesias, y edificios municipales y comerciales, de cultivar la tierra y de construir caminos y puentes. Sin el elemento estabilizador de la mujer para complementar el espíritu aventurero, y a veces idealista y hasta frívolo, de los conquistadores y colonos, todas estas tareas seguramente no se habrían llevado a cabo con la misma eficacia.

Según la evidencia, la gente de las colonias por lo general gozaba de más comodidades materiales que en la península. Era un mundo fronterizo y, aparentemente, había mucho—riqueza, fama, poder—al alcance de quien quisiera aprovecharlo. Sin embargo, también había que establecer colonias, labrar la piedra y madera en las construcciones, la tierra en la producción de comestibles, y aprovecharse de la mano de obra de los amerindios y esclavos africanos para el trabajo pesado. Además, el nivel relativamente alto de libertad política, religiosa y social les daba a los colonos muchas facilidades. La mujer, como señala William Schurz en *This New World* (1964), era la que, como roca de estabilidad familiar y social, tenía el papel principal. Ella era la fuerza motriz[5] de la nueva cultura colonial. Era ella a la que le sobraba energía y tiempo, la que se encargaba de sus deberes con ánimo y gusto. La familia y la iglesia católica, las dos grandes instituciones de la nueva sociedad, eran, prácticamente la expresión de ella. Era la mujer la que creaba y nutría a la familia, y la iglesia existía gracias a su apoyo y diligencia en llevar a cabo sus responsabilidades. Mientras los hombres soñaban, vagaban y se ocupaban de sus pasatiempos—actividades descritas en la ficción mágico-realista de Gabriel García Márquez (1928–2014) en *Cien años de Soledad* (1967)—todo estaba bastante seguro y firme en las manos de la mujer. Ese papel femenino se ha perpetuado hasta la época contemporánea, según el estudio de Elsa Chaney en *Supermadre: Women in Politics in Latin America* (1979).

Con un mayor grado de influencia islámica en Portugal, el tratamiento de la mujer era más severo que en España. En parte por eso la mujer de las colonias brasileñas no destacó tanto como la de las colonias españolas. Los portugueses protegían a sus mujeres con más celo, y por regla general no se les permitía tener un papel tan central como el que tuvo la mujer hispánica—desde luego, con excepciones importantes, como sucede en toda generalidad propuesta.

ALGUNOS EJEMPLOS SOBRESALIENTES

Con el tiempo, la función de la mujer varió cada vez más, según el lugar y las condiciones. Quizás una de las expresiones más notables de la mujer colonial es el de la clásica *limeña*—de la alta sociedad de Lima, Perú, un tipo femenino que merece atención.

El secreto de la atracción y el enigma de la *limeña* tiene que ver con su curioso vestuario, dentro del cual vivía como si éste fuera una máscara o un velo. Entre los moros, que ejercieron una influencia considerable en la cultura peninsular, el velo servía para cubrir a la mujer de la mirada de los hombres.

[5] Fuerza motriz = motivating force.

Para la *limeña*, en cambio, el velo le sirvió como instrumento de *coquetería*,[6] para mantener su distancia y a la vez atraer al sexo opuesto. Se vestía con una *saya*[7]—que le cubría todo el cuerpo, pero esta prenda era tan pegada que dejaba ver la curvatura y los contornos de su cuerpo. Se ponía también el *manto*,[8] con el cual se cubría los hombros, brazos, cabeza y hasta las manos, dejando ver únicamente los ojos, a veces solo un ojo. Además, no podía salir a la calle sin llevar al menos un Rosario que llevaba colgando a un lado. Así usaba este disfraz[9] para cautivar a los hombres y acercarse a los extranjeros que visitaban la ciudad con una agresividad femenina poco común durante la época. De hecho, por el comportamiento de la *limeña* típica, Lima quedaba envuelta en un ambiente cuasi-carnavalesco que a menudo escandalizaba a los extranjeros y daba vergüenza a los limeños. Se decía que lima era un paraíso para las mujeres., un purgatorio para los hombres, y un inferno para los burros.

Aunque nunca ha habido un tipo de mujer tan peculiar en la ciudad de México como la de Lima, en la sociedad siempre han existido mujeres extraordinarias. Schurz relata el caso enigmático de Doña María de Mendoza, suegra del Virrey Luis de Velazco II. Ella misma quería regir el virreinato entero. Se obsesionó tanto con esta idea hasta el día que, durante un gran pleito con su marido, éste la dejó inconsciente de un candelabrazo[10] en la cabeza. Parece que después de ese episodio se apaciguó un poco, ya más resignada a su papel de *mujer pasiva*. La agresividad de Doña María no fue un caso extraordinario. Hubo una larga tradición de mujeres independientes y a menudo[11] escandalosas, que fueron motivo de chistes, chismes, y leyendas por todo el Virreinato de México. Quizás la más famosa de todas fue "La Güera"[12] Rodríguez. Sobrevivió a varios maridos y, según se cuenta, era tan guapa como lo fue de joven hasta el día de su muerte.

Hubo también casos excepcionales de viudas que, después de recibir propiedad tras la muerte de su marido, ejercieron un grado notable de libertad de acción y participaban en la economía en general a la par de los hombres. Tenían control absoluto de su dote, y por regla general, controlaban la herencia de los hijos hasta que éstos llegaban a la edad adulta. Esas mujeres administraban y eran dueñas de tierras, minas, obrajes, y otras inversiones de capital. Un ejemplo excepcional que demuestra la importancia del casamiento y el parentesco con respecto a los bienes comunes fue el de la familia Baquíjano y Carrillo de Córdobas. Juan Bautista Baquíjano migró a Lima de Vizcaya a principio del

---

[6] Coquetería = coquetry, flirtation.
[7] Saya = a form of petticoat.
[8] Manto = cloak, cape.
[9] Disfraz = costume, disguise, mask.
[10] Candelabrazo = blow with a candelabrum, or candlestick holder.
[11] A menudo = often, frequently.
[12] Güera(o) = a person of relatively light skin or eye color other tan brown or black: a güero(a) is not necessarily blond, but rather, his/her features have tinge that is somewhat lighter than that of the majority of the people of a particular area.

Siglo XVIII, y gracias al sudor de su frente y mucho talento pudo prosperar. Poco a poco se convirtió en uno de los hombres más ricos de la ciudad, con inversiones en el comercio, la agricultura, y el embarque. En 1755 se compró el título de Conde de Vistaflorida. Murió en 1759, dejando a su esposa, María Ignacia, y a siete hijos menores de edad. María Ignacia se encargó de administrar los bienes, y cuando ella murió, su fortuna excedía en mucho más a lo que había heredado de su marido. En fin, se puede decir que generalmente el papel de creación cultural de la mujer durante el coloniaje fue enorme.

Además de la mujer de clase alta, el papel de ésta en la clase popular también fue importante. Había pocas familias capaces de subsistir únicamente con el sueldo del padre de familia. Por lo tanto, había necesidad de que la mujer trabajara también—en la cosecha de la caña de azúcar del Caribe y Brasil, las fábricas textiles en las ciudades, los talleres de artesanía y sobre todo, los mercados. En las casas aristocráticas y de la clase alta había necesidad de sirvientas para toda clase de quehaceres. Desde luego, en esas mismas casas, la responsabilidad principal de la esposa era la de administrar los asuntos domésticos mientras el marido (frecuentemente) estaba ausente—ocupado en el negocio, en la hacienda, en el servicio de la corona, o simplemente con los amigos, los "compadres." Así es que les correspondía a las damas de la casa tomar decisiones prácticas con respecto al mundo socio-económico de la familia, mientras las empleadas de la clase popular se ocupaban de los quehaceres domésticos de la misma casa. De este modo la fundación de la cultura, y de los patrones de conducta de las nuevas generaciones destinadas a heredar esa cultura, quedaba principalmente en manos de la mujer.

Además, hay que notar que desde la época colonial, la familia como unidad básica junto con la *familia inmediata*[13] ha predominado en general. En la clase alta, a medida que cada comarca alcanzaba madurez económica y social, los casamientos entre los hijos e hijas de las familias más prominentes, con inmigrantes europeos que poseían buenas credenciales. Poco a poco esas *familias inmediatas* llegaron a predominar en la vida *socio-político-económica* de los de "arriba," sobre todo en culturas relativamente cerradas como Lima, Guatemala, Santiago, San Salvador, Córdoba, Recife en Brasil, Puebla en México, y Popayán en Colombia. Hay que enfatizar que la mujer tuvo un papel esencial en la formación de las *familias inmediatas*.

LAS DOS MARÍAS

Sin embargo, hay otra *realidad* de la mujer latinoamericana que complementa ese *ideal* de la mujer como fuerza estabilizadora. Esa otra *realidad*, ligada a lo que se ha denominado *marianismo*, ha quedado profundamente arraigada en la cultura precisamente porque está íntimamente relacionada con el *ideal* de la

---

[13] Familia inmediata = "immediate family." Translation of the term is problematic; since the network of interfamilial in Latin America is closely knit, the "immediate family" (aunts, uncles, cousins, etcetera.) constitutes a united whole to a much greater extent than in the Anglo-American culture.

mujer como roca de estabilidad. Si tradicionalmente el papel estereotipado del hombre ha sido el del *machismo*, el *culto a la virilidad*, a la agresividad, la arrogancia, y la explotación sexual de la mujer, el *marianismo* ha sido *el culto a la superioridad moral y espiritual* de la mujer. Desde luego el culto toma su nombre de la virgen María, quien representa lo que la mujer debe ser según las normas de las sociedades patriarcales de tradición católica: *sacrificada, sufrida, sumisa—las tres eses*. Por lo tanto, la imagen ideal de la mujer es semejante al de la Virgen, mujer en este sentido superior a los hombres, pero como *sacrificada, sufrida, y sumisa*—cualidades de la misma Virgen—es legado a una posición inferior dentro de la sociedad patriarcal. El *marianismo*, entonces revela un papel confuso y hasta contradictorio de la mujer.

De todos modos, el *marianismo* ha persistido a través de las generaciones. En este sentido, la continuidad más que el cambio caracteriza la historia de la mujer latinoamericana. Es decir, la familia latinoamericana por regla general sigue describiéndose como patriarcal, can un padre autoritario y una madre *sumisa, sufrida* y capaz de *sacrificar* todo por su marido y sus hijos. De hecho el verbo "casarse" en su sentido literal quiere decir "meterse en la casa," y la mujer *casada* es una persona limitada a los confines del hogar, ocupándose de los quehaceres domésticos. Este papel tradicional ha cambiado a paso de tortuga[14] a través de los años. Pero sí ha cambiado. Actualmente las instituciones religiosas, y los medios de comunicación como la radio, la televisión y el cine, así como la propaganda comercial, revelan que el estereotipo de la mujer como un ser física e intelectualmente inferior—aunque moral y espiritualmente superior—al hombre no sigue tan intacto como antes.

De cualquier manera, aunque en las últimas décadas la familia tradicional latinoamericana ha estado sujeta a fuerzas "modernizantes," su esencia, su núcleo, ha sufrido menos cambios que la estructura familiar de EE.UU. o de los países del norte de Europa. La familia Latinoamericana continúa con una fuerza y solidaridad poco conocidas en las sociedades del llamado "mundo desarrollado." Se rige por un conjunto de modos de conducta y responsabilidad generalmente aceptados. La mujer, aunque con un papel todavía considerado un tanto "*sumiso*" por algunas mujeres norteamericanas y europeas, sigue ejerciendo una influencia profundamente genuina y beneficiosa, y se hace valer como elemento esencial de la sociedad.

Sin embargo, hay otro lado de la moneda. Queda el hecho de que la gran mayoría de las mujeres continúan casadas a pesar de recibir un tratamiento brutal de sus maridos. La idea del *divorcio* todavía lleva estigmas debido a la influencia del catolicismo. Por lo tanto, también siguen hasta cierto punto limitadas en su papel tradicional de *madre sufrida y esposa sumisa*. Para mediados de 1970, las mujeres tenían sólo el 13% de los trabajos en Latino-américa, mientras en Rusia la cifra era de 41.4%, en Europa 27.6%, y en EE.UU. 21.3%. Desde entonces, esta situación ha cambiado en Latinoamérica, pero también ha cambiado en el mundo "desarrollado," de modo que Latino-

[14] A...tortuga = at a snail's pace.

américa continúa atrasado con respecto a estos porcentajes. Lo que ocurre es que Latinoamérica se encuentra en una transición que causa una tensión y una lucha entre dos sistemas de valores—la mujer de la imagen del *marianismo* y la mujer "moderna"—que ha engendrado su propia contradicción. Lo cierto es que el cambio continúa acelerándose, y lo más seguro es que la tradición se alejará cada vez más, para bien o para mal.

En el próximo capítulo se harán observaciones sobre una época colonial importantísima en la evolución de las culturas latinoamericanas.

PREGUNTAS

1. Describa la condición de la mujer en las culturas indígenas.
2. ¿Cuáles son las características de la mujer de la península?
3. ¿Cuál era la posición del Consejo de las Indias sobre la mujer?
4. ¿Cuál fue el caso de Francisco de Aguirre?
5. ¿Cuál fue el papel de la mujer inmediatamente después de la conquista?
6. ¿Qué características tenía la limeña?
7. ¿Cómo era diferente el papel de la mujer de Portugal a la de España?
8. ¿Qué ocupaciones y trabajos desempeñaban las mujeres en las colonias?
9. ¿Qué es el marianismo? ¿Cuál es su relación con el machismo?
10. ¿Cuál es la condición de la mujer latinoamericana en la actualidad?

TEMAS PARA DISCUSIÓN Y COMPOSICIÓN

1. Tomando en cuenta los casos de Doña María de Mendoza, "la Güera" Rodríguez, y María Ignacia Baquíjano y Carrillo de Córdobas, ¿cree usted que es posible decir que la mujer latinoamericana es realmente subyugada, sumisa, pasiva, y obediente? ¿Será esa imagen sólo un mito?
2. ¿Hay algo en el papel de la mujer durante la colonia que le hereda características a la mujer de hoy?
3. ¿Qué puede hacer la mujer latinoamericana para cambiar su estereotipo?

UN DEBATE AMIGABLE

Organizar una animada discusión alrededor de dos opiniones: (1) que el papel tradicional de la mujer latinoamericana ofrece una estabilidad cultural que haría falta en otras culturas del mundo. (2) ¡No!, de ninguna manera se puede justificar la opresión de la voz de más de la mitad de los latinoamericanos; la mujer debe tener los mismos derechos y la libertad que tienen las mujeres en EE.UU. y Europa.

CAPÍTULO 9

EL SIGLO XVII: UNA CULTURA BARROCA

Fijarse en:

- La esencia y las características del movimiento Barroco.
- Las razones por las cuales el barroco es de suma importancia con respecto a las culturas latinoamericanas.
- Los cambios que hubo en Latinoamérica durante la época barroca.
- La función del "fusionismo" y las paradojas dentro de lo barroco.
- La importancia de Sor Juana Inés de la Cruz.
- Las actividades sociales y culturales que tenían relación con el barroco.

Términos:

- Antítesis, Candomblé, Certamen Poético, Dualidad, Edad Medieval, Fusionismo, Hibridación, Inquisición, Latifundio, Mascarada, Mentalidad Barroca, Nepotismo, Paradoja, Paternalismo, Peonaje, Pigmentocracia, Pluralidad, Renacimiento, Santería, Vudú.

¿QUÉ ES EL BARROCO?

De los tres siglos de coloniaje, el XVII ha sido relativamente olvidado e ignorado. Parece la noche entre un día (la "invención-descubrimiento," exploración, conquista y colonización de América), y el amanecer del día siguiente (las reformas borbónicas). Da la impresión de que en Latinoamérica hubo poca novedad entre los siglos XV–XVIII.

Sin embargo, hay que reiterar que las apariencias engañan. Mientras que había mucha inquietud y conflicto en el viejo mundo durante el siglo XVII, en el Nuevo Mundo la aparente falta de actividad marca un período de formación y consolidación de un calidoscopio étnico y cultural. Ciertamente el siglo XVII en Latinoamérica fue un período bastante calmado en comparación con Europa. No obstante, fue una época de enorme importancia. Durante esa etapa los procesos de mestizaje étnica, adaptación cultural y maduración psicológica moldeaban las culturas y civilizaciones latinoamericanas actuales. Además, hubo durante el mismo período un movimiento de filosofía y estética que dejó una huella indeleble en Latinoamérica. Ese movimiento fue, precisamente: el *Barroco*.

Como ya se ha visto, el gran *sueño ideal* de la América "inventada" fue el de la *utopía*. Ese *sueño* pronto se enfrentó con la brusca *realidad* del ambiente americano, que incluía el saqueo, la esclavitud y la "incomunicación" entre la corona de España y los colonos americanos. Entre los dos polos, *utopía* (o *idealismo*) y *realidad*, entre buenas intenciones y necesidades prácticas, entraba el Barroco, tratando de unir todas las contradicciones. Sin embargo, en lugar de una síntesis duradera, al parecer no había más que perpetuos conflictos. Estos problemas se debían a que el Barroco, sobre todo el de la tradición peninsular, fue en gran parte un producto de la Contrarreforma.

El Renacimiento que precedió al Barroco durante los siglos XV y XVI, expresaba una rebelión en el arte, la filosofía, la ciencia y la literatura. Esa rebelión estaba en contra de la cultura medieval y encaminada hacia la antigüedad griega y su concepto pagano y humanístico del universo. Con el Renacimiento, un nuevo interés en la naturaleza y en el ser humano definía el comienzo de la ciencia moderna, tomando precedencia sobre la filosofía medieval—de que todo lo que existía y ocurría era por la gracia divina de Dios. Después, el Barroco reaccionó en contra de las expresiones paganas más extremas del Renacimiento. Sin embargo, en el Barroco había también cierta inclinación por adoptar esa nueva perspectiva renacentista del ser humano como creador y conocedor de su propio mundo. A la vez, y sobre todo en España, bajo el pendón de la Contrarreforma, había un deseo de re-descubrir el hilo perdido de la tradición católica medieval. Es allí donde existe la principal contradicción del Barroco en la península. Había nostalgia del pasado medieval y anticipación renacentista sobre los nuevos horizontes que el futuro prometía. Existía un esfuerzo por expresar las viejas tradiciones medievales, pero a través de las nuevas estrategias artísticas e intelectuales del Renacimiento. Ese duelo dinámico entre el elemento cristiano de la Edad Medieval, y el nuevo elemento humanístico-pagano-racional establecido durante el Renacimiento dominó durante el siglo XVII.

Por lo tanto, lo que caracteriza la esencia del espíritu barroco es la *dualidad*—y por eso complementa la tendencia Hispanoamericana de oscilar entre *sueño* y *realidad*. A causa de las fuerzas en perpetua lucha entre los valores tradicionales y los valores renacentistas, nació, y crecía con el transcurso del tiempo, una serie de antítesis: *espíritu/cuerpo*, *fe/ciencia*, *sentimiento/razón*, *sagrado/profano*, *cielo/tierra*. Los primeros términos de las oposiciones representan el enfoque principal de las tradiciones medievales del catolicismo, mientras los valores renacentistas ponen énfasis en los últimos términos. Según las fórmulas de la tradición, *espíritu*, *fe*, *sentimiento*, lo *sagrado*, y el *cielo* deberían tomar precedencia sobre *cuerpo*, *ciencia*, *razón*, y lo *profano* y *mundano*, mientras para la mentalidad renacentista muchas veces era lo contrario. La visión barroca representa una fusión vaga de esa serie de oposiciones: un esfuerzo monumental por *reconciliar las dualidades*.

Hay que reconocer otra característica importante de la época barroca Escribe José Antonio Maravall en *La cultura del Barroco* (1975) que en España, más que en otras partes de Europa, el Barroco nació de una crisis económica que culminó en una *cultura de la urbanización*. Sin embargo, la urbanización no trajo un desarrollo de las condiciones sociales, debido a la pésima situación económica. Al contrario, la ciudad barroca llegó a estar plagada de vagabundos, pordioseros, y ladrones, aparte de los supuestos *hidalgos* que siempre abundaban y a veces eran abominados. Como consecuencia, durante la edad del Barroco había una división bastante marcada entre *dos culturas*. Aparte de la *cultura elitista*, había un florecimiento de la *cultura popular*. La literatura elitista barroca se enfocaba en el *estilo artístico* y el *pensamiento*. En cambio, la cultura popular de la época barroca se caracterizaba por lo que se puede denominar actualmente como *mal gusto*.[1] El *mal gusto* consistía de una variedad , dentro de los límites que permitían las convenciones sociales, de fiestas, procesiones, espectáculos públicos, y en toda ocasión la ostentación brillante de fuegos artificiales.[2] Esas actividades opuestas entre las *dos culturas* daban la sensación de una sola cultura en movimiento constante, como la confluencia de dos ríos en direcciones opuestas. Esto creaba la imagen de un mundo al revés, un laberinto de confusión.

Aparte del conflicto de las *dos culturas*, la *elitista* y la *popular*, existía el ya mencionado conflicto entre dos formas de imaginar el mundo: el modo tradicional del catolicismo, y el nuevo modo del Renacimiento. Como resultado de ese conflicto, durante el Barroco existía la idea de que nada era estable sino que todo estaba en perpetuo movimiento, sin puntos firmes de referencia. Entonces, todo tenía que ser inseguro, ambiguo y contradictorio. Según esa *mentalidad barroca*, se había perdido un poco de la seguridad que ofrecía el cristianismo medieval, pero la adopción definitiva de la cosmología humanística y secular del Renacimiento no traería la respuesta, porque excluía los valores tradicionales. Por lo tanto, había oscilación entre los dos polos. Parecía como el pueblo español no tuviera ni brújula ni guía.[3]

El barroco en Latinoamérica

Las instituciones administrativas de las colonias fueron consolidadas durante el Barroco; sin embargo éstas experimentaron profundos cambios. La *encomienda*, sistema quasi-feudal implantado en el siglo XVI, ya se estaba desintegrando. Otro sistema, el del *peonaje* y *latifundismo*,[4] la estaba reemplazando. Fue precisamente este sistema el que sobrevivió las guerras de Independencia, cobró nuevo vigor durante el siglo XIX, y sigue en pie hasta nuestros días en algunas regiones aisladas de casi todos los países latinoamericanos que tienen considerable población indígena.

La transformación de la *encomienda* al *peonaje-latifundismo*, y otras transformaciones semejantes en el orden colonial, fueron posibles gracias a un

[1] El término "barroco," se origina del Portugués, y quiere decir "perla irregular." Después tuvo la connotación de algo "decadente" o de "mal gusto."

[2] Fuegos artificiales = fireworks.

[3] Brújula = compass. Guía = guide.

[4] El sistema del *latifundio* o de la *hacienda* (*fazenda, finca*) en el que el amo era el dueño de una extensión enorme de Tierras, y generalmente los *peones* carecían de su propia parcela de tierra.

estado colonial monolítico encabezado por los virreyes con autoridad casi absoluta. Los virreyes funcionaban como vice-monarcas durante la ausencia del Rey. Ejercían poderes ejecutivos, jurídicos, y semi-eclesiásticos: su mini-reino era casi autónomo. Existía un sistema *paternalista* por excelencia, con el gran patrón—el virrey—en el ápice de la pirámide social, y una jerarquía de mini-patrones desde el virrey hasta el *peón* más humilde. Pirámides sociales del mismo molde se levantaron del subsuelo del sistema colonial con respecto a la jerarquización de la Iglesia, el ejército, el comercio, y la sociedad en general. El *paternalismo* llegó a ser casi un sinónimo de la vida barroca. En vista del afán de las coronas de España y Portugal de fortalecer las colonias y defenderse de la invasión de los heréticos desde los países al norte de Europa, con seguridad esa jerarquización social fue el resultado inevitable. Puede ser que la jerarquización era la única manera de asegurar que las arenas movedizas[5] de la cultura y la *mentalidad barrocas* no degeneraran en caos y anarquía.

Durante el mismo período, y en parte como consecuencia de la jerarquización barroca, brotaron más retoños[6] de las semillas del *caudillismo*. En las provincias, los oficiales de la corona a menudo gozaban de una autoridad imperiosa dentro de las fronteras de su jurisdicción. Con ese poder casi absoluto, fue relativamente fácil que los oficiales se enriquecieran, y que practicaran el *nepotismo*.[7] En vista de las distancias y los problemas de comunicación entre las coronas y el Nuevo Mundo, no había casi nadie que pudiera limitar sus actividades. Además, si estos oficiales gozaban de carisma, cualidades físicas impresionantes, y de una notable fuerza de voluntad, su destino podría llegar a ser la de un *caudillo* de la gran tradición latinoamericana. Dotados de lo que se ha denominado *personalismo* (alguien con una personalidad magnética), nada les impedía seguir el camino del despotismo.

Sin embargo, tenían su gracia esos *caudillos*, esos llamados *hombres de a caballo*. Pues, el buen *caudillo* no podía menos que[8] conquistar la simpatía del pueblo por su manera de ser, por la atracción de su personalidad, a pesar de sus acciones por brutales que fueran. Es decir, de buena manera barroca, lo que más valía era el *modo de ser*—y la *forma de la conducta*—del caudillo, y no tanto sus actos—que eran a veces atroces. Esto es porque, como escribe Octavio Paz en *El laberinto de la soledad*, al hispanoamericano le gustan las *formas*, las *formalidades*, más que la *sustancia* dentro de las *formas*. Le gusta también el modo (el estilo) de decir las cosas más que el *contenido* de lo que se dice—como se notará más adelante. Latinoamérica no ha dejado de ser "barroca" en un sentido profundo.

---

[5] Arenas movedizas = quicksand.

[6] Retoños = sprouts.

[7] Nepotismo = nepotism, bestowal of special privileges to relatives; in Latin America, nepotism often extended beyond the immediate family to one's circle of friends and associates.

[8] No...que = cannot do otherwise than.

La edad del barroco también vio la solidificación de la Iglesia. Aunque en teoría la Iglesia estaba subordinada a la corona, de todos modos su influencia no dejaba de sentirse en todos los aspectos de la vida secular. En muchos sentidos, la Iglesia adquirió un control semejante al de la época medieval dentro de la vida cotidiana. Una vez que gozó de ese privilegio, hizo todo lo posible para no perderlo—por eso en Latinoamérica hubo luchas épicas entre la iglesia y el estado aún después de la Independencia. Creían los clérigos que la enorme misión de convertir a los amerindios y mantenerlos firmes en la fe era justificación suficiente para la acumulación de riqueza material y un crecimiento sin precedente de la burocracia eclesiástica—y desafortunadamente, también la institución de la *Inquisición.*[9] La vida demasiado cómoda de la mayoría de los clérigos atrajo a la gente más capacitada, y los conventos y monasterios se multiplicaron rápidamente para acomodar a la creciente comunidad religiosa.

Durante el período barroco la adquisición de prestigio social era cada vez más accesible a través del *latifundismo*. Como se ha notado anteriormente, ser *patrón*, o *hidalgo*, tenía tanta y hasta más importancia que la acumulación de dinero y bienes materiales. A medida que progresaba el siglo XVII, la clase criolla llegaba a predominar cada vez más en el *latifundismo*, suplantando muchas veces a los peninsulares en el proceso. Mientras la importancia de los criollos iba en aumento, poco a poco empezaban a considerarse "americanos." A la vez, comenzaban a tener un papel más activo en los aspectos socio-económicos del sistema colonial en vez de desear el prestigio y el papel político de que legal y tradicionalmente habían gozado sólo los peninsulares. El naciente orgullo por su "tierra," los criollos crearon nuevos conflictos, en parte de la vieja tensión entre criollos y mestizos. Sin embargo, se nota en el nuevo "criollismo" la semilla del origen de un "nacionalismo," que después emergería como sentimiento de independencia del yugo colonial.

LA PLURALIDAD BARROCA A TRAVÉS DE LA LITERATURA

El corazón y la esencia misma de la compleja *mentalidad barroca*, se revelan sobre todo en la literatura de la época. Una característica importante de la literatura barroca es el *fusionismo*.

El *fusionismo* representa una unificación de elementos literarios en una totalidad, de modo que la pérdida o destrucción de uno de uno de los elementos causaría una disminución de todos. Por ejemplo, "la verdad mentirosa" es la fusión de un *oxímoron.*[10] Combina dos palabras de un modo que el concepto de "verdad" se transforma. El término "verdad" pierde su pureza, manchada como

---

[9] La Inqusición = The Spanish Inquisition, an organization set up for the purpose of enforcing the practice of pure, uncorrupted Catholicism, which led to costly wars with Protestant countries, censorship and book burnings, a system of religious purification, a ban on people of Jewish blood, bans on foreign travel and foreign trade, and severe punishment, sometimes death sentences, to all of those who were considered heretics.

[10] Oxímoron = a combination of contradictory or incongruous words (black sun, silent scream, blue jubilation, etcetera.).

está de un elemento de "falsedad" engañosa. Por otro lado, "mentirosa" también cambia de significado. Ya no es simplemente la expresión de algo que no es "verdad," sino que penetra la "verdad" misma, corrompiéndola y transformándola en algo que contradice su apariencia. De esta manera la *fusión* de las dos palabras crea un nuevo significado que sin esa *fusión* no podría tener. Tal *fusionismo* es, precisamente, la esencia de la *mentalidad barroca*, como ya se ha descrito. Todo tenía que estar unido en un "orden desordenado," una forma de "claridad confusa," de un "balance desequilibrado." Por supuesto, esos términos se contradicen. Sin embargo, la *fusión* de contradicciones revela un deseo por parte de la mentalidad barroca de disminuir la tensión entre el *sentimiento* y la *razón*, el *espíritu* y el *cuerpo*, lo *religioso* y lo *profano*, la *religión* y el *humanismo*. Precisamente, fue por esa *fusión* que las contradicciones a veces resultaban en *paradojas*,[11] que fue el modo de expresión por excelencia de la época.

Nadie expresa esa tensión en la literatura con tanta profundidad como Sor Juana Inés de la Cruz (1651–1695). Criolla nacida en México, Sor Juana fue una mujer de belleza exótica y sobre todo de una inteligencia que, según las normas sociales, debería pertenecer sólo al sexo masculino. Aprendió a leer cuando apenas tenía tres años. A los cinco años aprendió Latín en sólo veinte lecciones. A la edad de dieciséis años entró a un convento para continuar sus estudios—aunque también se ha dicho que esta decisión fue el resultado de un amor fracasado. Sin embargo, en cada paso encontraba problemas en satisfacer su deseo de conocimiento religioso, humanístico, y científico, ya que en esa época se concebía que la pasión por las disciplinas abstractas pertenecían solamente a un "cerebro masculino." No obstante, el intelecto de Sor Juana siempre estaba inquieto. Ese conflicto—la ambivalencia (*fusión*) de una personalidad "femenina emocional" y otra "masculina intelectual"—fue algo barroquísimo. Quedó dentro del espíritu de Sor Juan, atormentándola hasta su muerte.

El conflicto que existía dentro de Sor Juana se revela en su poesía que, detrás de las convenciones barrocas, expresa un profundo sentimiento razonado y una razón sentimentalizada de una mente torturada. Esta tensión se nota en las siguientes líneas:

> En dos partes dividida
> Tengo el alma en confusión:
> Una, esclava a la pasión
> Y otra, a la razón medida

Entre la *pasión* y la *razón* hay suficiente lugar para toda una serie de conflictos que no paraban de inquietar el espíritu de la poetisa. Es que en el ambiente colonial del siglo XVII, cuando una mujer no tenía el lujo de soñar con

---

[11] Paradoja = paradox, the combination of contradictory concepts resulting in vicious circularity. The conflict, regarding the colonies, between well-intended "ideals" on the part of the crown coupled with the "reality" of practical affairs of everyday life in America aided in creating such paradoxical conditions.

una vida de independencia, y cuando se consideraba que intelectualmente la mujer era inferior al hombre, Sor Juana no podía menos que sentir con una *pasión razonada* los conflictos, las paradojas, y las ambigüedades de su tiempo. Y según las normas de su cultura, no podía menos que menospreciarse, pero a la vez reconociendo su intelecto superior. Con justicia se ha dicho que si Sor Juana hubiera nacido en otra época de más tolerancia hacia la mujer, habría predominado en las matemáticas, la ciencia, la filosofía, o en las artes. Sor Juana fue, bien puede decirse, el gran *sueño utópico* americano incorporado en una sola persona. Ella es el ejemplo máximo de las paradojas de la época, y ella es la persona quien define con más sutilidad el Barroco en América.

En todas las actividades *socio-político*-económicas, las mismas paradojas se manifestaban hasta cierto punto. En primer lugar, hay que reiterar que después de ocho siglos de presencia de los moros en España y Portugal se creó una experiencia bicultural muy particular en la gente peninsular. Fue bicultural, porque la división entre cristianos y moros no era nada clara. Entre *mozárabes* (cristianos que habían adoptado la cultura musulmana), *mudéjares* (musulmanes de la fe islámica que vivían como vasallos cristianos), *muladíes* (cristianos que habían abrazado la fe musulmana), y otras clasificaciones "ambiguas," todo fue como una *clara fusión* de buen modo barroco. Ya que la mayor parte de los emigrantes de la península a América venían del sur y de la meseta, trajeron ellos una cultura "barroquesca."

EL MESTIZAJE (O LA MISCEGENACIÓN) CULTURAL

Además, la religión católica, *hibridizada*[12] desde la península, se diluyó aun más en América, primero con las culturas amerindias, y luego con las africanas. Ese *sincretismo múltiple*—la fusión de la fe cristiana con las religiones de América—en ningún lado es más evidente que en México. Cristo, un dios sacrificado, fascinaba a los amerindios, cuya historia narraba de alguna manera el mito de sus propios dioses que en un acto de supremo sacrificio dieron origen al mundo.

Hoy en día el Cristo que se ve en los pueblos es una imagen pura de sacrificio. Es una condensación suprema de sufrimiento, pero sufrimiento con abnegación, sin protesta, además de simbólico y conforme a la psicología del espíritu quebrantado del amerindio. En cambio, la Virgen de Guadalupe es el centro de la vida, la gloria, y la esperanza en México—como ya se ha notado en el capítulo cuatro, ella es la contraparte *sincrética* de Tonantzin ("nuestra madre"). A la vez, es la madre sufrida. Sin embargo, aunque la virgen no sea menos sufrida que Cristo, según está representado en las iglesias, las casas, y las procesiones religiosas, su sufrimiento es maternal. Es el sufrimiento que siente una madre a través del sufrimiento de su hijo. Los dos tipos de sufrimiento simbolizan la psicología americana.

---

[12] De *hibridación* = the creation of cultural mestizaje. hybridity.

Otros momentos destacados del espíritu barroco latinoamericano se encuentran en la arquitectura. Por ejemplo, la ciudad minera de Potosí, Bolivia, según una bella leyenda, en 1728 a un indígena llamado José Kondori—de la región tropical del sur—le fue encargado completar la obra artística de las magníficas iglesias barrocas. Hasta hoy es posible observar que de entre los ángeles, las parras, y las enredaderas[13] de la fachada de San Lorenzo, de repente aparece una princesa india, y la flora mediterránea y el simbolismo católico dan paso a plantas selváticas y a un ambiente genuinamente americano. Europa y América, catolicismo y religiones amerindias, se entretejen para crear algo nuevo. En lugares de Latinoamérica que son predominantemente amerindios, pareciera como si detrás de los altares católicos hubiera escondidos ídolos de las épocas prehispánicas. No hubo ni el Barroco de la península trasplantado a las colonias, ni un Barroco original en la cultura de los conquistados. Lo que se dio fue una *hibridación* tal como quizás nunca había existido en ninguna otra parte del mundo.

La historia del *mestizaje cultural* no termina allí. Había práctica de ritos religiosos afro-latinoamericanos como el *vudú* en Haití, el *ñáñigo* en Cuba, la *Santería* en Puerto Rico y hasta Nueva York entre los Latinos, y la *macumba* y el *candomblé* en Brasil, todos mezclados con cultos tradicionales del catolicismo. Estas prácticas daban forma y significado a las relaciones entre los esclavos y la naturaleza, y entre los esclavos y los amos europeos, y otros grupos étnicos. Los ritos servían para llenar el cosmos de símbolos que ofrecían a los afro-latinoamericanos una cierta seguridad en un ambiente que debía parecerles completamente hostil. Además, mezclada con las religiones del oeste y la parte central de África, los esclavos sudaneses traían la fe islámica y el conocimiento del *Corán*, con el que ya estaba familiarizada la gente de la península. Un caso notable existe en Cuba, donde el *sincretismo religioso* ha adquirido su propio nombre: también la *santería.* Consiste en una mezcla del cristianismo y la religión de la gente de lo que es hoy Nigeria. De forma semejante a Tonantzin, que llegó a convertirse en la Virgen morena de Guadalupe, la diosa africana del mar, *Yemayá*, se transformó a través de la *santería* en Nuestra Señora de Regla, y el dios antiguo, *Ogún*, llegó a ser San Pedro (Alejo Carpentier ofrece una descripción maravillosa de ese *sincretismo* en su novela, *El reino de este mundo* [1949]).

Más allá de la religión, hemos notado la gran diversidad de tipos étnicos que componen las culturas latinoamericanas. De hecho, en este sentido se puede decir que la gente misma de las colonias ofrece la expresión más vital de la complejidad barroca. Algunos historiadores han denominado esa pluralidad una "*pigmentocracia.*" La *pigmentocracia* latinoamericana, desde luego, ha sido el producto de una fusión racial y étnica por excelencia. Sin embargo, la verdad es que durante la misma época ni siquiera la minoría selecta de Europa ostentaba características étnicas homogéneas. Los dos países de la península, España y Portugal, desde el principio se habían caracterizado por sus marcadas diferencias

---

[13] Parra = grapevine. Enredadera = a type of climbing vine.

regionales en cuanto al lenguaje, conducta social, y temperamento individual. Desde al vivo andaluz hasta el sobrio castellano, y desde el catalán creador al galiciano y al industrioso vasco, tenemos una diversidad de culturas (y hasta lenguas distintas). Si un sabor barroco destaca dramáticamente en las culturas latinoamericanas, dentro del ambiente europeo en general, la expresión barroca de la península es quizás la más sobresaliente.

La división de la cultura barroca

Hacer de la vida un arte fue una pasión del Barroco—el modelo ejemplar es el de William Shakespeare según el cual todo el universo es una escena teatral. Aparte de la arquitectura, la religión, la etnicidad y la cultura hibridizadas, que establecen la expresión barroca por excelencia en Latinoamérica, hay que hacer referencia a la lengua, que da luz a una forma barroca de literaria íntimamente personal. Durante la edad del Barroco, los *certámenes poéticos*[14] se pusieron de moda. Llegaron a ser un arte en vivo, el arte como parte íntima de la vida.

Es que el Barroco dio origen a la producción de arte más de *forma* que de *sustancia*. Por lo tanto, si uno no tenía suficiente capacidad creadora, podría nombrársele poeta de todos modos, pero sin talento ni ideas, éste sería un poeta mediocre, escribiendo poemas que sólo consistirían en manipular y recombinar palabras mecánicamente. Así es que mientras el Barroco produjo gigantes de la estatura de Sor Juana, el intelectual Carlos Sigüenza y Góngora (1645–1700), y el poeta Bernardo de Balbuena (1568–1627) en México, Juan del Valle y Caviedes (1645–1697) en Perú, y António Vieira (1608–1697) en Brasil—aparte de la lista sin precedente de escritores de España y Portugal en el siglo XVII—había también un gran número de poetas que cuando menos aspiraban a la grandeza literaria.

Los *certámenes* tenían más o menos la misma función que nuestra actual sociedad, con una combinación del cine, telenovelas, videos, y los programas de BBC y PBS en conjunto con los "talk shows" y los documentales, y todo eso unido a la intensidad de los espectáculos deportivos. Es decir, los *certámenes* ofrecían uno de los máximos pasatiempos de la sociedad barroca letrada, una mezcla de seriedad y entretenimiento, de arte y juego frívolo, de diversión y competencia intensa. Acostumbrados al espectáculo que ofrece el cine, la televisión, los videos, los estadios y canchas de deporte, así como los periódicos y revistas, a nosotros nos parece imposible que la gente de aquella época tuviera paciencia para dedicar horas y horas a literatura que, en su mayoría, no pasaba de ser mediocre. Lo que dificulta aún más la tarea de comprender a fondo la cultura barroca es que nosotros estamos profundamente indoctrinados de pensamiento lógico y racional. Por lo tanto, la *mentalidad barroca* nos puede parecer como maravillas inútiles—o frivolidades, según el punto de vista.

De todos modos, para captar esa *mentalidad barroca* hasta donde sea posible, hay que fijarse en la cultura popular latinoamericana del siglo XVII. Si como sostiene Maravall, una descripción del barroco español no estaría

---

[14] Certámen poético = poetic tournament. competitive poetic readings.

completa sin incluir las manifestaciones culturales de la clase popular, lo mismo se podría decir de las colonias. Una de las manifestaciones más notables, que incorpora la religión—cultura tanto de la élite como de la cultura popular— se encuentra en las *máscaras* o *mascaradas* de México, el espectáculo público más típico de la época. Tenían las *mascaradas* algo de parecido al *carnaval* contemporáneo de Brasil y las islas del Caribe. Como señala Irving Leonard en *Baroque Times in Old Mexico* (1959), consistían las *mascaradas* en una procesión de personas portando máscaras y un diverso vestuario. La gente paseaba y bailaba por las calles día y noche. Iba a pie, a caballo, en burro, en mula, o en *carros alegóricos.*[15] Muchas veces los ricos se disfrazaban de pobres, las mujeres de hombres y los hombres de mujeres, los niños de adultos y los adultos de niños, o aparecían en forma de animales. Representaban figuras mitológicas, bíblicas, literarias, históricas, o completamente imaginarias, grotescas y vulgares. Ponían en ridículo y satirizaban a funcionarios públicos conocidos, y a otras personas famosas. Con las *mascaradas* llegaba el momento de desahogo, de blasfemia, de expresión de sentimientos reprimidos por las rígidas convenciones sociales, eclesiásticas y políticas. Representaban un tiempo sin tiempo, en que las acostumbradas censuras desaparecían.

Las *mascaradas* también representaban una tendencia democratizadora. Participaban amerindios, luciendo vestigios de sus cultas prehispánicas que no se habían sofocado completamente por la fuerza de la cultura dominante colonizadora. A menudo se revivían las batallas épicas de la conquista y hasta de la Reconquista. Ingresaban afro-latinoamericanos con su simbología diversificada de la flora, fauna, y bestiario imaginario, siempre resucitando recuerdos de las tierras de su herencia. Además, eran bienvenidos los desvalidos, vagabundos, y otra gente marginada, con su bulla, su picardía, y su desprecio hacia la sociedad colonizadora. En fin, reinaba la *pluralidad cultural* máxima, expresión barroca por excelencia.

EL FIN DE UN SIGLO

No obstante, a medida que avanzaba el sigo XVII, la aristocracia de la cultura barroca se volvía cada vez más conservadora y reaccionaria, La Iglesia engrosaba su poder económico y social, y la clerecía se volvía más sedentaria: cultivaba un gusto por la buena vida de ocio, interesándose más en controlar las pasiones y los pensamientos de los peninsulares y criollos que en nutrir espiritualmente las almas de los amerindios. Además, había discordia entre los mismos clérigos: Franciscanos peleaban con Dominicos, Dominicos con Jesuitas en las universidades, monjes con autoridades seculares, y la Iglesia en general con la corona. Durante la misma época, prelados codiciosos amasaban inmensas fortunas, mientras millones de hectáreas pasaban a ser propiedad de las diversas órdenes religiosas (se ha calculado que para fines de la época colonial, la mitad de toda la tierra en México pertenecía a la Iglesia).

---

[15] Carro alegórico = float.

La cultura de la aristocracia al comenzar el siglo XVIII era un círculo cerrado—quizás como reacción a las tendencias democratizadoras de la cultura barroca. Se ponía cada vez mayor importancia en la "pureza de sangre" y las relaciones sociales. Los que no podían enorgullecerse de la "pureza" llegaron a formar un círculo igualmente cerrado de *castas*. Había ahora menos movilidad social que durante el dinámico siglo anterior. Sin embargo, también hay que reconocer que esa solidificación social fue en parte el producto de las campañas de "purificación étnica y religiosa" por parte de los Reyes Católicos desde fines del siglo XV, que culminó con la expulsión de los moros y la persecución de los judíos—todo en nombre de la *Santa Inquisición*. El fervor de la Contrarreforma no podía menos que terminar en rígidas demarcaciones étnicas y sociales. Como consecuencia de esa estratificación social que paulatinamente se desarrollaba durante el siglo XVII, la inquietud entre las *castas* aumentaba también. Por ejemplo, a principios de 1609 en México hubo una larga serie de motines fomentados por afro-mexicanos. Esos y otros conflictos culminaron en una sublevación general en 1692, la cual fue el preludio de otras rebeliones que durante el siglo XVII brotaron en muchas partes de Latinoamérica.

Entonces, por una parte, la *pluralidad barroca* en el arte, la arquitectura, la literatura, y la multiplicidad del sabor barroco en las culturas, lenguas, y grupos étnicos, les otorgó a las colonias una característica única. Por otra parte, la tendencia hacia la jerarquización social estática sirvió para crear tensiones y resentimientos. Tenia que haber, tarde o temprano, una confrontación, y la hubo. Esto se verá un siglo después en el Capítulo 10.

PREGUNTAS

1. ¿Por qué fue especial el siglo XVII en Latinoamérica?
2. ¿Cuáles son las principales características del Barroco?
3. ¿De qué forma la dualidad barroca complementa el espíritu mestizo?
4. ¿Cuáles son las grandes antítesis del Barroco? ¿Qué significado tienen?
5. ¿Cuáles son las dos culturas? ¿Por qué tiene importancia esa división?
6. ¿Qué es la mentalidad barroca?
7. ¿Qué pasó con las instituciones administrativas durante el Barroco?
8. ¿Qué papel tiene el paternalismo y el caudillismo en relación con el Barroco?
9. ¿Cuáles fueron los cambios en la Iglesia y el Latifundismo durante la época del Barroco?
10. ¿Qué fue el fusionismo, y por qué el oxímoron es un símbolo del Barroco?
11. ¿Quién fue Sor Juana Inés de la Cruz? ¿De qué modo puede ella representar el movimiento barroco? ¿Cómo es su poesía y su pensamiento?
12. ¿Cómo fue la hibridación barroca en las colonias? Ofrezca ejemplos.
13. ¿Qué eran los certámenes poéticos? ¿Qué función especial tenían en las colonias?
14. ¿Cómo eran las mascaradas? ¿Qué papel tenían?
15. ¿Qué pasó en Latinoamérica durante los últimos años del Barroco?

Temas para discusión y composición

1. ¿Por qué se puede decir que Latinoamérica es una cultura del barroco por excelencia?
2. ¿Por qué sería el arte la máxima expresión de la mentalidad barroca? ¿Por qué no la ciencia?
3. ¿Existe algún tipo de "neo-barroco" en nuestros días? ¿En qué sentido son distintos los conflictos de nuestras sociedades a los que experimentaba Latinoamérica durante la época del Barroco?

Un debate amigable

Crear una polémica sobre la hipótesis de que: (1) España y Portugal hubieran adoptado los valores del Renacimiento para participar en la revolución científica e industrial; así Latinoamérica habría tenido mayor desarrollo actualmente. (2) ¡No!, Latinoamérica no habría podido desarrollar su rica herencia cultural; el progreso material y económico no es suficiente.

CAPÍTULO 10

LA INDEPENDENCIA, Y SUS CONSECUENCIAS

Fijarse en:

- Las causas de la lucha por la Independencia.
- Los métodos que emplearon los independentistas, y por qué recurrieron precisamente a ésos y no a otros.
- El papel de los criollos en el movimiento por la Independencia.
- Las hazañas de los libertadores principales en América del sur y México.
- Las diferencias entre la Independencia de México y la de América del Sur.
- El destino de los amerindios, los afro-latinoamericanos, y los mestizos durante y después de la Independencia.
- Las diferencias entre la liberación de Brasil y la de los países hispano-americanos.

Términos:

- Cabildo Abierto, Carta de Jamaica, Causas Internas-Causas Externas, Conservador, Ejército, Realista, Enciclopedistas, Junta, Liberal, Oligarquía, Fazendeira, Pacto Implícito.

ALGUNOS ANTECEDENTES

Tarde o temprano, la brecha entre el *idealismo* de las coronas de la península y lo que concebían los colonos como la *realidad* americana no pudo menos que servir como un hilo que unificó a las colonias en contra de los colonizadores.

Para comprender la esencia de ese hilo unificador, conviene otra vez fijarse en los problemas de la *distancia* entre la península y sus colonias y el problema de la *comunicación*. Al comienzo del siglo XIX, a veces las líneas de información eran más estrechas entre Sudamérica y España que entre Sudamérica y México. En gran parte ese problema se debía a las dificultades que presentaba la geografía americana. Por ejemplo, en la región de Panamá (conexión vital entre España y Perú) la selva tropical servía como barrera, dificultando el paso de Centroamérica y Sudamérica. Amerindios hostiles prevalecieron en las llanuras tropicales entre Nueva Granada y Venezuela y entre Ecuador y Perú, lo que obligaba a los colonos a tomar rutas difíciles de colonia a colonia por la cordillera andina. El ascenso desde Lima a las tierras altas de Perú y Bolivia era todavía más difícil. El camino entre Perú y Río de la

Plata parecía interminable. Y la comunicación entre los puertos de las costas de México y la meseta central era sumamente dificultosa. Cada viajero debía ser un intrépido aventurero.

A pesar de esas barreras, es sorprendente que en el mismo año, 1810, hayan estallado movimientos de Independencia hispanoamericana con una simultaneidad impresionante, desde la nueva España hasta el Río de la Plata. En abril de ese año, revolucionarios de Caracas tumbaron la capitanía española, en mayo los ciudadanos de Buenos Aires expulsaron al Virrey, el 16 de septiembre comenzó la rebelión en México, y el 18 del mismo mes brotó un movimiento en Santiago, Chile. Es como si de alguna manera, propósitos comunes dirigieran una conciencia colectiva hacia la misma meta. Como si todos tuvieran un destino común, a pesar de no haber un acuerdo explícito. Sin embargo, aunque al principio los colonos hispanoamericanos compartieron un destino común, eso por desgracia no duró después de que se liberaron del yugo español del colonialismo, como se verá más adelante.

Ya se ha mencionado el efecto de las reformas borbónicas y el resentimiento criollo como antecedentes y causas del movimiento por la Independencia. También otras *causas internas* importantes: la expulsión de los jesuitas en 1767, que puso de manifiesto[1] el absolutismo de España, y varias expediciones científicas como la del alemán Alexander Van Humboldt entre 1799 y 1804, que sirvieron para ampliar la conciencia de los colonos. No se puede ignorar tampoco a los precursores de los diferentes movimientos de Independencia: el venezolano Francisco de Miranda (1750–1816), el colombiano Camilo Torres (1766–1816), y el argentino Mariano Moreno (1778–1811), entre otros. La voz de esos precursores sirvió para ampliar las conciencias acerca de la posibilidad de emanciparse del yugo de la colonia. Además de los precursores criollos, durante los últimos años del coloniaje hubo algunas rebeliones por parte de grupos amerindios que tuvieron influencia en el movimiento general por la Independencia. Las rebeliones más notables fueron la de 1780–1783 de José Gabriel Condorcanqui de Perú, bajo el nombre incaico de Túpac Amaru II, y la de los *comuneros*[2] de Zipaquirá, Colombia durante los mismos años.

También hubo *causas externas* que inspiraron la lucha por la Independencia: el movimiento de EE.UU. de 1776, y la Revolución Francesa de 1789, y en general el pensamiento del *Siglo de las Luces*.[3] A partir de las ideas de la *Ilustración*, triunfó la Revolución Francesa en nombre de los derechos humanos y el fin de toda monarquía. Unos años antes, con alguna influencia de los *enciclopedistas* franceses[4] y otros pensadores ingleses, los norteamericanos

---

[1] Poner…manifiesto = to make manifest, make known.
[2] Comuneros = common people. This was also the name given to the first patriots in Colombia that rose up against Spanish rule.
[3] Siglo de las Luces = también llamado "Ilustración."
[4] Los *enciclopedistas*, que incluían a Juan le Rond D'Alembert (1717–1783), Dionisio Diderot (1713–1778), Carlos de Secondat Montesquieu (1689–1755), Juan

habían ganado su propia Independencia. Esas revoluciones conmovieron profundamente a los latinoamericanos, animándoles a emprender una lucha por sus propios derechos.

El primer impulso de Hispanoamérica

Desde el principio, la independencia de las colonias hispanoamericanas fue precipitada por la invasión napoleónica francesa de Portugal en 1807 y de España en 1808. Como consecuencia de la invasión, inmediatamente los habitantes de Madrid se levantaron en rebelión contra las tropas francesas, lo que motivó insurrecciones por todo el país a favor del que se consideraba el monarca legítimo, Fernando VII, "el deseado."

Napoleón impuso en España una nueva dinastía, instalando a José Bonaparte como autoridad máxima. Al hacer esto, sin embargo, Napoleón rompió lo que se podría denominar como un tipo de "*pacto implícito*" o "*tácito*,"[5] que había tenido una larga tradición entre los reyes españoles y el pueblo. El *pacto implícito*, más un sentimiento común que una ley por escrito, estaba profundamente arraigado en la conciencia colectiva. La *idea implícita* era que el rey era "Nuestro rey, por la gracia divina de Dios." Esa idea era una fuerza vital de la cultura misma que simbolizaba la estrecha unión entre iglesia y estado, manteniendo coherente al pueblo. Solamente a través del *pacto implícito* podía haber una línea de autoridad entre el pueblo y su monarca, entre un monarca y otro, y entre la monarquía y la iglesia. Después de la invasión napoleónica, donde antes existía el *pacto* como hilo unificador, había ahora un gran hueco.

¿Quién podría tener autoridad legítima en la conciencia colectiva del pueblo? ¿José Bonaparte? Desde luego que no. ¿La Junta Suprema del gobierno español en Sevilla? En realidad no era capaz de proyectar un sentimiento religioso, porque, como institución secular, no existía dentro de la Junta una imagen semejante a la del rey de España, "por la gracia de Dios." ¿Los virreyes de las colonias en ausencia de una monarquía legítima en la península? No, porque esa posibilidad rompía demasiado con la tradición. ¿O quizás la autoridad descansaba en las manos de los mismos criollos, con la responsabilidad de organizar juntas y asumir el poder en la ausencia de Fernando VII? Quizás sí. Esa última posibilidad parecía prometedora, pero era peligrosa porque tenía implicaciones revolucionarias en contra de la monarquía misma.

Jacobo Rosseau (1712–1778), y Francisco María Arouet Voltaire (1689–1778), atacaban el "derecho divino" de los reyes y las monarquías, proponiendo democracias liberales basadas en la división de poderes entre las ramas *ejecutiva, legislativa, y judicial.*

[5] "Pacto implícito" o "tácito" = an implicit, unwritten, generally unspoken agreement—a sort of tacit *social contract*—between two or more parties that is taken for granted usually without the necessity of its being made explicit in the form of a document.

De todos modos, muchos criollos no quisieron desaprovechar esa oportunidad. Por primera vez en la historia de las colonias, tenían la posibilidad de ejercer un poder político principal sin sufrir represalias del virrey o manifestar falta de lealtad al rey. La institución que les ofrecía el medio para que asumieran el poder existía en los *cabildos*, que desempeñaban una función semejante a la de las municipalidades en la península. Originalmente con directores elegidos, los *cabildos* habían seguido la misma evolución de otras instituciones de la tradición hispánica; es decir, paulatinamente el foco de poder de los *cabildos* había llegado a establecerse en las familias de influencia, en un círculo cerrado de amigos, y en personas que tuvieran medios económicos para "comprar" su entrada al "club." Con la crisis provocada por la invasión napoleónica, hubo un llamado a *cabildos abiertos*[6] por todas las colonias para organizar *juntas*.[7] En mucho de esos *cabildos abiertos*, el plan era el de seguir el ejemplo de las *juntas* de España para demostrar su apoyo al rey caído. Sin embargo, en la ausencia del rey, no había más remedio que el de asumir el mando de las colonias ellos mismos. Así es que muchos criollos vieron en la declaración de lealtad hacia Fernando VII un pretexto para separarse de la corona. De esa manera, pudieron ejercer el control que tanto habían deseado desde hacía generaciones.

Para el año 1810, se puede decir que después de tres siglos el colonialismo llegaba a su fin. La gran ironía era que los franceses invadieron España con el fin de "librarlos" de las monarquías decadentes, pero la respuesta española fue: "Vivan nuestras cadenas monárquicas!" Los criollos se organizaron en las colonias en nombre del monarca caído, pero terminaron rebelándose en contra del mismo con el lema "¡Ni Napoleón ni el Rey!" A fin de cuentas quedaron los mismos criollos, como se verá en breve, en un tipo de limbo cultural y político. Alejados de la monarquía católica, los criollos ahora se encontraban en un mar confuso de tensiones políticas, intrigas sociales, y crisis económicas, sin una ruta bien definida para navegar las aguas revoltosas de la masa de gente que les rodeaba. De todos modos, siguieron fieles a la obligación que se habían impuesto a sí mismos de forjar su propio destino.

En 1814 Napoleón fue derrotado y Fernando VII fue restaurado a su trono. El pueblo español celebró su regreso con euforia. Aprovechando ese nuevo sentimiento nacionalista, Fernando VII trató de re-imponer el régimen de fines rígidos en las colonias. Era un acto atrevido, llevado a cabo con el fin de recobrar la legitimidad de la corona con la imagen de un rey que goza de la divina "gracia de Dios," igual que durante la época de los reyes Habsburgo. Las ambiciones de Fernando VII no eran en su totalidad ilusorias. Parecía el comienzo en el que quizás España recobraría sus colonias perdidas. México estaba casi pacificado, Nueva Granada estaba otra vez en manos del *ejército*

---

[6] Cabildo abierto = comparable to a "town house meeting," a meeting of the general public, headed by the authorities of the *cabildo*, in order to arrive at a consensus regarding some important issue or plan for future action during a time of crisis.

[7] Junta = council, a provisional governing body.

realista,[8] y Buenos Aires había logrado relativamente poco en su lucha contra las fuerzas españolas. El problema para Fernando VII era que con su restauración, los criollos se enfrentaban con una situación nueva: la legitimidad del rey parecía nuevamente establecida, por lo tanto cualquier oposición a la corona ahora no podía menos que considerarse traición. Los criollos tuvieron que elegir entre el sistema absolutista (con los privilegios para los peninsulares) y el camino hacia lo desconocido, hacia las promesas del pensamiento del Siglo de la Luces de gobiernos democráticos basados en la igualdad y la libertad. Optaron por lo segundo, pero la idea de abrazar la democracia no fue fácil.

Una visión, pero sumamente vaga

Se estima que en 1810, dieciocho millones de personas vivían bajo la corona española desde California hasta Tierra de Fuego. Ocho millones eran amerindios, un millón negros, cuatro millones españoles y criollos, y otros cinco millones de razas mixtas.

Desde luego, es difícil saber exactamente cuántas personas de cada grupo había en realidad. Había mestizos y mulatos que se denominaban criollos, amerindios que se decían mestizos, y gente de varias tintas que quería considerarse blanca. Esa fusión y confusión de grupos étnicos existía porque las distinciones eran, hasta cierto punto, más sociales que raciales. Sin embargo, se puede concluir que la mayor parte de los mestizos se encontraba en México, América Central, Brasil, y los países andinos, y los afro-latinoamericanos y mulatos por regla general ocupaban Brasil, el Caribe, y las costas de México, Venezuela, Colombia, los países centroamericanos, y algunos centros de comercio, como Guayaquil en Ecuador.

En el campo, la aristocracia criolla consistía de un grupo poderoso de terratenientes, mientras que en las ciudades, de funcionarios políticos que se habían aprovechado de la expansión económica durante la reforma borbónica para entrar en el comercio. Sin embargo, la reforma había tenido consecuencias indeseables también. Uno de los objetivos principales de la corona era el ejercer control a base de un nuevo vigor en la producción económica. Por consiguiente, hubo un influjo de inmigrantes de la península. Esos inmigrantes consistían de nuevos administradores y comerciantes que entraban en competencia agresiva con los criollos ya establecidos. Entonces los criollos se vieron más obligados que nunca a vigilar las actividades de los peninsulares con tal de proteger su posición social y sus intereses económicos.

Si los criollos mantenían un ojo bien fijo en los peninsulares de "arriba," el otro ojo vigilaba también a "los de abajo." Estaban conscientes de la presión y la amenaza de "los de abajo," e incesantemente procuraban mantener esas *castas* a una distancia cómoda. En realidad, fuera de los círculos privilegiados de los criollos, se encontraba la gran masa de amerindios, afro-latinoamericanos (libres y esclavos), y mulatos y mestizos. El crecimiento geográfico de las *castas*, junto con la posibilidad de su movilidad social, le daba a la gente europea una nueva

[8] Ejército realista = royal army (of the Spanish monarchy).

conciencia acerca de las distinciones sociales y étnicas. Por lo tanto las tensiones se agudizaron. No obstante, los criollos se vieron obligados a movilizar a las *castas* en su campaña en contra de España. Desde luego procuraban hacerlo sin perder su lugar privilegiado, y sin que las clases populares pudieran entrar en la lucha por su propia autonomía. Esa no era una hazaña trivial, cada paso exigía tácticas psicológicas, manipulaciones retóricas, y sutiles maniobras socio-políticas.

En primer lugar, tuvieron los criollos que reclutar a las masas de amerindios y adjuntarlas a las filas militares antes de que pudieran huir a las selvas o montañas. En segundo lugar, a la gente que parecía más peligrosa, los esclavos, se les ofreció su libertad a cambio de servicio en el ejército independentista. Muchos de los esclavos preferían no contribuir a una lucha que quedaba fuera de sus propios intereses. Sin embargo, por fortuna para los libertadores, los esclavos tampoco veían mucho provecho en aliarse a las fuerzas realistas. De cualquier modo, los afro-latinoamericanos desempeñaron un papel importante en la lucha por la independencia. Aproximadamente 1,500 de los 4,000 soldados del "Ejército de los Andes" del General José San Martín (1778–1850) que liberó a Chile fueron ex-esclavos. También tuvieron los afro-latinoamericanos un papel importante en el éxito del General Antonio José de Sucre (1795–1830), libertador de Perú. Debido a que los soldados de descendencia africana tenían el menor rango militar, iban éstos siempre al frente de las batallas, y el número de pérdidas entre ellos fue desastroso.

Los primeros días del movimiento en México fueron diferentes a los de Sudamérica. El sacerdote Miguel Hidalgo y Costilla (1753–1811) se puso a la cabeza de una masa enorme, desordenada, y políticamente desinteresada de amerindios bajo el pendón de La Virgen de Guadalupe. Hidalgo y su muchedumbre marcharon desde Dolores, Hidalgo hacia la ciudad de México, lo que aterrorizó a los capitalinos. Aunque seguramente hubiera triunfado ese cuasi-caótico ejército independentista, por razones todavía desconocidas en su totalidad, el Padre Hidalgo dio órdenes de no invadir la ciudad. Algunos historiadores opinan que Hidalgo temía que la gran masa desordenada destruyera la ciudad. Cualquiera que sea la razón, el hecho es que en el principio de la lucha por la Independencia hubo en México menos participación de los criollos y un rol más activo por parte de los mestizos y los amerindios que en Sudamérica.

Después, tanto en México como en los países andinos, los amerindios pelearon al lado de las dos fuerzas militares (realistas e independentistas). Muchas veces era una cuestión de oportunismo. Las masas se aliaban con los que les ofreciera más favores, o simplemente se alejaban de la contienda. De todos modos, la Independencia les trajo relativamente pocos beneficios. Tanto los realistas como los independentistas empujaban a los amerindios a la batalla a la fuerza. Después, a los que habían peleado al lado de los vencidos se les aplicó represalias brutales, y los que se habían aliado con los vencedores apenas recibieron un "bien hecho, muchachos; ahora regresen a sus casas y que les vaya bien." Tanto de parte de los españoles como de los criollos, a los amerindios se les trataba como siervos en vez de aliados: se les exigían servicios militares durante el tiempo de guerra, y trabajo forzado durante la época de paz. En realidad tanto los europeos como los criollos temían por igual a los amerindios y a los afro-latinoamericanos.

En suma, el comienzo de la Independencia fue complejo. Una vez iniciada la lucha, no se podía dar marcha atrás. A continuación se verá lo que pasó en términos más concretos.

DE LA LIBERACIÓN A UN FIN CONSERVADOR

Antes de entrar en el movimiento por la Independencia, Simón Bolívar—de una familia adinerada de Venezuela—había viajado por Europa y EE.UU. En 1810, al regresar a su tierra natal, declaró guerra en contra de España. Debido a su capacidad como líder, fue nombrado libertador, y después de la Independencia, fue presidente de la gran Colombia, un nuevo estado que incluía Venezuela, Colombia, y Ecuador. Después de poco tiempo hubo desacuerdos, Bolívar se desanimó, y se exilió en Jamaica en 1815. Allá escribió su famosa *Carta de Jamaica* dando su opinión, bastante certera cabe decir,[9] sobre el futuro del continente.

En 1816 Bolívar volvió a Venezuela para re-emprender la lucha. En alianza con José Antonio Páez, y después de una serie de fracasos, por fin tuvo éxito en las batallas de Boyacá en 1819 y Carabobo y Pichincha en 1821. Esas batallas aseguraron la Independencia de la región. A su vez, Antonio de Sucre, lugarteniente de Bolívar, derrotó a las fuerzas realistas en Ecuador. Bolívar y Sucre siguieron su marcha hacia el sur. Mientras tanto, José de San Martín en Argentina—quien había regresado a las colonias en 1812—organizó el "Ejercito de los Andes," y con 4,000 soldados atravesó heroicamente la cordillera andina para liberar a Chile con la ayuda del chileno Bernardo O'Higgins (1778–1842). Llevando su campaña al norte, entró victoriosamente en Lima en 1821. Bolívar y Sucre pasaron por Perú en 1822, y se encaminaron hacia el sureste. Después de las épicas batallas de Junín y Ayacucho en 1824—sobre las que escribe el poeta José Joaquín de Olmedo (1780–1847) en *Victoria a Junín; canto a Bolívar* (1824)—fue liberada Bolivia. Toda Sudamérica quedaba ahora independiente.

El famoso *Grito de Dolores*, "Viva la Virgen de Guadalupe, Viva Fernando VII, mueran los gachupines!" de Miguel Hidalgo y Costilla en la pequeña ciudad de Dolores al noroeste de la ciudad de México, marcó el comienzo de la lucha en Nueva España. Hidalgo proclamó la abolición de la esclavitud y la repartición de las tierras entre los amerindios, actos que luego provocaron su excomunión de la Iglesia Católica por hereje. Con un grupo desorganizado de 50,000 amerindios y mestizos armados con arcos y flechas, machetes, y unas cuantas armas de fuego, emprendió la marcha desde Dolores hacia la capital. Atacaron y destruyeron pueblos y ciudades, y en cada lugar ganaron reclutas. Cuando llegaron a las afueras de la ciudad de México, el "ejército" era ya una masa de gente que contaba con más de 100,000 personas. Sin embargo, como ya

---

[9] Cabe decir = it is worthy of note.

se ha dicho, Hidalgo no se atrevió a entrar en la capital, y después fue vencido por las fuerzas realistas. Huyó al norte pero fue capturado y fusilado en Chihuahua. Entonces el cura José María Morelos y Pavón (1765–1815) fue el que continuó llevando adelante la causea independentista. Sin embargo, Morelos también fue derrotado al poco tiempo por las fuerzas realistas, y fusilado en 1815. Otros rebeldes siguieron en nombre de la causa, pero para fines de 1819 todos habían sido vencidos. Por fin, Agustín de Iturbide (1783–1824), ex-coronel del ejército español, abatió a los realistas, consumándose la Independencia de México en 1821. Sin embargo, los ideales democráticos en este país prevalecieron todavía menos que en Sudamérica. En 1822 Iturbide se proclamó el Emperador Agustín I de por vida. No obstante, su vida duró poco debido al hondo sentimiento antimonárquico que predominaba en la nueva nación. Por lo tanto— a solamente dos años de estar al frente de su imperio— hubo una sublevación por medio de la cual Iturbide fue derrotado y ejecutado.

Desde el principio, la independencia de Hispanoamérica fue más bien una contienda limitada a la esfera *política*. Los republicanos de la *clase aristocrática nacional* tomaron poder sobre los que estaban a favor de la monarquía y que pertenecían a la *clase aristocrática imperial*, pero el cambio de la estructura *socio-económica* no fue más que marginal. Los hispanoamericanos ya habían rechazado el sistema monárquico, y ahora buscaban otra clase de gobierno. Pero había un problema: la "libertad, igualdad, y fraternidad" inspiradas por el pensamiento de la Ilustración exigía una interacción social hasta entonces desconocida entre los europeos y las *castas*, lo que les incomodaba bastante. Al mismo Bolívar—a pesar de ser ideológicamente un republicano fanático—le desconcertaba lo que él veía como anarquía surgida tras las guerras, la barbarie, la ignorancia, y la apatía política de las masas. En su famosa *Carta de Jamaica*, ofrece una imagen decepcionante del futuro de Hispanoamérica. Consideraba a los pueblos como ineptos para un sistema político progresista. Optaba por gobiernos fuertes, con poder centralizado. Creía que solamente un gobierno de ese tipo podría mantener un nivel mínimo de estabilidad. Ese era el Bolívar *realista*, que contrastaba con el Bolívar *idealista* de años anteriores—y he aquí, la oposición tradicional entre lo *ideal* y lo *real* condensada en una persona. Bolívar veía el poder político centralizado como un instrumento tanto de reforma como de autoridad. La centralización del poder implicaba reformas desde "arriba," mientras se mantenía un control rígido de "los de abajo." Sin embargo, como se verá más adelante, los pioneros de la Independencia pronto cedieron su lugar a una serie de *caudillos*.

Por otra parte, estaba la repercusión *económica* de la Independencia. El cambio político destruyó el monopolio colonial y abrió los puertos de Latinoamérica al mercado internacional. Entonces, una gran fila de mercaderes, expedidores y banqueros llenaban el vacío empresarial y comercial que habían dejado los peninsulares. Aunque hubo esfuerzos por controlar la economía y proteger los intereses nacionales en algunos lugares, por regla general el mercado quedó bastante abierto. Al principio, el nuevo sistema ponía en circulación una cantidad considerable de capital y mercancía. A fin de cuentas, sin embargo, el sistema promovía aún más la exportación de materias primas y la importación de productos fabricados. Ese tipo de intercambio económico favorecía cada vez más a los países industrializados. A pesar de las transformaciones en la economía de Hispanoamérica, la institución esencial continuó siendo la *hacienda* (*estancia* en el cono sur, *finca* en Centroamérica y el norte de Sudamérica). La polarización de la sociedad que poco a poco se hacía más evidente entre los terratenientes y las masas rurales llegó a ser la característica principal de las provincias latinoamericanas en el siglo XIX. El problema era que la hacienda, como se vio en el Capítulo Siete, era una institución relativamente ineficaz y de poca organización. Absorbía mucha tierra, producía poco, y dependía de una servidumbre dócil y permanente. Sin embargo, el sistema de la hacienda llegó a ser el medio de organización política y de control social. Proveía la estabilidad que necesitaban los nuevos jefes políticos.

Es bastante lógico, entonces, que después de la Independencia uno de los objetivos principales era el de ejercer control sobre la gente que proveía la mano de obra. Esa gente consistía, precisamente, de llamadas *castas*. Pocos años después de la Independencia la esclavitud fue abatida en todos los países (menos en Brasil, Cuba, Puerto Rico y algunas islas del Caribe). En general, la cronología de la abolición estaba determinada por el porcentaje de la población de esclavos, y su importancia en la economía nacional. Si había relativamente pocos esclavos, y si su contribución a la economía del país no era de suma importancia, convenía la abolición para estar "de moda." Por otro lado, si los esclavos tenían un papel esencial en la economía, era más ventajoso mantenerlos en cadenas.

En Chile, la esclavitud fue abolida en 1823, en Bolivia en 1826, y en México en 1829. En otros lugares, donde los amos dependían más de sus esclavos, la abolición no llegó hasta más tarde: Colombia en 1851, Venezuela y Perú 1854. Al parecer, la abolición no tenía fines puramente humanitarios. En realidad, la liberación de los esclavos en cada región se debía a que los terratenientes empezaron a darse cuenta que el mantenimiento de los esclavos ya no era económicamente rentable, y que como peones, los afro-latinoamericanos serían una fuente de trabajo más conveniente y barata. Además, como en el caso de las mencionadas leyes bien intencionadas de la corona española—las "Blue Laws"—el hecho de redactar una nueva ley no necesariamente equivalía a ponerla en vigor. Porque ahora el espíritu sedimentado en la conciencia colectiva de la mentalidad "Obedezco pero no cumplo," para bien o para mal, seguía más o menos intacto. Es por eso que el fin de la esclavitud después de la abolición formal fue un proceso lento y difícil—en contraste con la abolición en EE.UU. a partir de la Guerra Civil.

Hasta cierto punto los amerindios fueron emancipados después de la Independencia: ahora no quedaban sujetos ni al trabajo forzado ni a los tributos que antes tenían que entregar a la corona española. Los políticos liberales después de la Independencia, como se verá, concebían a los amerindios como un obstáculo para el desarrollo nacional. Por lo tanto deseaban integrarlos de una forma u otra a la vida económica y política en sus respectivos países. En Perú, Colombia y México, los nuevos jefes procuraron desintegrar las comunidades amerindias para crear entre ellos una fuente barata de trabajo. Por consiguiente, la condición de los amerindios y los afro-latinoamericanos no mejoró mucho en los años que siguieron a la Independencia. Tampoco hubo mucho progreso con respecto a la vida de los mestizos y otros grupos mixtos. Quedaron independientes los mestizos, pero la capa superior de la pirámide social era pequeñísima y la base era enorme, de modo que se abrieron pocas puertas para los que deseaban mejorar su condición.

EN BRASIL, UNOS CUANTOS CAMBIOS Y MUCHA PERMANENCIA

En 1822 comenzó la liberación de Brasil. Cuando Napoleón invadió a España y Portugal en 1808, la familia real bajo João VI huyó a Brasil. En 1821 hubo una sublevación en Oporto, Portugal, y el Rey João decidió regresar a Europa. Allá asumió el poder, y después, ordenó al príncipe de Brasil—Pedro de Braganza—regresar a la península con el fin de re-establecer la centralización colonial.

Pero el pueblo brasileño resistió, y Pedro desobedeció el mandato del Rey con el lema: "Fico!" ("¡Me quedo!"). El siete de septiembre de 1822 Pedro proclamó el grito de *Ipiranga*: "Independencia ou Morte!" Poco después él fue nombrado el Emperador Pedro I. No obstante, por estar envuelto en escándalos a causa de su ineptitud, abdicó en 1831. Después de una década tumultuosa, en 1841 Pedro II—de apenas dieciséis años de edad—subió al trono y comenzó un largo reinado que duró hasta 1889. Fue así como la Independencia de Brasil no trajo ni la anarquía ni las transformaciones políticas típicas en la Independencia de las colonias hispanoamericanas. Al contrario de los países hispano-americanos, Brasil emergió como una verdadera monarquía.

La evolución en Brasil hacia una monarquía en contraste con la serie de intentos frustrados por encontrar soluciones democráticas en Hispanoamérica se debe principalmente a dos razones: (1) la transferencia del poder político-económico desde Portugal hasta Río de Janeiro para el año 1815, que facilitó una transición política pacífica, y (2) la aparición de una poderosa *oligarquía fazendeira*[10] conservadora durante la primera mitad del siglo XIX. Es en parte por eso que la tradición política brasileña ha sido más suave y menos violenta que la hispanoamericana.

Con los *fazendeiros* en control del sistema monárquico brasileño, parecía que los problemas principales pronto estarían resueltos. Sin embargo, los países hispanoamericanos tenían que atravesar una nueva barrera. Vamos a ver.

[10] Oligarquía fazendeira (Port.) = plantation oligarchy; (fazenda = hacienda).

Preguntas

1. ¿Cómo fue el comienzo de la lucha por la Independencia? ¿Quiénes fueron los precursores?
2. ¿Cuáles fueron las causas internas y las externas de la lucha?
3. ¿Qué impacto tuvieron los enciclopedistas, El Siglo de las Luces, y la Revolución Francesa?
4. ¿Qué pasó después de la caída de Fernando VII? ¿Qué era el pacto implícito?
5. ¿Qué función tenían los cabildos abiertos en la Independencia?
6. ¿Cuál era la ironía del comienzo de la lucha en 1810?
7. ¿Qué pasó en 1814 cuando Fernando VII fue restaurado?
8. ¿Cuáles fueron las hazañas principales de Bolívar, San Martín, y Sucre?
9. ¿Cuál fue el destino de amerindios y afro-latinoamericanos durante y después de las guerras de Independencia?
10. ¿Cómo fue diferente la Independencia de México a la de Sudamérica?
11. ¿Qué repercusiones económicas hubo a partir de la Independencia?
12. ¿Qué institución fundamental persistió después de la Independencia y por qué?
13. ¿Cuándo fue abolida la esclavitud en los países latinoamericanos, y bajo qué condiciones?
14. ¿Por qué fue la liberación de Brasil diferente a la de los países hispanoamericanos?

Temas para discusión y composición

1. ¿Qué tuvieron que hacer los criollos para reclutar a los grupos étnicos? ¿De qué manera se explican las relaciones entre criollos y "los de abajo"? ¿Qué tipo de relaciones estaban implicadas entre los criollos libertadores y las clases populares durante ese tiempo?
2. ¿Por qué cambió sus ideas Bolívar? ¿Cuál era su nueva opinión? ¿Qué mensaje tiene ese cambio sobre lo que pasó inmediatamente después de la lucha por la Independencia?

Un debate amigable

Después de la lucha por la Independencia hubo tendencias democráticas y monárquicas. Dividir la clase y discutir los pros y los contras acerca de este asunto.

CAPÍTULO 11

UNA UTOPÍA PROBLEMÁTICA

Fijarse en:

- La imagen especial del rey de España en la conciencia colectiva del pueblo y la relación que tiene esa imagen con el concepto de la legitimidad política.
- El porqué de la inestabilidad de los países hispanoamericanos durante el siglo XIX.
- El fenómeno del localismo en Hispanoamérica y sus consecuencias.
- Las características del caudillismo y su función.
- Algunas diferencias fundamentales entre la imagen que tienen los hispanoamericanos sobre su patria y su presidente en contraste con la que tienen los ciudadanos de Europa y EE.UU.

Términos:

- Ausencia de Legitimidad, Caciquismo, Caudillismo, Coronelismo, Crisis de Legitimidad, Interrelaciones Abstractas, Interrelaciones Concretas, Localismo, Oligarquía, Patrón, Patronato, Sr. Presidente.

UN PROBLEMA DE LEGITIMIDAD[1]

Hay un síntoma grave del que padecían las nuevas repúblicas hispanoamericanas—del cual Brasil pudo escapar—durante el siglo XIX: una *crisis de legitimidad* por parte de los nuevos amos políticos.

Como ya hemos observado, según la larga tradición hispánica, el rey incorporaba la autoridad máxima tanto en la esfera *socio-político-económica* como en la esfera *religiosa*. En cuanto a la vida cotidiana de cada individuo, por regla general no había una división bien marcada entre la vida secular y la religiosa. Toda la fe, la confianza, la lealtad, y el apoyo descansaban en la figura del rey: como se ha visto, él era rey por la "divina gracia de Dios" (era el rey *porque sí*, y *así tenía que ser*). Es por eso que con la caída de Fernando VII quedó un gran hueco, un vacío *socio-político-económico-eclesiástico*. Ya no había figura en la que se concentrara la conciencia colectiva del pueblo—el *pacto implícito*. Ya no había, por una parte, diseminación de la fuerza sagrada-

---

[1] Esta sección está principalmente basada en el excelente estudio de sociólogo francés, Jacques Lambert, en su libro titulado *Latin America* (1969).

secular que ligara a la gente de la ciudad con la del campo, la clase aristocrática con la popular, la gente de la península con la de las colonias, y por otra parte, a los peninsulares con los criollos, y con las castas. Para resumir, había *un problema de autoridad o legitimidad* (como se ha visto en el Capítulo Cuatro). ¿Quién, después de la independencia, podría ser capaz de ocupar en la mente colectiva del pueblo ese lugar único que ya no ocupaba el rey? ¿Quién podría llenar ese gran hueco que ahora existía?

Bolívar, aunque de convicciones democráticas, se dio cuenta desde el principio del problema de legitimidad. En su intento de encontrar una solución al problema, iba inclinándose cada vez más hacia la idea de constituciones autoritarias para los territorios recién liberados. La Constitución de 1826 de Bolivia, por ejemplo, contenía el concepto del "poder moral" según el cual se permitía una censura rígida, capaz de sancionar los derechos civiles y los principios de la Constitución. El presidente lo sería por toda la vida, y escogería a su propio sucesor. Con orgullo, Bolívar opinaba que esa Constitución garantizaba un poder centralizado con toda la estabilidad de los regímenes monárquicos. Había en realidad poca diferencia entre un gobierno "republicano," según esa Constitución, y la monarquía del tipo que los independentistas acababan de repudiar. Sin embargo, con pocas excepciones, en las décadas que siguieron a la Independencia, la estabilidad era como un fantasma inalcanzable tanto en Bolivia como en casi todas las demás repúblicas hispanoamericanas. Es por eso que desilusionado, y poco antes de morir de tuberculosis en 1830, Bolívar opinó lo que seguramente ha quedado como su proclamación más famosa: América era ingobernable, y todos sus esfuerzos habían sido como "arados en el mar."[2]

Por consiguiente el poder político, en parte por la mencionada *ausencia de legitimidad*, tendía cada vez más hacia la centralización en vez de naciones gobernadas por y para el pueblo. Desafortunadamente, muchas veces la conclusión fue que Hispanoamérica había logrado su Independencia sin la suficiente madurez política, y por eso fue víctima de la inestabilidad y hasta de la anarquía cuando intentó gobernarse a sí misma. Como medida para combatir esa anarquía, los que estaban en el poder no veían otro remedio más que el de recurrir a un gobierno centralizado. En realidad las repúblicas hispanoamericanas habían heredado muchas de las prácticas coloniales que desde hacía tiempo quedaron sedimentadas en la conciencia y conducta misma de la gente. La verdad es que ni Hispanoamérica ni cualquier otro país ha podido deshacerse de su herencia cultural: todos estamos destinados a repetir, cuando menos en parte, las prácticas que hemos heredado. Por lo tanto, Hispanoamérica no fue un conjunto de países con jefes totalitarios en el sentido contemporáneo, sino más bien de repúblicas con *caudillos* que respondían a las condiciones particulares de la comarca (recordar el Capítulo 2 sobre el *caudillismo*).

Entonces unas cuantas palabras más acerca de esos jefes enigmáticos, los caudillos, es pertinente.

---

[2] Arado en el mar = plowed in the sea.

Los hombres de a caballo[3]

Parece una paradoja que pocos pueblos del mundo hayan fomentado tanto los ideales democráticos, y a la vez, hayan sufrido de tantos regímenes dictatoriales, como los pueblos latinoamericanos.

En realidad, una vez que se logró la Independencia, el sentimiento de igualdad de los libertadores fue diseminado a paso de tortuga. Todavía existía relativamente poca *comunicación* entre las regiones escasamente pobladas de Hispanoamérica. Esa falta de *comunicación* se debía primeramente a las enormes *distancias* antes mencionadas, y en segundo lugar, a las líneas de *comunicación* que durante el coloniaje se extendían directamente a la península a través de una red en lugar de a las varias colonias. Es decir, lo que fue en Hispanoamérica denominado el "localismo" llegó a ser la norma. Además, aunque los criollos pudieran identificarse con los ideales de la Revolución Francesa y Norteamericana, tenían poca simpatía por las masas analfabetas de sus propios países. Era casi como si no hubieran sido las repúblicas hispano-americanas las que se independizaran, sino grupos relativamente pequeños de individuos prominentes. Es por eso que en gran parte predominó desde el principio una tendencia hacia el anarquismo.

Pero ese anarquismo, tan complejo como era, siempre quedaba hirviendo bajo la superficie del sistema colonial. Durante tres siglos, España y Portugal pudieron nivelar las tendencias anárquicas. Ese equilibrio estaba basado en el mantenimiento del *localismo* en las colonias, mientras existían líneas directas de poder desde la madre colonizadora. Es decir, había relativamente pocas relaciones entre las diversas *localidades*, mientras cada *localidad* estaba ligada—hasta donde era posible—a la península. Después de la Independencia, el sistema colonial se fracturó en múltiples focos *locales* de aristocracia criolla que poco a poco se alejaban de los antiguos centros de poder colonial. Esto provocó, como resultado, la formación de países relativamente pequeños—con la notable excepción de México, Argentina, y Brasil, cuya historia siguió otra ruta. Es sobre todo por eso que después del gran *sueño* de una Hispanoamérica unida, varios de los libertadores comprendieron que solamente un estado fuerte sería capaz de ligar esas fuerzas centrífugas y desestabilizadoras.

A pesar de que la situación era compleja, la tarea apremiante para los libertadores era la *creación de instituciones políticas*. Esto, como puede suponerse, no era nada fácil principalmente por cuatro razones: (1) En las provincias el poder descansaba en una multitud de dominios *locales*, los latifundios. (2) La fuerza política de las ciudades era la única capaz de promover la integración nacional, pero muchas veces la política dominante de las ciudades iba en contra de los intereses latifundistas. (3) En Centroamérica y los países

[3] Los…caballo = the men on horseback (The phrase comes from a history book by Samuel E. Finer, *The Men on Horseback*, 1988).

andinos, perduraban muchas comunidades indígenas que se resistían a la integración. (4) había grupos numerosos—mestizos, mulatos, ex-esclavos—que no aceptaban la servidumbre que les querían re-imponer los nuevos terratenientes criollos. En parte a causa de la fractura de las esferas *socio-político-económicas* del colonialismo, la inclinación era hacia *lealtades personales* en vez de *institucionales*. La simpatía de la gente se extendía hacia ciertos individuos sobresalientes con quienes se identificaban. Estos personajes destacados eran capaces de llamar la atención, de influir, y en fin dominar, a todos los que se encontraban en su rededor. Esos individuos eran, precisamente, los clásicos *caudillos*.

El *caudillismo* tiene su origen en el *caciquismo* (en Brasil, *coronelismo*), un fenómeno más bien *local* que nacional. El término "cacique" viene del "Taino-Arawako (dialecto del Caribe) que quiere decir "jefe." Actualmente, "cacique" se usa por toda Hispanoamérica para designar a las personas que ejercen poder *local*. A veces lleva la connotación peyorativa de una persona que abusa de su poder y de su *patronato* para sus propios fines. El efecto del *caciquismo* en el siglo XIX fue el de debilitar la autoridad central de la nación, a menos de que hubiera un *Gran Cacique* en el palacio presidencial capaz de controlar a todos los *caciques locales*. En tal caso, se convertía el *Gran Cacique* en *caudillo* nacional. En casi ninguna parte de Hispanoamérica pudo la autoridad central recobrar control del territorio nacional sin la intervención de un *caudillo*. Sólo Brasil, gracias a la prolongación de la monarquía, pudo cuando menos en parte escapar de la clásica era de los *caudillos*.

Basta presentar sólo un caso, el de Venezuela, país que ha sufrido los efectos de una larga serie de *caudillos*. Desde 1830—fecha de la desintegración de la gran Colombia—casi no hubo más que una sucesión constante de *caudillos*. José Antonio Páez gobernó de 1830 a 1846, cuando fue reemplazado por los hermanos José Gregorio y José Tadeo Monagas (1846–1860), y entonces otra vez subió al poder Páez (1861–1863). Después tenemos a Antonio Guzmán Blanco (1870–1877), Joaquín Crespo (1887–1898), Cipriano Castro (1899–1908), y Juan Vicente Gómez (1908–1935). Durante el transcurso de todo un siglo la fila de caudillos fue interrumpida sólo una vez, de 1863 a 1870. Durante el siglo XIX, Venezuela ha sufrido de constantes golpes de estado [coups d'état]. De 1959 hasta 1994 había habido presidentes no militares. Sin embargo en 1999 surgió la figura de un nuevo tipo de *caudillo*, el militar Hugo Chávez Frías (1954–2013). Chávez llegó al poder por su gran carisma entre la clase popular, pobre, y trabajadora, pero una vez instalado se convirtió en—la opinión de muchos venezolanos—otro dictador hasta su muerte en 2013. Sin embargo, el arquetipo de *caudillo* que presentó Chávez se diferencia de los anteriores en que su partido y su gobierno han tendido a crear una imagen del presidente como democráticamente elegido.

¿Cómo se puede explicar el fenómeno del *caudillismo*? Hasta las últimas dos décadas, los historiadores tendían a atribuir el *caudillismo* al temperamento específico de los latinoamericanos. Sin embargo, esa interpretación está paulatinamente cayendo en el olvido.[4] Ahora el *caudillismo* no se acepta como un fenómeno particular, sino como la expresión latinoamericana de un fenómeno universal que también se puede observar en países recién liberados como los de África. De hecho, durante toda la historia de la humanidad, cuando sistemas feudales han dejado de organizarse alrededor de la jerarquía y legitimidad monárquicas, guerrillas *locales* han brotado, y la inestabilidad ha sido el resultado. Lo que ha pasado, sobre todo en Hispanoamérica, es que la clase aristocrática criolla estaba influida por las ideologías políticas de Europa y EE.UU. Sin embargo, a diferencia de Europa y Norteamérica, Hispanoamérica todavía se encontraba dentro de una tradición que contenía vestigios del feudalismo. De acuerdo a la tradición feudal, y en *ausencia de la legitimidad* cuasi-religiosa invertida en la monarquía, era demasiado esperar que la voluntad del pueblo hispanoamericano se pudiera expresar a través de elecciones democráticas basadas en instituciones *seculares* y *abstractas*. Las lealtades en Hispanoamérica más bien se extendían hacia individuos que infundían confianza en el pueblo como si fueran *patrones*, según las costumbres *paternalistas*. Ese tipo de lealtad quedaba lejos del concepto que existía en EE.UU. En el país de Thomas Jefferson, existe lealtad hacia un estado en *sentido abstracto*. Este *sentido abstracto* del estado queda lejos de las interrelaciones humanas de naturaleza *personal*, *patriarcal*, y *concreta* tal como existían en las repúblicas del sur.

De hecho, el contraste entre el sistema de EE.UU. y el de los países hispanoamericanos puede ejemplificar, respectivamente, la tendencia hacia las interrelaciones *abstractas* y la tendencia hacia las interrelaciones *concretas*.[5] Desde luego, el presidente de EE.UU. es un individuo con su propia personalidad, conducta, e idiosincrasias. Sin embargo, *el individuo no equivale al presidente, o mejor dicho, a la "presidencia,"* hasta el punto que sí lo es en Hispanoamérica. Las ideas de la "presidencia" y del "presidente" en EE.UU son más bien palabras *abstractas*. El hecho que sea "presidente" de EE.UU. significa que es "presidente" por ahora, y dentro de unos años más, el pueblo volverá a votar, y entonces el "presidente" quizá sea otra persona, y quizás no. De todos modos la gente mantendrá *más o menos* la misma fe en la *institución abstracta* llamada "*presidencia*."[6]

En Hispanoamérica, en cambio, el *caudillo* como *El Señor Presidente* lo es por ser él, y nadie más: *la "presidencia" equivale a las cualidades particulares*

---

[4] Caer…olvido = to become relegated to forgetfulness.

[5] Pero hay que tener en cuenta que este contraste implica generalidades de parte de EE.UU. e Hispanoamérica, de las cuales hay muchas excepciones. Sin embargo, cuando menos se puede decir que tales generalidades ofrecen una idea de las "tendencias" en vez de "características fijas."

[6] Habrá quien diga que en EE.UU. la fe en la *presidencia* como *institución abstracta* ha ido degenerándose desde que fue instituida. Quizás sí, quizás no. De todos modos, ahora no es tiempo de entrar en esta controversia.

del caudillo.[7] Es decir, el *caudillo* es la encarnación misma de la idea de la "presidencia" en sentido concreto. En los momentos culminantes de su conducta como *caudillo*, es casi como la encarnación de la patria misma. Es por eso que el *caudillo* debe ser capaz de llenar con la fuerza vital de su personalidad, su dinámica, y lo atractivo de su *yo*, esa *ausencia de legitimidad*. Después de la Independencia, Hispanoamérica, con la pérdida de la *legitimidad* de la tradición monárquica, seguía sintiendo un *hueco*, una *ausencia*. Solamente un *caudillo* con la debida fuerza de voluntad, poder político, económico y militar, además de carisma, podría llenar, aunque fuera provisionalmente, ese vacío. Mientras fuera capaz de llenarlo, gozaría del apoyo del pueblo; y si no, pronto cedería su lugar a otro *caudillo*.

Así fue como durante el siglo diecinueve y parte del siglo veinte el patriotismo de los países hispanoamericanos a menudo estaba fundado en *caudillos de carne y hueso*, no en constituciones e instituciones *abstractas*, como ha sido más bien la tendencia en EE.UU. Reiterando, en Hispanoamérica *el individuo equivalía al presidente*; era la "*presidencia*" misma. Cuando algún *caudillo* dejaba la silla presidencial, la idea de la "*presidencia*" nunca volvería a ser la misma. Ahora tendría que tomar el aspecto de un nuevo *Señor Presidente*. Ese nuevo líder político sólo podría serlo quien fuera capaz de capturar la imaginación y sentimiento del pueblo para merecer su *legitimización*. Es decir, merecía la *legitimización* por ahora; y quizás mañana pudiera aparecer otro *caudillo* que lo reemplazara. Así sucesivamente, de un *Señor Presidente* a otro. Por lo tanto, en la conciencia nacional, la lucha entre un *caudillo* y otro era frecuentemente una contienda entre dos personalidades en vez de una batalla de ideologías y partidos políticos. En Hispanoamérica el interés supremo era el del individuo *concreto* y su grupo *abstracto* en lugar de un programa político y un modo de acción. Consecuentemente, en Hispanoamérica el *cacique local* se convertía en *caudillo*, y el *caudillo*, si lograba mantenerse en el poder, y si gozaba de suficiente carisma, casi podía ser un pequeño *César*.

Es necesario enfatizar que ninguno de los dos sistemas políticos—el de inclinación hacia lo abstracto, más típico de EE.UU. y el de inclinación hacia lo *concreto y personal* más típico de Hispanoamérica—es inferior o superior a otro. Los dos sistemas son simplemente distintos. Uno carece un poco de relaciones personales o interhumanas; el otro necesita un poco el hilo continuo de legitimidad que se extiende de un líder a otro. Uno queda en un nivel abstracto, relativamente lejos del sentimiento y el "yo" como sujeto de cada individuo; el otro tiene que ver con la imagen concreta del líder político y el poder que ejerce sobre el pueblo. Las instituciones hispanoamericanas conducen hacia líneas de conducta personal e intuitiva de parte de los ciudadanos. Pero en otros tiempos de crisis, los administradores políticos, sociales y económicos de Hispanoamérica han demostrado repetidas veces una capacidad impresionante para evaluar una situación, tomar una decisión con toda lógica y razón, y actuar

---

[7] La idea de "El Señor Presidente" es el tema de la novela del mismo nombre, *El Señor Presidente* (1946) de Miguel Ángel Asturias.

con firmeza. La otra institución, la de EE.UU., se supone que es guiada por la razón bien medida. Sin embargo tiende a funcionar con más lentitud, porque el cuerpo legislativo y ejecutivo—el congreso y el presidente—deben llegar a un acuerdo respecto a las decisiones de más importancia.

Es interesante notar que todas las clases sociales, las profesiones, y tipos humanos diferentes han representado el *caudillismo* hispanoamericano. Juan Manuel de Rosas, que dominó la república argentina de 1829 a 1852, era atlético, carismático, y conocido como el mejor jinete[8] del país. El doctor José Rodríguez de Francia (presidente, 1811–40) de Paraguay era un aristócrata cultivado, mientras que el mexicano Antonio López de Santa Anna (presidente 1821–1855) era un criollo adinerado, y Diego Portales (presidente, 1830–1837) de Chile era un empresario rico. Rafael Carrera (presidente, 1838–1865) de Guatemala era un amerindio analfabeto. Benito Juárez (presidente, 1857–1872) de México también era amerindio, pero educado y políticamente liberal. El boliviano José Mariano Melgarejo (presidente, 1864–1871) era un mestizo analfabeto y alcohólico, Andrés Santa Cruz (presidente 1829–1839) de Bolivia y Rufino Barrios (presidente, 1872–1895) de Guatemala eran militares sumamente crueles, mientras Gabriel García Moreno (presidente, 1869–1875) de Ecuador era profesor y católico fanático. Algunos *caudillos* eran honrados, mientras otros no fueron más que ladrones; unos creían en la justicia y la practicaban, mientras otros eran extremadamente bárbaros; unos tenían un carácter humilde, mientras otros padecían de delirio de grandeza.

Casi todos los países hispanoamericanos han pasado por épocas de *caudillismo* antes de llegar a ser las naciones de hoy. Desde luego, la transformación del feudalismo a naciones modernas no llegó sin muchos esfuerzos, mucha confusión, y violencia. Sin embargo, si se considera que el desarrollo de las naciones hispanoamericanas durante el siglo XIX logró lo que más o menos había surgido en Europa durante el curso de cinco a seis siglos de evolución, uno se da cuenta de que en realidad fue una hazaña. Los cambios sociales y políticos en Hispanoamérica fueron muy concentrados. Es decir se llevaron a cabo en casi la sexta parte del tiempo en que los mismos cambios ocurrieron de manera paulatina en Europa. Quizás lo más asombroso es que los hispanoamericanos hubieran logrado tanto en tan poco tiempo.

Actualmente, se puede decir que la época de los *caudillos* clásicos pertenece al pasado. A pesar de que ha habido dictadores en el siglo XX, y hasta nuestros días que san manifestado algunas tendencias del *caudillismo* clásico, como se verá adelante.

PREGUNTAS

1. ¿Cuál era el concepto general que tenía el pueblo español sobre su rey?
2. ¿Cuál fue el problema de autoridad después de la caída de Fernando VII? ¿Por qué había un problema de legitimidad?

---

[8] Jinete = horseman.

3. ¿Qué características tenían las primeras constituciones en Latinoamérica? ¿Cuáles fueron los resultados?
4. ¿Por qué es insuficiente la conclusión general sobre la inestabilidad de Latinoamérica después de la Independencia?
5. ¿Qué función tenía el localismo durante el coloniaje? ¿Cómo se beneficiaron España y Portugal de ese fenómeno?
6. ¿Por qué fue tan difícil la creación de instituciones políticas después de la independencia?
7. Describa el origen del término "caudillismo."
8. ¿Cómo se diferencian las relaciones humanas abstractas de las concretas?
9. ¿Cuáles son las diferencias entre la "presidencia," que ocupa una persona elegida en sentido abstracto, y la imagen del "Señor Presidente" en sentido concreto?
10. ¿De qué manera se llenaba provisionalmente la ausencia de la legitimidad en Hispanoamérica durante el siglo XIX?
11. Describa la gran variedad de los caudillos.

Temas para discusión y composición

1. ¿Ha habido alguna crisis de legitimidad en EE.UU. aunque en grado mínimo? ¿Qué pasaría en EE.UU. si hubiera una verdadera crisis que requiriera decisiones inmediatas? ¿Cómo piensa usted que sería diferente a las crisis en Latinoamérica?
2. ¿Cómo se explica el fenómeno del caudillismo, y la política del personalismo? ¿Cómo cree usted que sería diferente EE.UU. si existiera ese fenómeno en el país?

Un debate amigable

Organícese una discusión acerca del controvertido[9] tema del caudillismo. ¿Fue este fenómeno un producto de la evolución natural de las sociedades hispanoamericanas? ¿Podrían haberlo evitado? ¿Debieron tratar de evitarlo? ¿Qué alternativas había? ¿Hubiera sido preferible alguna de las posibles alternativas?

[9] Controvertido = controversial.

CAPÍTULO 12

TRADICIONES Y TRANSFORMACIONES

Fijarse en:

- La naturaleza del conflicto entre los liberales y los conservadores que emergió en los países hispanoamericanos después de la Independencia.
- Las razones por las cuales surgió ese conflicto precisamente en la época en que surgió.
- La razón por la que el hispanoamericano parece un terreno natural para el caudillismo.
- Lo extraordinario de los casos de México, Colombia, y Argentina en el siglo pasado.
- Las semejanzas y diferencias de los cambios socio-político-económicos de esos tres países durante el siglo XIX.

Términos:

- Afrancesados, Caudillismo, Conservadores, Demagogos, Federalismo, Federalistas, Gauchos, Inestabilidad, "Ley Fuga," Liberales, Localismo, Populismo, Rurales, Unitarios.

CONSERVADORES Y LIBERALES

Desafortunadamente, la emancipación de Latinoamérica no fue en un principio mucho más que una liberación *política*. La monarquía católica fue reemplazada por la idea de estados soberanos, pero por debajo de la superficie, hubo pocos cambios. Hay que decir "idea de estados soberanos," porque a pesar de que muchos hispanoamericanos habían adoptado un republicanismo liberal, todavía no la habían podido poner en práctica.

El problema fue que la emancipación tuvo lugar sin el acompañamiento de verdaderos cambios *económicos* y *sociales*. Es decir, no hubo ningún tipo de re-estructuración fundamental en la economía o en la estratificación social—no emergieron nuevas clases sociales, se perpetuó más o menos el mismo sistema. Gente en su mayoría europea seguía en control de las *castas*, pero ahora los que mandaban eran criollos y unos cuantos mestizos en lugar de los peninsulares.

Ya ganada la Independencia, a las oligarquías criollas se les presentaron dos opciones: (1) re-establecer el viejo orden hasta donde fuera posible para continuar dominando a las clases populares, o (2) crear estados modernos a pesar de que esto pusiera en peligro el lugar privilegiado del que gozaban los mismos criollos después de expulsar a la vieja oligarquía peninsular. Por causa de esas opciones, pronto la clase criolla—al lado de un número creciente de mestizos—se encontró dividida en dos facciones: los *conservadores* y los *liberales*. Los conservadores lamentaban la pérdida de la monarquía y el bienestar que el catolicismo prometía. Hasta cierto punto se creían los herederos legítimos de los conquistadores del continente. Los liberales, en cambio, creían que la soberanía del pueblo, así como el respeto a sus derechos como ciudadanos de una nación moderna que garantizaba el voto popular, era el único modelo factible para el futuro.

Los liberales, no obstante, pronto se enfrentaron con un dilema semejante al de Bolívar: la brecha entre sus *ideales* y la *realidad*, entre los *deseos* y lo *realizable*. Como Bolívar, rápidamente se dieron cuenta que la naturaleza de la gente que tenían a su alrededor quedaba lejos de los ciudadanos de Francia y EE.UU. que les habían servido de modelo. Con ese conflicto en mente, el ex-fraile mexicano Servando Teresa de Mier escribió en 1823 que los norteamericanos componían un pueblo homogéneo, industrioso, trabajador, y educado, con todas las cualidades sociales deseables. Latinoamérica, por desgracia, era todo lo contrario porque, según Teresa de Mier, los latino-americanos habían heredado las características retrógradas de los ex-colonizadores, además de seguir padeciendo de los efectos desfavorables de tres siglos de esclavitud. Tal pesimismo motivó a un gran número de liberales a huir de la idea de una sociedad igualitaria, de un gobierno que ponía pocas restricciones delante de la ciudadanía, y de una economía *Laissez-faire*.[1] Empezaron a proponer un estado que recordaba a las reformas borbónicas: la abolición de todos los privilegios, la intervención del estado, y subsidios para la inversión de capital privado y extranjero. En fin, la preocupación principal fue la de *modernizarse*, incluso por la fuerza si no hubiera más remedio. Entonces cuando los liberales comenzaron a poner su programa en efecto, las repúblicas bajo su dirección con frecuencia estaban destinadas a terminar en dictaduras, con *caudillos* en las sillas presidenciales. Fue todo lo contrario a lo que los liberales habían propuesto en un principio.

Al contrario de Teresa de Mier, el historiador conservador mexicano, Lucas Alamán, en una carta escrita al General Santa Anna en 1853, le aconsejó que asumiera poderes dictatoriales como la única solución al malestar del que sufría la patria. Afirmó Alamán que había que preservar la fe católica, porque: (1) era el hilo que unía a todos los mexicanos, y (2) allí quedaba la única posibilidad de liberar al pueblo hispanoamericano de los peligros—la inestabilidad, la influencia de EE.UU. y Europa, y las masas con tendencias hacia la rebelión—que le amenazaban. Entonces los conservadores defendían los privilegios tradicionales, y para asegurarlos, abiertamente proponían una centralización del

---

[1] *Laissez-faire* = the doctrine according to which government should not interfere with the economic affairs of the citizens, but rather, a free enterprise system should evolve through natural processes.

poder. A fin de cuentas, el resultado de la política conservadora no fue muy diferente a la de los liberales en un aspecto importante: por regla general los dos caminos terminaban en gobiernos fuertes. Como hemos notado, los liberales propagaban los conceptos de la "libertad, igualdad, y fraternidad," pero para ponerlos en vigor, muchas veces no veían otra alternativa que la de un gobierno centralizado, igual que los conservadores. Aunque la escena estaba puesta para la gran lucha entre las dos facciones, cualquiera que triunfase, la tendencia sería una forma u otra de *caudillismo*. A continuación, un breve examen de tres casos en particular: *México*, *Colombia* y *Argentina*.

VAIVENES MEXICANOS

Durante los primeros meses después de la Independencia en México, hubo acalorados aunque confusos debates sobre el conservadurismo y el liberalismo. Los conservadores, en su mayoría criollos, se mantenían firmes en la fe católica y las prácticas del pasado, y apoyaban a los hacendados, al ejército, y los intereses extranjeros. Los liberales, que incluían a muchos mestizos, siempre habían mantenido una vigilancia sospechosa sobre los privilegios de la clerecía, los latifundistas, el ejército, y la clase criolla adinerada.

Por lo tanto, al principio la doctrina del *federalismo*—que dividía el poder y la responsabilidad entre los estados—les atraía. Al caer de gracia Agustín de Iturbide, emperador de México de 1821–1823, los conservadores perdieron su lucha por conseguir un gobierno centralizado. Los liberales, ahora en el poder, redactaron la Constitución de 1824. Esa Constitución siguió más o menos el modelo de la de EE.UU., pero también con influencia de la Constitución Liberal Española de 1812 y de los pensadores franceses. Sin embargo, a pesar de las buenas intenciones de los creadores, esa Constitución no tenía sus raíces bien profundizadas en la *realidad* mexicana: no tomaba en cuenta la distribución desigual de las tierras, y la necesidad de educar a las masas analfabetas e incorporar a los amerindios—mucho de los que no hablaban español—a la vida nacional del país. Entonces, tenemos un caso más de la brecha entre lo *ideal* (las buenas intenciones) y la *realidad*. Por consiguiente, una reconciliación de las dos facciones políticas habría sido casi imposible.

La falta de reconciliación dio en parte como resultado tres grandes épocas de *caudillismo*: (1) la del general Santa Anna (1821–1855), (2) la del liberal, Benito Juárez (1855–1876), y (3) la del liberal convertido en conservador, Porfirio Díaz (1876–1910). Como líder carismático, orador elocuente, y oportunista sin escrúpulos, Santa Anna casi no tenía igual. Como administrador político, era inepto. Oficialmente llegó a ser presidente seis veces, y cada vez fue un rotundo fracaso. En cinco ocasiones más se nombró presidente a sí mismo sin el voto del pueblo, y cada vez duró poco. Logró enardecer a extranjeros y repetidas veces enajenó a otras naciones. Extendió a los norteamericanos la invitación de colonizar Texas, pero después les hizo a los colonos la vida tan difícil que éstos declararon una secesión en 1830, y él mismo encabezó tropas mexicanas contra los "tejanos" para evitar su separación. Aunque la batalla del Álamo fue ganada por los mexicanos en 1836, eventualmente Texas logró una breve independencia. Francia intervino en México en 1838, y durante la llamada "Guerra de los pasteles" que siguió, Santa Anna perdió una pierna. Como era excéntrico hasta llegar al ridículo, le organizó un magnánimo funeral a su extremidad.[2] Después, a menudo se refería a esa pérdida de su miembro con modos gráficos y dramáticos, como prueba de su sacrificio por la patria—una táctica *populista*[3] que a veces tuvo éxito, por grotesca que fuera. Individuos de EE.UU. con intereses expansionistas consiguieron que su país anexara a Texas, ya independiente en 1845. Santa Anna se opuso con vehemencia, y en 1846 EE.UU. entró en guerra en contra de México. El "coloso del norte"[4] derrotó a su vecino del sur, y en 1848, México perdió más de la mitad de su territorio. Después de todo esto, ¡en 1853 Santa Anna tuvo la audacia de nombrarse presidente por toda la vida! Sin embargo, duró poco en la silla presidencial, como de costumbre. Santa Anna: ejemplo clásico de un *caudillo* cuya ambición no conocía límites y cuya capacidad casi no tenía más que límites.

Benito Juárez, amerindio zapoteca del estado de Oaxaca, llegó con los liberales al poder en 1855 cuando derrotaron a Santa Anna. Dos años después redactaron la Constitución de 1857, que estipuló la supremacía del estado, y en el mismo año Juárez asumió la presidencia por voto popular. Ahora, con el apoyo de la nueva Constitución, Juárez no tardó en poner en vigor las *Leyes de Reforma* (1857). Las leyes incluían la toma de propiedades de la clerecía—que todavía estaba en control de casi 40% de las tierras productivas—y el registro civil obligatorio respecto a los nacimientos, matrimonios, y muertes. La idea era tumbar la gran pirámide de poder que tradicionalmente ejercía la Iglesia, y crear una vigorosa e industriosa clase media. La imagen de una nueva clase media seguía el modelo que tenían los liberales de la estructura social de EE.UU. Sin embargo, para instituir el programa en México, había que transformar la estructura existente a la fuerza, lo que requeriría un gobierno fuerte. Así, el gobierno de los liberales capitaneado por el estoico[5] Presidente Juárez, se hizo fuerte.

Así que Juárez, el liberal, terminó volviéndose un tipo de *caudillo*. Sin embargo, no era otro "hombre a caballo," era un *caudillo* civil. Tenía ideas igualitarias, pero a la vez estaba consciente de que—en vista de la situación *socio-político-económica* de su país—la centralización del poder era quizás la única manera de alcanzar la suficiente estabilidad para llevar a cabo los

---

[2] Durante la rebelión contra Santa Anna en 1844, la pierna fue sacada de su sepulcro y arrastrada por la ciudad de México.

[3] Táctica "populista" = populist tactics: from "*populism*," the politics of gaining mass support by means of showmanship, promises, and attempts to identify with common causes.

[4] Coloso…norte = EE.UU. (as the United States came to be known in some circles in Latin America).

[5] Estoico = stoic, an apparently indifferent person, unaffected by joy, sadness, grief, pleasure or pain. According to the popular though somewhat erroneous stereotype, stoicism was one of the chief qualifying characteristics of the Amerindians.

principios liberales. Los conservadores, como se podía esperar, reaccionaron alarmados. Acudieron al ejército, a la Iglesia, y a naciones extranjeras en busca de ayuda para derrocar a los odiados liberales. Bajo el pretexto de que México había faltado al pago de deudas exteriores, Francia intervino—pero Inglaterra y España, países con los cuales México también tenía deudas, se negaron a cooperar. En 1862 Francia propuso como emperador de México al austriaco Maximiliano de Habsburgo, quien llegó con su esposa, Carlota. Hay que enfatizar que Maximiliano y Carlota hicieron la noble lucha de "volverse mexicanos"—demostrando gusto por la cocina nacional, la música de los mariachis, y otras pequeñeces. No obstante, como representantes de los "invasores," nunca lograron la simpatía del pueblo mexicano, cansado ya de la dominación extranjera. Sobre todo, Juárez nunca cesó su resistencia a la intervención francesa. Bajo su mando, en 1867 Maximiliano fue capturado y fusilado, para cumplir con el lema de Juárez mismo: "Entre los individuos como entre las naciones, el respeto al derecho ajeno es la paz." Carlota se fue a Italia, donde terminó su vida en un estado de locura, tras largos períodos de depresión mental.

Ahora entra la *pax porfiriana* al drama mexicano. Porfirio Díaz era un mestizo de Oaxaca, el mismo estado de origen de Juárez. Su herencia amerindia venía de los Mixtecas, quienes durante la época prehispánica estaban perpetuamente en guerra contra los Zapotecas, de quienes Juárez descendía. Díaz comenzó a estudiar en el seminario para cumplirle a su madre el profundo deseo de verlo convertido en sacerdote, pero lo abandonó al simpatizar con las ideas de los liberales como Juárez. Cursó toda la carrera de leyes en el Instituto de Ciencias y Artes de Oaxaca, y solamente le faltaba recibirse cuando descubre su verdadera vocación: la carrera militar donde se destacó notablemente, alcanzando el rango de General. Bajo la promesa de orden y su lema liberal, "Sufragio efectivo, no reelección," la pequeña clase media de México, ya cansada de sesentaiséis años de contiendas e inestabilidad, recibió a don Porfirio con los brazos abiertos. Sin embargo, ya bien establecido en el sillón presidencial, Díaz no tardó en ejercer un poder *caudillesco*. Se dio cuenta de que el país estaba plagado de *caciques* locales, y para imponer un poder central, los compró, los encarceló, o los mandó fusilar. Su política fue "Pan o palo."[6] Su fórmula era: "Los que entran en alianza conmigo, bien; los que no, el castigo (o la '*ley fuga*')."[7] En el campo, Díaz mantuvo orden por medio de una red de agentes, muchos de ellos ex-bandidos, llamados los *rurales* (algo semejante a los "Texas Rangers"). En las ciudades, poco a poco cooptó o eliminó a sus enemigos, e inauguró un programa de obras públicas que impresionó a la clase media nacional y a los extranjeros. Bajo el lema, "Orden y Progreso," estableció

[6] "Pan o palo" = Enticements were offered, and one should accept them with gratitude, for if not, one must suffer the consequences (the equivalent in English of this saying would be "The carrot or the stick").

[7] "Ley fuga" = An unwritten "escape clause" following one's arrest: one is encouraged to attempt an escape, but when doing so, one catches a slug in the back.

una educación "científica," una administración política enérgica, y oportunidades casi sin restricciones para la inversión de capital extranjero.

Desde cierto punto de vista, el progreso durante el porfiriato era innegable. En 1881 había apenas 723 millas de vías de ferrocarril, pero en 1900 el país contaba con 9.029 millas. La producción de oro y plata era cuatro veces más alta al final de los años del "Diazpotismo."[8] En 1876 el cobre no tenía importancia en la economía del país; para 1910 México estaba en segundo lugar del mundo entre los países que exportaban el dicho metal. La perforación de pozos de petróleo tuvo su comienzo en los últimos años del siglo XIX. La producción del "oro negro" en 1901 era de 10.345 barriles, y en 1911 había aumentado a 13,000,000.

Por otra parte, en el campo, grandes extensiones de tierra eran absorbidas por las haciendas. La propiedad de la familia terrazas en Chihuahua era más grande que Bélgica y Holanda juntos. En 1910, cien millones de acres que incluían granjas, pasturas, minas, y bosques, estaban en manos de norteamericanos; sólo una persona, el magnate William Randolph Hearst era dueño de más de ocho millones de acres. Mientras tanto, el antiguo sistema comunal agrícola de los indígenas había desaparecido. Ahora, sin tierras, se veían los amerindios obligados a trabajar por centavos en las haciendas durante la época de la siembra y la cosecha, mientras acumulaban deudas en las *tiendas de raya* ("company stores"), deudas que nunca podían pagar, y que heredaban sus hijos.

Desde el exterior, el mundo entero aplaudía a Díaz por sus hazañas, pero en general, ignoraba sus fracasos. Los diplomáticos y otros huéspedes invitados por el gobierno mexicano encontraban un ambiente cómodo y lujoso. Había *cuisine* internacional, *champagne*, las mejores óperas del mundo, y avenidas y parques elegantes. Todavía hoy el Paseo de la Reforma es bellísimo, asemejándose a el *Champs Elysées* de París. El Palacio de Bellas Artes, aun sin terminar, era una copia audaz de la arquitectura francesa. Mientras tanto, la policía desalojaba de las calles a los vendedores y pordioseros amerindios para dar un aspecto más agradable a los extranjeros. En suma, Díaz le devolvió a la Iglesia algunos privilegios de los que gozaba antes de las Leyes de Reforma, complació a la clase media y la aristocracia criolla conservadora con oportunidades lucrativas, y estableció un orden hasta entonces desconocido. Es decir, llegó más o menos como liberal, pero en muchos aspectos gobernó como conservador. En contraste con otros países hispanoamericanos, durante el siglo XIX nunca hubo en México una línea de demarcación bien definida entre las dos facciones políticas, aunque a veces peleaban hasta la muerte por sus ideologías preferidas.

POLARIDADES COLOMBIANAS

El *localismo* alcanzó su expresión máxima en Colombia. Después de la Independencia, entre montañas empinadas, valles angostos, y selvas impenetrables,

---

[8] "Diazpotismo" = "despotismo" (tyranny, despotism), como un juego de palabras, fue el nombre dado a la dictadura de Díaz por un periodista de EE.UU.

existían ciudades, pueblos, y villas aisladas de una manera parecida a la España medieval. Era un país que consistía de una colección de focos de población casi autónomos, cada uno con un fuerte sentimiento de lealtad a su *localidad*. Es en gran parte por eso que el país estaba plagado de múltiples guerras civiles durante el siglo XIX.

En Colombia hubo tres épocas marcadas desde la Independencia hasta bien entrado el siglo XX: (1) la fundación de una república (1819–1940), (2) las luchas políticas (1840–1880), y (3) el dominio de los conservadores (1880–1930). Desde el principio, el país sufrió bastante a causa del liderazgo errático de Bolívar. Después de su muerte, Francisco Paula de Santander quedó como presidente. Católico fiel, y a la vez liberal, desde un principio Santander fue capaz de mantener equilibrio, aunque débil, entre los dos polos políticos. Sin embargo, para 1840, la brecha entre conservadores y liberales había llegado a ser cada vez más ancha. Desde esa fecha los conservadores se mantuvieron más o menos en control, aunque no sin repetidos brotes de violencia. Hubo una serie de guerras civiles entre 1840 y 1861, sutilmente documentada por M. Palacios en *Coffee in Colombia, 1850–1970* (1980) y novelada con ironía en *Cien años de soledad* (1967) de Gabriel García Márquez.

Durante esa época, los conserva-dores se presentaban como los defensores del *orden*, de *Dios*, y de la *república*, ganando así la simpatía del pueblo. Mientras tanto, mantenían control a través del *ejército*, la *clerecía*, los *terratenientes*, un *gobierno fuerte* por medio de la Constitución de 1843 que confería poderes casi absolutos al presidente. A pesar de la inestabilidad, el país progresó, gracias a la producción del café. Pero los liberales, esporádicamente violentos, poco a poco fueron aumentando su influencia, y en 1860 brotó una guerra civil que los llevó al poder el año siguiente.

Entonces, de 1861 a 1880 los liberales mandaron. Lograron introducir en la Constitución de 1863 principios liberales diseñados con el fin de debilitar a los conservadores hasta un punto en que nunca más pudieran volver a ejercer dominio. Sin embargo, los liberales no tomaron en cuenta la profundidad del catolicismo en la mente popular. Después de una serie de contiendas políticas y militares, en 1880 retomaron el control los conservadores con la elección de Rafael Núñez—liberal que cambió de bando, convirtiéndose en conservador fanático—que inició un poder ininterrumpido del partido conservador hasta 1930. Núñez era poeta, intelectual, y muy patriotero. Desde su segunda elección en 1884 hasta la fecha de su muerte en 1894 fue el caudillo indisputable de la nación. Su nueva política resultó en la Constitución de 1886, la décima para Colombia, que restauró el poder al ejecutivo, o sea al presidente. Bajo Núñez, la Iglesia recobró su poder perdido. A través de un concordato con el Vaticano en 1887, el catolicismo llegó a ser la religión oficial del estado, gozando de autonomía y de completa libertad. En suma la prensa fue suprimida, disidentes políticos fueron encarcelados o exiliados, privilegios de la clerecía fueron restaurados, y para acabar con el drama, Núñez fue proclamado el "restaurador" de Colombia.

La única crisis de escala mayor durante la época de los conservadores fue el caso de Panamá. Colombia no había podido incorporar efectivamente el estado de Panamá al país. Animado por intereses norteamericanos, el istmo se rebeló contra el gobierno colombiano en 1903. Barcos estadounidenses llegaron para evitar una represalia por parte del gobierno de Colombia, y con esta ayuda, Panamá logró fácilmente su independencia. Tres días después, Panamá fue reconocido por Washington, y en las siguientes dos semanas, se firmó un tratado entre Panamá y EE.UU. para la construcción de un canal, y ocho años después, Theodore Roosevelt proclamó con orgullo: "Yo liberé la Zona del Canal." Desde luego, pocos latinoamericanos quedaron impresionados. En 1914 fue firmado un tratado según el cual EE.UU. le daba veinticinco millones de dólares a Colombia como tipo de "disculpa" por lo que había acontecido. Ese acto tampoco conmovió al pueblo colombiano. Hoy, desde un punto de vista irónico, se puede decir que los grandes narcotraficantes colombianos de la cocaína han realizado una venganza en contra de EE.UU.

BIFURCACIONES CULTURALES ARGENTINAS

Los años que siguieron tras la Independencia de Argentina en el siglo XIX también pueden dividirse en tres partes: (1) el período de formación (1810–1829), (2) la era de Juan Manuel de Rosas (1829–1852), y (3) la organización nacional (1852–1890). Desde un principio, la polaridad *liberalismo/conservadurismo* de Argentina tomó una ruta diferente a la de las otras repúblicas hispanoamericanas. La polaridad argentina consistió de *unitarios* (comparables a los *liberales*, pero proponían un control del país centralizado en Buenos Aires) y *federalistas* (semejantes a los *conservadores*, con la excepción de que querían autonomía para las provincias. Sin embargo no se puede conceptualizar esa polaridad sin hablar un poco del *gaucho*.

Más o menos el equivalente al "cowboy" norteamericano, el *gaucho*, es más una leyenda que una realidad histórica. Ha llegado a ser como un tipo de héroe nacional, celebrado en canciones, literatura, y leyendas. Al comienzo del siglo XIX, el gaucho, típicamente un mestizo, era una persona nómada, analfabeta, y supersticiosa, y en general andaba feliz de la vida. Vivía en unión ecológica con la pampa. Cazaba con facón[9] y boleadoras.[10] Trabajaba solamente cuando era necesario para comprar alguna ropa, artículos de plata, y licor barato de caña de azúcar. Comía grandes cantidades de carne de res, y tomaba té de mate.[11] Se vestía de chiripá,[12] poncho de lana, y botas altas hechas de cuero crudo.[13] Se

---

[9] Facón = knife (an all-around tool, used in hunting, preparing, cooking, and eating food, as well as fighting and brawling, and in contests and sporting events).

[10] Aparato hecho de tres piedras o bolas de acero conectadas con correas de cuero que tiraban a los pies de los animales en movimiento giratorio de manera que se les enredaban las patas y caían.

[11] Yerba mate, un té caliente con estimulante que aún es una bebida popular en Argentina, Uruguay, Paraguay, y el sur de Brasil.

[12] Un pantalón suelto que permitía la libertad de movimiento.

emborrachaba cuando le daba la gana, jugaba naipes a menudo, y quizás sabía tocar la guitarra y cantar baladas de sus hazañas en el amor y sus peleas a muerte con otros gauchos. Su casa de adobe con techo de paja era humilde. Los muebles casi no existían—una práctica pintoresca era el uso de calaveras de vacas y caballos como sillas. En fin, el gaucho gozaba de la más completa libertad imaginable: su mundo era la pampa—que parecía extenderse hasta la infinidad—y el cielo azul que no tenía límites. En fin, el gaucho fue acaso el tipo latinoamericano más apropiado para desempeñar el rol de *caudillo*.

Con el apoyo de las bandas de gauchos, hacia 1820 los *caudillos* locales o *caciques* eran los amos de las provincias. Estanislao López dominaba en Santa Fe, Ramírez en Entre Ríos, Güemes en Salta, y Aráoz en Tucumán. Estaban unidos solamente por un profundo desprecio hacia los *porteños* (los criollos *unitarios* de Buenos Aires). En 1823, hubo un sangriento encuentro entre el ejército nacional y los defensores de la Iglesia de las provincias, que tenían el apoyo de los gauchos. Fue entonces cuando Facundo Quiroga, *caudillo* de la Rioja y tema del texto clásico de Domingo Faustino Sarmiento (1811–1888), *Facundo: civilización y barbarie* (1845), izó una bandera negra con el lema: "Religión o muerte." Para entonces el país estaba envuelto en guerras civiles dirigidas por los *caudillos* locales, manifestándose como los más fuertes y capaces de pensar, engañar, y matar con más eficacia a sus enemigos. Según un gran número de *unitarios* de Buenos Aires, para que hubiera estabilidad, era necesario un jefe político fuerte y capaz de unificar la república. Dicho jefe apareció en la forma de Juan Manuel de Rosas. Sin embargo, Rosas de ninguna manera era lo que los porteños esperaban.

Rosas, prototipo del *gaucho*, tenía treintaiséis años cuando asumió el poder. Era musculoso y guapo, el tipo masculino que todos los hombres aspiraban ser. Tenía el respeto de otros gauchos. Según un mito, pocos gauchos podían manejar el facón o las boleadoras mejor que Rosas. Los afro-argentinos lo veneraban: era casi inaudito que un criollo les extendiera tanta cortesía como él. Hasta los amerindios lo respetaban: era un hombre que nunca faltaba a su palabra,[14] lo que les agradaba. Rosas llegó a ser gobernador de la provincia de Buenos Aires en 1829 como representante del *federalismo*, e inmediatamente comenzó aplastando a toda la oposición. Sus oponentes incluían a otros *caudillos* provincianos, como Facundo Quiroga, que generalmente se inclinaban hacia un gobierno *federalista*. La oposición también comprendía a los *unitarios*, la mayor parte de ellos criollos, que proponían un gobierno centralizado en Buenos Aires. Sin embargo, la distinción entre *federalistas* y *unitarios* no era clara. No había solamente un "partido" *federalista* sino varios grupos provincianos que estaban en constante guerra entre sí. Había *federalistas* en las

---

[13] Antiguamente las botas se hacían del cuero crudo (= "rawhide") de dos patas de vaca. El gaucho hacía un agujero donde estaba la pezuña del animal, y al meter la pierna en el tubo de cuero, salían sus dedos del pie, con los cuales manejaba los estribos (= stirrups) de la silla de montar (= saddle).

[14] No...palabra = never told a lie.

provincias que demandaban su autonomía local. Otros *federalistas* querían ciertos lazos entre las provincias y Buenos Aires. Sin embargo, los *federalistas* de Buenos Aires—al igual que sus enemigos, los *unitarios*—no querían dar ninguna concesión a la gente de las provincias, y los *federalistas* de las riberas del Río de la Plata exigían acceso a los mercados exteriores.

Cuando menos se puede decir que Rosas era *federalista* en el sentido de que atacaba sin piedad[15] a los *unitarios* mientras estuvo en el poder. Era un excelente *demagogo* y *populista*, y entendiendo profundamente la psicología del pueblo, Rosas sabía cultivar la simpatía de las masas. Su acercamiento a la clase popular se notaba plenamente en su campaña contra los letrados y aristocráticos *unitarios* de Buenos Aires. Con desprecio, los llamaba los "*afrancesados*," debido a su predilección por las modalidades y el pensamiento francés. También se veía el acercamiento de Rosas a "los de abajo" por el hecho de que aparentemente no buscaba ni la riqueza ni la buena vida de la aristocracia, sino era "como ellos." Los colores blanco y azul de la época de la Independencia fueron rechazados y reemplazados por el rojo, color predilecto de Rosas. El pueblo se volvió fanático de Rosas y el rojo. Los soldados "rosistas" portaban uniformes rojos, y las mujeres y los hombres llevaban mascadas y bandas rojas como parte de su atavío. Doña Encarnación, esposa de Rosas, frecuentemente se vestía completamente de rojo, hasta los zapatos. El retrato de Rosas aparecía en tiendas, restaurantes, consultorios, ferreterías, y hasta prostíbulos. Para 1835 Rosas había consolidado su poder desde la ciudad de Buenos Aires, siendo jefe efectivo del país hasta 1852 cuando fue derrotado por Justo José Urquiza (1801–1870).

Es evidente que la polaridad *liberalismo/conservadurismo* tuvo otra cara en Argentina. Los *federalistas* proponían autonomía local, valores hispanos tradicionales, y privilegios para la Iglesia. En este sentido eran parecidos a los conservadores en Colombia, México, y otros países hispanoamericanos. Los *federalistas* ideológicamente rechazaban el concepto de aquellos conservadores que pugnaban por una centralización del poder. Sin embargo, el federalismo, sobre todo en la forma que le daba Rosas, en la práctica se convirtió en centralismo, lo que habían promovido los conservadores de otros países desde un principio. Los *unitarios*, criollos de la aristocracia y de influencia francesa, guardaban el sueño de una Argentina con poder concentrado en la capital, lo que era el opuesto de lo que proponían los liberales hispanoamericanos, que diseminaban por lo menos la idea de una división de poder y un gobierno sin poderes absolutos. Los que apoyaban a Rosas lo consideraban un defensor del catolicismo, de las tradiciones, y del pueblo, que incluía a los gauchos, los mestizos, los afro-argentinos, y los mulatos. En cambio, los criollos *unitarios* eran considerados burgueses europeizados y elitistas. Esa imagen de los *unitarios* contrastaba con la de los liberales mexicanos, por ejemplo, a quienes se les percibía como enemigos de la Iglesia y la oligarquía, pero campeones del

---

[15] Atacaba…piedad = attacked ruthlessly, without mercy.

pueblo al mismo tiempo—bueno, al menos ellos mismos se sentían "campeones del pueblo."

Después de haber derrotado a Rosas en 1852, Urquiza entró a Buenos Aires como el gran libertador. Los *porteños*, no obstante, le dieron una recepción ambigua. Por un lado le agradecían el haberles quitado de encima al pesado de Rosas, pero por otro, Urquiza, llevando una cinta roja en su sombrero, tenía aspecto de otro *gaucho-caudillo* más. Sin embargo, Urquiza poco a poco conquistó la simpatía de los porteños al proveer estabilidad política y prosperidad económica—que duró cuatro décadas después de su entrada en Buenos Aires. Gracias en parte a los esfuerzos de Urquiza, en poco tiempo vías de ferrocarril se extendieron como venas por la pampa, tierras fronterizas fueron abiertas, la producción de trigo se duplicó varias veces, y floreció el comercio en las ciudades. De hecho, Argentina llegó a ser la estrella luminosa de un continente que en general estaba todavía sumergido en las sombras de la violencia *socio-política* y el estancamiento *económico*.

Durante la era de Urquiza, la Constitución de 1853 siguió el modelo de la de EE.UU., pero sin la posibilidad de la re-elección y con un poder más centralizado. El estadista Juan Bautista Alberdi (1810–1884) opinó que la concentración del poder era la única manera de evitar una nueva ola de anarquismo con el advenimiento de otros *caudillos* del tipo de Rosas. El famoso lema de Alberdi, "Gobernar es poblar," era una exhortación a atraer inmigrantes europeos con el fin de inyectar una dosis de vitalidad en la sociedad y de desarrollar las riquezas todavía no explotadas en la pampa. Después del término presidencial de Urquiza, Bartolomé Mitre (1821–1906) fue elegido presidente de 1862–1868, y Domingo Faustino Sarmiento de 1868–1874. Esos dos hombres, eran intelectuales, estadistas, educadores, y fomentadores eficaces de programas económicos, establecieron la base para la modernización de Argentina de una calidad nunca antes gozada por otro país latinoamericano.

En resumen, la oscilación entre *liberales* y *conservadores—unitarios* y *federalistas* en Argentina—que ocurría en muchos de los países hispano-americanos se debía en parte a que esa repúblicas apenas nacidas deseaban lograr en unos cuantos años lo que se había logrado en Europa a través de siglos. Era una tarea sumamente difícil, si no imposible. EE.UU., desde luego, no tiene la rica tradición de las civilizaciones indígenas, la grandeza colonial, la pluralidad amerindia-africana-europea, o la variedad lingüística-cultural, que tiene Latinoamérica. El contraste entre EE.UU. y Latinoamérica es más grande de lo que indican las apariencias. La diferencia se debe en gran parte a la visión que los latinoamericanos tienen de sí mismos, una perspectiva que ha prevalecido desde la época colonial. ¿Cuál es esta perspectiva? Para averiguarlo, hay que pasar el siguiente capítulo.

PREGUNTAS

1. ¿Qué características tenían las dos facciones políticas que dominaron en el siglo XIX?

2. ¿Cuál fue la reacción a las ideas de Fray Servando Teresa de Mier? ¿Qué propuso Lucas Alamán?
3. ¿Cuáles eran los ideales de los liberales en México y cuál era su destino?
4. ¿Cuáles fueron las tres épocas del caudillismo en México?
5. ¿Por qué Antonio López de Santa Anna fue un inepto?
6. ¿Por qué se le considera a Benito Juárez como un gran estadista?
7. ¿Quiénes fueron Maximiliano y Carlota y que rol tuvieron en la historia de México?
8. Enumere usted los logros materiales durante el régimen de Porfirio Díaz. ¿Qué pasó con la clase campesina y trabajadora? ¿Qué aspecto tenía México según la opinión internacional?
9. ¿Por qué fue Colombia un país de localismo por excelencia? ¿Cómo se nota el localismo en las tres grandes épocas del siglo XIX?
10. ¿Qué aspecto tenía la lucha entre conservadores y liberales en Colombia?
11. ¿Qué pasó durante y después de la crisis de Panamá?
12. ¿Cuáles fueron las cuatro eras de Argentina durante el siglo XIX y al comenzar el siglo XX, y qué características tenían?
13. ¿Por qué fue el gaucho el candidateo ideal para el caudillismo?
14. ¿Por qué era Rosas el prototipo del gaucho?
15. Discuta la distinción federalistas/unitarios en Argentina en contraste con la de liberales/conservadores en el resto de Latinoamérica.
16. ¿Por qué la Argentina del siglo XIX fue un caso excepcional en Latinoamérica?

Temas para discusión y composición

1. ¿Fue o no saludable la división de la política hispanoamericana en dos facciones? ¿Cree usted que había alternativas?
2. ¿Por qué cree usted que en otros países no se dio el mismo nivel de desarrollo socio-político-económico que ocurrió en Argentina durante el siglo XIX?
3. ¿Cómo podría haber cambiado su política EE.UU. con respecto a Colombia para la construcción del canal?

Un debate amigable

La clase se divide en tres grupos que presentan argumentos a favor de (1) los liberales, (2) los conservadores y sus programas políticos, y (3) los amerindios y afro-latinoamericanos, voces apagadas durante siglos.

CAPÍTULO 13

EL UTOPISMO REVISITADO

Fijarse en:

- La distinción fundamental entre el pensamiento de los españoles y el de los hispanoamericanos.
- Las características principales del neoclasicismo y el romanticismo.
- El impacto del positivismo en Latinoamérica, y sus consecuencias.
- El afán de los Latinoamericanos por alcanzar tanto el progreso material como el estético de Europa y los EE.UU.
- El distanciamiento de las diferencias culturales entre las ciudades y las provincias.
- La naturaleza extraordinaria del porfiriato en México.

Términos:

- Científicos, Civilización/Barbarie, Culturas alternativas, Darwinismo Social, Ejido, Modernidad, Modernización, Neoclasicismo, Polémica de 1842, Positivismo, Romanticismo, Tecnocracia, Vacío cultural.

NOSTALGIA, HACIA EL PASADO, Y EL FUTURO

En este capítulo se verá en qué manera se perpetuaba la imagen *utópica* de América a través del pensamiento y la expresión literaria. Según Octavio Paz, hasta cierto punto el pensamiento español y el hispanoamericano son dos lados de la misma moneda.

Hasta fines del siglo XIX, el pensamiento de la península consistía en una larga introspección sobre el porqué de la paulatina decadencia de España desde el siglo XVI. Durante el siglo XX la introspección parte de la guerra contra EE.UU. en 1898, cuando España pierde sus últimas colonias en América. En cambio, el pensamiento de Hispanoamérica se inclina por regla general hacia el futuro en vez del pasado. Octavio Paz también observa que durante el nacimiento de las nuevas repúblicas americanas, las dos perspectivas—hacia el pasado y el futuro—existían juntas a pesar de estar en conflicto. Los intelectuales hispanoamericanos se fijaban en la Independencia y en la tradición contra la cual estalló. Al mismo tiempo, de acuerdo con sus sueños fundados en el pensamiento del Siglo de las Luces, tenían los ojos fijos en el futuro y todas las posibilidades que ofrecía. Es decir, veían hacia atrás y hacia adelante al mismo tiempo. La visión nostálgica del pasado era generalmente la de los *conservadores*, mientras la visión futurista era por regla general la de los *liberales*. Y las dos visiones eran inseparables del concepto de la *utopía*: la primera como *una edad de oro* que se debía *recobrar*, la segunda como algo cuya realización había quedado inconclusa, y que se debía *completar*.

En realidad, según Octavio Paz, el *utopismo* está destinado a perpetuarse. ¿Por qué? Porque El concepto ("invención") de América fue desde el principio el de una *esfera ideal* de una calidad que nunca había alcanzado Europa. Esa esfera fue frecuentemente más *imaginaria* que *real*, donde los deseos y el mundo tal vez pudieran unirse en un íntimo abrazo *utópico*. Fue un sitio donde leyes creadas a través de la razón (como habían propuesto Bolívar, San Martín y otros), pudieran beneficiar a la gran mayoría de los ciudadanos educados y responsables—lo que era el *ideal*, sobre todo de los liberales. Sin embargo, el *ideal* futurista del progreso no fue abrazado por todos los latinoamericanos. Había el otro lado de la moneda, lo *real* (también un poco *utópico*) fomentado por los *conservadores*, que miraban hacia el pasado. Ese conflicto entre una visión hacia el futuro y otra hacia el pasado quedó profundamente marcado en la expresión literaria de las primeras décadas del siglo XIX. Por una parte, hubo intelectuales, muchas veces conservadores, que querían seguir el pensamiento europeo que incluía el *neoclasicismo* en la literatura y las artes. Y por otra parte, hubo gente como los *unitarios* de Argentina, que tendían a seguir los nuevos ideales del *romanticismo* que ahora estaban a la moda en Europa.

> Las características principales del *neoclasicismo* en la literatura son: (1) predominio de la razón, el balance, y la armonía, con influencia de la Grecia clásica, (2) un afán de perfeccionamiento a través de la concentración, la disciplina, la moderación, y sobre todo del buen gusto, es decir, lo que más agrada a las normas estéticas, (3) orientación didáctica y pedagógica, con fines moralizantes y educativos, y (4) *unidad dramática* de tiempo, espacio, y acción—la obra no debe durar más de veinticuatro horas, debe desarrollarse en un sólo lugar, y la acción debe tener un mínimo de complicaciones.
>
> El romanticismo es una reacción en contra del neoclasicismo, pone énfasis principalmente en: (1) el individualismo, y el "yo" personal, (2) la libertad absoluta del artista tiene base en la premisa de que la expresión debe ser producto más del sentimiento y la emoción que la razón, (3) un culto a lo exótico (interés en cultura extranjeras, y en la idea del "buen salvaje," habitante de los pueblos "primitivos," y como tipo de ser humano ideal), (4) una vuelta a la naturaleza (los campos, las montañas, el mar) como huida a lo que era considerado como decadente y corrupto de las ciudades. Por último, interés en la historia de la formación de la comunidad como una nación (la emergencia del nacionalismo en el sentido moderno), y en lo pintoresco de la expresión del pueblo.

Las ideas de los *unitarios* románticos fueron diseminadas por la "Asociación de Mayo," fundada por el poeta Esteban Echeverría (1805–1851) en 1837. Tenía la "Asociación," como uno de sus fines principales el de derrocar a la dictadura de Rosas para llevar a cabo una "regeneración" de Argentina. Domingo Faustino Sarmiento, *romántico* y partidario de la "Asociación," repudiaba tanto la tradición hispánica como la herencia amerindia, mirando a Francia como el modelo a seguir. En cambio, el venezolano, Andrés Bello (1781–1865), fue un buen representante de los *neoclásicos* que preferían quedarse con las normas hispánicas tradicionales. Bello nunca fue revolucionario en el sentido político. Habiendo radicado en Inglaterra de 1910 a 1929, seguía simpatizando con la idea de una monarquía ilustrada.

Mientras en Hispanoamérica los escritores políticamente comprometidos luchaban en nombre de la libertad y en contra de lo que consideraban el despotismo de España, Bello lanzó un programa de independencia específicamente literaria. Influido por el *romanticismo* inglés—aunque sus gustos siguieron siendo principalmente *neoclásicos*—propuso un enfoque en la naturaleza y la historia de América, con invocaciones especiales a los poetas para que se fijaran en lo americano y no se distrajeran sucesivamente con imitaciones retóricas de otras literaturas. El ejemplar máximo de su teoría estética puesta en la práctica se encuentra en su poema, "A la agricultura de la zona tórrida," publicada en la revista, *El repertorio americano*, en 1826.

Mientras servía en Chile como diplomático, Bello y Sarmiento—que se había exiliado en el mismo país—se enfrentaron en un ruidoso debate al que se le ha denominado como la "Polémica de 1842." Sarmiento, el romántico, abandonó a la madre España, adoptando a Francia como madrastra[1] y fuente máxima de cultura. Mantenía que el enfoque neoclásico en los estudios gramaticales de la lengua estorbaban la libertad de expresión. Para que los escritores se expresaran con espontaneidad, trataba de imponer el uso de *galicismos*—influencia de literatura y lengua francesas—en el vocabulario y la sintaxis. Ridiculizaba el estilo serio y sobrio del *neoclasicismo*, y hasta en una ocasión invitó a Bello a mudarse a España si tanto le gustaba ese país tan retrógrado. Bello, por su lado, defendió la pureza del idioma español como la base de toda literatura y la cultura de la tradición. Los debates a veces subieron de volumen y de color, sobre todo por parte de Sarmiento, quien era el más agresivo de los dos. Por fin agotado, Bello decidió alejarse de la arena del pugilismo verbal.

La "Polémica de 1842" es una buena muestra de la diferencia entre el *romanticismo* y el *neoclasicismo*. Sin embargo, como en el caso de la distinción entre los *conservadores* y los *liberales* (o *federalistas* y *unitarios* en Argentina), a veces las diferencias siguen engañando. La situación, como casi todo lo tocante a Latinoamérica, fue radicalmente *pluralista*, no simplemente *dualista*. Es decir, no había una línea bien demarcada entre el *romanticismo* y el *neoclasicismo*, como en el caso de Bello, que era un escritor *neoclásico* pero con

---

[1] Madrastra = stepmother.

influencia del *romanticismo* inglés, mientras Sarmiento era *romántico*, pero rechazaba las tradiciones de su país.

Para complicar más la distinción vaga entre *neoclasicismo* y *romanticismo*, había una diferencia entre el *romanticismo* argentino y el *romanticismo* de Francia. Mientras en Francia, Inglaterra y otros países hispanoamericanos, el *romanticismo* cultivaba un amor a la naturaleza y un interés en el "primitivismo." En cambio, los miembros de la "Asociación de Mayo" generalmente rechazaban la vida de la pampa, calificándola de "barbarie," y a la vida de las provincias, la tachaban de "decadencia" hispánica. Un buen ejemplo para ilustrar la diferencia entre el *romanticismo* argentino y el *romanticismo* ortodoxo es *Facundo: civilización y barbarie* de Sarmiento. *Facundo*, es más que una obra romántica, es: *historia* y *biografía* (del *caudillo*, Facundo Quiroga), *novela* (en parte es ficción), y *sociología* (a veces parece un estudio documental).

El mensaje de la obra es el de un país que lucha a favor de ideas europeas y liberales—que ya tenían su práctica en las ciudades. Al mismo tiempo, la polémica de *Facundo* iba en contra del absolutismo de una España que ya no creaba valores espirituales sino que regía con dogmas arcaicos—lo que perduraba en las provincias y la pampa. Sin embargo, hay que poner en claro que el mismo Sarmiento, al describir al gaucho, demuestra también cierta admiración hacia los valores "primitivos" de ese "buen salvaje" por sus talentos gauchescos y por su capacidad de sobrevivir en un medio ambiente que era frecuentemente sumamente cruel.

La historia del debate entre Bello y Sarmiento indicaba que mientras para los *conservadores* (los *neoclásicos* en el arte), la *utopía* consistía en la re-creación de los ideales de la tradición (la herencia católica), para los *liberales* (los *románticos*), era cuestión de lanzarse a un futuro desconocido, pero con un modelo extranjero (francés) en la mano. Como se ha observado, sin embargo, las ideas *conservadoras* (como los *federalistas* en Argentina) en la política frecuente-mente acababan en gobiernos fuertes. Por otro lado, las ideas *liberales* (los *unitarios* en Argentina), elogiaban a la "civilización" (la vida de la ciudad), y desdeñaban la vida en el campo o la "barbarie" (y la vida provinciana). Al final de cuentas, la Hispanoamérica Independiente en general le volvió la espalda a herencia tanto amerindia como afro-latinoamericana, juzgándolas como "bárbaras," a la vez que quedaba dividida con respecto a su herencia cultural peninsular.

Además, muchos de los latinoamericanos, sobre todo los liberales, le echaban la culpa a España por todos los males de la región. España era considerada como un dinosauro, mientras a Francia, Inglaterra y EE.UU. se les consideraba países progresistas. Existía la idea de que España no había producido escritores, científicos, estadistas, historiadores o filósofos que valieran la pena. El historiador chileno José Victorino Lastarria (1818–1888) opinó en *La América* (1867) que entre Colón y Bolívar no había habido más que "un invierno negro." El poeta argentino Esteban Echeverría apuntó en *Dogma Socialista* (1845) que los hispanoamericanos eran independientes, pero no libres, porque todavía les oprimían las arcaicas tradiciones españolas. Por lo tanto, creían muchos intelectuales de los países recién liberados que había que repudiar todo lo español hasta donde fuera posible.[2] El problema era que si se tomaba la tarea de rechazar todo lo español, entonces no sólo les quedaba la mencionada *ausencia de legitimidad*, sino que también les quedaba además un formidable *vacío cultural*. Ese *vacío cultural* existía porque en el punto más extremoso de su gran *diseño utópico*, querían deshacerse de todos los vestigios de su herencia cultural. Para reemplazar la cultura de su herencia, proponían la creación de una cultura nueva, usando modelos extranjeros y por lo tanto en parte artificiales.

No obstante, hay que reiterar: una cultura no es el producto de una selección según los deseos y las inclinaciones del pueblo en algunos momentos, sino que a través de la historia toma su propia forma. No es una cosa impuesta desde arriba, sino que emerge poco a poco desde dentro del corazón del pueblo mismo. Tampoco es algo que un individuo pueda cambiar como se cambian los carros, los vestidos o pantalones, o los novios y novias. Las culturas latinoamericanas—y ahora hay que decir con más énfasis "culturas," en plural—contenían y contienen una fusión de las costumbres y los valores, así como de las virtudes y los vicios de la península, de la América indígena, y de África. Esas culturas eran tal como eran: los latinoamericanos estaban dentro de sus culturas, las vivían en niveles tanto implícitos como explícitos. No podían, ni pueden, cambiar las culturas que han heredado por otras culturas exóticas, aunque quisieran.

El sueño persevera

Sin embargo, durante el siglo XIX prevalecía en Latinoamérica el afán de *modernizarse*. Lo *moderno* y la vida urbana representaban la "civilización" ideal, mientras lo *tradicional* y las provincias eran la "barbarie." Según las implicaciones de la sección anterior, la dicotomía *civilización/barbarie*, como parte integral de la ideología de la *modernización*, en ninguna parte fue más demarcada que en Argentina. Los *federalistas* retenían la cultura hispánica tradicional, sobre todo en las provincias. Para los *unitarios*, los *federalistas* quedaban empapados en decadentes costumbres monárquicas y católicas heredadas de la península. Los federalistas con gusto ponían en ridículo[3] a los "afrancesados" de Buenos Aires, que tenían la mirada puesta en Francia y le daban la espalda a su patria." No obstante, para fines del siglo XIX, en Argentina la clase dominante, a pesar de los diferentes puntos de vista, proclamaban en una sola voz: "*Modernicémonos.*"

De hecho, la modernidad llegó a ser una obsesión por toda Latinoamérica. Hay que insistir, el proyecto de modernización, según la clase dominante, excluía a los amerindios y a los afro-latinoamericanos. La exclusión de los amerindios fue la más notable. Tenemos el caso del general y dos veces presidente de Argentina, Julio A. Roca (1866–1886, 1898–1904). Roca declaró

---

[2] Hasta...possible = insofar as it might be possible.
[3] Poner...ridículo = to ridicule. expose to ridicule.

que para la república no había más frontera que os picos de los Andes al oeste y el mar al este, y que había que llenar el espacio entre los dos con inmigrantes de Europa. Entonces emprendió una campaña para abrir la pampa al desarrollo, lo que incluía el exterminio de un gran número de amerindios—algo no muy distinto a lo que pasó en EE.UU. En México, Guatemala, y los países andinos, el sistema comunal amerindio en que la tierra era de todos los que la labraban—típico de los *capulli* o *ejidos* en México y los *ayllu* de Perú—fue en gran parte destruido y reemplazado con *fincas* y *haciendas*, que no eran más que variaciones de la *encomienda* instituida durante la etapa colonial. En realidad, los *ejidos* y el *ayllu* eran de *culturas alternativas*, muchas veces con valores opuestos a los de las ciudades y su *modernización*, según los modelos del Siglo de las Luces. Implicaban la autogobernación, la ayuda mutua de todos los miembros de la comunidad, y una relación íntima con la naturaleza. Esas *culturas alternativas*, sin embargo, eran descalificadas por la élite, y consideradas como un obstáculo para el progreso nacional. Según la clase dominante, había que aplicar la metodología "cientí-fica" a la esfera *económica* para desarrollar los recursos naturales, a la esfera *social*—con la educación y la integración de gente dinámica a través de la inmigración—para crear un pueblo consciente, trabajador y moralmente superior.

La gran esperanza fue, de acuerdo a ese nuevo *utopismo*, un desarrollo según la *filosofía positivista* de Auguste Comte (1798–1857). La interpretación latinoamericana del positivismo y su incorporación a la ideología liberal durante el siglo XIX fue genial y trágica al mismo tiempo. El positivismo no fue considerado más que una filo-sofía entre otras en Francia y en el mundo occidental. En cambio, los latinoamericanos interpretaron el positivmo como un dogma para ponerse en práctica. Según el positivismo, el método "científico" es el único camino a la verdad: a través de la observación y la experimentación es posible conocer las leyes básicas tanto de la naturaleza de las sociedades humanas como de la

El positivismo de Auguste Comte (1798–1857) se basa en un concepto evolucionario de las sociedades. En breve, cada sociedad pasa por tres fases: La *primitiva*, la *religiosa* o *filosófica*, y la *científica*—que es la máxima etapa. En la esfera política, de acuerdo con la fórmula positivista, el estado debe dejar que el pueblo se desarrolle por sí mismo, según su capacidad y de acuerdo con su naturaleza. Muchos de los latinoamericanos con inclinación hacia el positivismo estaban influenciados por el filósofo inglés, Herbert Spencer (1820–1903) y su teoría del *Darwinismo social*, según esta teoría en la evolución de las sociedades las clases que llegan a predominar son las más capacitadas. Por lo tanto, la conclusión a la que llegaban era que la gente europea—que predominaba en Latinoamérica—era la que debía mandar, porque en la evolución de las sociedades latinoamericanas era precisamente esa gente la que había subido a las capas superiores.

naturaleza misma. Ya que en Latinoamérica solamente una pequeña y selecta minoría tenía acceso a una educación científica, era lógico, se razonaba, que esa minoría era la indicada para: (1) hacer progresar a la nación, (2) gobernar al pueblo, y (3) traer la *modernización* a los pueblos atrasados de Latinoamérica que durante siglos habían estado sumergidos en las tinieblas de la superstición, la ignorancia, y de prácticas sociales poco productivas.

Para fines del siglo XIX, gran parte de la clase educada de Latinoamérica estaba absorbiendo una cultura materialista y secular, es decir, *moderna*. La imposición de esa cultura foránea se debe principalmente al hecho de que el liberalismo había llegado a ser más que un conjunto de lemas[4] para ser arrojados como dardos[5] a los conservadores. Ahora el liberalismo mandaba, y el nuevo programa para remediar los *problemas sociales*, *políticos* y *económicos* era el positivismo. Como se ha mencionado, la nueva corriente positivista estaba fundada en la idea de que solamente una base científica de pensamiento y de valores podría resolver los grandes problemas que plagaban al continente.

Sin embargo, el positivismo en Latinoamérica fue más que una doctrina. Reflejaba la obsesión de las élites de perseguir el sueño de la *modernidad*, a pesar de los obstáculos que presentaba la *realidad*. Los positivistas, para alcanzar su meta de la *modernidad*, proponían una forma de *tecnocracia*: gobiernos fuertes, y hasta dictatoriales, inspirados en métodos "científicos," serían necesarios para contener las fuerzas retrógradas de Latinoamérica, y poco a poco se podría preparar el terreno para una verdadera democracia. En México, los positivistas, llevando el nombre de *los científicos*, ejercieron una influencia cada vez más marcada en el gobierno de Porfirio Díaz. Los positivistas de la "Generación de 1880" de Argentina a veces cometieron fraudes electorales con tal de que pudieran evitar una nueva era de *caudillismo* como la del tiempo de Rosas. Los positivistas de Brasil justificaron el derrocamiento de la monarquía, condenándola como una institución decadente que dificultaba el progreso.

Pero al fin y al cabo,[6] la verdadera "barbarie" de la ideología positivista fue la exclusión de todos los *modelos alternativos*. Por causa del positivismo fueron rechazadas las *alternativas culturales* de los amerindios y los afro-latinoamericanos, y con ellas, todo concepto de comunidad y de relaciones sociales que no fueran acreditadas por el positivismo y la obsesión por la *modernización* materialista de Latinoamérica. En gran parte, por eso había tanta admiración de la *modernidad* de EE.UU. y países europeos fuera de la península. También por eso existía el proyecto de atraer inmigrantes de raza más "progresista."

Había una seducción con la lengua francesa que se hablaba en los salones, con la literatura francesa que leía la gente "culta," y con la ropa de moda europea, que se usaba hasta en el trópico con mucha incomodidad. Por eso se construían casa de techos "mansard" como en Europa—inclinados para la

---

[4] Lemas = slogans.

[5] Dardos = darts.

[6] Al…cabo = in the end, the final analysis.

nieve—en tierras donde nunca nevaba, y se construían amplios paseos, parques, monumentos, y palacios de bellas artes al estilo de París. Es decir, lo que pasaba en los grandes centros urbanos (Buenos Aires, Montevideo, Santiago, Río de Janeiro, Lima, Bogotá, México) no era muy diferente a lo que pasaba en las ciudades de Europa y EE.UU. Entonces se abría cada vez más la brecha entre las ciudades latinoamericanas y las provincias, y entre las *culturas dominantes* y las *culturas alternativas*.

Sin embargo, a pesar de que los partidarios del positivismo tuvieran la idea de que se iban acercando a la *modernidad*, muchas de las dictaduras que apoyaban no eran más que una vuelta al pasado. Porfirio Díaz de México, por ejemplo, al parecer administraba el país según las ideas modernas. Creía en el progreso, en la ciencia, y en los milagros de la industrialización y de la libre empresa. Sus ideas correspondían a las de la burguesía[7] europea, y según las apariencias tenía al país encaminado hacia una transición del pasado feudal al "*mundo moderno*." Inclusive llegó a ser considerado como el presidente más ilustre de toda Latinoamérica. Hasta un periodista norteamericano, después de entrevistarlo proclamó que Abraham Lincoln, Simón Bolívar y Porfirio Díaz eran los tres grandes estadistas de toda la historia de las Américas.

En realidad, sin embrago, la herencia colonial del cuasi-feudalismo estaba ahora más que nunca institucionalizada en México. Las tierras estaban concentradas en manos de un grupo de terratenientes más pequeño y más fuerte, mientras mucha de la industria, la producción minera, y la economía comercial había pasado a manos extranjeras. Así es que el cambio realizado durante el porfiriato no era en realidad nada más que la formación de una nueva clase burguesa que sustituía a la antigua clase feudal—que había perdurado desde la época colonial. Desafortunadamente, esa nueva clase se apropió de la filosofía positivista para justificar el *statu quo*.

Octavio Paz, por eso, opinó que el porfiriato representa un período de falsedad histórica y que el positivismo no fue más que una máscara. El positivismo disfrazaba al régimen porfirista, dándole un aspecto de *modernidad*, mientras el sistema mismo, con una fachada de progreso, se falsificaba a sí mismo. A pesar de todo, es necesario preguntarse: ¿Había alguna alternativa válida? ¿Esa alternativa válida sería la peninsular, la amerindia, la afro-latinoamericana, o una expresión espontánea desde el corazón de la pluralidad cultural latinoamericana? Las preguntas son, desde luego, problemáticas, pero hay que tenerlas presentes[8] en los siguientes capítulos.

Ahora vamos a volver a otras obras sobresalientes de la literatura latinoamericana del siglo XIX y su relación con Europa.

---

[7] Burguesía = bourgeoisie, in this context, a new wealthy class.

[8] Tener…presente = to keep in mind.

PREGUNTAS

1. ¿En qué maneras son diferentes la perspectiva del español y la del hispanoamericano, y qué tiene esta última que ver con el utopismo?
2. ¿Qué es el neoclasicismo? ¿El romanticismo?
3. ¿Qué fue la "Asociación de Mayo"? ¿La "Polémica de 1842"?
4. ¿Por qué es importante la obra de Sarmiento, *Facundo*?
5. ¿Qué demuestra la comparación entre Andrés Bello y Sarmiento?
6. ¿Cuál fue el problema que resultó después de que los hispanoamericanos trataron de rechazar su herencia cultural?
7. Describa el conflicto entre los federalistas y los unitarios de Argentina.
8. ¿Quién fue Auguste Comte, y cuál era su filosofía?
9. ¿Qué impacto de culturas extranjeras hubo durante las últimas décadas del siglo XIX?
10. ¿Qué fue lo más bárbaro del positivismo?
11. ¿Por qué se abría aún más la brecha entre las ciudades y las provincias a fines del siglo XIX?
12. ¿Por qué fue el régimen porfirista una falsedad histórica?

TEMAS PARA DISCUSIÓN Y COMPOSICIÓN

1. ¿Se puede creer que las controversias de tipo de la "Polémica de 1842" fueron saludables para los países latinoamericanos recién independizados? ¿Por qué?
2. ¿Cuál fue la equivocación de los latinoamericanos en su afán por modernizarse a través de la aplicación de la filosofía positivista? ¿Qué lección puede haber en esa equivocación para Latinoamérica hoy en día?

UN DEBATE AMIGABLE

Una polémica que incluya diversas perspectivas y opiniones de estudiantes que representan: (1) románticos liberales, (2) neoclásicos conservadores, (3) personas que proponen una vuelta a las normas culturales prehispánicas, sobre todo en Bolivia, Perú, Ecuador, Guatemala, y México, (4) otros que proponen que las normas culturales afroamericanas deben predominar en el Caribe y el noreste de Brasil. Por último, estudiantes que creen en el pluralismo cultural como modelo para Latinoamérica.

CAPÍTULO 14

¿CIVILIZACIÓN O BARBARIE? LITERATURA Y CULTURA

Fijarse en:

- La necesidad de considerar las culturas latinoamericanas como pluralistas.
- Las formas especiales que tomó la literatura después de la Independencia de Latinoamérica.
- Los problemas que se les presentaron a los escritores latinoamericanos en el siglo XIX.
- Las características del modernismo en la poesía hispanoamericana.
- El porqué emergieron precisamente estas características modernas.

Términos:

- Determinismo geográfico, Epopeya, Fusión, Hibridación, Indianismo, Indigenismo, Modernismo, Nacionalismo cultural, Novela picaresca, Parnasianismo, Pluralidad, Sátira, Socio-político-económico.

EN BUSCA DE UNA EXPRESIÓN GENUINA

Muchos intelectuales sostienen que una característica sobresaliente de la literatura latinoamericana es una búsqueda constante de una identidad nacional. Hay que agregar que si puede haber alguna identidad latinoamericana, debe estar fundada en la *pluralidad* cultural, como una rica tapicería de colores y diseños. Como escribe el peruano Julio Ortega en *Crítica de la identidad* (1988): "Sólo podemos pensar en una identidad consciente de su peculiaridad y su pluralidad, arraigada en la historia común y en el proyecto colectivo."

Las culturas latinoamericanas son sumamente *pluralistas*. Son la *hibridación* de muchas culturas; son heterogéneas en todo el sentido de la palabra. Esta pluralidad tiene su eco en lo que constantemente pasa en muchas culturas del mundo, con la integración de diferentes grupos étnicos. Latinoamérica consiste de una integración de diversas etnicidades indígenas que habitaban las Américas con gente de Asia, el Medio-este, Europa y Norteamérica. En este sentido, para extender la observación de Octavio Paz en *El Laberinto de la soledad* (1950), actualmente los países latinoamericanos no son ya "contemporáneos" con otros países del mundo sino "más que contemporáneos," porque en muchos países está ocurriendo lo que comenzó en Latinoamérica desde hace siglos. En este capítulo vamos a enfocarnos en la *pluralidad latino-*

americana del siglo XIX a través de un aspecto importante de sus culturas: La *literatura*.

Como hemos observado, el *romanticismo* fue una reacción al *neoclasicismo*. Sin embargo, como ya notamos, el romanticismo hispanoamericano tiene una cara diferente a la del romanticismo europeo. En Europa, los románticos colocan al "yo" como el centro de todo arte, y de ahí el predominio del individualismo y la subjetividad. El autor tiene la libertad para expresar sus propios pensamientos, sentimientos, y personalidad. En el romanticismo europeo hay un verdadero culto a la naturaleza, lo nacional, lo pintoresco, y lo típico de la vida cotidiana. Se busca más la expresión particular que la universal, y por eso a menudo hay más énfasis en la imaginación, la fantasía, y la pasión que en la razón. En común con el interés en lo nacional, hay una revalorización del pasado y un apego a la historia—por ese motivo se escribieron muchas novelas históricas, como las de Sir Walter Scott (1771–1832). Hay, en fin, la búsqueda de una nueva sensibilidad social, humana, y artística, y hay una renovación del espíritu, de la expresión individual, y del estilo personal.

El romanticismo apenas comenzó a entrar en Latinoamérica durante la última fase del colonialismo. Pocos años después, ese movimiento literario se encontró con mucha inestabilidad política y social, levantamientos militares, guerras civiles, y dictaduras. Por eso se puede suponer que el romanticismo, como rebeldía del individuo, encontraría eco en la lucha en contra de tiranías e injusticias sociales. Y así fue. Existía en el romanticismo hispanoamericano una afanosa búsqueda de la expresión del ser humano a través de su lucha por la libertad. Casi todos los románticos eran tanto rebeldes tanto políticos como literarios: luchaban por una forma de vida y un gobierno mejores. El movimiento, entonces, era un movimiento vital. A veces las obras románticas se enfocaban en la naturaleza americana se apropiaban del amerindio y del mestizo como personajes literarios, revelando sus costumbres y condiciones sociales. Lo más importante es que casi siempre se caracterizaban por demostrar oposición a la opresión política.

Pero la conciencia de los románticos latinoamericanos de la primera mitad del siglo XIX emergió de una gran disparidad entre *su idea de la cultura*, refinada en los salones de tipo parisiense, y *el ambiente que les rodeaba*. Los románticos se sentían como parte de la tradición occidental y deseaban crear su arte dentro de esa tradición. Por lo tanto querían escribir de acuerdo con las corrientes literarias de Europa: novelas históricas, novelas *quasi*-sociológicas a la manera de Balzac (1799–1850), y novelas indianistas como las de François-René de Chateaubriand (1768–1848). Sin embargo, las circunstancias hispanoamericanas eran muy diferentes a las de Europa. Conscientes de esas diferencias, los escritores de este continente se sentían obligados a explorar el terreno presentado por su propio ambiente *socio-político-económico* sin abandonar totalmente las formas europeas.

Sin embargo fue difícil, ya que su propio ambiente les imponía necesidades sociales que limitaban su libertad para escribir, y las necesidades económicas obligaban a casi todos ellos a trabajar ganarse la vida, dejando poco tiempo para dedicar a su arte. A pesar de esas dificultades, escribieron, y muchas veces escribieron bien. No obstante lo que producían no cabía efectivamente dentro de las clasificaciones normales de la literatura romántica europea. Además, como ya hemos visto, había un marcado componente de rebelón *político-social*—además de la rebelión romántica estética—que ha destacado en el romanticismo latinoamericano. Es por eso que la literatura latinoamericana desde el comienzo del período nacional manifestó un elemento de pluralidad. Vamos a explorar a cuatro escritores con respecto a esto: José Joaquín de Olmedo (1780–1847), Alonso Carrió de la Vandera ("Concolocorvo") (1715–1783), José Joaquín Fernández de Lizardi (1776–1827), y Domingo Faustino Sarmiento (1811–1888).

Generalmente se clasifica "La Victoria de Junín" de Olmedo, dentro del *neoclasicismo*. En realidad, este gran poema va un poco más allá de las normas neoclásicas. Al principio parece como si el poeta quisiera cantar la hazaña de la victoria de Junín (1824) por el libertador Simón Bolívar. Poco tiempo después hubo otra batalla, la de Ayacucho, que tuvo aún más importancia que la de Junín en la campaña por la Independencia. Olmedo, entonces, se sintió obligado a incluir las dos batallas en su obra. Sin embargo, al hacer esto, el poeta rompe con las *unidades neoclásicas*—esto es, el concepto de que (1) la acción debe ser continua, (2) no debe ocupar más de veinticuatro horas, y (3) no debe haber cambios radicales de lugar. Además, el héroe del poema es Simón Bolívar, pero éste ni siquiera estuvo presente en Ayacucho, siendo capitaneada esa batalla por su lugarteniente, Antonio José de Sucre. Olmedo resuelve el problema al hacer de su poema algo típico de una epopeya.[1] Aparece en el poema una figura "mágica," el Inca Huayna-Capac, quien era el emperador cuando llegaron los hermanos Pizarro a América. Huayna-Capac era el padre de Huáscar y de Atahualpa. El poema primero canta la victoria de Junín, y luego aparece el Inca Huayna-Capac en un rol sorprendente: ¡discursa sobre ideas filosóficas del Siglo de las Luces y profetiza el futuro triunfo de Ayacucho! Después, tenemos la batalla misma de Ayacucho. Por fin, el poema concluye al estilo típicamente *romántico* con un himno de las vírgenes del sol en presencia del emperador incaico, y con la entrada triunfal de Simón Bolívar en Lima. Los versos finales son un llamado a la paz y una nueva visión sobre la naturaleza americana. De este modo, el poema se aparta del neoclasicismo por el rompimiento con la unidad acción-tiempo-espacio, el uso de figuras históricas, el elemento fantástico, el culto a la naturaleza, y la subjetividad. Es un poema *quasi-romántico*, pero con un sabor *neoclásico*. Es un buen ejemplo de la *fusión* que creó la *pluralidad estético-cultural* típica de la tradición latinoamericana.

Hay un acuerdo general de que *El Periquillo Sarniento* (1816) del mexicano Fernández de Lizardi es la primera novela latinoamericana. Sin embargo, hubo un antecedente importante en *El Lazarillo de ciegos caminantes* (1775 o 1776)

[1] Epopeya = epic poem, an extended poem celebrating episodes of a people's heroic tradition, originally developed within oral cultures.

de Carrió de la Vandera, conocido por el pseudónimo de "Concolocorvo."[2] Carrió de la Vandera nació en España en 1715 pero vivió en Perú desde 1746 hasta su muerte en 1778. Quizá decidió escribir bajo el pseudónimo para evitar ataques y complicaciones, ya que a menudo criticaba severamente al sistema colonial. *Lazarillo*, escrito como un manual para viajeros, tiene algo de documental, crónica, tradiciones populares, anécdotas, y diálogos: es una *fusión* de estilos, formas, y temas. Sobre todo, es un texto de la tradición *picaresca* (brevemente mencionada en el Capítulo 7) que antecede el *romanticismo* europeo. La obra narra las aventuras de un vagabundo cínico y juguetón que sirve a muchos amos. A través de este personaje, predomina una aguda *crítica satírica*[3] contra las costumbres y las prácticas hipócritas de la clerecía.

> Los elementos principales de la novela picaresca son: (1) la narración en primera persona, como en forma de testimonio, (2) el héroe (o mejor, anti-héroe) como un tipo de vagabundo que vive de su propia astucia, (3) un realismo sórdido, con punzantes comentarios críticos de la sociedad, muchas veces con sátira. La novela picaresca en España durante el siglo XVII, ejemplar del cual, aparte de las obras citadas en el Capítulo 7—es *La vida del buscón* (1626) de Francisco de Quevedo (1580–

De orientación reformadora, moralizante y didáctica, típico del movimiento *neoclásico*, *El Periquillo Sarniento*, como *Lazarillo*, es un comentario sutil sobre la corrupción del sistema colonial. También, igual que *Lazarillo*, es más o menos de la tradición *picaresca*, que ha prevalecido hasta hoy en ciertas partes de Latinoamérica, sobre todo en México. Destaca de este aspecto picaresco, y en el *Periquillo* en especial, un aspecto irónico y burlón que no existía hasta tal grado en la *novela picaresca* española. Además, el protagonista—Periquillo—no es exactamente un pícaro al estilo típico español, sino que es víctima de circunstancias que no puede cambiar porque al Periquillo le falta la voluntad y el dominio del pícaro de la tradición peninsular. Esta y otras características de la obra de Fernández de Lizardi la acercan un poco al movimiento literario que siguió al *romanticismo*: el *realismo*.

Es decir, *El Periquillo Sarniento* se ha clasificado como una obra *neoclásica* en cuanto a la didáctica, la pedagogía y la crítica. A la vez es una obra *picaresca* en cuanto al método que usa el autor para desarrollar los elementos *neoclásicos*, pero el elemento picaresco es demasiado *realista* para caber definitivamente dentro de la tradición picaresca peninsular. Tal *fusión* y *pluralidad* literaria consiste de algunas características de la literatura del Mundo Viejo adaptadas a las condiciones particulares del Nuevo Mundo.

---

[2] "Concolocorvo" es una abreviación de "con color de cuervo."

[3] Crítica satírica = critical satire, the use of wit and humor to expose hypocrisy, injustice, and other social ills.

Tenemos, por último, la obra maestra de Sarmiento, *Facundo*, que fue escrita con mucha precipitación y con plena intención política. La obra es, por supuesto, algo *romántica*. Sin embargo, es difícil clasificarla dentro de un solo movimiento literario europeo, porque, como ya fue mencionado, tiene elementos históricos, sociológicos, novelescos, y biográficos que son genuinamente americanos. Como novela y obra biográfica e histórica, cuando menos tiene algunas características del *romanticismo*. Como obra sociológica, sin embargo, el texto es un poco realista, pero más bien de tipo "positivista," porque la tesis de Sarmiento es que el *gaucho* y el *caudillo* son como son por ser el producto de su medio ambiente, la pampa. Es decir, la obra revela la idea del *determinismo geográfico*[4] de la "ciencia positivista." Como tal, Sarmiento se adelanta al "positivismo" en Latinoamérica, porque este movimiento no llegó al continente hasta después. Además, como ya se ha visto, la obra no es tan *romántica* a la moda europea, porque la "barbarie" para Sarmiento es la vida de la pampa, y de las villas y ciudades provincianas, en contraste al *romanticismo* europeo que evoca una huida de la ciudad y una vuelta nostálgica a la naturaleza y la vida simple del campo. Puede ser que la dicotomía bien marcada en la obra de Sarmiento, "civilización-barbarie," no sea más que un medio retórico para que el autor desarrollara su mensaje político.

De todos modos, una de las características más sobresalientes de *Facundo* es que es la primera obra en plena búsqueda de la *argentinidad*, es decir, de la identidad. Esa búsqueda se revela en forma de una *fusión* o *hibridación* de géneros literarios, de temas, y de perspectivas. Por eso tiene que ser genuinamente americana, es decir, *pluralista*.

Entonces tenemos: (1) una obra de vagas características de novela con elementos satíricos y picarescos, (2) un poema *neoclásico* que es a la vez *pre-romántico*, (3) una novela *neoclásica* que es también *picaresca* y un poco *pre-realista*, y (4) una obra *romántica* pero a la inversa del *romanticismo* europeo, porque tiene elementos *pre-realistas* y hasta *pre-positivistas*. La obra de Carrió de la Vandera mezcla los geros literarios. El poema de José Joaquín de Olmedo no es en términos precisos ni indigenista ni propone una vuelta a los orígenes prehispánicos, sino que comienza a revelar la *pluralidad cultural* de Latinoamérica. *Lazarillo*, obra precursora de la novela con fuertes elementos didácticos a la manera picaresca, trae diversos recuerdos de estilos y temas del pasado. La novela de Fernández de Lizardi es una crítica según la tradición neoclásica, pero inyectada de una dosis innegable de *mexicanidad compleja y plural*. Por último, la obra de Sarmiento no es ni una cosa ni otra, sino un texto heterogéneo, una expresión argentina de la *fusión* o *hibridación cultural*. La literatura hispanoamericana: una *fusión* y *confusión*, una *pluralidad* e *hibridación* maravillosa de elementos.

---

[4] Determinismo geográfico = geographical determinism: the theory that the geographic conditions of a region determine the social and psychological characteristics of the people residing therein.

EL ROMANTICISMO EN BRASIL, Y DESPUÉS

Brasil, el país latinoamericano que experimentó la transición más pacífica del colonialismo al nacionalismo, tiene una literatura de mensajes menos urgentes y de temas más moderados. Sólo en 1838, cuando se fundó el Instituto histórico y geográfico de Brasil, comenzaron los brasileños la búsqueda de su identidad nacional. Fue entonces cuando hubo un renovado interés en el amerindio—ya casi exterminado en las costas donde se encontraba la gente europea y afroamericana—como en foque de identidad nacional. Se creía a través del pasado amerindio se podría forjar el prototipo de un nuevo Brasil y lograr independencia cultural y unidad nacional. Por lo tanto, el esfuerzo *romántico* de Brasil, con el fin de unificar un a prehistoria amerindia idealizada con una concepción sentimental de la vida colonial, dominó las letras durante medio siglo.

El poeta romántico de más renombre fue Antônio Gonçalves Dias (1823–1864), quien escribió sobre los heroísmos y felicidades idílicas del pasado. Su poema, "Canto del destierro," todavía lo recitan los niños en las escuelas. Ese punto de vista optimista de los orígenes de Brasil alcanzó su expresión máxima en la narrativa de José de Alencar (1829–1877). La obra de Alencar ofrece una expresión idealizada del profundo deseo–que compartía con muchos intelectuales de su tiempo—por recobrar un pasado heroico capaz de darle a la joven nación la resonancia de una historia legendaria. El tema fundamental en la obra de Alencar es la fusión de la inocencia y pureza amerindias con valores portugueses, lo que daría lugar, se esperaba, al origen de un nuevo sentimiento nacional—que denomina E. Bradford Burns en *Nationalism in Brazil* (1968) "nacionalismo cultural." Las novelas más conocidas de Alencar, *O Guaraní* (1857) e *Iracema* (1865), describen historias de amor entre hombres europeos y mujeres amerindias. El mundo de éstas es siempre sacrificado por el de aquéllos, un proceso doloroso, como el nacimiento mismo, pero de donde brota una nueva vida. Por ejemplo, en *Iracema*, Moacir, mestizo e hijo de Iracema y el conquistador Martim, tiene cualidades de dos razas: como producto de esta fusión es presentado como símbolo del primer brasileño auténtico.

Lo más notable de Alencar es su deseo de unir la experiencia colonial tal como existía en la imagen popular con la idea emergente de Brasil como república independiente y soberana. La experiencia hispano-americana por regla general fue todo lo contrario. En Hispanoamérica, después de la Independencia emergió un campo de batalla ideológico entre liberales y conservadores. Como respuesta a estas tensiones ideológicas, los escritores, salvo algunas excepciones, se enfocaban en la división de las dos expresiones: *civilización* y *barbarie*. Frecuentemente, exaltaban el progreso y hasta la superioridad de la "civilización" con respecto a la "barbarie." Promovían la cultura criolla y europeizante y excluían las culturas de las *castas*. Es decir la literatura suprimía ciertos elementos sociales; entonces, culturalmente hablando, no fue muy *pluralista*. De todos modos, fue literatura *pluralista* en el sentido estético porque mezclaba estilos, formas, y temas.

En cambio, Alencar mantuvo un optimismo romántico casi místico acerca de la fusión amerindio-europeo. Nótese que ni Alencar ni otros escritores brasileños expresaron una síntesis de afrobrasileño-europeo como una fuente del origen nacional. Puede ser porque el conflicto entre los afro-brasileños y los europeos dificultaba la idealización de lo africano, mientras que los amerindios no se concebían como problema. De cualquier forma, en su búsqueda de inspiración nacional, los escritores *indianistas*[5] de Brasil alcanzaron una conciencia social que indudablemente fue el punto axial del *nacionalismo cultural* brasileño desde el siglo XIX hasta la actualidad.

Sin duda el gran novelista de toda Latinoamérica del siglo XIX fue el brasileño Joaquim Maria Machado de Assis (1839–1908), mulato nacido de padres al servicio de *fazendeiros* ricos. Machado comenzó su vida profesional en trabajos clericales menores. Su talento se hizo evidente y pronto subió en la escala social, casándose con na mujer de familia ilustre. En cuanto a su biografía, casi no hay nada extraordinario. Sin embargo, sus novelas y cuentos son estéticamente revolucionarios. Su obra revela un sentimiento de ironía y escepticismo, de rebelión en contra de las hipocresías de la sociedad brasileña, y a veces de decepción y amargura. En sus tres novelas más conocidas, *Memórias póstumas de Brás Cubas* (1881), *Quincas Borba* (1891), Y *Dom Casmurro* (1899), emerge de modo sútil el conflicto entre la conciencia individual y las exigencias del orden social. A través de sus personajes nos ofrece una serie de análisis agudos de las paradojas y las ambigüedades de las reacciones sociales y su efecto en la psicología individual. En fin, la obra de Machado revela la complejidad, la jerarquización, la heterogeneidad, y en cierto sentido *la pluralidad*—pero de manera muy ingeniosa—de la cultura brasileña.

EL MODERNISMO HISPANOAMERICANO

Hacia el final del siglo XIX, apareció en Hispanoamérica—principalmente en la poesía—el movimiento literario conocido como el *modernismo hispano-americano*.[6]

Comenzó el *modernismo* hispanoamericano en 1888 con la publicación de *Azul* del nicaragüense Rubén Darío (1867–1916)—quien es considerado como el gran patriarca del movimiento. Terminó el movimiento *modernista* un poco después de 1910. (Algunos críticos marcan el fin del *modernismo* en 1911 con la

[5] La diferencia entre "indianismo" e "indigenismo"—que como se verá en el próximo capítulo, tuvo mucho impacto en Hispanoamérica—es que el "indianismo" ofrece una imagen idealizada y romántica del amerindio en contraste con el "indigenismo," que es un intento por penetrar la psicología personal y colectiva del amerindio y describirla desde su propio punto de vista.

[6] No hay que confundir el término *modernismo*, que se refiere a un movimiento literario, con la "modernidad" o "modernización" del capítulo anterior, que tiene que ver con la imagen del progreso científico, tecnológico y material de la tradición del mundo occidental. Además, como observaremos en las páginas que siguen, en Brasil durante el siglo XX hubo un movimiento en las artes que lleva el mismo nombre, "modernismo," que es distinto al *modernismo hispanoamericano*.

publicación del poema "Tuércele el cuello al cisne"[7] del mexicano Enrique González Martínez (1871–1952). El poema de González Martínez representó una reacción contra los excesos decorativos de los modernistas). De vez en cuando los críticos han atacado a la literatura modernista de ser pirotécnica verbal, llena de frivolidades y ornamentos exóticos de poca sustancia. También, han acusado a los escritores modernistas de *dandis*[8] elitistas, decadentistas, y escapistas refugiados en su "torre de marfil," dependientes y hasta esclavos de las modas francesas. Sin embargo, esa corriente de crítica ha sido injusta.

El modernismo hispanoamericano en realidad siguió e intensificó la tradición literaria estéticamente *fusionista, híbrida,* y *pluralista* ya establecida en Latinoamérica: la asimilación de múltiples firmas, estilos, técnicas, y temas. Fue un movimiento sumamente ecléctico. Enfatizó elementos presentes bajo la superficie de la cultura que frecuentemente habían sido ignorados por los románticos. Además, hay que reconocer que el aparente "escapismo" de los modernistas no fue necesariamente una falta de interés con respecto a los diversos problemas sociales y políticos de Hispanoamérica. No es que huyeran de su medio ambiente, sino que respondían a las condiciones a su alrededor a través de una rebelión estética en lugar de una rebelión *socio-política.*

> En general, se le atribuyen al *modernismo hispanoamericano* cuatro características principales: (1) expansión de temas para incluir mitologías, tradiciones folklóricas, y grandes obras literarias y valores estéticos del occidente, (2) innovaciones en cuanto a metro, ritmo, musicalidad, e imágenes decorativas en la poesía. A la vez, adaptación del *simbolismo* y el *parnasianismo* francés, (3) interés en las culturas de Grecia, China, India, y Japón, y (4) arte desinteresado ("arte por el arte") con inclinación hacia mundos imaginarios de fantasía.

En fin, el modernismo hispanoamericano es complejo y está envuelto en controversias. Sin la posibilidad de darle justicia al tema en este texto, al menos hay que considerar un argumento del porqué del modernismo, pero sin perder la perspectiva de que es solamente una interpretación del modernismo hispanoamericano entre varias. En *The Dialectics of Our America* (1991), José David Saldívar sostiene que encontramos en las raíces del modernismo, y más que nada en la expresión del poeta cubano, José Martí (1853–1895), el comienzo de una nueva época de resistencia a la colonización. Ahora la rebelión va en contra de la colonización predominantemente *económica* de EE.UU. en lugar de la

---

[7] Torcer = To twist, wring; cisne = swan. The *swan*, symbol of grace and elegance, along with the color *blue*—the title of Darío's work of 1888—symbol of cool, detached contemplation of the aesthetic dimensions of poetic expression, made up two of the modernists' favorite images.

[8] Dandi = dandy; a person, customarily male, of exaggerated elegance and ostentation in his clothes and manners.

colonización *política* y *social* de España. En su ensayo, "Nuestra América" (1891), Martí expresa los valores sentimentales del romanticismo a favor de una nueva expresión de solidaridad continental. Pero la obra es mucho más: un desafía contra las fuerzas culturales europeas y estadounidenses que habían predominado en el suelo latinoamericano. Varios años después de aparecer la obra de Martí, Rubén Darío escribe su poema, "A Rossevelt" (1903), en el que expresa admiración por la grandeza de EE.UU. A la vez, el poema enuncia una honda preocupación por las tendencias imperialistas del coloso del norte. Esa preocupación anima a Darío a preguntar—con un poco de cinismo y recelo—al final de su poema titulado "Brumas septentrionales[9] nos llenan de tristezas": "¿Tantos millones hablaremos inglés?" La preocupación en sí puede ser válida pero, como muchas otras tendencias que brotan del corazón del pueblo latinoamericano, el porqué de esa preocupación tiene raíces profundas. Vamos a ver.

El deseo de ser "contemporáneos," en el sentido que le da Octavio Paz, fue seguramente un aspecto principal de *modernismo hispanoamericano*. En gran parte el arte y el pensamiento de Europa y EE.UU. a fines del siglo XX fue una extensión del Siglo de las Luces. Enfatizó el sueño de la *modernidad*, es decir, la emancipación de todos los seres humanos (la esfera *social*), el perfeccionamiento de las sociedades humanas a través de la "Libertad, Igualdad, y Fraternidad" (la esfera política), y un progreso material sin límites (la esfera *económica*). No obstante, poco a poco emergió una contradicción dentro de este gran sueño: El progreso material no se distribuía equitativamente, entonces las injusticias sociales y políticas se perpetuaban. La misma contradicción creó una tensión que se reveló en la *literatura modernista*: el *movimiento* fue una revolución estética, sin embargo, los *modernistas* eran de regiones que carecían de revoluciones complementarias en las esferas *socio-político-económicas*. Esa tensión inherente del *modernismo* a veces se expresa a través de innovaciones puramente estéticas en conjunto con la reacción de los *modernistas* en contra del colonialismo económico de EE.UU (la hipótesis de Saldívar). La tensión, además, implica un reconocimiento de parte de los *modernistas* de su *dependencia* en cuanto a su propia estética de formas, estilos, y temas de la literatura extranjera. En parte, habían importado esas formas, estilos, y temas de otros países para llenar el *vacío cultural* que la ruptura con España había dejado (eso es, el contraparte del *vacío* o la *ausencia de legitimidad* en la política, como se notó en el Capítulo 11). Lo que resultó, a la larga, fue la producción de una variedad impresionante de temas, estilos y formas en las obras *modernistas*. Es decir, una vez más tenemos el tema de la *fusión*, la *hibridación* y la *pluralidad*. Ahora son *puramente estéticas*, por cierto, pero con implicaciones *socio-político-económicas*.

A fin de cuentas, en su búsqueda de expresiones nuevas, los poetas *modernistas* terminaron como transgresores de normas públicas y gustos artísticos por excelencia. Se lanzaron hacia horizontes desconocidos, y sus versos ahora

---

[9] Brumas septentrionales = northerly mists.

quedaban libres para crear sus propias imágenes, sus propias "realidades." De esta manera, ofrecían una llave para abrir la puerta del Siglo XX, puerta que daba a la posibilidad de cambios profundos en todas las facetas de las sociedades latinoamericanas. Parece que el *modernismo* estaba más ligado al ambiente hispanoamericano de lo que se creía.

Preguntas

1. ¿Por qué Latinoamérica es actualmente "más que contemporánea" que otras regiones del mundo?
2. ¿Cuáles son las normas artísticas del neoclasicismo? ¿Por qué los escritores latinoamericanos divergían de esas normas?
3. ¿Qué características especiales tiene el romanticismo en Hispanoamérica? ¿Qué problemas tuvieron que enfrentar los románticos hispanoamericanos?
4. ¿Qué es la tradición picaresca? ¿Qué tiene que ver con la literatura hispanoamericana?
5. Describa las características principales de "La victoria de Junín," *El Lazarillo de ciegos caminantes*, *El Periquillo Sarniento*, y *Facundo*.
6. ¿Cómo fue la expresión inicial de la literatura brasileña en el siglo XIX?
7. ¿Por qué tiene importancia Machado de Assis?
8. ¿Cuáles son las características principales del modernismo hispanoamericano?
9. ¿Quién fue Rubén Darío? ¿En qué manera sobresale su obra en la literatura hispanoamericana?
10. ¿Cuál fue la tensión fundamental que se siente en la literatura modernista, y cuál fue el resultado de ésta?

Temas para discusión y composición

1. ¿Por qué tendría que ser pluralista la identidad de Latinoamérica? ¿Cómo es la identidad Latinoamericana comparada con la de EE.UU.?
2. ¿Por qué cree usted que el modernismo hispanoamericano surgió precisamente a fines del siglo XIX, y por qué sigue todavía envuelto en controversias?

Un debate amigable

Una discusión sobre dos líneas de pensamiento: (1) la pureza cultural y lingüística, y (2) la pluralidad, para que se conserven las ricas tradiciones de diferentes grupos étnicos y diferentes lenguas. ¿Cuál es preferible?

CAPÍTULO 15

BIENVENIDOS AL SIGLO XX

Fijarse en:

- La naturaleza de la novela del fin del siglo XX y el principio del siglo XX, y por qué la novela en Latinoamérica tiene una cara diferente a la de Europa.
- Las características especiales de las obras literarias discutidas en este capítulo.
- La literatura como expresión de la diversidad de las culturas latinoamericanas.
- La importancia de la Semana de Arte Moderno en Brasil.
- La función de la literatura como reflejo de una identidad nacional.

Términos:

- Afro-latinoamericanismo, Arielismo, Criollismo, Europeizante, Identidad Nacional, "Modernismo," Novela de la Tierra, Novela Indigenista, Novomundismo, Primitivismo, Realismo-Naturalismo, Regionalismo, Semana de Arte Moderno.

EL ARIELISMO: SUS PROS Y SUS CONTRAS

En la narrativa de Latinoamérica a fines del siglo XIX y a principios del XX la expresión *realista-naturalista* complementa la poesía del *modernismo hispanoamericano*.

En términos generales, mientras el *modernismo* busca la estética ideal de la imaginación, el *realismo-naturalismo* busca un reflejo fiel del mundo tal como es. Es posible ver ejemplos de literatura *realista* en obras como *La parcela* (1898) de José López Portillo y Rojas (1850–1923) de México. Encontramos los ejemplos más puros del *naturalismo* en la colección de cuentos de protesta social—*Sub Terra* (1904) y *Sub Sole* (1907)—del chileno Baldomero Lillo (1867–1923), y *Os Sertões* (1902) del escritor brasileño, Euclydes da Cunha (1866–1909), un estudio literario-sociológico de una sublevación de campesinos en el noroeste de Brasil. De todos modos, por regla general, en las letras latinoamericanas existe una mezcla de las dos tendencias: por eso el término está combinado en *realismo-naturalismo*.

Durante las primeras décadas del siglo XX, la expresión *realista-naturalista* en Hispanoamérica dio lugar a un movimiento llamado *criollismo*. Las manifestaciones literarias principales que emergieron del sentimiento *criollista* se denominaban: *novela de la tierra* (o *novela telúrica*) y *novela indigenista*. La *novela de la tierra* tiene su acción en el campo como retrato de la vida y las costumbres típicas de América. La *novela indigenista* retrata la vida y las costumbres de las culturas que se mezclaron con la cultura peninsular para formar el núcleo de lo típicamente latinoamericano. La expresión que sintetiza toda esa narrativa—el criollismo, la novela de la tierra, y la novela indigenista—proviene de la idea del *novomundismo*, es decir, una marcada vuelta al Nuevo Mundo con el propósito de descubrir la esencia de "lo americano."

> Como fenómenos literarios originados en Europa, el *realismo* y el *naturalismo* son dos movimientos distintos. Es decir, la expresión "del pueblo." Mientras el romanticismo pone énfasis en lo subjetivo, el *realismo* resalta el predominio del estudio objetivo de la sociedad por medio de la observación empírica. Es decir, la literatura *realista* no debe ser simplemente el producto de lo que se siente y se inventa, sino el resultado de lo que se observa. Una obra *realista* debe ser el reflejo fiel de la sociedad misma. El *naturalismo*, movimiento que prosiguió al *realismo*, va aún más lejos con una aproximación científica. Propone una consideración de la sociedad como si ésta fuera un gran laboratorio dentro del cual el escritor experimenta con la conducta humana para alcanzar conclusiones universales, y o supuesto, "científicas." En Latinoamérica, como ya se ha visto, no hay una división clara entre *realismo* y *naturalismo*, de modo que—en sentido pluralista—se unen los dos movimientos en una tendencia mejor conocida como *realismo-naturalismo*.

Pero ya nos hemos hundido en un diluvio de términos hasta ahora desconocidos en este volumen. Mejor vayamos a paso más lento. Los "*ismos*" mencionados en el párrafo anterior y en los cuadros descriptivos tuvieron su origen un poco después de 1900, año en el que el pensador uruguayo José Enrique Rodó (1871–1917) publicó un ensayo titulado *Ariel*. Usando como modelo *The Tempest* de William Shakespeare (1564–1616), Rodó presenta a Próspero, quien aconseja a un grupo de jóvenes (por implicación, la juventud latinoamericana) a través del contraste entre dos figuras simbólicas: *Ariel* y *Calibán*. El personaje de Ariel presenta valores espirituales, morales, éticos, y estéticos, mientras Calibán simboliza crudos apetitos materialistas. Rodó presenta esa dualidad como manifestación de las diferencias principales entre las culturas latinoamericanas y la anglosajona de los EE.UU. El autor de *Ariel* admite que tanto las características de Ariel como las de Calibán existen en todas las culturas del nuevo mundo, pero insiste en que las características de Ariel predominan en Latinoamérica mientras que las de Calibán son más comunes en EEUU. Por lo tanto, Rodó sugiere una resistencia contra la creciente influencia del materialismo de los anglosajones—evidente también en los abusos de la filosofía positivista—y un nuevo enfoque en el espíritu genuino de los latinoamericanos. Por medio de su obra, Rodó expresa que los intelectuales localizados al sur de los EE.UU. tienen una misión importante: La de servir como voceros[1] para propagar la tradición humanística grecorromana. Esa tradición, precisamente, podría ser la contribución de Latinoamérica a todo el continente para contrarrestar las prácticas materialistas del industrialismo norteamericano.

Hay, entonces, un espíritu *novomundista* indudable en *Ariel*. Rodó estaba obsesionado con la esencia de la expresión latinoamericana en una época en que Europa y EE.UU., con su poder económico, empezaban a relegar a Latinoamérica a una posición de poca importancia. Rodó sentía que el papel de los latinoamericanos no consistía en solamente importar la ola de la *modernidad* europea y estadounidense a sus propias culturas, sino el de complementarla con valores espirituales, morales, éticos y estéticos. La preocupación de Rodó se debía en gran parte a las tendencias expansionistas de la economía de EE.UU. y esto impresionó a muchos intelectuales jóvenes de su época. Entonces hasta cierto punto *Ariel* concuerda con la tesis de José David Saldívar, brevemente discutida en el capítulo anterior, de que los poetas modernistas indirectamente emprendieron una rebelión contra el *colonialismo económico* de EE.UU. La obra de Rodó alcanzó un impacto que seguramente el autor nunca imaginó ni en sus sueños más optimistas. Emergió toda una generación *novomundista* que abrió la conciencia a la posibilidad de valores hispanoamericanos genuinos.

> No hay que confundir el *criollismo* en la literatura con el *criollo* como tipo cultural-social (el español nacido en América). Sin embargo, los dos términos están relacionados. Mientras el *criollismo* intenta representar una expresión genuinamente americana en la literatura (con la *novela de la tierra*, la *novela indigenista*, y otras corrientes), el *criollo* como tipo humano representa un producto étnico genuino del colonialismo americano. Es decir, el *criollismo*, y los *criollos* son en su propia forma una manifestación más de la rica *pluralidad* latinoamericana.

Sin embargo, el "arielismo"—como expresión del *novomundismo*—no escapó a la crítica, del mismo Saldívar y otros. Hubo escritores *criollistas* con inclinación hacia el *indigenismo* cuyas obras dibujaban la vida y los problemas de los amerindios, y otros escritores igualmente *criollistas* que en la *novela de la tierra* narraban la confrontación de ser humano y la inmensidad del paisaje americano. Ellos culpaban al *arielismo* de "elitista." Muchas obras del *indigenismo* y la *novela de la tierra* eran de contenido social, como reacción contra la explotación de los amerindios y la violencia que definía la vida del campo. En cambio, el *arielismo* tenía intereses literarios, intelectuales, y

[1] Vocero = spokesperson.

cosmopolitas principalmente. Es por esto que con frecuencia se les culpaba a Rodó y a sus seguidores, los *arielistas*, de ser *europeizantes*, y tan envueltos en su "torre de marfil" que habían vuelto la espalda a lo más íntimo de su propia cultura.

Bueno. Seguramente el *arielismo* no tenía como principal meta el atacar directamente los problemas políticos y sociales de los países latinoamericanos. Sin embargo, el hecho de que la expresión *arielista* generalmente no criticara gobiernos, instituciones y la explotación de las clases pobres y los amerindios, no quiere tampoco decir que aprobara el statu quo. Existe el argumento de que la fuga a la "torre de marfil" debido al malestar por las condiciones *socio-político-económicas* es el primer paso a la expresión y acción revolucionarias. Tenemos, por ejemplo, el ya mencionado caso del poeta y ensayista, José Martí, cuya expresión estética complementa su acción directa en el campo de batalla (donde murió) por la Independencia de su país—Cuba. El hecho es que los *arielistas* de ninguna manera eran instrumentos manipulados por las instituciones de sus respectivos países. Diseminaban la idea de que cada individuo debía desarrollar sus capacidades intelectuales y artísticas hasta donde le fuera posible, haciendo así una valiosa contribución a su patria y al pueblo.

Inevitablemente surge la pregunta: ¿Qué balance debe existir entre la expresión puramente moral-ética-estética y la protesta social en países donde abundan las injusticias? Para hallar una posible respuesta a esta pregunta, vamos a ver con más detalle la otra cara del *criollismo*.

UNA VUELTA A LAS RAÍCES AMERICANAS

Ya observamos que en términos generales la novela *criollista* era motivada por un profundo deseo de re-descubrir la esencia de América: el aspecto geográfico, los tipos humanos, los acontecimientos históricos y políticos, y los problemas morales, sociales y económicos.

Esta literatura a veces tendía hacia el pesimismo, ya que se fijaba en la lucha entre el individuo y su medio físico, que casi siempre vencía al individuo. A menudo la literatura *criollista* era también panorámica y épica, con el intento de elevar la expresión local hasta niveles universales para incluir problemas comunes de la humanidad. Además, hay un aspecto innegable de realismo que le daba a esa literatura un aspecto documental, como testimonio de lo que hay, lo que pasa, y lo que debe hacerse para remediar los problemas existentes. Entonces, aunque la narrativa *criollista* tuviera un sello particular y regional, de todos modos reconocía antecedentes europeos e intentaba ligarlos a las raíces americanas. En fin, hasta cierto punto se puede decir que los escritores trataban de fusionar lo popular y lo criollo (del *realismo*) con una expresión artística (con influencia del *modernismo*). El producto llegó a conocerse en algunos círculos la *novela de la tierra*. La *novela de la tierra* y la *novela indigenista* contrastaban con el espíritu del *arielismo*, una expresión más *moral-ética-estética* que *socio-política* y *regional*.

Uno de los grandes escritores de la *novela de la tierra* fue Rómulo Gallegos (1884–1969) de Venezuela, cuya novela más famosa es *Doña Bárbara* (1929), brevemente discutida en el Capítulo 3. Esta novela se trata del conflicto entre Doña Bárbara, terrateniente y "devoradora de hombres," y Santos Luzardo, un abogado de la ciudad. Doña Bárbara representa la *barbarie* de los llanos venezolanos, simbólica de Juan Vicente Gómez, dictador del país de 1908–1935. En cambio, Santos Luzardo representa el elemento *civilizador*. Incorpora las supuestas características nobles y progresistas del país. A través de la novela, los defectos concentrados en la mujer luchan contra las virtudes que posee el hombre. Por fin, la naturaleza, es decir, la *barbarie* (doña Bárbara) está destinada a triunfar sobre la *civilización* (Luzardo). Según la opinión crítica, esta novela de gallegos es una de las mejores del *regionalismo criollista* de la primera mitad del siglo XX.

El colombiano José Eustasio Rivera (1889–1928) publicó en 1924 *La Vorágine*, novela *regionalista* de la selva americana por excelencia. En esta novela, el poeta y rebelde Arturo Cova, huye con su novia Alicia de Bogotá hacia la selva. Hay intrigas—en una de las cuales se escapa Alicia—y aventuras brutales, además de largas jornadas en la selva donde Cova conoce la esclavitud y explotación de los amerindios en la industria cauchera.[2] Al final Cova mata al vendedor de esclavos amerindios y, ya reunido con Alicia, decide regresar a la civilización. Sin embargo, los dos terminan devorados por la misma selva en que antes habían buscado refugio, lo que marca su separación de la *modernidad*. En la obra de Gallegos la *barbarie* triunfa sobre la *civilización*, igual la *naturaleza* misma en *La Vorágine* sofoca cualquier impulso *civilizador*. En suma, *La Vorágine* presenta la selva como la verdadera protagonista, pero además, por el desarrollo de los personajes y el estilo a veces poético, la obra de Rivera merece su lugar entre las mejores *novelas de la tierra*.

Don Segundo Sombra (1926), de Ricardo Güiraldes (1886–1927), es una novela nostálgica de la vida del gaucho de la pampa argentina. Narra la historia de un joven de unos catorce años atraído por el aura de misterio que rodea a Don Segundo Sombra, representante del tipo nacional por excelencia: el *gaucho*. En el momento en que Güiraldes escribe la novela, la tradición del gaucho está pasando a la historia, y por lo tanto Don Segundo no es más que una "sombra," un vago recuerdo de una época heroica retratada en el famosísimo poema gauchesco cuasi-épico del siglo XIX, *Martín Fierro* (1870–1872) de José Hernández (1834–1886), entre otras obras. En *Don Segundo Sombra* el joven Fabio Cáceres huye de su casa de adopción para hacerse un gaucho verdadero bajo la tutela de Don Segundo Sombra a quien llama "padrino."[3] Después de cinco años, y ya hecho un gaucho genuino, le llega al joven la noticia de que ha heredado una estancia de su familia. Siguiendo la recomendación de Don Segundo, Fabio decide aceptar su destino y herencia. Abandona la vida de gaucho, y se hace hombre culto, estanciero responsable y escritor. Como evocación a un período de la nación argentina que ya casi había desaparecido, y como estudio de la psicología juvenil y la sociología del gaucho, *Don Segundo*

---

[2] Industria cauchera = the harvesting and processing of latex from the rubber trees.

[3] Padrino = godfather.

Sombra no tiene igual en Latinoamérica. Además, como expresión puramente *criolla*, es el máximo ejemplo. Estas características distinguen a la novela de Güiraldes de *Doña Bárbara* y *La Vorágine* en el sentido de que la gran lucha entre el individuo y la naturaleza, y el triunfo de esta última casi no entra como tema: el mensaje principal es la desaparición de una forma de vida que les había concedido a los argentinos una identidad nacional.

RAÍCES PLURICULTURALES

En la misma época de la llamada *novela de la tierra* y el *criollismo*, se desarrolló la *novela indigenista*. Dos de las principales características de esta novela son la explotación de los amerindios y la búsqueda de la manera más indicada para integrarlos a la corriente principal de la vida social, política y económica de sus respectivos países.

A veces la *novela indigenista* defiende al mestizo como heredero étnico y cultural tanto de la civilización amerindia como de la europea, y a veces o denigra como explotador brutal de la misma gente con la que comparte su cultura. A veces intenta recobrar la grandeza pasada del amerindio, y a veces sugiere la disolución de su etnicidad y cultura para incorporarlo a la cultura dominante europea. A veces pinta al amerindio como torpe, brutalizado, y sin identidad propia a causa de su maltrato generacional, y a veces lo retrata como un individuo noble de valores superiores a sus contrapartes, los europeos. En fin, la *novela indigenista* tiene muchas facetas, y por eso es difícil clasificarla.

Aves sin nido (1889) de la peruana Clorinda Matto de Turner (1852–1909) fue la primera *novela indigenista* ampliamente diseminada y de personajes bien desarrollados. Aunque quepa dentro del romanticismo, esta obra queda lejos de las novelas *indianistas* del movimiento romántico con personajes puramente cosméticos e idealizados. Describe con mucho detalle las condiciones de miseria, abyección, e injusticia en que vivían los amerindios dentro de una sociedad de explotación y abusos. *Aves sin nido* despertó mucho interés, y fue motivo de denuncia de las prácticas comunes respecto a los indígenas americanos. Pronto alcanzó tres ediciones y una traducción al inglés que fue publicada en Londres.

Huasipungo (1934),[4] del ecuatoriano Jorge Icaza (1906–1978), también gozó de fama inmediata. Relata la construcción de una carretera por Alfonso Pereira, terrateniente adinerado, para abrir tierras en el interior del país y venderlas a una empresa capitalista de Norteamérica. Usando maniobras engañosas, don Alfonso consigue el trabajo gratis de los amerindios por medio de falsas promesas, y muchos de ellos pierden la vida al servicio de su patrón. El punto culminante de la historia ocurre cuando los amerindios se dan cuenta de que don Alfonso ha vendido tierras que incluyen sus huasipungos, y pronto tendrán que abandonarlos. Se rebelan, pero están destinados a la derrota, porque la oposición consiste de las fuerzas combinadas del empresario norteamericano,

[4] "Huasipungo" es el nombre que daban a las parcelas de tierra que cultivaban los amerindios durante la era prehispánica.

el latifundista, el gobierno, y la iglesia. *Huasipungo* es una fuerte expresión del elemento indígena de América. Sin embargo, hay que aceptar que le falta un argumento bien desarrollado, ya que es poco más que una sucesión de escenas, a veces sin conexión bien definida. (En realidad, muchas novelas de la época padecen de lo mismo, por ejemplo *Raza de bronce* [1919] del boliviano Alcides Arguedas [1879–1946], aunque siguen teniendo valor histórico).

El peruano Ciro Alegría (1909–1967) nos ha dejado *El mundo es ancho y ajeno* (1941), considerada en su tiempo como la cumbre de la novela *indigenista*. El autor describe una comunidad amerindia ejemplar, pero sujeta a muchas injusticias. Cuando Rosendo Maqui, el alcalde indígena, muere injustamente en la cárcel, no pueden aguantar más los amerindios, y se rebelan contra sus explotadores—sin embargo, esto no sucede antes de que un mestizo, y líder de un sindicato, simbólicamente les enseñe la base de las ideas marxistas. La obra termina con el sonido de los rifles del ejército aplastando la rebelión a favor de los intereses de los grandes latifundistas. El mensaje es fuerte: el mundo es "ancho" para el que tiene el poder, pero queda "ajeno" para el pobre amerindio que considera las tierras que habita suyas por herencia. Con respecto al tema de la *novela indigenista*, no hay que olvidar a otro escritor peruano, José María Arguedas (1911–1969), cuyas principales novelas—*Los ríos profundos* (1958), y *Todas las sangres* (1964)—mezclan antiguos mitos quechuas dentro de la condición vigente del amerindio. Además *El zorro de arriba y el zorro de abajo* (1971), libro póstumo de Arguedas es impresionante testimonio personal de la vida del amerindio, se extiende hacia la condición general de la humanidad. De México y Centroamérica destacan sobre todo los nombres del laureado del Premio Nobel en 1968, Miguel Ángel Asturias (1899–1974) de Guatemala, y la escritora mexicana, Rosario castellanos (1925–1974). *Hombres de Maíz* (1949) de Asturias es un intento de recapitular la historia entera de los mayas, y por extensión los amerindios de todas las Américas a través de la mitología. Se trata del conflicto entre el indígena y el criollo Guatemalteco sobre el maíz. Para el amerindio, el maíz es algo sagrado: como la base de su alimento, equivale a la vida misma. En cambio, para el criollo el maíz no representa más que una función comercial, y por eso hay que destruir la selva para sembrar maíz y otros productos de la tierra en grandes cantidades. Al final, la novela rebela el alma del amerindio y su postura tradicional-mítica *vis-à-vis* la situación *socio-política-económica* de Centroamérica en el proceso de su *modernización*.

Rosario Castellanos, habiendo vivido en íntimo contacto con los amerindios del estado de Chiapas, México desde su niñez, tenía una intuición bastante certera sobre el espíritu del indígena americano. Posiblemente su mejor obra, *Oficio de tinieblas* (1962), pone al descubierto la degeneración de la psicología del criollo de la zona y el deplorable estado de miseria e ignorancia en que ha caído el amerindio. El violento conflicto entre las dos culturas desde la época de la conquista ha llegado a ser endémico, produciendo conformismo por parte de los explotados y los explotadores, contra lo cual castellanos lucha por medio de su pluma. Sin embargo, al final la autora reconoce con pesimismo que un diálogo entre las dos culturas nunca se va a realizar.

Existe, además, una rica *expresión afro-latinoamericana* en la literatura que contribuye a la *pluralidad* cultural de América Latina. Esta literatura encuentra su mejor expresión en la *poesía*, aunque hay casos notables en la prosa, tales como *Ecué-Yamba-O* (1933) y *El reino de este mundo* (1949) del escritor cubano, Alejo Carpentier (1904–1980). La primera novela es una historia de los afro-cubanos, y la segunda—escrita después de que el autor visitara Haití—trata de la sublevación de los esclavos y su participación en la Independencia de este país, la primera en toda Latinoamérica en 1804. En la poesía, autores como el puertorriqueño Luis Palés Matos (1898–1959) y el cubano Nicolás Guillén (1902–1989), intentan captar el ambiente psicológico y social, los sentimientos e intuiciones, así como los sufrimientos y las creencias místicas y mágicas del afro-latinoamericano. Esta poesía revela su forma de hablar y de vivir, sus ritos, música y danza, además de sus tradiciones folklóricas. Es poesía dinámica, con mucho ritmo y sonoridad.

Hay poetas afro-latinoamericanos que son negros y mulatos, como el mismo Nicolás Guillén. Sin embargo, la mayoría de los poetas de esta expresión son criollos. En América Latina, el interés por las culturas afro-latinoamericanas despierta durante los años 1920s con la vanguardia artística francesa. Esa vanguardia tuvo enfoque en el "primitivismo" de las culturas tradicionales, sobre todo en el continente africano. Entonces la literatura afro-latinoamericana desde el principio fue, propiamente dicho, solamente un movimiento nacido directamente del suelo americano: fue frecuentemente una "importación" por parte de gente criolla, "los de arriba." Sin embargo, el hecho de que la literatura afro-latinoamericana surgiera de orígenes indirectos no le quita necesariamente valor como literatura. A menudo, la *expresión literaria afro-latinoamericana* a través de un autor criollo le da más sabor al *pluralismo* cultural latinoamericano.

Un ejemplo de la fusión de elementos vanguardistas y la expresión literaria de todos los días del afro-latinoamericano—fusión que Alfonso Reyes (1884–1959), intelectual mexicano, bautizó con el nombre de *jitanjáforas*—es el de la "Danza negra" (1926) de Palés Matos:

> Calabó y bambú
> Bambú y calabó
> El gran Cocoroco dice: tu-cu-tú
> La gran Cocoroca dice: to-co-tó
>
> Rompen los junjunes en furiosa ú
> Los gongos trepidan con profunda ó
> Es la raza negra que ondulando va
> En el ritmo gordo de mariyandá

Estos versos deben leerse en voz alta para sentir el ritmo de la tradición oral, la ondulación de los sonidos, y la combinación juguetona de las vocales y las consonantes. Deben leerse despacio poniendo especial atención a los movimientos de las cuerdas vocales, la lengua y los labios.

¿Ya agarró usted el ritmo? Éste se tiene que vivir. Es decir, el ritmo vive porque la vida misma es ritmo. En resumen pues, la literatura latinoamericana: una fusión y confusión llena de intriga e inspiración.

La expresión Brasileña

A través de las obras *indianistas* de José de Alencar y otros escritores del siglo XIX, los intelectuales brasileños comenzaron a escudriñar[5] su pasado—su herencia europea y sus raíces culturales en un esfuerzo por descubrir la esencia de lo brasileño. La búsqueda les despertó una conciencia social que culminó en la lucha para abolir la esclavitud en los últimos años de ese siglo.

Esa nueva conciencia de los brasileño emergió en São Paulo entre el ocho y el dieciocho de febrero en forma de una nueva expresión artística. Durante esa semana, conocida como la *Semana de Arte Moderno*, se estableció un movimiento llamado el "modernismo." Los grandes patriarcas del "modernismo" de Brasil incluían a Mário de Andrade (1893–1945), el llamado "Papa del modernismo," Manuel Bandeira (1886–1968), y José Oswald de Souza Andrade (1890–1954), cuya frase irónica shakespeariana, "Tupí or not tupí, that is the question," condensa la mencionada fusión de lenguas y culturas en una sola frase. El culto a la *modernidad* se nota de manera dramática en dos obras de Mário de Andrade, *Paulicéia desvairada* (1922; "Ciudad alcinada") y *Macunaíma* (1928).

> El "modernismo" brasileño es distinto al *modernismo hispanoamericano*. El *modernismo* de Hispanoamérica, que antecedió al "modernismo" de Brasil, se limita principalmente a la pura expresión literaria, con una marcada preocupación por las tendencias de la *modernidad* del mundo occidental y su influencia en Hispanoamérica. En cambio, el "modernismo" del país de habla portuguesa trata de integrar todas las artes en una sola expresión artística. Representa una fusión de las tendencias vanguardistas de Europa, sobre todo el interés en la combinación del "primitivismo" africano con lo genuinamente brasileño—incluyendo la tradición oral de los amerindios y afro-latinoamericanos. Además, comprende un culto a los avances materialistas y tecnológicos del mundo occidental "moderno," culto que en Europa se ha llamado el "futurismo."

Macunaíma es una fusión cultural de la tradición mítica mágica, el colonialismo, el folklore, y la *modernidad* occidental. Macunaíma, el protagonista, es el hibridismo viviente: representa la fusión de múltiples perspectivas culturales. Con rasgos de amerindio, afro-brasileño y europeo, manifestando culturas tradicionales y "modernas"—y como analfabeto y a la vez conocedor de las literaturas y el pensamiento del mundo—Macunaíma incorpora dentro de sí todos los aspectos *pluralistas* de la naciente cultura brasileña contemporánea. Es la condensación de todos los brasileños, es el símbolo mismo de

[5] Escudriñar = to scrutinize, search for.

la nación brasileña. Aunque *Macunaíma* como obra ha quedado fuera de la conciencia colectiva del pueblo brasileño, Macunaíma, el protagonista, sigue como expresión de la *Semana de Arte Moderno* que no ha perdido su vitalidad, continúa sirviendo como fuerza impulsora para todas las artes en Brasil.

En fin, el *arielismo*, *criollismo*, *indigenismo*, *afro-latinoamericanismo*, y el *modernismo* brasileño son expresiones que, además de las aportaciones de Europa, brotaron como fuente del corazón y la mente de los intelectuales latinoamericanos. Hay antecedentes a esos movimientos el *modernismo hispanoamericano* y obras brasileñas del siglo XIX, desde luego, y no se pueden ignorar las múltiples influencias del extranjero. Lo importante, no obstante, es que hubo un intento—que llegó a convertirse en una obsesión—por encontrar la esencia de "lo americano." Fue una vuelta hacia el interior, a la contemplación y a introspección, formulando preguntas como: ¿Por qué somos como somos? ¿Qué es lo que nos distingue de los demás pueblos? ¿Qué contribuciones únicas y legítimamente nuestras hemos aportado al mundo?

Se abren los ojos, los oídos, y las conciencias a las realidades latinoamericanas, y lo que se ve es *un nuevo mundo*, un mundo que había ocultado la conquista, la colonia, y el nacionalismo de tendencias imitativas del siglo XIX. Por primera vez en Latinoamérica, se puede ver lo que había sido *el otro* (lo amerindio, afro-latinoamericano, mestizo). Como resultado, América empieza a "inventarse" de nuevo. Esa nueva invención fue—y todavía es, porque no se ha completado—dolorosa y deslumbrante al mismo tiempo, aterradora y atrayente.

Durante las primeras dos décadas del siglo XX, en la esfera *socio-política-económica*, el impulso máximo de esa nueva "invención" no podría ser otra cosa que la Revolución Mexicana, que merece atención especial en el próximo capítulo.

PREGUNTAS

1. ¿Qué es el realismo-naturalismo? ¿Por qué están estos dos términos unidos en uno?
2. ¿Qué es el criollismo? ¿El novomundismo?
3. ¿Cómo se definen la novela de la tierra y la novela indigenista que nacieron del sentimiento criollo?
4. ¿Por qué es importante *Ariel* y por qué lo han también criticado?
5. ¿Qué características tienen *Doña Bárbara*, *La Vorágine*, y *Don Segundo Sombra*?
6. Describa brevemente *Aves sin nido*, *Huasipungo*, y *El mundo es ancho y ajeno*.
7. ¿Cómo se puede definir la expresión afro-latinoamericana?
8. ¿Por qué ha sido la poesía la expresión más vigorosa de la literatura afro-latinoamericana?
9. ¿Qué fue la Semana de Arte Moderno?
10. ¿Cuál es la diferencia entre el *modernismo hispanoamericano* y el *modernismo* de Brasil?
11. ¿Qué cualidades sobresalientes tiene *Macunaíma*?

12. ¿En qué consistió la nueva "invención" de América?
13. ¿Por qué son tan importantes las nuevas tendencias literarias de Latinoamérica durante las primeras décadas del siglo XX?

Temas para discusión y composición

1. Explicar la controversia entre los arielistas y los criollistas o americanistas. ¿Por qué fue importante y saludable que brotara esa polémica?
2. ¿Cuál puede ser el papel de la literatura en la formación de la identidad colectiva de un pueblo? ¿Hasta qué punto desempeñó la literatura este papel en Latinoamérica?

Un debate amigable

Un equipo de debate defiende un punto de vista algo intelectual y quizás "elitista" del "arielismo," mientras otro equipo defiende la necesidad de una expresión "popular," es decir, la expresión "del pueblo."

CAPÍTULO 16

MÉXICO, UN PAÍS QUE SE ENCUENTRA A SÍ MISMO

Fijarse en:

- La fusión de los "mitos" en la cultura mexicana, y por extensión, en las culturas latinoamericanas.
- Las características de los héroes y los villanos de la Revolución Mexicana.
- La manera en que lentamente el pueblo entró en la Revolución.
- Los aspectos políticos, sociales, y económicos de la Revolución, que aparecieron en diferentes épocas.
- La evolución del sistema político de México y por qué es extraordinario en Latinoamérica.
- La naturaleza del paternalismo en México a partir de la Revolución.
- Tlatelolco 1968 y sus consecuencias.

Términos:

- Corporatismo, Corrido, Decena Trágica, Golpe de Estado, Imagen folklórica o popular, Muralistas, Nacionalización, Partido de la Revolución Mexicana, Partido Revolucionario Institucional, Paternalismo, Personalismo, Privatización, Profesionalismo, Reformista, Revolución Agraria, Revolución Socio-Política-Económica, Revolucionario, Sector, Soledad, Tlatelolco.

EN EL COMIENZO

Todo el mundo sabe algo sobre la Revolución Mexicana a través de cuentos populares, leyendas y estereotipos. Se han hecho varias películas "hollywoodescas" de Pancho Villa y Emiliano Zapata, dos de los héroes revolucionarios más famosos. Quizá usted haya escuchado canciones como "La Cucaracha" o "La Adelita." Sin embargo, lo más probable es que lo que usted sepa sobre la Revolución Mexicana—a través del cine, revistas, y hasta libros de historia—esté cargado de "imágenes populares" o "folklóricas." (Éstas llevan una carga histórica en parte verdadera y en parte fabricada sobre algún héroe o aspecto de la Revolución).

Por consiguiente, para comprender a fondo la Revolución Mexicana, hay que saber más de las "imágenes populares." Para esto, sin embargo, es primero necesario comprender México y su Revolución. ¿Cómo es eso? Al parecer es un círculo vicioso. Así es la Revolución Mexicana misma. Un círculo, un torbellino[1] o mejor, como la metáfora del novelista Mariano Azuela (1873–1952), la Revolución es un *huracán*. El huracán resiste la comprensión, pero por lo menos hay que entender la Revolución Mexicana hasta donde sea posible. Hagamos, pues, la lucha.

Ya se sabe que en México, Porfirio Díaz fue un "dictador benigno" de 1876–1880 y de 1884–1910. Durante el "porfiriato" hubo apariencias de prosperidad, pero, para repetir la historia ya conocida, en realidad esas apariencias engañaban. Los peones quedaban atrapados en las haciendas, sin esperanza de encontrar mejores condiciones laborales. Cada año el salario de los trabajadores en las ciudades compraba menos, y mucha gente de la clase media nacida durante el porfiriato encontraba cerradas las puertas a nuevas oportunidades. Al mismo tiempo, protestas, rebeliones, y huelgas[2] eran, a menudo, sofocadas de forma violenta.

El *Partido Liberal Mexicano* (PLM), que se oponía a Díaz, fue organizado en 1901, pero en los primeros años de su existencia no ganó fuerza. En 1910, por fin hubo una chispa prometedora: en una entrevista con el periodista norteamericano James Creelman, el dictador Díaz anunció que había decidido no lanzar su campaña[3] para la presidencia del país. Entonces Francisco I. Madero (1873–1913)—hijo de una de las familias más prominentes del estado de Coahuila—se declaró "apóstol de la democracia," y lanzó su propia campaña. Sin embargo, al acercarse las elecciones Porfirio Díaz decidió entrar en la pugna por la presidencia, desvirtuando así la promesa[4] que hizo en la *Entrevista Creelman*. Hubo elecciones, y Díaz declaró que había "vencido" con una victoria casi unánime: el fraude electoral fue bastante obvio. Madero, que ahora temía por su vida; huyó a Texas donde proclamó el *Plan de San Luis Potosí*. El *Plan* denunciaba las fraudulentas elecciones e incitaba al pueblo entero a levantarse en armas en contra de Díaz para el día 20 de noviembre.

Sin embargo, la Revolución abortó el 18 de noviembre en Puebla, cuando la policía allanó la casa de los hermanos Aquiles, Carmen y Máximo Serdán, donde se guardaban armas. Los Serdán resistieron pero fueron finalmente abatidos. Inolvidable y simbólica es la salida al balcón de Carmen—la primera mujer guerrera de la Revolución—empuñando un rifle y arengando al pueblo a participar en la lucha. Contra lo que se creía, la fuerza del ejército porfirista no era tan poderosa. Además la oposición contra Díaz había crecido sustancialmente durante la última década de su mandato. Como consecuencia, Díaz duró muy poco tiempo en la presidencia, y Madero entró victorioso en la ciudad de México el siete de junio de 1911. Poco después hubo elecciones de las que Madero salió ganador, comenzando a gobernar el país el seis de noviembre del mismo año. Madero entró en la ciudad en una marcha triunfal. El pueblo

---

[1] Torbellino = whirlwind.

[2] Huelga = strike.

[3] Lanzar…campaña = to throw his hat in the ring for the presidential race.

[4] Desvirtuando…promesa = diminishing the value or going against his word.

mexicano había puesto todas sus esperanzas en este recién llegado, "con la frente ancha, nariz chata, varaba negra, piel flácida, y ojos ardientes...que combinaban con su baja estatura" para ofrecer la imagen de un "profeta, mesías, y apóstol (como lo describe Edith O'Shaugnessy).[5] El pueblo llenaba las calles por donde pasaba el nuevo héroe con gritos de "¡Viva Madero!" "¡Viva el Incorruptible" "¡Viva el Redentor!" Madero el *incorruptible* sí, pero eso no necesariamente lo calificaba como *redentor*. Definitivamente México merecía una redención. Sin embargo, Madero en realidad fue un instrumento débil para llevarla a cabo.[6]

Madero prometió elecciones limpias, y las hubo. Eso fue un paso gigantesco hacia la democracia. No obstante, los campesinos también querían tierra, y los obreros aspiraban a oportunidades de trabajo y un sueldo justo. Los hacendados reclamaban represalias y protección contra el pueblo que estaba invadiendo sus haciendas. Los embajadores pedían orden y protección a las empresas y sus compatriotas extranjeros.

El problema fue la *imagen popular* que fue creado alrededor de Madero. Es que en realidad, Madero era un teórico político que sabía poco de los quehaceres diarios con respecto a la administración de un país. Como consecuencia, la desintegración de su gobierno en febrero de 1913 fue inevitable. Durante diez días (a lo que se le llamó la *decena trágica*) ex-porfiristas atacaron al ejército del gobierno en la capital. Victoriano Huerta—un general porfirista que madero había dejado encargado del ejército—emergió como el hombre dominante dando un golpe de estado. Muchos maderistas fueron encarcelados o fusilados, y el mismo Madero

> El término "imagen popular" o "folklórica" dentro del presente contexto se refiere al conjunto de imágenes populares, leyendas, historias folklóricas, y hasta chismes y chistes, que contienen un poco de verdad y un poco de mentira o ficción acerca de las figuras y los acontecimientos más conocidos de la cultura. Una imagen, entonces, generalmente se trata de un suceso o un héroe, ya sea verdadero o ficticio, que evoca profundos sentimientos y deseos en la conciencia colectiva del pueblo. Por ejemplo, en EE. UU., ha habido *imágenes* sobre personajes ficticios—Johnny Appleseed, Paul Bunyan, Pecos Bill—y otras figuras históricas—Daniel Boon, Davy Crockett, Buffalo Bill, Billy the Kid, Wyatt Earp—que han contribuido a la creación de una identidad cultural. Ya que la Revolución Mexicana consiste de una serie volcánica de acontecimientos que transformaron radicalmente la cultura, es lógico que alrededor de muchas figuras emblemáticas de ese período se hayan formado algunas *imágenes*.

---

[5] Edith O'Shaugnessy, *Intimate Pages of Mexican History* (New York: George H. Dorán, 1920), 149.

[6] Llevar a cabo = to bring to fruition or completion.

fue asesinado junto con el vicepresidente, José María Pino Suárez, el veintidós de febrero de 1913.

Sin embargo, el fracaso fue en parte causado por el aura *imaginaria* que envolvía la figura de Madero. Originario de Coahuila, un estado en el norte y muy alejado de la capital de la república, Madero era relativamente poco conocido en el centro y sur del país. Es decir, el pueblo solamente lo conocía por medio de la retórica política en los periódicos y los rumores y chismes en las calles, pero no en persona. Según se le pintaba[7] en la *imagen popular*, Madero tenía que haber aparecido como *caudillo* en todo el sentido de la palabra—imponente, dinámico, carismático, y de aspecto físico impresionante. Se esperaba que viniera desde el norte ese "apóstol de la democracia," aplastando a todos los porfiristas que se le cruzaran enfrente, y con su nueva política liberal, se pensaba que él resolvería todos los males del país.

No obstante, el Madero "real" demostró otra cosa. Una vez en la silla presidencial ese supuesto "caudillo" no fue capaz de estar a la altura de la *imagen* que ya se había formado en la mente del pueblo. Como lo describe O'Shaugnessy, Madero, de estatura bastante baja, parecía una persona insegura y titubeante. Por la voz débil que tenía, era ineficaz como orador, Además, su estilo de vida—vegetariano y espiritista—y su conducta pacífica y moderada durante tiempos críticos, no impresionaba mucho al pueblo. Madero, el supuesto "caudillo" prototípico de la imagen popular se desvaneció, y en su lugar apareció un hombre débil que parecía incapaz de enfrentarse a la difícil situación de México, país que ahora era una bomba a punto de estallar. Otra vez, lo *ideal* cedía lugar a lo *real*. Así se disolvió la primera *imagen* de la Revolución Mexicana. Además del conflicto entre la imagen popular de Madero y el verdadero Madero de carne y hueso, hubo un problema grave.

AHORA ENTRA EL PUEBLO

En realidad, Madero fue "reformista," no "revolucionario." Un verdadero *revolucionario* habría inmediatamente luchado por la redistribución de tierras en las haciendas y derechos para los trabajadores.

Según un programa *revolucionario*, los campesinos serían dueños de la tierra que trabajaban y los empleados en las ciudades trabajarían en condiciones favorables, y si no, tendrían derecho a protestar a través de la huelga. En cambio, un *reformista* propondría un gobierno democrático y un sistema de libre empresa[8] que diera oportunidades sobre todo a la clase media.

Es decir, un programa *reformista* no se enfocaría tanto en el bienestar de las masas oprimidas. Aunque Madero prometió al pueblo mejores sueldos, derechos laborales, y tierras para los campesinos, sus compromisos en realidad estaban con la clase media, clase frustrada a causa de sus esfuerzos infructuosos por

---

[7] Según...pintaba = according to the way he was depicted.

[8] Sistema...empresa = free Enterprise system, that of a capitalist society in which opportunities are provided for the citizens who prove themselves to be the most industrious.

mejorar su propia condición económica durante el porfiriato. En la práctica, Madero nunca fue un gran partidario de las masas oprimidas, a pesar del aura de "redentor" que se había formado por la imagen popular. Más bien, Madero fue un "reformista" pero un "reformista puro," como lo califica el historiador Enrique Krause.[9] Como tal, Madero no fue tan inepto como varios historiadores lo pintan. Al contrario. Desafortunadamente, el momento propicio para este tipo de democracia libre y abierta no había llegado a México todavía. El país estaba envuelto en un sinfín de tensiones que amenazaban con convertirse en caos.

También hay que comprender la *naturaleza de la clase media* de México, e incluso de la de toda Latinoamérica de aquella época (naturaleza que tiene repercusiones hasta ahora, como se discutirá más adelante). El gran *sueño* de los mexicanos que esperaban subir la escala social no era sólo de pertenecer a la clase media, y nada más. Veían su entrada a la clase media, no como el final del camino, sino como un ascenso hacia niveles superiores. Era cuestión de convertirse de un "Don Nadie" a un "Don Alguien," de entrar por la puerta que daba acceso a una vida más respetable: la de la clase aristócrata, no la de la clase media. Es en gran parte por eso que, durante el porfiriato, la frustración de la clase media—en buena parte mestiza—tiene semejanza con la frustración criolla de las últimas décadas del período colonial. Tal como los criollos querían reemplazar a los peninsulares, así la clase media quería reemplazar o integrarse a la élite superior dominante durante el mandato de Porfirio Díaz. Esa clase media, al igual que los trabajadores y campesinos, quería ver en Madero al libertador que derrumbaría las barreras que impedían su avance hacia la vida que deseaba.

Para abreviar una historia compleja, al llegar a la presidencia Madero no disolvió la estructura político-militar establecida durante el porfiriato. La dejó casi intacta. Incluso dejó al General Victoriano Huerta, uno de los principales militares del régimen de Díaz, bien colocado en su lugar. Fue el mismo Huerta el que, en colaboración con el embajador de EE.UU. Henry Lane Wilson—desacatando las órdenes del Presidente Woodrow Wilson—depuso a Madero, y lo mandó a asesinar. Fue sólo entonces cuando entraron las masas de los campesinos en rebelión contra Huerta, el "usurpador." Si Huerta era el villano, lógicamente el pueblo necesitaba un héroe. ¿Quién podría serlo? Ni más ni menos que Madero, naturalmente, pero no el Madero de carne y hueso ya muerto, sino el Madero de la memoria colectiva del pueblo, el Madero "caudillo" y "redentor," el Madero del *mito* o *la imagen popular*. Muerto, ese Madero se convirtió en el "verdadero revolucionario" y defensor del pueblo. No es que Madero tuviera la intención de llevar a cabo una revolución agraria, expropiando las haciendas, dividiéndolas, y entregándoselas a los campesinos. Como ya se ha mencionado, Madero era un "reformista," no un "revolucionario" genuino. Sin embargo, en la conciencia popular continuaba siendo el "apóstol" y

---

[9] Enrique Krauze, *Caudillos culturales en la revolución mexicana* (México: SepCultura, 1985), 28.

"salvador" de los oprimidos. Es decir, el pueblo continuaba con la *imagen popular*, no el Madero tal como fue.

Entre los líderes campesinos-revolucionarios de más fama que se sublevaron en contra de Huerta se encontraban Doroteo Arango—con el pseudónimo de Pancho Villa—del estado de Chihuahua en el norte, y Emiliano Zapata del estado Morelos en el sur. Por otro lado, jefes "revolucionarios-reformistas" de la clase media-alta incluían—entre los más sobresalientes—a los terratenientes norteños Venustiano Carranza de Coahuila y Álvaro Obregón de Sonora. En alianza vaga y tenue con las fuerzas campesinas, Carranza, Obregón, y otros de la clase media y alta, emprendieron una rebelión en contra de Huerta. Desde el principio, Carranza se declaró el *Primer Jefe Constitucionalista*, con pretensiones vanas—sin embargo, Villa con su *División del Norte*, tuvo mayor poder por algún tiempo. Frente a esa alianza subversiva de pobres, medio-ricos, y bastante ricos, Huerta pudo mantenerse en la silla presidencial sólo hasta el verano de 1914.

En realidad, el destino de Huerta ya estaba escrito. La imagen popular lo calificaba de dictador brutal. Según esa imagen, también mitificada, Huerta tenía la personalidad de un animal: era salvaje cruel y bárbaro. Además, corría el rumor de que vivía perpetuamente bajo la influencia del alcohol, y lo que era peor, que fumaba mariguana. Esa última característica fue recopilada en algunos versos del famoso *corrido*[10] que se extendía por los campos del norte, "La Cucaracha":

> La cucaracha, la cucaracha.
> Ya no puede caminar.
> Porque no tiene, porque le falta.
> Mariguana pa' fumar.

Fue esa dichosa "cucaracha" precisamente una metáfora de Huerta, el gran villano, la encarnación del mal que había acabado con el "Apóstol de la Democracia," Madero.

Surge así otra imagen de la Revolución Mexicana, la de Huerta, una imagen "negra" que contrastaba con la "blanca" de Madero. No obstante, como ya se sabe, lo *ideal* (imagen) y lo *real* suelen ser dos cosas distintas. En un intento por desafiar la *imagen*, el historiador Michael C. Meyer, en *Huerta: A Political Portrait* (1972), demuestra que Huerta en realidad no era tan malo como lo pintaban. Al parecer no era prisionero irremediable de sus vicios, y tampoco tenía una excesiva disposición hacia la crueldad sino que las condiciones de la época a veces exigían actos de violencia para evitar un desorden incontrolable. Sin embargo, la verdad es que a veces nada puede ir en contra del sentimiento del pueblo y sus *imágenes*. Huerta, según el pueblo, fue un águila falsa cuyo único rumbo podía ser la caída, y cayó.

---

[10] Corrido = a type of song, accompanied by guitar, and serving as a medium for the dissemination of news, gossip, jokes, and folktales among the lower classes.

Después de Huerta, y con la esperanza de llegar a un acuerdo, las varias facciones revolucionarias se reunieron en la *Convención de Aguascalientes* en 1914 con el fin de organizar un gobierno provisional. Desafortunadamente no hubo un acuerdo entre las fuerzas de Carranza y Obregón que defendían los intereses de la clase media, y las de Villa y Zapata que defendían los de los campesinos. En una ocasión cuando el desorden llegó a un punto culminante, Villa tomó la palabra[11] a la fuerza y sugirió, en tono irónico, que para resolver el desacuerdo insuperable, él y Carranza deberían suicidarse—un acto máximo de *machismo*, como era de esperarse,[12] de acuerdo del desorden. Por fin, Eulalio Gutiérrez fue electo presidente interino, aunque nadie estaba conforme. Entonces las fuerzas dirigidas por Villa y Zapata, y las de Carranza y Obregón se separaron, ocasionando una guerra civil sin tregua.[13] Ahora la lucha era entre los "revolucionarios" y los "reformistas," es decir, generalmente entre las facciones que tenían los intereses de la clase media, y los que apoyaban a los campesinos.

En contraste con Huerta, Pancho Villa fue capaz en poco tiempo de crear una imagen popular y positiva de sí mismo. Comenzó su carrera revolucionaria como fugitivo de la ley, escondiéndose en las montañas del norte de Chihuahua. Después entró en la Revolución. Conocía como la palma de su mano el terreno de aquellas comarcas, estaba dotado de una aptitud natural para las tácticas guerrilleras, poseía una personalidad carismática, además de una determinación y fuerza de voluntad impresionantes. Con estas cualidades, en muy poco tiempo conquistó fama por todas partes. Como tenía acceso a la frontera con EE.UU., podía comprar fácilmente armamento de guerra y uniformes color caqui—esta era la razón por la que los villistas eran también conocidos como los "dorados." Villa conseguía aviones—piloteados por norteamericanos—que servían para reconocimiento militar, y dirigía sus tropas por las rutas que seguían las vías del tren, con carros bien equipados—incluso tenía un carro hospital. Además para conseguir dinero para sus tropas, Villa firmó contratos con Hollywood, permitiendo que filmaran varias de las batallas. De esta manera, Villa se convertía en la primera estrella del cine mexicano.

Debe notarse también la participación de la mujer en la Revolución. Muchas mujeres viajaban con la tropa y cumplían varias funciones vitales como madres, esposas, cocinera, enfermeras, y también guerreras que combatían en los campos de batalla. Estas mujeres se han mitificado en la imagen popular de la *soldadera*,[14] simbolizada en varios corridos de la época, como la inmortal canción, "La Adelita." Se ha calculado que el ejército de Villa llegó a fluctuar

---

[11] Tomó…palabra = took the stand.

[12] Como…esperarse = as would be expected.

[13] Sin tregua = without repite, truce.

[14] Las soldaderas han sido amalgamadas en una especie de grupo homogéneo de mujeres de clase baja que acompañaban a—y a veces peleaban al lado de—los hombres en la revolución. Esta clasificación popular es equivocada ya que oscurece el rol real y esencial de la mujer revolucionaria en la historia mexicana.

entre 50,000 y 65,000 soldados. En aquella época esos números eran impresionantes.

Contrastando con la imagen de Huerta, se puede observar una referencia a Villa en el mismo corrido antes mencionado, "La Cucaracha":

> Una cosa me da risa.
> Pancho Villa sin camisa.
> Ya se van los carrancistas.
> Porque vienen los villistas.

Corría el rumor—es decir, la *imagen*—de la invencibilidad de Villa, quien pronto llegó a convertirse en una especie de "Robin Hood" en la mente colectiva del pueblo. Robaba a los grandes terratenientes para entregar el botín[15] a los pobres. Cuanto más se diseminaban las noticias de las hazañas de Villa, más heroico e invencible parecía. La novela de la *Revolución Mexicana* más conocida, *los de abajo* (1915) de Mariano Azuela, narra la reacción de una pequeña banda de campesinos revolucionarios al recibir la noticia de que Villa por fin había sido derrotado:

> —¿Derrotado el general Villa?... ¡Ja!. ¡Ja!. ¡Ja!...
> Los soldados rieron a carcajadas...
> —¡No nace todavía el hijo de la...que tenga que derrotar a mi general Villa!—clamó con insolencia un veterano de cara cobriza con una cicatriz de la frente a la barba (74).

Pancho Villa era ya una imagen popular. Esta imagen escondía al Pancho Villa verdadero, ese hombre que Martín Luis Guzmán (1887–1976) describe en *El águila y la serpiente* (1928) como un hombre con intuición e instinto extraordinarios, pero a fin de cuentas con defectos como todos los seres humanos. No obstante, la imagen de la figura de Pancho Villa se perpetuó.

La *realidad*, desde luego, tenía otra cara: el héroe de los oprimidos sí fue vencido por las tropas de Álvaro Obregón en la *Batalla de Celaya* en 1915. Aunque Villa era más astuto que un zorro cuando se trataba de guerrillas en las montañas, ante el empleo de tácticas militares clásicas en campo abierto—como fue la situación en Celaya del Estado de Guanajuato donde encontró su primera derrota—no pudo con las fuerzas de Obregón. Después de ser derrotado, Villa huyó hacia el norte, perdiendo tropas que desertaban porque ya no tenían el mismo entusiasmo, y perdiendo otras batallas esporádicas contra las fuerzas de Obregón que le perseguían. La desilusión revolucionaria en la figura de Villa quedó magistralmente plasmada también en el cine con el extraordinario filme (considerada por la crítica como la mejor película mexicana) de Fernando de Fuentes, *¡Vámonos con Pancho Villa!* (1935), basado en la novela de Rafael F. Muñoz del mismo nombre.

---

[15] Botín = booty.

Después de la época más violenta de la Revolución, a Villa se le otorgó amnistía y la concesión de una hacienda en el norte. Sin embargo, el Villa de la imagen seguía siendo una amenaza en la opinión de los políticos que capturaron el poder en la capital del país. Por consiguiente, Villa fue asesinado en 1923 en una emboscada cuyo motivo hasta hoy no se ha aclarado. ¿Por qué fue asesinado si el Villa revolucionario ya no existía? Porque el poder de la imagen popular del águila del norte seguía perpetuándose.

La rebelión de Emiliano Zapata fue más bien local que nacional. Zapata no quería más que tierra para los que la trabajaban y libertad para labrarla. Deseaba un regreso al sistema agrario comunal que había existido durante la época prehispánica. Según este sistema—el de los ya mencionados *ejidos*—a cada campesino se le otorgaba una pequeña parcela de tierra, que no era suya sino de la comunidad. Cada individuo tenía el derecho a cultivar su parcela, y si no lo hacía con prudencia, perdía ese derecho. Esa institución agraria de los indígenas fue protegida por las Leyes de las Indias durante el período colonial, aunque, como ya se ha visto, había abusos por parte de los colonos. No obstante, estas leyes fueron abolidas durante el siglo XIX, y los ejidos fueron apresados por las grandes *haciendas*. Ahora Zapata buscaba restaurarlos, y sus ambiciones no iban mucho más allá de esta específica pero esencial reforma. En vista de que la revolución zapatista fue local, casi no salió de los estados de Morelos y Guerrero. En contraste con Villa, Zapata nunca fue completamente derrotado; siendo solamente contenido dentro de las fronteras de su tierra. Sin embargo, al igual que Villa, después del período más violento de la Revolución, políticos en el poder seguían considerando a Zapata peligroso. En 1919 fue invitado a una reunión en una antigua hacienda con el propósito de establecer relaciones pacíficas. Ahí se le tendió una emboscada y—el jefe[16] guerrillero del sur, quizás el más auténtico de la Revolución—fue asesinado.

Zapata siempre había sido una palabra mágica para los campesinos de Morelos. Llegó a convertirse en la imagen pura, que encarnaba la Revolución Mexicana e inspiraba sus versos, narraciones, cuadros, pintura, y programas agrarios, políticos y sociales.[17] Como Cuauhtémoc y el independentista José María Morelos, Zapata es uno de los héroes legendarios más venerados por los mexicanos de hoy. En la figura de Zapata, *imagen popular y realidad* convergen en la ardiente figura de alguien que murió de la misma forma en que vivió: abrazando la tierra. Años después de su asesinato, en su tierra corría la leyenda de que su amado héroe en realidad no había muerto. Había escapado, y un día

---

[16] Emboscada = ambush.

[17] Debe mencionarse que la clase media y aristócrata de la capital del país le decían a Zapata el "Atila del sur." pues, el mito que convenientemente había fabricado la clase media en las ciudades fue el de un Zapata salvaje, un bárbaro que quería acabar con la Revolución. Pero como los signos están en perpetuo cambio, hacia fines de 1920— una vez que la Revolución Mexicana fue institucionalizada por el principal partido político— Zapata pasaría de bandido a héroe nacional.

volvería en su famoso caballo blanco para reemprender la lucha en contra de los federales. La *imagen* zapatista resistía pasar al olvido en la conciencia popular.

Bueno, valió la pena dedicar un poco de tiempo a la Revolución Mexicana y a sus imágenes populares por: (1) la centralidad de la Revolución como iniciadora de las transformaciones que estaban destinadas a ocurrir en las esferas *socio-político-económicas* de toda Latinoamérica, y (2) la naturaleza misma de las imágenes, que revela una corriente profunda en la conciencia y la conducta de los latinoamericanos, sobre todo en los países de culturas más *pluralistas*. No hay que olvidar que el deseo de los mexicanos de "inventar" su identidad a través de sus imágenes es en realidad una característica universal. Según Octavio Paz, la gente de todas las culturas ha sentido un hueco, algo que falta, algo de que quizá los antepasados hayan gozado o algo de lo que quizá se pueda gozar en el futuro. Ese hueco o vacío envuelve al individuo en su *soledad*. El individuo se siente solo aunque esté rodeado de muchas personas, todos en busca de una *comunidad ideal*. Por lo tanto, todos los individuos de una sociedad crean imágenes para combatir esa sensación de soledad, para que cada individuo pueda sentir que comparte algo con sus prójimos.[18] Y vuelven a despertar, dentro de esas mismas imágenes, para vivir en un mundo que es en parte *ideal* sin que se haya dejado completamente lo *real*. México, en este sentido, no es único, sino que incorpora las características básicas de todas las culturas. En estas culturas, las imágenes seguirán viviendo mientras haya vida.

Ya se ha reflexionado bastante sobre las imágenes populares. Hay que volver a la tumultuosa trayectoria de la Revolución Mexicana.

HACIA UNA REVOLUCIÓN LEGITIMADA

Para 1915–1916, Carranza y Obregón habían triunfado definitivamente. Es decir, triunfaron los intereses de la clase media y perdieron los de la clase campesina. Carranza fue elegido presidente e inaugurado en 1917. Poco después fue escrita la *Constitución de 1917*, la cual—gracias a la presión que todavía se sentía de los verdaderos revolucionarios—contenía programas sociales que la colocaban entre las constituciones más progresistas del mundo occidental de aquella época.

Sin embargo, aún no había acabado la violencia en todo el país. En poco tiempo creció la oposición contra Carranza, quien presintiendo su caída, huyó en tren hacia el puerto de Veracruz en 1920. Escapó en vano pues antes de llegar a su destino fue asesinado en la selva. Hubo elecciones poco tiempo después y Obregón resultó el triunfante. Éste sobrevivió su mandato presidencial de 19201924. Durante el gobierno de Obregón el gobierno empezó a implementar las medidas agrarias vigentes en la Constitución de 1917 con la repartición de tierras a los campesinos—aunque en realidad esto no fue más que un frágil comienzo.

Obregón organizó un programa de educación bajo la dirección del escritor José Vasconcelos (1882–1959). De acuerdo con este programa, maestros y

[18] Prójimos = neighbors.

estudiantes de las universidades salían de las ciudades al campo para enseñarles a los campesinos a leer ya escribir. Los artistas, que también recibieron apoyo del gobierno obregonista, manifestaban la filosofía de que el arte debía existir para el beneficio de toda la ciudadanía, no sólo la clase alta. La forma más impresionante de la expresión artística dentro de ese programa—bajo la influencia del caricaturista, José Guadalupe Posada (1852–1913), y el pintor, Dr. Alt (1875–1964),[19] fue la de los *muralistas*, cuyos representantes más notables fueron José Clemente Orozco (1883–1949), Diego Rivera (1886–1957), y David Alfaro Siqueiros (1898–1974). Estos tres muralistas pronto conquistaron fama internacional. Su fama consagró ese momento y los que siguieron como una época de oro en la historia de la cultura mexicana, dando un impulso dinámico a la creatividad artística de las próximas generaciones.

Para el siguiente período presidencial de 1924–1928, Plutarco Elías Calles fue elegido. Según la Constitución de 1917, un presidente no podía reelegirse al cabo de su período en la silla presidencial, este artículo fue escrito con el fin de evitar nuevamente una larga dictadura como la de Porfirio Díaz. Sin embargo, Obregón, como burlándose de ese artículo, en 1928 lanzó su campaña para la presidencia, y ganó la mayoría del voto popular—aunque José Vasconcelos, otro candidato, denunció las elecciones como fraudulentas. No obstante, antes de ser inaugurado Obregón fue asesinado por un fanático religioso—o por lo menos según se dijo. Aunque empezó a correr el rumor que quien estuvo detrás del asesinato de Obregón fue en realidad Calles. El humor popular no se hizo esperar: si alguien preguntaba "¿quién mató a Obregón?" otro respondía ¡*Cállate* la boca!" Por su parte Calles, según él para prevenir otra nueva explosión de violencia, pronto impuso su voluntad. Durante los seis años siguientes ejerció poderes casi-dictatoriales con su "sombra" en vez de su "presencia" en el palacio gubernamental, época narrada en la novela *La sombra del Caudillo* (1929)[20] de Martín Luis Guzmán. Es decir, para cumplir con el precepto constitucional de la no reelección, Calles mismo puso a tres hombres en la silla presidencial entre 1928–1934, cada uno ejerciendo en su lugar el poder durante un lapso de dos años. Para estabilizar la política, Calles organizó en 1929 un partido oficial, el *Partico Nacional Revolucionario* (PNR) que seguiría cambiando de nombre hasta convertirse en el *Partido Revolucionario Institucional* (PRI). Este partido se estableció en el poder por más de siete décadas hasta que en el año 2000 Vicente Fox—candidato del Partido Acción Nacional (PAN)—ganó las elecciones.

---

[19] Alt = agua (en náhuatl). Dr. Alt era el pseudónimo de Gerardo Murillo.

[20] La película homónima, basada en la novela de Guzmán y dirigida por Julio Bracho (1909–1978) no pudo estrenarse en 1960 cuando se terminó por la censura de que fue objeto por algunos oficiales del ejército. Se le ha llamado "la película maldita." El filme fue destruido y solamente se recuperó una copia de mala calidad. Por fin en 1990 se permitió la exhibición de *La sombra del caudillo* durante el mandato de Carlos Salinas de Gortari. Julio Bracho murió sin poder ver su película estrenada. Ahora este filme se ubica dentro de las 35 mejores películas del cine mexicano.

De 1934–1940 gobernó el presidente Lázaro Cárdenas (los períodos presidenciales se habían extendido de cuatro a seis años). Cárdenas había sido discípulo y aprendiz de Calles. Calles lo seleccionó como el próximo candidato para la presidencia, creyendo que tendría otro títere en sus manos—como fue el caso de los primeros. Sin embargo, Cárdenas no cumplió con el rol que quiso imponerle Calles. Inmediatamente después de su inauguración, Cárdenas puso en pie una serie de las más profundas reformas de la historia de México, pero antes mandó a Calles a Los Ángeles, California, donde permanecería exiliado el por toda su vida. Cárdenas, el "Tata" ("Papá") como le decían los campesinos indígenas, era un firme creyente de las virtudes de la *revolución agraria*: favoreció el sistema de *ejidos*, sistema que, como ya se sabe, era semejante al de la época prehispánica. Para 1940 más de 17 millones de hectáreas habían sido distribuidas para el cultivo *ejidal*, lo que representaba más de la mitad de la producción agrícola del país. Cárdenas servía como árbitro en las contiendas entre trabajadores y empresarios, y en la mayoría de los casos, se ponía a favor de los trabajadores (por consiguiente los sindicatos en esa época alcanzaron su máximo poder). Además bajo Cárdenas hubo un programa dinámico de *nacionalización* de servicios públicos, ferrocarriles, fábricas, y minas: todo fue puesto bajo el control del gobierno federal.

Pero la nacionalización más dramática para los mexicanos y más traumática para los inversionistas extranjeros fue la del petróleo. En 1938, cuando las empresas de EE.UU., Gran Bretaña, y Holanda se negaron a respetar un acuerdo con los trabajadores arbitrado por el mismo Cárdenas, el presidente ordenó la expropiación de todo el petróleo. Después, hizo una petición al pueblo mexicano a que contribuyera con lo que pudiese para ayudar con el pago del petróleo a las empresas extranjeras. En un acto de patriotismo, mujeres ricas donaron joyas y cubiertos de plata, niños vaciaron sus alcancías,[21] y los campesinos entregaron puercos y gallinas a su "tata" para ayudar a la causa. Todas las contribuciones ayudaron poco a la indemnización de los empresarios extranjeros del petróleo, desde luego, pero fue un acto de importancia simbólica más bien que la solución al problema. Sin embargo, estos actos de contribución a una causa sirvieron para unificar al pueblo mexicano más que nunca. A pesar de las protestas de las empresas y de los rumores de los rumores de intervención de gobiernos extranjeros, el presidente de México se mantuvo firme con respecto a la nacionalización del petróleo, que desde entonces fue patrimonio de los mexicanos.[22] (Hay que agregar también que la indemnización—determinada por un comité internacional—fue pagada en su totalidad una década y media después).

En fin, Cárdenas cambió la cara de México, quitándole la cosmética extranjera que había retenido desde el porfiriato y que había sobrevivido la Revolución y los años de Carranza, Obregón, y Calles. Ahora era un país en

[21] Alcancías = personal savings banks ("Piggy Banks").
[22] PEMEX (Petróleos Mexicanos) fue creado en 1938 bajo la administración de Lázaro Cárdenas.

camino hacia algo nuevo, algo genuinamente mexicano, con identidad propia. Es significativo y hasta simbólico que Cárdenas haya confirmado esas transformaciones con un nuevo nombre para el partido oficial: el *Partido de la Revolución Mexicana* (PRM).

UN INTERMEDIO

Ya que con la presencia de Cárdenas hemos llegado a lo que muchos historiadores consideran la culminación de la Revolución Mexicana, conviene echar una nueva mirada[23] a un aspecto sobresaliente de la cultura mexicana, y de hecho, de las culturas *latinoamericanas* en general: el *paternalismo*.

México, gracias a la Revolución, se abrió a nuevas posibilidades para que la gente de clases antes marginadas pudiera comenzar a soñar de nuevo y a trabajar hacia la realización de sus sueños. Debido en gran parte a esa apertura, emergió toda una generación dinámica de políticos, profesionales y empresarios. Su fama consagró ese momento y los que siguieron como una época de oro en la historia de la cultura mexicana, dando un impulso dinámico a la creatividad artística de las próximas generaciones. Esa nueva generación de mexicanos llegó a tener éxito por su inteligencia, industria, y sobre todo por aprovechar las *interrelaciones* humanas que existían en esa nueva sociedad. Hay que mencionar que en una sociedad *paternalista*, la red de *interrelaciones humanas* es de suma importancia.[24] Por eso, no sería nada extraordinario encontrar una persona del México post-cardenista con suficiente renombre e influencia que describiera su camino al éxito más o menos así:

> Nací en el seno de una familia provinciana *medio pobre*. A los doce años llegué a *la ciudad* a vivir con unos tíos porque mi padre murió y mi madre ya no podía con siete hijos. Asistí a *la universidad* donde *conocí a algunos estudiantes de familias adineradas*, y con ellos—durante el último año de mi educación universitaria—*tomé parte activa en las elecciones gubernamentales*. El padre de uno de mis amigos fue elegido senador del estado, y después de graduarme de ingeniero civil, *me invitó a trabajar con él en su negocio*. Él tuvo después la bondad de *prestarme dinero para poner una planta de cemento*. Varios años después, *hice campaña para diputado*, y afortunadamente, el pueblo me eligió. Últimamente, la Secretaría de Obras Públicas me ha concedido cuatro contratos de *una suma impresionante* para la construcción de nuevos edificios en las principales ciudades del estado. *Me va bien.*

¿Por qué "le va bien"? Por los "contactos" que ha hecho. Ahora, como recompensa a sus esfuerzos, se encuentra rodeado de "amigos" (de "compadres"), dentro de un sistema profundamente *paternalista*.

El camino al éxito no es solamente el de la frugalidad, el trabajo diligente, y la inversión de dinero con bastante cordura—como sería el camino al éxito más apropiado según otro imagen popular, el de Horacio Algiers de EE.UU. En

---

[23] Echar...Mirada = to take another look.
[24] Suma importancia = of utmost importance.

Latinoamérica, más que en EE.UU., también es importante conocer gente respetable, hacer contactos, adquirir influencia a través de la familia, obtener membresía en los "clubs" apropiados, y entrar en los círculos dominantes en la escuela, el comercio, la burocracia y el palacio municipal. El éxito de uno no se mide a base de su actividad industriosa o de haber corrido con suerte. Su éxito es también el producto de la red de socios y "compadres" que se haya establecido: pues, como dice el refrán, "Dime con quién andas y te diré quién eres." Además el éxito no le pertenece a la persona por el simple hecho de merecerlo. Fue en gran parte a base de las conexiones sociales: "Hay que tener palanca,"[25] o "Estar enchufado," como dicen.

No hay que creer que los procedimientos dentro del sistema *paternalista* de Latinoamérica son necesariamente menos justos que los del sistema social de EE.UU. o de cualquier otra sociedad. Sencillamente son distintos. Propiamente dicho, en Latinoamérica no existe una "*meritocracia*" en la que le dan premios a un individuo por sus logros, y nada más. En realidad, tampoco en EE.UU. se puede encontrar un proceso de selección que siempre escoge objetivamente a los más preparados para los trabajos, la administración, la burocracia, la política, y el ejército. No obstante, el sistema de EE.UU. sí es menos *personal*. Sin embargo, a EE.UU. le hace falta una característica que sobresale en México y en Latinoamérica: el *personalismo* (las *interrelaciones interpersonales*), que es inherente al *paternalismo* (como fue mencionado en el Capítulo 2). Así como la política latinoamericana está más bien basada en *relaciones concretas* que en *instituciones abstractas*—como suele practicarse en EE.UU.—del mismo modo todos los aspectos culturales latinoamericanos tienden a basarse en relaciones de índole personal, *concreta*, y *humana* (lo que ya se vio en la discusión sobre el *vacío de la legitimidad* en el Capítulo 11).

Así es que aunque el camino al éxito en Latinoamérica quizá no le parezca a una persona de EE.UU. ni lógico ni justo, para los latinoamericanos sigue rutas bastante acostumbradas y cómodas. El individuo que depende de parientes, amigos, y otros conocidos para subir de categoría, se conduce de un modo que le es bastante razonable. Su camino al éxito es para él tan lógico como para el norteamericano lo es el tener confianza en su preparación y en sus talentos para realizar sus sueños como individuo (eso es, el "rugged individualism," de acuerdo con la tradición en EE.UU.). El *personalismo* le puede ofrecer a un individuo de Latinoamérica un lugar más seguro, más íntimo y cómodo, y de más sociabilidad, comparado con el sistema relativamente abstracto y frío de EE.UU. Reiterando, ni un sistema ni otro es necesariamente superior o inferior, son diferentes. Cada uno tiene sus ventajas y desventajas, y cada uno puede atraer pero también quizás repeler un poco. A fin de cuentas, la Revolución Mexicana—al igual que otros movimientos históricos de Latinoamérica—es uno de los eventos que, transformando radicalmente la cultura, abrió las puertas a la dinámica de esa profunda característica del *personalismo-paternalismo*.

---

[25] Tener palanca, estar enchufado = to have connections, "pull."

Terminada esta breve divagación, hay que proseguir con la trayectoria histórica de México.

Y AHORA, LA REVOLUCIÓN INSTITUCIONALIZADA

El huracán de cambios cardenistas fue demasiado profundo y excesivamente rápido. Era hora de volver a una política más "conservadora" y "calmada," después de tantos programas "radicales." Esa era la opinión general de las clases media y alta, y de la corriente tradicional del catolicismo.

Los períodos presidenciales de Manuel Ávila Camacho (1940–1946) y de Miguel Alemán (1946–1952) fueron, por lo tanto, una vuelta de la derecha. Durante ese período, la industrialización llegó a tener prioridad sobre la revolución agraria, las empresas fueron favorecidas mientras que los trabajadores ganaban un sueldo que cada vez alcanzaba menos, y la estabilidad política fue la norma en vez de la iniciación de programas nuevos y cambios bruscos. A la vez, hubo *modernización* de la economía nacional. Las fábricas empezaron a reemplazar a las minas a los pozos petroleros como la base principal de la economía. La mecanización de la agricultura y el cultivo de los productos agrícolas—por parte de los granjeros de clase media—para la exportación tomaron prioridad sobre los ejidos de los campesinos. Además, un incremento de inversión extranjera en fábricas y comercio comenzó por primera vez desde la época de Porfirio Díaz a tener un papel importante en la economía del país. Se hablaba del "milagro mexicano" a causa de su aparente progreso económico.

Esa transformación fue certificada en 1946 con otro cambio de nombre del partido oficial: *Partido Revolucionario Institucional* (PRI). El PRI según la retórica oficial, perpetuaba el papel dinámico de la revolución Mexicana. Se presentaba como un partido obsesionado con el ideal de una democracia capaz de unificar a todo el pueblo. Al mismo tiempo, bajo el programa del PRI, el *personalismo*, disminuía mientras el *profesionalismo* cobraba más vigor. Es decir, hasta cierto punto las relaciones burocráticas y abstractas de las *instituciones sociales*, *políticas* y *económicas* reemplazaban las relaciones puramente *paternalistas* y *personalistas* típicas del cardenismo. Por lo tanto, la política se inclinaba hacia una administración de *técnicos* en vez de *patrones*, de *política* en vez de *administración* a base de *interrelaciones humanas*.

Por otra parte, comenzó a haber duda entre un número impresionante de intelectuales sobre la legitimidad de ese partido "revolucionario." Surgieron preguntas como: ¿Tenía todavía fuerza la Revolución Mexicana o había ya muerto? Las dudas aumentaron, sobre todo durante los períodos presidenciales de Adolfo López Mateos (1958–1964) y Gustavo Díaz Ordaz (1964–1970). Como se sabe, durante esos años había mucha inquietud política y social por todas partes: los asesinatos de John F. Kennedy, Martin Luther King Jr. y Malcolm X en EE.UU., la revolución cultural en China, la revolución social de Cuba, el movimiento en París de 1968, y la guerra de Vietnam. La inquietud que emergió en México presentó una cara diferente, de acuerdo con las circunstancias particulares.

En primer lugar, para fines de la década de 1960 el "milagro mexicano" de la economía parecía alejarse del horizonte. El proceso de la industrialización estaba perdiendo su ímpetu. Las empresas ya no podían competir con eficacia en el mercado internacional. Además, con un aumento en la población de 3 a 4% cada año, por primera vez desde el comienzo del cardenismo había necesidad de importar alimentos básicos. En segundo lugar, para el verano de 1968, año en que México había sido seleccionado como anfitrión de los XIX Juegos Olímpicos, un conflicto entre estudiantes en huelga y representantes del gobierno llegó a un punto crítico. Las manifestaciones estudiantiles no se encaminaban hacia una revolución de tipo marxista-socialista, como era el caso en otros países latinoamericanos y de Europa. Por regla general, los estudiantes simplemente demandaban democratización política y reformas universitarias. Desde el extranjero se criticaba la inestabilidad de México, además había rumores de que quizás no se permitirían los Juegos Olímpicos allí si la situación continuaba.

Entonces, el gobierno mexicano recurrió a medidas represivas extremosas. El dos de octubre de 1968 hubo una masacre en *Tlatelolco*, en la *Plaza de las Tres Culturas*,[26] donde se había reunido un grupo enorme de estudiantes, profesores, y otros simpatizantes. La operación fue sencilla y certera. El gobierno mandó al ejército al sitio de la reunión, y de repente, se comenzó a disparar a la gente. Según se ha calculado, 400–600 estudiantes murieron en ese día trágico en la historia de México. La Revolución ahora sí parecía sin duda "institucionalizada," o sea, *impersonalizada*. Es decir, el gobierno se había mostrado como *benigno* y *paternalista* durante tiempos de calma y estabilidad, pero capaz de imponer castigos severos durante tiempos de rebelión. La masacre de Tlatelolco fue una verdadera tragedia, pero a la vez sirvió para demostrar otra máscara del gobierno mexicano: un coronel en forma de esqueleto con el sable ensangrentado y montado a caballo típico de los grabados de José Guadalupe Posada.

Después de la masacre de Tlatelolco, los presidentes que siguieron a Díaz Ordaz probaron nuevos caminos de reconciliación, tratando de cooptar, acomodar, y asimilar a los elementos inquietos. Luis Echeverría (1970–1976) puso renovado énfasis en la redistribución de tierras y el nacionalismo, mientras su sucesor, José López Portillo (1976–1982) intentó reformas políticas y una expansión de la representación de los partidos políticos que competían con el PRI. Al final de 1970, el descubrimiento de extensos yacimientos de petróleo le dio a la llamada "familia revolucionaria" del PRI la confianza de pedir al Banco Mundial grandes préstamos para crear obras públicas. El gobierno suponía que el petróleo proveería los medios para pagarlas. Poco después, México tenía la

[26] A este lugar se le llamó "Plaza de las tres Culturas" porque allí se descubrieron restos de construcciones aztecas (cultura prehispánica—la plaza se llamaba Tlatelolco) en el sitio en que existía una iglesia edificada durante el período colonial (cultura española tradicional), y en la periferia de la misma plaza habían construido el edificio gubernamental de Relaciones Exteriores (cultura contemporánea).

deuda más grande de los países en desarrollo, deuda que México había incurrido con el *sueño* de que a base de dinero prestado el país podría entrar en plena *modernidad*. Lo que en realidad pasó es que las obras públicas no se realizaron según se esperaba, algunos políticos se llenaron las bolsas de dinero, y con la nueva ola de corrupción, el PRI cosechó ira y cinismo por parte del pueblo.

Además, el gran proyecto de la *modernidad* del Presidente López Portillo se esfumó en 1982 con la caída del precio de petróleo. El peso mexicano se devaluó un 600%, y López Portillo acabó su mandato presidencial envuelto en controversia. Miguel de la Madrid Hurtado (1982–1988) con prudencia inició un programa de *privatización*[27] de muchas de las empresas que habían pertenecido al estado, y una liberación del comercio entre México y otros países. El sucesor del Presidente de la Madrid, Carlos Salinas de Gortari (1988–1994), quien ganó las elecciones más controvertidas de la historia del PRI hasta entonces, prolongó el programa de privatización. Para 1994 la inflación había sido reducida, la economía parecía sana, y el país tenía un acuerdo con sus acreedores para pagarles a plazos más largos. Con renovada confianza, el primero de enero de 1994 se ratificó el *Tratado de Libre Comercio* (TLC).[28]

Irónicamente, al mismo tiempo brotó la rebelión del *Ejército Zapatista de Liberación Nacional* (EZLN) en el estado de Chiapas como respuesta. La realidad es que a los campesinos marginados les había ido cada vez peor en las últimas décadas. Además, el nuevo Presidente, Ernesto Zedillo (1994–2000), devaluó el peso después de prometer un futuro estable, lo que puso en crisis al joven TLC. La inquietud aumentó en parte al descubrirse que el ex–presidente Salinas de Gortari y su hermano, Raúl, estaban implicados en asesinatos políticos y tráfico de drogas. La pregunta clave en lo que concierne a la década de los noventas era si el PRI podría seguirse manteniendo en el poder a través de medios pacíficos, re-estableciéndose como el partido que mejor representaba al pueblo, o si la oposición podría conquistar la confianza de la ciudadanía de tal forma que derrotara al PRI en las elecciones. La situación era enigmática y sumamente insegura antes de las elecciones presidenciales del año 2000.

¿Y POR QUÉ MÉXICO?

En fin, el caso de México es único, porque quizá ejemplifique la naturaleza *socio-político-económica* de Latinoamérica mejor cualquier otro país. ¿Por qué? Hay varias razones para enfatizar el caso de México.

En primer lugar, La Revolución Mexicana a principio parecía una revolución legítima. No fue sencillamente otro *golpe de estado* en que un general del ejército desplaza a un presidente elegido, o en el que un general desplaza a otro general. Tales *golpes* no son más que revoluciones *políticas*: las estructuras *sociales* y *económicas* se modifican poco. En cambio, La Revolución

---

[27] Privatización = privatization: placement of state owned properties into the hands of private individuals or corporations, by sale, bid, or auction.

[28] Tratado de Libre Comercio (TLC) = North American Free Trade Agreement (NAFTA).

Mexicana realizó una transformación *política* durante su período más violento (1910–1917), una transformación *social* bajo la presidencia de Cárdenas (1934–1940), y una transformación *económica* durante los últimos años de Cárdenas y los dos presidentes que le sucedieron, Ávila Camacho (1940–1946) y Alemán (1946–1952). Otros países latinoamericanos que han logrado una revolución en ese sentido cabal de la palabra son: (1) Guatemala (1945–1954), pero fue una revolución frustrada por la intervención apoyada por la CIA de EE.UU., (2) Bolivia (1952–1968), que después tuvo una intervención del ejército boliviano, (3) Cuba (1959–?) que relativamente continúa hasta hoy, aunque las cosas están cambiando desde diciembre de 2014 con el prospecto de la reanudación de las relaciones internacionales entre este país y los EE.UU., y (4) Nicaragua (1979–1990), que terminó cuando Violeta Barros de Chamorro derrotó al "sandinista," Daniel Ortega, en las urnas electorales.

En segundo lugar, México es el país mestizo por excelencia, y por lo tanto ejemplifica maravillosamente el fenómeno de la *pluralidad* cultural latinoamericana. Como hemos visto, la mayoría de los países del cono sur son más bien de características europeas. Los países andinos nunca consiguieron lograr una mezcla racial-cultural tan profunda desde la conquista como México. Los países de Centro América son mayoritariamente o indígenas (Guatemala), criollos (Costa Rica), afro-latinoamericanos (Panamá), o de mestización esporádica (Nicaragua, Honduras, El Salvador). El Caribe carece de una larga tradición amerindia. Paraguay es un país predominantemente mestizo, pero hay poca cultura "moderna" y casi no hay influencia afro-latinoamericana. Brasil, desde luego, tiene una de las *pluralidades* étnicas y culturales más complejas del mundo. Sin embargo, el mestizaje es local. El sur de Brasil es sobre todo europeo, mientras el noreste es más bien afro-brasileño. El interior de Brasil, aunque de escasa población, tiene de todo. Pero la mezcla es también esporádica: hay indígenas que se han mezclado poco con la cultura dominante, y hay migrantes de la costa de norte a sur que han mantenido las características de la provincia de su origen. Aunque el sur de México es mayoritariamente indígena, y aunque lo afro-mexicano esté concentrado en las costas, la mezcla en México es más completa que la de los otros grandes países de Latinoamérica.

En tercer lugar, México fue el primer país en crear un programa genuino para revelar, rehabilitar, y asimilar su pasado prehispánico. José Vasconcelos, escritor y Ministro de Educación Pública bajo la presidencia de Obregón, mantenía la idea de que el futuro del continente dependía de la fusión de todos los grupos étnicos en una cultura única. Vasconcelos, el "caudillo de la cultura," organizó una campaña de educación universal y un programa con énfasis en las culturas prehispánicas y en el arte muralista, la literatura, y el teatro, con el sentido de forjar un sentido de identidad nacional en todos los ciudadanos del país. La estabilidad de México del presente siglo—cuando menos hasta fines de los años 1980—en gran parte de debe al éxito de incorporar la herencia indígena con el concepto de la "mexicanidad."

En cuarto lugar, México quizá sea el país que mejor ha logrado una evolución política *sui generis*.[29] En cuanto a la evolución del sistema político, la Constitución de 1917 fue escrita de acuerdo a la condición del país después de la Revolución. Fue Cárdenas el instrumento principal en la creación de una estructura administrativa del estado de acuerdo con los artículos de la Constitución, con su revolución agraria, la nacionalización de bienes del estado, y los derechos otorgados a los trabajadores y campesinos. Esas transformaciones fueron posibles por medio de los cambios efectuados por el partido oficial de la Revolución, el PNR, fundado por Calles. El partido, ya bautizado como el PRM, fue reorganizado alrededor de cuatro *ramas* o *sectores*, que incluían: los *campesinos*, los *trabajadores*, la *burocracia*, y el *ejército*. Conflictos entre los diferentes *sectores*, y entre los *sectores* y otros grupos del país, eran arbitrados directamente por los líderes de los *sectores* y el presidente—el *congreso*, por lo tanto, fue excluido casi por completo, contrario al sistema de EE.UU. De esta manera se disminuyó aún más la influencia de las ramas *jurídica* y *legislativa* y se aumentó el poder del *ejecutivo*, el poder del Señor Presidente.

No obstante, hay que mencionar que este sistema es poco comparable al de EE.UU. con sus tres divisiones de poder entre el *jurídico*, el *legislativo*, y el *ejecutivo*, y se asemeja más a un *estado corporativista*.[30] (Como se verá más adelante, ese aspecto *corporativista* también sirvió como modelo para la presidencia de Juan Domingo Perón [1946–1955] de Argentina y el *estado novo* de Getúlio Vargas [1930–1945] de Brasil). La diferencia principal entre la estructura política establecida por Cárdenas y el *corporativismo* es que la Constitución de 1917 tenía como base preceptos democráticos con marcados elementos socialistas, lo que sirvió como barrera para que México no se convirtiera completamente en un estado corporativista y hasta totalitario. Según escribió Octavio Paz en *Posdata* (1970), el desarrollo del cuerpo político mexicano es más bien una "institucionalización" que ha producido la "máquina *paternalista* burocratizada" menos *personalista* de todas las sociedades latinoamericanas.

En fin, México puede ser una clave principal para una comprensión de la "latinoamericanidad" en general.

PREGUNTAS

1. ¿Cómo fue "re-elegido" Díaz en 1910, y qué pasó con Madero?
2. Describa la "imagen popular" de Madero. ¿Por qué desapareció después?
3. ¿Cuándo y cómo fue que entraron los campesinos a la Revolución?
4. ¿Quiénes fueron Villa, Zapata, Carranza, y Obregón?

---

[29] *Sui generis* (Latin) = unique, original, arising from within.

[30] Estado corporativista = corporate state, a political system in which the principal economic functions, such as banking, industry, and labor are organized chiefly by the government. This type of political system has existed in the past in Italy, Portugal, and Spain.

5. ¿Cuál es la "imagen popular" de Huerta?
6. ¿Qué función tienen los corridos? ¿Qué es una soldadera?
7. Describa a Villa según su "imagen popular." ¿Cómo fue derrotado Villa, y qué pasó después?
8. ¿Qué aspecto extraordinario tiene la "imagen folklórica" de Zapata, y por qué perduró tanto en la conciencia popular?
9. ¿Qué era lo que querían los zapatistas de la Revolución?
10. ¿Cómo subió Carranza a la presidencia, y qué le pasó?
11. Describa el pequeño "renacimiento" durante el gobierno de Obregón.
12. ¿Qué importancia tiene el PRN? ¿Qué otros nombres ha tenido el partido oficial, y qué significan los cambios?
13. ¿Qué características especiales tenía Cárdenas?
14. ¿Qué cambios radicales hubo después de Cárdenas? ¿Por qué se puso en duda la Revolución?
15. ¿Qué aspecto tuvo el gobierno mexicano después de 1968? ¿Por qué fue tan problemática la situación?
16. ¿Por qué merece atención especial el caso de México?
17. ¿Qué aspectos únicos tiene el sistema político de México?

TEMAS PARA DISCUSIÓN Y COMPOSICIÓN

1. ¿Cómo se puede decir que la revolución social de México no llegó hasta la presidencia de Cárdenas?
2. ¿Qué diferencias hay frecuentemente entre un individuo que ha tenido éxito en Latinoamérica y su contraparte en EE.UU.? ¿Por qué existen estas diferencias?
3. ¿De qué manera representa el acontecimiento trágico de Tlatelolco la culminación de las tendencias que existían en México desde la conquista y la colonización?

UN DEBATE AMIGABLE

Tres grupos: el primero propone y explica una pequeña lista de "imágenes populares" norteamericanas según el modelo de las "imágenes" descrito en este capítulo. El segundo grupo critica la lista basándose en las grandes diferencias entre las "imágenes" norteamericanas y las de Latinoamérica. El tercer grupo sugiere que, como las "imágenes" son universales, las semejanzas son más importantes que las diferencias.

CAPÍTULO 17

UNA ERA DE CAMBIOS POLÍTICOS

Fijarse en:

- El significado del gran sueño de la modernidad.
- La importancia de Eva Perón en el experimento argentino.
- Las condiciones especiales de Brasil y la naturaleza de su dictadura.
- Las semejanzas y diferencias entre Juan Domingo Perón y Getúlio Vargas en sus respectivos intentos de realizar su sueño.
- El porqué de las intervenciones militares en Argentina y Brasil.
- La diferencia fundamental entre Perú, por una parte, y Argentina y Brasil, por otra.
- Las características de la teoría de la "dependencia."

Términos:

- Aprismo, Dependencia, Desaparecidos, Ditabranda, Estado Novo, Guerra Sucia, Junta, Justicialismo, Manifiesto, Modernidad.

SUEÑOS

Desgraciadamente en este volumen ha sido necesario, por falta de espacio, omitir muchos nombres, lugares, y sucesos importantes. El problema es que el calidoscopio cultural del continente es de tal complejidad que no permite una revelación amplia en unas cuantas páginas.

Pero así también es la vida al sur de las fronteras con de EE.UU.: calidoscópica, compleja y de una velocidad vertiginosa. Lo que pasa es que una gran parte de los latinoamericanos quieren alcanzar la "modernidad." Quieren cambios inmediatos. En muchos casos—aunque no todos, como vamos a ver—la gente, sobre todo la de clase media, tiene la idea de que los cambios que quiere traerán progreso económico. Habrá prosperidad y abundancia, y entonces estarán al alcance casa, carro, televisión, computadora, juegos de video, y teléfono celular. EE.UU., para bien o para mal, ha contribuido a la proyección de esa imagen—de la buena vida del consumismo—en todos los países en desarrollo. La imagen fascina a los hambrientos y los desempleados, y nutre los *sueños* que perduran en la mente de la clase media. Como resultado, existe la esperanza de que el "milagro económico mexicano, brasileño, chileno, argentino, peruano, etcétera," se va a realizar, y todo quedará resuelto. Pero como escribió el dramaturgo español del Siglo de Oro, Pedro Calderón de la Barca (1600–1681): "la vida es sueño, y sueño, sueño es." Sí, los *sueños son sueños*, y nada más. Sin embargo, perduran.

Son dignos de mención especial dos caminos hacia la realización de esos *sueños* de la sociedad consumista además del *sueño* de lograr un sistema socio–político ideal: (1) a través de experimentos "desde arriba" (Argentina, Brasil, Perú), y (2) a través de experimentos *socialistas* o *casi-socialistas* (Chile, Cuba, Nicaragua). En breve se verá cada uno de estos casos, los primeros tres en este capítulo y los últimos tres en el capítulo que sigue.[1]

Del experimento al hecho hay un trecho: Argentina

Después del lema del estadista Juan Bautista Alberdi, "Gobernar es poblar," Argentina logró una transformación democrática a base de ola tras ola de inmigrantes, la gran mayoría de ellos italianos y españoles.

Mientras estuvo de presidente Domingo Faustino Sarmiento (1868–1874), se había establecido en Argentina la base de educación pública más sólida de toda Latinoamérica. El presidente Julio A. Roca había limpiado la pampa de amerindios al marginarlos hasta la Patagonia—y desafortunadamente en algunos casos al exterminarlos. El puerto de Buenos Aires estaba ya equipado para la exportación de pieles de ganado en cantidades impresionantes, y se estableció el inicio de una red de vías de ferrocarril y un sistema de telégrafo. Ahora el país estaba listo para recibir a los inmigrantes, sobre todo granjeros y ganaderos, para trabajar en las estancias. En 1880, 26.000 inmigrantes llegaron a buenos Aires, número que subió hasta 219.000 para 1889. En 1890, Buenos Aires tenía cerca de 300.000 habitantes, 90% de ellos extranjeros. Para 1909 la ciudad porteña contaba con 1.244.000 habitantes, y en 1914 la población del país había alcanzado 7.900.000.

El problema fue que la oligarquía tradicional estuvo en control de las estancias y de la política del país desde 1890 hasta 1910. Durante esa época la *Unión Cívica Radical* (los "radicales") cada vez alcanzaba más influencia—se llamaban "radicales," aunque en términos políticos de hoy no serían tan "radicales." La oligarquía cedió el poder a los "radicales" por voto popular en 1910, y ellos se mantuvieron en el poder hasta 1930, cuando volvió el antiguo régimen conservador. Pero la Argentina de entonces, envuelta en la Gran Depresión Económica, y con la caída de los precios del trigo y la carne de res, ya no era la Argentina próspera del pasado. La oligarquía en realidad no había creado oportunidades económicas para las olas de inmigrantes, y por desgracia no tuvo la visión de establecer una base industrial que complementara la producción de la agricultura. Entonces mientras Europa y EE.UU. importaron los productos de la industria pesada[2] a Argentina a precios cada vez más altos, el trigo y el ganado, que los argentinos exportaban, valían menos. Como

---

[1] Aunque hay otros países que también merecen discutirse, desgraciadamente hay que limitarse.

[2] Industria pesada = heavy industry, producing durable manufactured goods.

consecuencia, el balance de comercio cambió de favorable a desfavorable. A la vez, el crecimiento demográfico de Buenos Aires continuaba a pasos asombrosos. Se conglomeraban en los barrios de Buenos Aires los hijos de la generación de inmigrantes italianos y españoles, y los trabajadores recién llegados de las estancias casi-feudales de la pampa en busca de una vida mejor. Todos anhelaban sueldos más respetables en los *mataderos*[3] y en los *frigoríficos*.[4] Estaban dispuestos a dar su apoyo a cualquiera que les prometiera mejores condiciones. Los burócratas y profesionales de la clase media, insatisfechos con sus sueldos, también soñaban con un mundo mejor. La situación era precaria.

Ahora entra Juan Domingo Perón (1895–1974), *caudillo* impresionante y jefe del *Grupo de Oficiales Unidos* (GOU), una organización militar. En 1943, Perón fue designado como Ministro de Trabajo, e inmediatamente se puso a organizar a los trabajadores, cuya membresía en los sindicatos había subido del 10% al 70% en sólo dos años. El prestigio de Perón creció al mismo tiempo, animándolo a lanzar una campaña presidencial para las elecciones de 1946. Ganó con facilidad y comenzó a crear una organización política poderosa con el fin de mejorar los sueldos de los trabajadores, los llamados "descamisados,"[5] promoviendo la industrialización del país. Su esposa, Eva Duarte de Perón, mujer guapa, extrovertida y de familia pobre, había trabajado en la radio y era muy conocida en Buenos Aires. Consiguió la simpatía de la clase trabajadora, sobre todo la de los pobres, y emprendió una lucha para mejorar sus condiciones. "Evita" tenía una energía impresionante: salía a la calle para conocer personalmente y apoyar a "los de abajo," y con la sanción de la Iglesia, hizo campaña para mejorar la asistencia médica, organizar centros de ayuda para los desempleados, y otros programas sociales. Mientras tanto, Juan Perón extendía promesas a los trabajadores a través de una denuncia de la oligarquía conservadora.

El programa político de Perón consistió en un camino intermediario: eligió algunos elementos del capitalismo, otros tantos del socialismo, y unos cuantos más del fascismo, creando una ideología ecléctica e indefinida que bautizó con el nombre de *justicialismo*. El programa llegó a ser, a medida que Perón le daba referencias imprecisas a su retórica política, una mezcla de *corporativismo*—el caudillo admiraba a Benito Mussolini de Italia—con una fachada más o menos democrática. Los Perón, Juan y Evita, tuvieron suerte en iniciar el programa durante un nuevo período de prosperidad económica, de modo que pudieron lanzar una serie de proyectos sociales y exigir a las empresas mejores sueldos para los trabajadores. Sin embargo, el período de prosperidad fue breve, y la situación financiera del país pronto se agravó. Poco a poco, Juan y Evita perdieron el apoyo de la Iglesia y del ejército, y cultivaron nuevas enemistades entre gente de la oligarquía, que nunca los habían querido desde un principio. El

---

[3] Mataderos = slaughterhouses.
[4] Frigoríficos = meat packing houses and refrigeration chambers.
[5] Descamisados = the shirtless ones.

acontecimiento más trágico para Perón llegó con la muerte de su esposa en 1952. Sin el carisma de la enigmática Evita, y ya habiendo perdido mucho de su ímpetu, el *sueño* de Perón comenzó a desvanecerse. Mientras tanto, la oposición cada vez cobraba más vigor. Presintiendo su caída, el 19 de septiembre de 1955 Perón renunció y buscó asilo político en Paraguay. Había acabado el experimento *populista-justicialista*.

Durante los años que siguieron al derrocamiento de Perón, Argentina sufrió de: (1) un golpe de estado por parte del ejército en 1962, (2) una vuelta al peronismo con el voto de los eternamente fieles trabajadores a favor de Perón en 1973, y su muerte repentina en 1974, (3) un desastroso período en el que la segunda esposa y luego viuda de Perón, Isabel, fue presidente (1974–1976)—la primera mujer presidente en toda Latinoamérica—y (4) un régimen militar de 1974–1983. Durante esa última dictadura, la violación de los derechos humanos se intensificó, con un estimado de 23.000 *desaparecidos*—enemigos reales o imaginarios que dejaron de existir, sin rastro—en lo que se ha denominado la *guerra sucia*. El régimen cultivaba más antipatía con cada año que pasaba. En 1982 el ejército ocupó las Malvinas (Falkland Islands), que Argentina había estado reclamando de la Gran Bretaña desde el siglo XIX. Se supone que ese acto desesperado por parte del ejército fue un intento de demostrar su patriotismo y salvar su reputación. Sin embargo, no dio resultado. La represalia de la Gran Bretaña fue inmediata y el ejército argentino fue derrotado rotundamente. Un grito de indignación del pueblo a causa de la ineptitud de la dictadura fue espontáneo, y en 1983 el ejército, con prudencia, permitió elecciones.

Pero ahora, un nuevo mal empezó a correr la república: la inflación (de 4.923% en 1989) ligada con el estancamiento económico ("stagflation"), y la deuda externa (que alcanzó 65 millones de dólares, la más grande después de Brasil y México). Por fin, el nuevo presidente "peronista," Carlos Saúl Menem (1989–1995, y re-elegido hasta 1999), pudo controlar la inflación con la imposición de un programa de austeridad que inyectó la economía con una pequeña dosis de vitalidad. No obstante, las medidas impuestas por Menem causaron una brecha más grande entre ricos y pobres, lo que causó nueva inquietud. En 1999 fue elegido Fernando de la Rúa de la Unión Cívica Radical (UCR). De la Rúa no cambió el plan económico de Menem, a pesar de que la crisis se agravaba, lo que causó descontento general. Comenzó la fuga de capital a la que se confrontó con el congelamiento de cuentas bancarias (el *corralito*), medida que provocó pánico, caos y protestas por parte de la población. En 2001 de la Rúa fue forzado a renunciar. El congreso eligió a Eduardo Duhalde como presidente interino. Duhalde obliteró la taza fija de intercambia puesta en vigor por Menem, entonces para 2002 la crisis empezó a mejorar. En 2003 el neo-peronista Néstor Kirchner fue elegido presidente. Kirchner continuó el plan económico de Duhalde, terminando con la crisis económica y alcanzando significativo crecimiento de PIB fiscal y superávit comercial. Bajo su mandato, Argentina re-estructuró su deuda externa con un descuento sin precedente de 70% ante el Fondo Monetario Internacional. Además empezó a perseguir legalmente a militares acusados de crímenes contra la humanidad durante la Guerra Sucia. Su esposa, Cristina Kirchner fue elegida presidente en 2007 y la situación económica en Argentina ha ido empeorando paulatinamente desde entonces. También, Kirchner ha estado envuelta en acusaciones de corrupción y violación de derechos humanos, además de tratar de amordazar a la prensa.

(Con respecto a Argentina y otros países del cono sur, hay que mencionar brevemente el Mercosur, un mercado común redactado en Asunción, Paraguay en 1991 entre Argentina, Brasil, Paraguay y Uruguay, y puesto en vigor en 1995. Según este acuerdo, los países de los cuatro países circularían libremente con una tarifa de entre 0% y 20%, y el dinero invertido desde un país a otro gozaría de las mismas garantías que existieran dentro del país de donde provenía el dinero invertido. El éxito del acuerdo, desde luego, dependería del control de la inflación en los cuatro países, y de un crecimiento económico equilibrado entre ellos. A pesar de su tenue comienzo, Carlos Menem enfatizó que el Mercosur debería considerarse como un paso necesario para establecer un mercado común hemisférico. Venezuela se unió a Mercosur en 2012).

CAMBIOS SÍ, PERO SUAVES DESDE LUEGO: BRASIL

Como se ha observado, en 1822 en Iripanga Dom Pedro I declaró "Indepencia ou morte!," y con relativamente poca violencia, Brasil quedó libre del colonialismo. En 1831 Pedro I dejó el país en desorden, y diez años después Pedro II fue proclamado emperador. Reinó hasta 1889, cuando comenzó la "Primera República" (1889–1930), durante la cual dominaron los republicanos.

A principio, los republicanos estaban divididos. Pero pronto formaron una coalición débil que apenas controlaba a los *caudillos* (Port., *coroneis*) locales, que a menudo entraban en guerras con el gobierno federal El poder político oscilaba entre São Paulo y Rio de Janeiro hasta 1906, cuando se formó una alianza entre los dos centros de poder económico, São Paolo y Minas Gerais (alianza de *café* con *leche*, le decían), que se prolongó hasta 1930. Durante ese tiempo, São Paulo pudo dominar Rio y el sur del país.

Para el año 1930 la Gran Depresión económica había tenido un efecto desastroso en Brasil, y las élites estaban divididas. Getúlio Vargas, gobernador del estado de Rio Grande do Sul, hizo campaña para la presidencia en 1930 y perdió. De todos modos, el ejército lo colocó en la silla presidencial, y Vargas comenzó a gobernar, casi sin programa político aparte da su obsesión por acabar con el dominio de la élite cafetera de São Paulo. Hombre enérgico y práctico, Vargas se aprovechó de los *caciques* de las provincias (ahora eren conocidos como los *tenientes* [Port. *Tenentes*]) que formaban una coalición sumamente tenue pero eficaz. Los *tenientes* instituyeron reformas sociales tales como educación obligatoria y derechos para los trabajadores. Pero esas reformas, muy pocas y mal organizadas, sólo sirvieron para incrementar la vehemente oposición de los paulistas. Vargas concedió la libertad a los viejos republicanos de São Paulo para gobernarse tal como quisieran. A la vez, para satisfacer a los que pedían más democracia, lanzó una reforma electoral con el voto de las mujeres y más colaboración de los estados en los asuntos del gobierno federal.

De esta manera, se presentó como un líder que representaba todo para todo el mundo: un *caudillo* audaz y eficaz, práctico pero enigmático.

De 1930 a 1945 Vergas se mantuvo en el poder a través de una "dictadura benigna" o "blanda" (Port., en vez de "ditadura," "ditabranda"), típica de la personalidad relativamente suave de los brasileños. Bautizó el régimen con el nombre de *Estado Novo*, siguiendo más o menos el ejemplo del dictador fascista, António de Oliveira Salazar de Portugal. Pero el gobierno de Vargas no fue del todo fascista. Vargas nunca formó un sistema dictatorial en todo el sentido de la palabra, ni gozaba de carisma como Perón. Su gobierno fue en cierto sentido semejante al de Porfirio Díaz de México: "Mucha administración y poca política," como decía el mismo Díaz. Es decir, escogía con cuidado a los administradores de modo que formaran una coalición, aunque débil. Sin embrago, Vargas no se olvidaba de las masas de pobres en el campo y en la ciudad como hizo Díaz. Su táctica fue la de un héroe con mil máscaras. Se ponía una de las máscaras mientras bailaba en los salones de las élites, otra máscara en el mercado y las oficinas cuando se asociaba con la clase profesional, y una máscara más al ponerse en el desfile carnavalesco con los explotados y oprimidos. Reiterando: quería presentarse como representante de todo para todos.

Los problemas más apremiantes de Brasil eran la *unificación nacional* y la *industrialización*. Como solución, Vargas empezó poco a poco a reducir el poder de los estados—a los que antes les había permitido concebir ilusiones de autonomía para conquistar su apoyo. Puso secretarías de industria y trabajo bajo el poder del gobierno central—sin embargo, los intereses agrícolas poderosos seguían intocables. En un acto puramente simbólico, fueron quemadas las banderas de los estados para indicar que de ahí en adelante Brasil se guiaría por una sola bandera: la que representaba a un Brasil para todos los brasileños. Ahora, según el *sueño* de Vargas, existía *un pueblo* y *un país*, lo que era algo irónico en vista de la población étnica tan diversificada de norte a sur, con la riqueza en el sur y la pobreza en el noreste. De todas formas, el *Estado Novo* intentó crear un ambiente de movilidad social y económica y un orgullo nacional. Se aprovechó de la ficción de los brasileños por el fútbol soccer, el carnaval, la música, y el arte para fomentar un sentimiento de nacionalismo.

No obstante, había demasiados conflictos en esa sociedad tan *pluralista*, y la deseada creación de un Brasil para todos no pudo realizarse con la facilidad que Vargas hubiera deseado. En 1945, Vargas reinició bajo mucha presión del ejército y varios grupos elitistas. Regresó a Rio Grande do Sul, y se dedicó a cuidar su ganado. Pero todavía no le había llegado la tranquilidad espiritual que deseaba. En 1951 volvió a la política y fue elegido presidente de nuevo. Sin embargo, los demonios dentro de su cabeza lo seguían torturando, sus enemigos no lo dejaban en paz, y se suicidó en 1954, dejando para la posteridad una misteriosa carta en la que denunciaba las intervenciones clandestinas de la oligarquía nacional y de países extranjeros en los asuntos de la nación.

A la larga, el experimento de Vargas fracasó. Pudo centralizar la máquina política, pero la simpatía de la gente seguía descansando en los jefes provincianos en vez del gobierno central. Estableció una base industrial, pero el país todavía dependía demasiado de la agricultura. Ahora hasta cierto punto Brasil era para los brasileños, sin embargo continuaban las enemistades en las provincias, clases sociales, y grupos étnicos. El *sueño* fue bonito, y hubo beneficios gracias al experimento con una democracia limitada, por cierto, pero la *utopía* todavía quedaba en el lejano horizonte.

Una época nueva, la de la llamada "República Democrática," siguió a Vargas desde 1946 hasta 1964. Fue un período de inquietud social, de coaliciones esporádicas y desorganización política, además de subidas y bajadas económicas. En 1964 intervino el ejército con el pretexto de "limpiar" a política del país. Comenzó entonces otra *ditabranda* (¡y apenas unas horas después, el Presidente Lyndon Johnson de EE.UU. telefoneó a los generales, felicitándolos por haber llevado a cabo una transformación "democrática'!). Los generales echaron a la mayoría de los políticos principales, acusándolos de "corruptos" y "comunistas"—términos tan generales y ambiguos de la época que podían aplicarse a todos los que no estuvieran de acuerdo con la política conservadora. Represión política hubo durante la época, nadie puede negarlo. Pero fue una represión sutil—típico de la *ditabranda*—en los niveles subterráneos de la sociedad. A un turista pasando sus vacaciones en Rio de Janeiro le habría parecido una sociedad de placer y alegría, con el máximo de libertad. Sin embargo, debajo de la superficie, había violencia política. De todas maneras, quizá haya una nota positiva como resultado de la *ditabranda*. A base de un programa de austeridad impuesto por el ejército, en poco tiempo la inflación fue reducida a niveles tolerables, y hubo nuevo influjo de vida en la economía del país. Con la nueva estabilidad, durante los años 1970 la exportación de productos de la industria brasileña llegó a ser de importancia prima. Lo malo es que, según la crítica—y con razón—el "milagro económico" fue realizado a costa de los trabajadores y la gente marginada.

En 1985 hubo elecciones y un civil, José Sarney, jefe del *Movimiento Democrático Brasileño* (MDB) tomó las riendas de la presidencia. Ahora había más libertad, por cierto, pero menos control. Comenzó una época de hiper-inflación, hubo nueva polarización de las fuerzas políticas, y la división entre ricos y pobres llegó a ser cada vez más profunda. En 1989 fue elegido Fernando Collor de Mello, joven conservador de cuarenta años de edad. Para este año la inflación había bajado un poco pero todavía alcanzó 1.765% por año. La disparidad social ahora era pésima: 60% de los pobres recibían sólo 16.4% de los ingresos nacionales, mientras el 10% recibía 66.6. Una pequeña minoría había recibido el beneficio del desarrollo económico desequilibrado desde la Segunda Guerra Mundial. Las medidas de Collor de Mello para remediar esta disparidad social fueron dramáticas. Bajo su plan para un "Nuevo Brasil," puso en dieta de austeridad al cuerpo gordo de la burocracia, aflojó las restricciones económicas para que hubiera más libertad de comercio, y congeló los precios en un esfuerzo por bajar la inflación—lo que enajenó a gran parte de la clase adinerada. En general, a pesar de que Collor de Mello a veces se portaba como "payaso" en público con sus intentos ridículos de presentarse como *populista*,

Brasil alcanzó un nivel moderado de estabilidad y crecimiento económico (aunque desequilibrado).

Sin embargo, Collor de Mello acabó desempeñando el papel de protagonista en un teatro de farsa. En 1992, fue relevado de su puesto (incapacitado o "impeached") por un acto del congreso a causa de veinte denuncias, incluyendo transacciones económicas ilegales, uso ilegítimo de su oficina, falsificación de documentos, y extorsión. Ese acto del congreso desató una celebración de gente de la clase media por toda la república que alcanzó euforia de carnaval. De repente parecía que la democracia estaba funcionando: por acción civil en vez de militar se pudo superar una crisis política, y ese medio implicaba precisamente la voluntad del pueblo. La gran ironía fue que Collor de Mello había llegado a la presidencia con la promesa de acabar con la corrupción.

Al fin de cuentas, la política, política es. Relativamente poco cambió después de Collor de Mello aparte de una disminución impresionante de inflación, y el país forzosamente volvió a la brusca *realidad*. Lo que urgentemente le hacía falta a Brasil era incluir a las clases trabajadora y campesina dentro de la prosperidad de que gozan la clase media y alta, aunque fuera un poco. El *sueño*, desde luego, persistió, aunque a veces amenazaba con volverse pesadilla para el presidente Fernando Henrique Cardoso (1995–1998). Afortunadamente, la administración de Cardoso logró controlar la inflación gracias al éxito del *Plano Real*,[6] lo que le valió la re-elección en 1998. Luís Inácio Lula de Silva, candidato opositor, fue electo presidente en 2002 y re-elegido en 2006 dentro de un ambiente de paz, lo que parecía probar que Brasil había alcanzado la estabilidad política. En 2013 fue electa Dima Rousseff, la primera mujer presidente. Sin embargo, su mandato se ha ensombrecido con acusaciones de abuso de poder por parte de la policía, desigualdad social, y corrupción. Entonces por una parte se logró el *sueño* de una aparente igualdad sexual en la política, pero la brecha entre las clases sociales y una falta de transparencia en la administración, continúa causando problemas para Brasil.

TODOS MILITARES, SÍ SEÑOR, PERO RESPONSABLES: PERÚ

Al independizarse Perú, más de la mitad de los peruanos eran amerindios, la mayor parte de ellos no hablaban español. Ese hecho no pudo menos que agravar las dificultades que se presentaron al pueblo peruano, ansioso de forjar una nueva nación. Lo peor fue que los peruanos, profundamente conscientes del glorioso pasado colonial de Perú como centro de poder, sus actividades comerciales, y su cultura, quisieron extender su autoridad a los nuevos vecinos de Bolivia y Ecuador. Generales ambiciosos de los tres países pasaron la primera década después de la independencia peleándose entre sí. Pero fue en vano: en realidad, nadie logró nada.

De 1840 a 1880, ricos depósitos de *guano*[7] y *nitratos*[8] en la costa de Perú, Bolivia—entonces tenía territorio que daba al mar—y Chile, exigían buenos

---

[6] Plano Real = a series of measures taken to stabilize the Brazilian economy in 1994.

[7] Guano = seabird droppings, used as fertilizer.

precios a Europa, ya que había cada vez más demanda de fertilizantes. La competencia por esos depósitos culminó con la *Guerra del Pacífico* (1879–1882). Chile fue victorioso, Perú perdió territorio, y Bolivia quedó sin costa. Entre los años 1880 y los 1930, hubo en Perú un fuerte influjo de capital extranjero. La producción de azúcar, textiles, y cobre, y la construcción de vías de ferrocarril, puertos, utilidades, y edificios públicos, estaban en manos de intereses internacionales, lo que causó una ola creciente de crítica por parte de la clase media del país. Hubo demandas de: (1) menos concentración del poder en manos de extranjeros y terratenientes, (2) derechos civiles para los marginados, y (3) más libertad para la prensa.

Críticos dignos de notar fueron Víctor Raúl Haya de la Torre (1895–1979) y el marxista José Carlos Mariátegui (1894–1930). Mariátegui, en *Siete ensayos de interpretación de la realidad peruana* (1928) enfocó sus ataques en los graves problemas sociales de su país. Haya de la Torre, autor de *Espacio-tiempo histórico* (1948), propuso un programa universal ambicioso para el continente americano. Mientras estaba en el exilio en México, e impresionado con el movimiento revolucionario de ese país, Haya de la Torre fundó la *Alianza Popular Revolucionaria Americana* (APRA), que predicaba una llamada a los latinoamericanos a unificarse en lo político, social, y económico para resistir a EE.UU. y Europa. Haya de la Torre, representando su *Partido Aprista Peruano* (PAP), cada cinco años Haya de la Torre atraía la simpatía de los trabajadores y la clase media liberal e hacía campaña para presidente. Pero a causa de la oposición de la iglesia, el ejército, los terratenientes, e intereses extranjeros, nunca fue elegido. De hecho, su carrera política fue esporádica e interrumpida con períodos de encarcelamiento y exilio.

Durante la Segunda Guerra Mundial, EE.UU. necesitaba cobre, y otros minerales, además de algodón y azúcar, lo que mantuvo viva la economía peruana. Sin embargo, al final de la guerra, volvieron los mismos problemas. Los conservadores le echaban la culpa a los *apristas*, y los *apristas* y otros grupos radicales culpaban a los conservadores. Nada se resolvió, aunque abundaban promesas ambiguas de reformas. El liberal, Fernando Belaúnde Terry, fue elegido presidente en 1963, y al año siguiente puso en marcha una reforma agraria. La reforma agraria, sin embargo, tuvo una visión limitada; pues, las fincas de azúcar y algodón en las costas, y la industria del ganado quedaban inmunes a las transformaciones reformistas. El proyecto predilecto de Belaúnde fue el desarrollo de la zona selvática con la construcción de una carretera marginal que conectara la zona andina y la costa. Opinaba que esa zona del interior, cobrando importancia por los yacimientos de petróleo, era estratégica, ya que Ecuador también mostraba señales de interés en su propio territorio interior. En vista de una amenaza creciente de movimientos radicales izquierdistas—real o imaginaria—en 1968 el ejército quitó a Belaúnde, y una

[8] Nitratos = nitrates, chiefly potassium nitrate, used as fertilizer.

junta[9] dirigida por Juan Velasco Alvarado tomó las riendas del gobierno. Y entonces, otro experimento.

Por medio de un *manifiesto*, la junta anunció su intento de llevar a cabo una "revolución pacífica." El *manifiesto* condenó de injusto al sistema social y económico que ponía las riquezas nacionales al alcance de una minoría, mientras la gran mayoría sufría las consecuencias de la marginación. Le hacía falta a Perú, declaraban los militares, un nuevo orden económico que no fuera ni capitalista ni comunista, capaz de abolir las desigualdades y crear un ambiente para que cada ciudadano pudiera gozar de justicia y dignidad. La visión de Velasco y la *junta* era la de un sistema económico no muy diferente al que se había formado en México a través de los años. Sin embargo, la revolución peruana se generó desde "arriba," y no sufrió una sangrienta guerra civil como México de 1910–1917. Metas nobles, ideales admirables, *sueños* bonitos, de esa junta que se había lanzado hacia espacios desconocidos.

En general, tres características distinguen a la junta peruana de otros gobiernos militares de Latinoamérica hasta entonces. (1) Gozó de autonomía social y económica. El ejército peruano actuó por su cuenta, no por medio de presión de grupos poderosos como los terratenientes, empresas extranjeras, o la iglesia, todos aterrorizados por la supuesta amenaza "comunista." De esta manera, la junta no tenía que responder a nadie. (2) Adoptó la *teoría de la dependencia* que estaba de moda entre muchos intelectuales de la época. Según esa teoría, la economía de los países del llamado "Tercer Mundo" está subordinada a, y al mismo tiempo dependiente de, intereses capitalistas del exterior. El sistema de dependencia es como una serie de círculos concéntricos en que cada círculo se nutre de los círculos que contiene. Para romper con ese sistema de dependencia, la junta propuso una independencia de las fuerzas extranjeras a través de la nacionalización de bancos, fábricas, y casa de comercio. (3) La junta manifestó simpatía genuina hacia los campesinos oprimidos. Esa fue una medida extraordinaria entre los ejércitos latinoamericanos después de un golpe de estado. Pues los terratenientes, opinaba Velasco y su junta, ya no comerían bistecs a costa de la pobreza de los campesinos.

La junta organizó el *Sistema Nacional de Apoyo de la Movilización Social* (SINAMOS) para llevar a cabo las reformas. Atacó el sistema agrario. Expropió las grandes fincas, las subdividió, y entregó las parcelas a los campesinos en forma de *cooperativas*. Hacia 1979, la mitad de 21 millones de hectáreas en la costa de la región andina había vuelto a manos de los campesinos. Para crear estabilidad y un espíritu de comunidad, la *junta* comenzó a organizar las *barriadas*[10] escuálidas alrededor de Lima en un conjunto de *Pueblos Jóvenes*, cada uno con su propia administración. (Esos *Pueblos Jóvenes* según el plan, eran algo remotamente semejante a los *cabildos* de la época colonial, o sea,

---

[9] Junta = a council, usually of military personnel, charged with directing the affairs of the country.

[10] Barriadas = slums.

hubo grupos formados dentro de las barriadas trabajando para mejorar sus condiciones).

Para 1974, la mayoría de las barriadas se habían convertido en *Pueblos Jóvenes*. Con el fin de fomentar una comunidad industrial, estableció una ley según la cual, con el tiempo, a los trabajadores se les pasara un mínimo de 50% de las acciones de la empresa[11] en que trabajaban con el derecho de representación en la mesa de directores. De esta manera se suponía que los trabajadores llegarían a ser codueños. Hacia el final de 1974, había alrededor de 3.500 comunidades industriales, con 200.000 socios en control de aproximadamente 13% de las acciones de las fábricas. Por último, la junta nacionalizó los bancos, las minas, el petróleo, y otras propiedades que estaban en manos de intereses extranjeros.

Entonces la revolución peruana "desde arriba hacia abajo" tuvo el fin de integrar a las masas urbanas y rurales marginadas en la corriente principal de la vida nacional del país con una base de desarrollo independiente de las fuerzas capitalistas externas y del comunismo internacional. La junta creía que se podían reducir los conflictos de las clases sociales y realizar un avance económico sin las injusticias del capitalismo y sin la represión acostumbrada de los estados "comunistas." Este método, reiterando, no era muy diferente al de Cárdenas de México.

Sin embargo, el gobierno de Velasco no escapó la crítica de los *apristas*, de campesinos que no se conformaban con los mandatos de "los de arriba," y de las viejas élites horrorizadas con lo que estaba ocurriendo. En vista de las protestas, el régimen empezó a cerrar periódicos y difusoras de televisión y radio. Enemigos del régimen fueron perseguidos, encarcelados y exiliados. Obviamente, el gobierno militar, a pesar de toda la retórica, se inclinaba al final hacia el autoritarismo, un "autoritarismo burocrático." Pero todavía difería de los regímenes de Argentina y Brasil: seguía libre de fuerzas extranjeras, aún intentaba conseguir el apoyo de las clases populares, y no había emprendido una campaña de terror (de todos modos, cuando la oposición presentó la cara, el ejército estuvo ahí para darle una bofetada, aunque leve). El *sueño* era lindo, y fue fabricado con buenas intenciones, pero la tradición resistía los cambios profundos que ese experimento exigía.

En 1980 hubo elecciones, y Belaúnde ganó otra vez. Desgraciadamente para el nuevo presidente, problemas imprevistos aparecieron. Una recesión mundial frustró todos los esfuerzas de Belaúnde por mantener la economía en vigor. Tenía que aplicar austeridad, para la cual el pueblo ya no tenía paciencia. Además, había otro reto formidable: la aparición de *Sendero Luminoso*, una organización guerrillera en la sierra. Pequeño pero violento, y a base del comunismo Maoísta,[12] algunos observadores comparaban al *Sendero Luminoso* con el *Khmer Rouge* de Camboya. En vista de la amenaza de los senderos, por la

---

[11] Empresa = business enterprise, company

[12] Maoísta, de Mao Tze-tung, líder del gobierno comunista de China después de la revolución de 1949.

persistencia de los problemas económicos, y sobre todo por las medidas de austeridad, la popularidad de Belaúnde cayó. En 1985 los *apristas* ganaron la presidencia por primera vez con el carismático Alan García, y en 1990 Alberto Fujimori, político a todo parecer escrupuloso, ganó con una coalición con el partido del candidato conservador, el novelista internacionalmente conocido, Mario Vargas Llosa. Fujimori volvió a ganar la presidencia en 1995 a través de unas elecciones controvertidas y en contra de candidatos que incluían a José Pérez de Cuéllar, ex–secretario de las Naciones Unidas.

A principios de 1995, Perú y Ecuador se enfrentaron nuevamente en la *Guerra de Cenepa*,[13] luchando por un territorio que se encuentra en la frontera de los países. Finalmente se firmó un tratado de paz en 1998, gracias a la intervención de Argentina, Brasil, Chile y los Estados Unidos, quedando el territorio para Perú. Acusado de corrupción, en noviembre de 2000 Fujimori renunció y se auto-exilió. Alejandro Toledo fue electo en 2001, y Alan García volvió a ganar las elecciones presidenciales en 2006. En 2011 Ollanta Umala fue elegido presidente. A partir del fin del régimen de Fujimori, Perú se ha enfocado en combatir la corrupción a la vez de fomentar el desarrollo económico.

ENTONCES, ¿PARA DÓNDE HAY QUE IR?

En realidad todo no es tan oscuro como quizá parezca después de leer las secciones anteriores. Los pueblos de Argentina, Brasil y Perú, igual que los de Uruguay, Paraguay, Ecuador, Colombia, Venezuela, Panamá, Costa Rica, Honduras, Santo Domingo y otros han tenido sus *sueños*, por cierto. A veces se han realizado, cuando menos en parte, y a veces han sido inalcanzables, pero nunca mueren.

No mueren, porque lo que principalmente perdura en el espíritu latinoamericano es una capacidad inagotable de seguir luchando. Esta capacidad puede a veces llamarse *persistencia, resistencia,* o *perseverancia.* Aunque también pude llamársele *tenacidad, obstinación, terquedad*, y la capacidad de *aguantar* todo. Ese temperamento en parte tiene su origen en la obsesión ibérica casi-religiosa en contra de los moros, y luego en contra de los amerindios, obsesión que le daba vitalidad y energía en un momento de la historia que pocos pueblos han conocido. En la América Latina esa obsesión poco a poco se convertía en un tipo humano *mixto*, de acurdo con la *pluralidad* cultural, que por naturaleza se oponía a cualquier fuerza contraria. El tipo humano latinoamericano emerge desde la mentalidad peninsular, del estoicismo del amerindio, y de la vivacidad del afro-latinoamericano, tendencias opuestas que se unen para crear una tensión viva y dinámica.

Entonces, se sigue *soñando*. Como dijo una vez el escritor mexicano Juan Rulfo (1918–1986), autor de *Pedro Páramo* (1955), "el *sueño* nunca muere bien muerto, sino que sigue vivito, aunque sea muy poquito."[14] Sí, se *sueña*. Los

---

[13] Guerra de Cenepa = a war between Ecuador and Perú for border territory. This conflict had caused war in the past.

[14] El señor Rulfo ofreció esa opinión durante una charla con Floyd Merrell.

latinoamericanos son quizá los soñadores por excelencia del mundo actual, lo que da testimonio de su grandeza, aunque por desgracia también de sus fracasos.

Preguntas

1. ¿Cuáles son los sueños de la modernidad que tienen los latinoamericanos?
2. ¿Dentro de cuáles dos caminos existe la posible realización de los sueños?
3. Describa el progreso de Argentina en la última parte del siglo XIX.
4. ¿Cuáles fueron las tácticas de Juan y Eva Perón?
5. ¿Qué es el justicialismo?
6. ¿Cuáles fueron los problemas de Argentina después de Perón?
7. ¿Cuál fue el gran error del régimen militar de Argentina de 1976–1983?
8. ¿Qué es el Mercosur?
9. ¿Cómo fue la política brasileña en el siglo XIX?
10. ¿En qué diferían Vargas y Perón?
11. ¿Cómo era que la dictadura de Brasil era una *ditabranda*?
12. ¿Qué medidas tomó Vargas para resolver los problemas de Brasil?
13. ¿Qué fue el *Estado Novo*?
14. ¿Qué características tenía la nueva *ditabranda* de Brasil después de 1964?
15. ¿Qué problemas surgieron después del régimen militar de Brasil?
16. ¿Cuál fue el gran problema de Perú—que Argentina y Brasil no tuvieron—después de su Independencia?
17. ¿Quién fue Haya de la Torre y qué ideas propuso?
18. ¿En qué sentido fue extraordinario el gobierno militar de Perú?
19. ¿Qué son los Pueblos Jóvenes?
20. ¿Qué es el Sendero Luminoso?
21. ¿Cuáles son los problemas actuales de Perú?

Temas para discusión y composición

1. Comparar los intentos de lograr la fórmula del progreso *socio-político-económico* ideal de los argentinos, los brasileños, y los peruanos.
2. ¿Cómo es el sueño de la modernidad que han tenido los países latinoamericanos? ¿Por qué cree usted que no han podido realizar ese sueño? ¿Cómo cree usted que sería Latinoamérica si en el futuro pudieran realizar ese sueño?
3. ¿Por qué son necesarios los sueños para cualquier cultura del mundo? ¿Podría mantenerse dinámica una cultura sin éstos?

Un debate amigable

Una discusión entre dos grupos con dos opiniones: (1) La modernización de Latinoamérica es la clave para remediar sus problemas socio-político-económicos. (2) ¡No! Los latinoamericanos deben recordar las enseñanzas de José Enrique Rodó: los valores morales, éticos, y estéticos son más importantes que el puro progreso material.

CAPÍTULO 18

SUEÑOS REVOLUCIONARIOS

Fijarse en:

- La dolorosa trayectoria de la Revolución Cubana y sus consecuencias.
- Las características sobresalientes de la política chilena.
- El por qué la Revolución de Nicaragua estaba destinada al fracaso.
- La manera en que las revoluciones de Chile y Nicaragua difieren de la de Cuba.
- La importancia de la persistencia de los sueños para el pueblo latinoamericano.
- Las teorías de la "modernización" y la "dependencia," sus puntos débiles y sus puntos fuertes.
- El papel que ha tenido EE.UU. en los asuntos latinoamericanos, y la manera en que hubiera sido diferente.

Términos:

- Chileanización, Colonia Política/Colonia Económica, Contra-Sueño, Destino, Manifiesto, Economía Mixta, Gobierno Parlamentario, Iniciativa, Económica/Iniciativa, Moral-Ética, Monocultura, Nueva Sociedad, Nuevo Hombre, Revolución Genuina, Socialismo Cristiano.

EL CASO DE CASTRO

La entrada de EE.UU. apoyando a Cuba en su lucha por la Independencia en 1898 frustró el esfuerzo de España por retener los últimos vestigios de su grandeza colonial. España fue rápidamente derrotada, perdiendo Cuba y Puerto Rico, entre otras posesiones. Puerto Rico fue después incorporado a los EE.UU. En cambio los cubanos vieron una ocupación militar del "Coloso del Norte" hasta 1902.

En ese año, Cuba no tuvo más remedio que aceptar la *Enmienda Platt* según la cual, Cuba sería un protectorado ("protectorate") de EE.UU., y concederle el derecho a EE.UU. de establecer una base militar en Guantánamo.[1] Durante la primera mitad del siglo XX, inversiones de capital norteamericano crecieron

[1] Aunque la enmienda fue abolida en 1934. EE.UU. sigue en control de la base en Guantánamo hasta hoy en día.

exponencialmente, para bien o para mal. Esto demandó lazos más fuertes entre la isla y EE.UU. Durante la década de 1950, dos tercios del azúcar cubano era exportado a EE.UU, y tres cuartos de las importaciones de Cuba venían de los EE.UU. Por esto, muchos cubanos sentían que el colonialismo aún no había acabado.

Para fines de los 1950, Cuba tenía seis millones de habitantes de los cuales un millón vivía en, o alrededor, de la Habana. En cuanto a la vida material, Cuba era uno de los países más avanzados de Latinoamérica. Hacia fines de 1954 salió un anuncio proclamando que en ese año se habían vendido más carros de marca Cadillac en la Habana que en ninguna otra ciudad del mundo. En parte debido a la proximidad con los EE. UU., Cuba tenía más aparatos de televisión que cualquier otro país Latinoamericano. Hoteles lujosos, casinos brillantemente iluminados y hermosas playas atraían millones de dólares en turismo cada año. Sin embargo, en el campo, los *guajiros* (campesinos) seguían sumidos en la pobreza y el analfabetismo. Cuba era efectivamente un país de contrastes.

El general Fulgencio Batista había entrado a la fuerza en el palacio presidencial en 1952, después de un breve período de democracia bajo las presidencias de Ramón Grau San Martín (1944–1948) y Carlos Prío Socorrás (1948–1952). En 1953 Fidel Castro Ruz intentó por primera vez derrocar a Batista al tomar posesión de los cuarteles militares de *Moncada*. Ese intento, que ocurrió exactamente un siglo después del nacimiento del poeta y apóstol de la Independencia Cubana, José Martí, llegó a llamarse el "Movimiento del 26 de julio." Sin embargo, el movimiento fracasó, y Castro acabó en la prisión. Después, recibió perdón, y en 1955 se fue a México para reorganizar el movimiento revolucionario.

El programa de Castro en 1953 no parecía muy explícito con respecto al marxismo-leninismo. Sencillamente formulaba una vuelta a los principios democráticos. Después, cuando Castro se unió con el médico argentino, Ernesto "Che" Guevara (1928–1967) en México—y durante su campaña desde la Sierra Maestra de Cuba en 1956 hasta la victoria de la revolución en enero de 1959—tampoco había indicio de que su ideología era marxista–leninista. Todo parecía "normal." Las fuerzas revolucionarias habían tumbado del poder a Batista con facilidad, y con fuerte apoyo popular, Castro había asumido el control de la isla. Según parecía, el *caudillo* de la Sierra maestra no representaba más que otro intento de la clase media por exigir sus derechos democráticos de un régimen militar. No obstante, Castro comenzó a cambiar de máscara poco a poco, revelando que su meta verdadera era una transformación radical de Cuba. Entonces volaron las esperanzas de la clase media y aristocrática por restaurar los preceptos democráticos tal como estaban escritos en la Constitución de 1940 (en vista de que Castro y sus camaradas gobernaron sin constitución formal hasta 1976, cuando el mismo Castro fue nombrado presidente). Al darse cuenta de esa nueva cara de Castro, la clase privilegiada comenzó a expatriase a Florida, EE.UU. y en otros lugares.

Los anti-castristas expatriados se preparaban para un movimiento en contra de la Revolución. En abril de 1961 invadieron Cuba desde *Playa Girón*.[2] La invasión tuvo la sanción, aunque no la participación activa, de EE.UU. Fue inútil: las fuerzas revolucionarias rechazaron con facilidad a los invasores. En diciembre de 1961, Castro declaró formal y públicamente que la Revolución Cubana seguiría el camino marxista-leninista de ahí en adelante. Poco tiempo después, EE.UU impuso a Cuba un embargo. Durante los años que siguieron, más del 80% de la producción del azúcar se nacionalizó. Se cerraron todos los establecimientos que tenían que ver con el turismo como: casinos, burdeles, hoteles, etc. Finalmente, lo que causó gran descontento en los EE.UU fue que las refinerías de petróleo en Cuba, petróleo que venía de Venezuela y se exportaba a EE.UU., fueron también nacionalizadas. Todas esas medidas—en la mente del pueblo del "Mundo Libre"—hicieron ver a Cuba como un nuevo "satélite comunista." Lo peor es que estaba en las Américas.

La Revolución Cubana, de acuerdo con la ruta por donde Castro la llevó, tenía metas ambiciosas. En poco tiempo fue instituida una de las campañas educativas más comprensivas en toda la historia de Latinoamérica, lo que pronto convirtió a Cuba en un país con casi nada de analfabetismo. Durante la década de 1960, bajo los experimentos del Ministro de Industria, Che Guevara, hubo un programa de industrialización con un plan para diversificar la economía y convertir a Cuba en una sociedad independiente de la *monocultura*. Había, no obstante, un problema. Como ideólogo y guerrillero en la sierra, el "Che" sin duda era extraordinariamente capaz; pero como administrador de los asuntos económicos del país, fue algo inepto. El proyecto fracasó, y Cuba no tuvo más remedio que volver a la *monocultura*—el azúcar—aunque sí hubo expansión de la pesca y otras industrias de menor importancia. Cuba, ya sin otro remedio y en vista del camino ideológico al que se dirigía, se encontraba cada vez más estrechamente ligado a la Unión Soviética, y dependiente de ésta para su venta de azúcar.

Desde el principio Castro quiso crear una "Nueva Sociedad" y un "Nuevo Hombre." Quería acabar con el prejuicio racial, la discriminación contra las mujeres, y la diferencia entre clases sociales. Quería establecer una sociedad no a base de *iniciativa económica* y de *consumismo*, como veía la situación en los países capitalistas, sino a base de una *iniciativa moral-ética*. Cada ciudadano, educado y consciente, tendría una profunda responsabilidad con la comunidad entera, y se conduciría de acuerdo con esa responsabilidad. Su vida no sería el producto de la competencia agresiva y brutal que frecuentemente terminaba en injusticias y la explotación de unos a otros, como ocurría—según Castro—en las sociedades capitalistas. Todo lo contrario. Cada quien trabajaría por el bien de la comunidad, no sencillamente para beneficiarse a sí mismo. Además, la salud pública, la educación y las artes deberían estar al alcance de todos los cubanos, y por lo tanto serían gratis.

---

[2] Playa Girón = "Bay of Pigs."

Al principio los revolucionarios tenían un fervor que recordaba la obsesión de los primeros misioneros españoles en las nuevas colonias, como Vasco de Quiroga, Bartolomé de las Casas, y los Jesuitas en Paraguay en su esfuerzo por crear un "Nuevo Mundo" en las Américas. En verdad, la fe de Castro en que los guerrilleros de la Sierra Maestra habían sido los prototipos del "Nuevo Hombre" le dio a la Revolución un aura impenetrable de legitimidad. La visión era la de un "Nuevo Mundo" en todo el sentido de la palabra. Iba a haber una transformación de todos los compatriotas, y como fruto de sus esfuerzos, el medio ambiente se transformaría.

Sí, ese fue el *sueño*, muy lindo por cierto. Sin embargo, como ya se ha visto, el hecho es que no todos los cubanos compartían ese *sueño*. Muchos, de la clase media y alta—la mayor parte profesionales—habían salido al exilio, y ahora radicaban en Miami, Nueva York, y otros sitios. Desde luego, no se puede negar que Castro les dio una nueva vida a los campesinos y la clase pobre de las ciudades. Por ejemplo, durante los primeros años de la Revolución, cuando llegaba el tiempo de la *zafra*,[3] la responsabilidad de cortar la caña de azúcar recaía en todos los cubanos. Doctores, abogados, profesores, oficiales del gobierno, y hasta el mismo Castro, salían al campo para prestar servicio a su patria. Esa clase de trabajo, antes delegada a los campesinos, la mayoría de los cuales de descendencia africana, ahora les daba dignidad. En general, los afrocubanos, tanto hombres como mujeres y niños, recibieron derechos que jamás habían creído posibles. Además, Castro había desafiado al "Coloso del Norte" (EE.UU) y había sobrevivido, lo que contribuyó a infundir un sentimiento de patriotismo en los cubanos. Ahora Cuba era para los cubanos. Sí, parecía un *sueño* digno de admiración.

No obstante, vamos a escuchar la reacción *anticastrista*. Los numerosos *contrarrevolucionarios*, radicando en el extranjero, sostenían que Castro hizo a un lado la posibilidad de una Cuba libre y se entregó al totalitarismo soviético. Opinaban que la Cuba de Castro sí era el verdadero *colonialismo político y económico*, y que Castro dio lugar a un sistema aún más tiránico que la dictadura que le precedió. "¿Dónde está la justicia?" preguntaban. "En un sistema que ofrece la libertad para que todos puedan, por su propio trabajo, mejorar su condición económica? ¿O en el sistema cubano actual que a la fuerza reduce a todos a un mismo nivel de pobreza?" "En realidad," continuaban los anticastristas, "cuando Cuba se entregó política y económicamente a los comunistas, se puso en un camino que la llevó a un grado de subdesarrollo peor que en el que antes estaba. La escasez de alimentos, ropa, y artículos básicos, volvió intolerable la vida. Lo que ha agotado aún más la economía cubana es que los rusos obligaron a Cuba a entrenar y equipar soldados revolucionarios para exportar la revolución a otras partes de Latinoamérica y lugares como Angola en África." Es decir, para los contrarrevolucionarios el *sueño* era más bien una *locura* que estaba acabando con todas las tradiciones y los verdaderos

[3] Zafra = the sugar cane harvesting season.

sueños cubanos: la Iglesia, la libre empresa, la libertad de expresión, en fin, la democracia.

Bueno. Lo cierto es que el caso de Cuba fue uno de los experimentos *socio-político-económicos* más profundos del mundo en el siglo XX. No obstante, como se ha visto repetidas veces en los capítulos sobre la conquista y el período colonial, los *ideales* de la mente humana muchas veces están en inevitable conflicto con la brusca *realidad*. Sería demasiado esperar que Cuba fuera una excepción a la regla. Poco a poco el *sueño* de Castro empezó a revelar algunos puntos débiles. Mataron al "Che" en la sierra de Bolivia en 1967 mientras guiaba un grupo de campesinos revolucionarios. En 1971 el crítico y poeta Heberto Padilla fue arrestado y obligado a confesar sus "crímenes" contra la Revolución, y en los siguientes años otros escritores y artistas tuvieron que exiliarse. Además, el caso de Padilla dividió el mundo intelectual hispano. Escritores de renombre internacional como Octavio Paz y Carlos Fuentes (México), Mario Vargas Llosa (Perú), y Juan Goytisolo (España), que antes habían apoyado la Revolución Cubana, ahora la veían como un proceso de "estalinización."[4] En cambio, otros escritores del mismo renombre, como Gabriel García Márquez (Colombia) y Julio Cortázar (Argentina) reafirmaron su lealtad hacia Castro.

¿Dónde está la verdad, entonces? En un régimen medio cerrado como el de Cuba es imposible saber con certeza qué sucede. Sin embargo, han ocurrido varias cosas. Durante las últimas dos décadas del siglo XX, cubanos seguían escapándose de la isla por una u otra razón. Uno de los acontecimientos más notables ocurrió en 1980, cuando casi 11.000 personas buscaron asilo en la embajada peruana de la Habana. Las autoridades cubanas trataron de arreglar la situación para abrir el puerto de Mariel a los que deseaban irse. Cerca de 125.000 "marielistas" salieron para la Florida en pequeños barcos y lanchas. Aparte de los que no querían salir bajo el régimen, muchos de los inmigrantes eran delincuentes, drogadictos, y gente con problemas psicológicos. Al parecer, Castro los invitó a salir de Cuba para deshacerse de elementos indeseables, y además, para poner en ridículo al gobierno de EE.UU. con la implicación de que sólo los enfermos y los mal adaptados querían dejar el "Nuevo Mundo" en el trópico. Otro asunto notable fue la ejecución en 1989 del héroe de las guerras en Angola—el General Arnaldo Ochoa Sánchez—que estaba implicado en el tráfico de Drogas. En la misma época, con el fin de la "Guerra fría" y la desintegración del "bloque comunista," Cuba perdió su aliado y fuente principal de auxilio económico: La Unión Soviética. Como consecuencia, la economía fue de mal en peor, y Castro empezó a permitir cierto grado de "capitalización" de la sociedad cubana, quizá como única salida.

---

[4] "Estalinización" = "stalinization," the term is derived from Joseph Stalin—undisputed leader of the USSR from 1929 until his death in 1953—who helped turn Russia into an industrialized nation, but at the expense of institutionalized terror that brought about the death of millions of people.

De todos modos, hay que conceder que la Revolución Cubana logró eliminar muchas injusticias sociales y económicas que aún persisten en otras partes de Latinoamérica. A pesar de la austeridad y la carestía de la libertad individual, la población en general no sufría excesivamente de hambre o de falta de beneficios médicos—hay más médicos por cada mil habitantes en Cuba que en cualquier otro país Latinoamericano. Quizá la hazaña más notable de la Revolución haya sido el fomentar un sentido de identidad nacional, y de un espíritu de comunidad—aunque los problemas económicos de las últimas décadas lo han menoscabado. Ese mismo espíritu, cabe notar, que hace falta en otras sociedades del continente.

Se había dicho que tal como fuera Castro, así iría la Revolución Cubana. Pero con serios problemas de salud desde 2006, Castro por fin se jubiló, pasando por completo el poder en 2008 a su hermano, Raúl Castro. En febrero de 2013, Raúl Castro implementó términos específicos y límites de edad para futuros presidentes de Cuba, actos que daban la idea de que quizás en algún día del futuro, el régimen cubano pudiera entrar en un camino hacia la democracia. En mayo de 2015 la administración del Presidente Barak Obama de EE.UU. anunció que Cuba no estaría más en la lista de los países que promueven el terrorismo. Con este se abre una nueva etapa para la restauración de las relaciones entre la isla y los EE.UU. Será interesante ver lo que pasa en los siguientes años con Cuba y la transformación de su *sueño*.

Cabe mencionar que hacia 1999 surgió en Latinoamérica un fenómeno conocido como "Marea Rosa" ["Pink Tide"], que fue esencialmente una vuelta hacia la izquierda por parte de varios países en Latinoamérica, principalmente Cuba, Venezuela y Brasil. Las relaciones entre estos países se fortalecieron, prestándose ayuda mutua y presentando un frente común—más simbólico que otra cosa—frente a la política neoliberal de los EE.UU. Sin embargo, a raíz de la muerte de Hugo Chávez en 2013, quizá su principal proponente, la "Marea Rosa" perdió vigor.

Ya no hay desfile en Chile

Chile emergió de su independencia como el país más estable y con la economía más dinámica del continente. Hubo una larga serie de presidentes elegidos, gracias a la base democrática establecida por el Presidente Diego Portales (1793–1837) en la Constitución de 1833. El éxito de Chile se debió en parte a que la oligarquía estaba concentrada en el valle central alrededor de Santiago, y no existía el problema de la competencia de las élites de varias regiones—el *localismo*—como en Argentina, Brasil, Colombia, México, Perú y Venezuela.

Después de una época esporádica de violencia que acabó en guerra civil, en 1981 se estableció un *gobierno parlamentario*,[5] con representación de varias

[5] Gobierno parlamentario = parlimentary government, a government consisting of a representative body having supreme legislative powers, as in the United Kingdom, made up of the House of Lords and the House of Commons; there is considerably less power

regiones que duró hasta 1924. No obstante, a fines de ese período parlamentario las cosas no marcharon bien. En 1920, hubo acalorados debates entre los de la recién formada facción política, *Alianza Liberal* (AL), que querían acabar con el sistema. El candidato de AL, Arturo Alessandri, ganó las elecciones ese mismo año. De forma semejante a los radicales de Argentina, Alessandri y los liberales chilenos proponían la intervención directa del estado, que incluía la nacionalización de los bancos y la industria de nitratos, reformas educativas, derechos para los trabajadores, y un programa de seguro social. Con la entrada a la arena política de programas tan radicales, brotaron vigorosos debates por todos los rincones del gobierno de arriba abajo. De ahí en adelante la política chilena poco a poco se volvió pluralista y sumamente compleja. Es decir, el sistema político se fracturó en muchas facciones representando la mayoría de las ideologías que existían en aquel tiempo. En este sentido, la política chilena adquirió una característica extraordinaria entre los países latinoamericanos. A continuación se discutirá cómo ocurrió esto.

El ejército—temiendo que el orden del país se alterara—intervino en 1924 apoyando a Alessandri, quien en realidad no les había pedido ningún tipo de ayuda. Como protesta, Alessandri se negó a gobernar por la gracia de la fuerza militar, y se fue a Italia. La inestabilidad tomó lugar en el país hasta 1932, cuando Alessandri fue re-elegido. Los liberales, protestando ahora, se alejaron del AP y formaron el *Frente Popular* (FP), una coalición de izquierdistas. El FP triunfó en las elecciones de 1938, dándole a Chile el primer régimen a base de una coalición de facciones políticas diversas en el continente. Después de 1938, hubo tres divisiones de bloques parlamentarios conservadores, varios partidos de clase media, y otro número de bloques izquierdistas. Obviamente la situación había cambiado de compleja a perpleja, de más o menos democrática a laberíntica.

Lo sorprendente es que, a pesar de esa confusa pluralización, y de las inevitables riñas e intrigas, desde 1924 el ejército se había mantenido en paz, cuando por toda Latinoamérica los ejércitos estaban interviniendo en los asuntos de los gobiernos civiles. Era de seguro un reflejo de la larga tradición democrática y parlamentaria de la que había gozado el país. También está el hecho de que el ejército chileno consistía de profesionales relativamente educados, en contrates con los ejércitos de otros países latinoamericanos llenos de reclutas analfabetos. En general los militares chilenos se preocupaban por el bienestar social de la nación. Así es que estaba establecida la vía para una extraordinaria diversidad política desde la década de 1930 hasta la de 1960. Aprovechándose al máximo de esta diversidad, Eduardo Frei llegó al poder bajo el pendón de un fenómeno también nuevo en toda Latinoamérica, la *Democracia Cristiana* (DC), y sirvió como presidente de 1964 hasta 1970. Frei comenzó inmediatamente a poner en vigor un programa de "socialismo cristiano" (una "revolución reformista" dentro de la libertad), reestructurando la nación con la

---

invested in the equivalent in a democratic government of the executive and judicial branches.

"chileanización"[6] de las minas de cobre y una reforma agraria. En poco tiempo, sin embrago, Frei cayó de la gracia de la oligarquía por su programa "socialista," y de las clases populares por un alto nivel de inflación junto con un aumento de desempleo.

En gran parte, a causa de esa inquietud, en las elecciones de 1970 triunfó un socialista sin tanto cristianismo, Salvador Allende. Llegando a la presidencia con una coalición llamada la *Unidad Popular* (UP), fue el primer triunfo del socialismo-marxismo en Latinoamérica a través de las urnas electorales. No obstante, Allende triunfó sin el voto de la mayoría. Al parecer en Chile, con su compleja política, ya no disfrutaba de esos lujos. Ganó Allende pero con una *pluralidad*,[7] recibiendo apenas 36.3% de los votos. El gobierno de Allende se enfrentó rápidamente con una formidable oposición de EE.UU.—ya que tenía desagradables recuerdos de Fidel Castro—y de la oligarquía y la clase media de Chile. A pesar de la oposición, las metas de la UP eran revolucionarias: romper el poder de la oligarquía, el capitalismo monopolista, y del imperialismo, lo que significaba la nacionalización y socialización de os recursos del país. Solamente de esta manera, razonaba Allende, se podía acabar con el "subdesarrollo" de Chile. Sin embargo, no eran las metas a largo plazo las que causaron la caída de Allende, sino sus programas inmediatos.

En parte por el esfuerzo de Allende de redistribuir los recursos del país, la inflación llegó al nivel más alto en la historia de Chile. Para controlarla se intentó limitar los precios con la idea de que de esa manera la producción aumentaría con un crecimiento económico satisfactorio. Esa medida dio resultados por solamente un año ya que después volvió la inflación. El valor del peso bajó rápidamente, el mercado negro floreció, y nadie estaba contento: la clase trabajadora porque su sueldo no compraba lo mismo que antes, la clase media porque los artículos importados costaban más, y la clase alta simplemente por ser la clase alta. El programa de nacionalización tampoco dio los frutos esperados. A medida que minas, bancos, teléfonos, telecomunicaciones, y varias empresas fueron nacionalizadas, la inflación que devaluaba el peso le quitaba al gobierno el capital necesario para pagar recompensas a las empresas expropiadas. Cuando el problema de Chile llegó a un punto culminante, el entonces Presidente Richard Nixon de EE.UU. le cortó el crédito y los préstamos a Chile, empeorando la situación.

En cuanto a la reforma agraria, Allende se puso a trabajar con el programa que ya había instituido la DC en 1967, que incluía la expropiación de las haciendas de más de 80 hectáreas. Sin embargo el programa fue en realidad reformista, no radicalmente revolucionario y no se desarrolló de acuerdo con las expectativas de los campesinos. Allende sí quería poner en práctica un programa agrario capaz de resolver de una vez por todas el problema del campo. No obstante, mientras aumentaban las demandas de los campesinos por una reforma

---

[6] Chileanización = nationalization of private owned enterprises in Chile.

[7] Pluralidad = plurality, the winning vote in elections consisting of more than two candidates, even though that winning vote is less than 50%.

agraria genuina, el plan de Allende se perdía en el laberinto burocrático del nuevo gobierno socialista. Por consecuencia, crecía la inquietud por parte de las mismas masas a las que Allende trataba de ayudar. Así, con los elementos conservadores y los intereses extranjeros hostiles, la clase media enajenada, y la clase trabajadora y campesina con la paciencia colmada, llegó la última hora. El 11 de septiembre de 1973 hubo un golpe de estado (organizado, se sospecha, en parte por la CIA de EE.UU. y la Compañía Internacional de Teléfonos [IT&T]). Allende murió defendiendo el palacio presidencial, el General Augusto Pinochet (1915–2006) ocupó la presidencia, y una ola de sistemática violencia arrasó a Chile.

Pinochet tenía un doble objetivo: erradicar todo vestigio de socialismo—lo que provocó medidas que incluyeron la tortura y el homicidio—y desmontar el sector estadista-socialista con la introducción de la privatización. Su justificación, al establecer esas medidas traumáticas, era la supuesta necesidad de corregir los errores del socialismo. Muchos de los consejeros de Pinochet eran economistas tecnócratas. Se habían educado en la Universidad de Chicago bajo el tutelaje del Profesor Milton Friedman, un proponente del concepto del mercado libre. Por eso llamaban los "Chicago Boys" a esos opositores radicales de la intervención del estado en los asuntos económicos de la nación. De hecho, el régimen de Pinochet estaba tan obsesionado con el libre comercio como lo había estado Allende con la intervención del estado. A diferencia de Allende, sin embargo, Pinochet creía que se podía llevar a cabo su programa sólo a través de la completa represión de la oposición, por eso la violencia de Pinochet y el ejército.

No obstante, hubo algunas buenas noticias. Después de un comienzo débil, la economía se fortaleció: un "pequeño milagro chileno." Durante la ocupación militar, el crecimiento económico fue de 5%–6% entre 1985–1988, el más alto de la región. El problema era la desigualdad en el progreso. En 1981 el 20% de la población que consistía de los ricos consumía lo mismo que en 1969, mientras el 20% de la población que incluía a los pobres estaba consumiendo 20% menos. Se criticaba al gobierno de Pinochet y había mucha inquietud. Además, el pueblo chileno no se contentaba sólo con pan, añoraba la libertad que había tenido durante sus largos años de tradición democrática.

En vista del aumento de la crítica al régimen militar, Pinochet permitió un *plebiscito*[8] en 1988. Los que apoyaban al dictador veían el futuro bajo el régimen comparable al "milagro económico" de Taiwán. En cambio, la oposición no veía ningún futuro prometedor, ya que el progreso económico que había existía a costa de la opresión del pueblo y de mucho sufrimiento. Pinochet, con sólo 42% de los votos, perdió. Para sorpresa de muchos, aceptó los resultados del plebiscito, aunque de mala gana. En 1989 hubo elecciones, resultando ganador Patricio Aylwin de la DC.

---

[8] Plebiscito = plebiscite, a direct vote in which the people are asked to accept or reject the political party or person in charge.

En suma, Salvador Allende, como Castro, tuvo un *sueño* socialista. Un *sueño* que optó por el camino de la legitimidad en vez del de la revolución armada, con toda la acostumbrada violencia. Sin embargo, Allende no pudo con[9] sus enemigos unidos con las fuerzas internacionales. El *sueño* llegó a ser una pesadilla que al final destruyó a su creador. Pinochet tuvo un *contra-sueño*, manteniendo que el *sueño* de Allende no era más que una importación artificial y peligrosa. El *contra-sueño* de Pinochet, no obstante, se volvió en su contra, y fue consumido por una *realidad* que hasta entonces había desconocido: el deseo intransigente del pueblo por la libertad. Partidos y contra-partidos, ideologías y contra-ideologías, tendencias y contra-tendencias: el caso de Chile en cierto sentido es una imagen de la polarización de toda América Latina. Cabe mencionar que acusado de corrupción y malversación de fondos, Pinochet fue arrestado y confinado en su casa por dos años en Inglaterra, pero no fue procesado por razones de salud. Desafiante, volvió a Chile en el año 2000, donde todavía tenía partidarios. Sin embargo, en 2005 el ejército aceptó que era culpable de violación de los derechos humanos, y en 2006 Pinochet fue acusado de secuestro y tortura, así como de varios asesinatos, y hasta de tráfico de drogas. Murió en diciembre del mismo año a los 91 años de edad.

Tenue tregua en Nicaragua

Nicaragua ha tenido una tumultuosa historia. Desde su independencia hasta mediados del siglo XIX, una rivalidad que existía entre los liberales de León y los conservadores de Granada no permitió la organización de la nación en su debida manera.

En 1855 el filibustero norteamericano y creyente fanático del *Destino Manifiesto*,[10] William Walker, invadió la república con el pretexto de prestarles ayuda a los liberales. Ocupó Granada y se declaró Jefe del Ejército de Nicaragua. Con pretensiones ego-maniáticas, hizo preparaciones para una larga ocupación del país, pero duró poco, ya que en 1857 tuvo que huir a EE.UU?

Durante los siguientes 35 años, Nicaragua sufrió de la batalla liberal-conservador típica de todo el continente. El conflicto alcanzó su punto culminante en 1893, cuando José Santos Zelaya subió al poder e inició uno de los regímenes más atroces de Centroamérica. Su comportamiento volátil e infantil fue motivo para que interviniera un congreso internacional con el propósito de arbitrar disputas entre Santos Zelaya y una serie de ofendidos. Durante el arbitraje, el Secretario de Estado de EE.UU. denunció al tirano de Nicaragua como una vergüenza para su patria. De hecho, la opinión del Secretario, en conjunto con las quejas de banqueros de Nueva York y Londres de que Nicaragua faltaba al pago de préstamos, motivó la petición de que EE.UU. interviniera en Nicaragua. E intervino. Esa primera invasión norteamericana

---

[9] No…con = could not handle.

[10] Destino Manifiesto = Manifest Destiny, the 19th century doctrine that the United States had the responsibility, and quasi-religious duty, to expand its dominion throughout the whole of North America.

tuvo lugar en 1912. Como consecuencia, Nicaragua se convirtió en el paradero de la Infantería de Marina[11] y de consejeros estadounidenses hasta 1925, cuando los préstamos fueron por fin pagados. Sin embargo, tan pronto se sintió la ausencia de EE.UU., brotó una guerra civil. De nuevo entró la Infantería de Marina estadounidense, ahora para quedarse hasta 1933.

Esta vez la ocupación de EE.UU se manchó de una serie de episodios que dejaron irreparable resentimiento en gran parte de la población nicaragüense. En 1931, Augusto César Sandino se alzó en armas contra las fuerzas de ocupación. A causa de la tenacidad de Sandino, ni él ni el ejército norteamericano podían lograr la victoria. Por fin en 1933 hubo un acuerdo entre Sandino y los representantes de EE.UU. en el que las tropas norteamericanas abandonarían el país si él cesaba su rebelión. Sandino cumplió, y la Infantería de Marina se marchó, pero no sin dejar bien colocado a Anastasio ("Tacho") Somoza como Jefe de la *Guardia Nacional*—una organización creada por los mismos norteamericanos. Hubo elecciones, y el liberal, Juan B. Sacasa, ganó. Todo parecía ir bien hasta 1934, cuando Somoza mandó a asesinar a Sandino. Así dejaba de existir el héroe que había desafiado a EE.UU., ganando en el proceso la simpatía de todos los latinoamericanos. Ahora Nicaragua quedaba vulnerable, controlada por "Tacho."

Durante las próximas décadas la república parecía convertirse en una gran *finca* de la familia Somoza. Hubo construcción de escuelas, hospitales, plantas hidroeléctricas y carreteras, y mecanización de a agricultura. Sin embargo, parecía que cada planta, cada máquina, cada escuela y hospital, y cada nueva carretera, tenía como fin el de servir a las *fincas* de los Somoza, sus "compadres," y sus "socios." Además, una gran parte de los productos que se vendían en el mercado internacional venía de las mismas *fincas*. Sin embargo, en Washington, "Tacho" era considerado un "amigo," y se le extendía una abundancia de préstamos. Era bastante agradable la vida del déspota.

En 1956, sin embargo, "Tacho" fue asesinado, y su hijo, Luis Somoza probó la silla presidencial. Se quedó ahí hasta 1967, cuando le llegó el turno a su hermano, Anastasio Jr. ("Tachito"), quien fue declarado "triunfador" en las fraudulentas elecciones presidenciales, obviamente arregladas a su favor. La corrupción y la opresión poco a poco llegaron a los extremos, enajenando al pueblo que por fin no pudo aguantar más. Varias facciones políticas se unieron en contra de la familia Somoza, y con el nombre de "Sandinistas" en memoria de su héroe, se rebelaron, derrotando con facilidad a "Tachito" en 1979. Sin embargo, "Tachito" no aceptó culpa ninguna: mantenía que no había sido el pueblo nicaragüense el que lo había tumbado, sino una conspiración internacional que tenía como fin el convertir a Nicaragua, e incluso a toda la América Latina, en "satélites comunistas." Poco tiempo después "Tachito," el último de los Somoza, fue asesinado en Paraguay.

Para fines de la década de 1970 la mayoría de la población de Latinoamérica vivía bajo gobiernos militares. Es sobre todo por eso que la

[11] Infantería de Marina = the Marine Corps.

Revolución de Nicaragua era observada por los izquierdistas como un aliento de aire fresco. Se hacían comparaciones con la Revolución Cubana. Tal vez como el régimen de Batista fue derrumbado con facilidad porque interiormente estaba enfermo y porque era ya un vestigio de épocas pasadas, así el gobierno de los Somoza decayó porque pertenecía a un tiempo ya muerto. Tal como José Martí era visto por los *castristas* como un héroe martirizado mientras luchaba contra el imperialismo y la dominación de EE.UU., así los *sandinistas* evocaban el nombre de su héroe, Augusto César Sandino, quien había emprendido una rebelión contra el "Goliat del Norte." Tal como después del triunfo de la Revolución Cubana, Castro se opuso a EE.UU., así uno de los primeros actos del *gobierno sandinista* bajo el mando de Daniel Ortega fue el de resistir la total dependencia a Norteamérica. Sin embargo hubo diferencias importantes. Los sandinistas propusieron la creación de una "economía mixta" que no era ni capitalista ni comunista en su conjunto. Habría control de la economía cuando fuera necesario para proteger los derechos de la ciudadanía, pero en general la base de la economía estaría en manos de los mismos ciudadanos.

Hay que conceder que la Revolución de Nicaragua tuvo un comienzo prometedor. El entonces Presidente Jimmy Carter de EE.UU., al contrario de la antipatía que sentía Dwight D. Eisenhower hacia la Revolución Cubana, invitó a Daniel Ortega y a los líderes sandinistas a la Casa Blanca, mandó 8.000.000 dólares a Nicaragua para gastos urgente, y ofreció un paquete de préstamos de 75.000.000 dólares para proyectos futuros. Así es que al principio el dinero no faltaba. Además, al expropiar las propiedades somocistas, se pusieron los sandinistas en control de aproximadamente 20% de los recursos del país. Fue más fácil que la expropiación en Cuba, donde los castristas tuvieron que enfrentarse con numerosos dueños de la oligarquía cubana y otros propietarios extranjeros. En vista de que una parte considerable de Nicaragua no había sido más que una *finca* somocista, al correr a la familia Somoza, muchas de las barreras de expropiación ya no existieron.

Los sandinistas inmediatamente atacaron los mismos problemas sociales que habían sido el blanco de ataque de castro: reforma agraria, educación, y asistencia médica. Al principia dieron la bienvenida tanto a la ayuda de Cuba como a la de EE.UU. sin ponerse en una posición subordinada ni al comunismo, ni al capitalismo, ni a EE.UU. ni a la Unión Soviética. Castro, en señal de amistad, mandó 2.500 médicos, enfermeras, maestros, e ingenieros sanitarios para completar la ayuda que Nicaragua había recibido de EE.UU. Sin embargo, las relaciones medio buenas entre los sandinistas y EE.UU. duraron poco tiempo. El señor Ronald Reagan ganó las elecciones presidenciales en 1980, e inmediatamente hubo una voltereta. Ahora desde la Casa Blanca, la Revolución nicaragüense era considerada como producto de infiltración de "ideología comunista." Reagan, por consiguiente, lanzó una campaña contra el gobierno sandinista que incluía un embargo que, a falta de otros remedios, obligó a los nicaragüenses a establecer relaciones más estrechas con Cuba y el bloque comunista. Ese cambio les sirvió a los de Washington como "prueba" de que Daniel Ortega no era sino uno más de los odiados "comunistas."

Hay que aceptar que en realidad hubo ambigüedad en cuanto a la naturaleza del régimen sandinista. Como se ha mencionado, Nicaragua no parecía ni dictatorial ni democrática, sino que oscilaba entre los dos polos. Por una parte, el gobierno había cerrado la prensa que estaba en su contra, y por lo tanto se acercaba a un régimen dictatorial. Por otra parte, el gobierno seguía bastante abierto: la mayoría de la tierra todavía estaba en manos de la tierra todavía estaba en manos de dueños particulares, se permitían partidos políticos de oposición, y ciertas empresas internacionales (la empresa petrolera de Esso, por ejemplo) seguían funcionando. Para ese entonces el gobierno también mostraba una cara democrática. Parece, a pesar de todo, que la sociedad nicaragüense estaba más abierta que la cubana—es importante notar que Castro mismo había aconsejado a los sandinistas que, para evitar problemas, no rompieran completamente con el mundo capitalista como él mismo había hecho en Cuba. De todas maneras, se intensificó la lucha entre los sandinistas y los llamados "contras" (o "freedom fighters," como les había bautizado Reagan). Los "contras" eran ex-compatriotas de los Somoza y otros que se habían desilusionado con la Revolución Sandinista. Formaron un ejército que, según las evidencias, fue en parte fundado de manera clandestina por los EE.UU.

Entonces, como las buenas relaciones entre los sandinistas y Norteamérica se veían imposibles, Nicaragua no tuvo otra opción que acercarse paulatinamente al modelo cubano. A medida que continuaba la guerra entre los "contras" y los sandinistas, comenzó a verse que no habría ni vitoria ni derrota de ninguna de las partes a corto plazo.[12] Los "contras" tenían bastante fuerza para atacar al ejército sandinista, pero no era suficiente para penetrar en el territorio nicaragüense y marchar hacia la capital. Por su parte, los sandinistas se defendían con bastante energía, pero no se atrevían a invadir a los "contras," ya que su base de operaciones estaba en Honduras—país que tenía un acuerdo con EE.UU. para permitir actividades antirrevolucionarias. Los "contras" sí obligaron al gobierno nicaragüense a gastar casi la mitad del presupuesto nacional en defender al país. Esa quizás fue su mayor victoria.

En 1987 el Presidente de Costa Rica, Oscar Arias, propuso un plan de paz para toda Centroamérica—había también una guerra civil en El Salvador, y mucha inquietud en Guatemala—acto por el cual se le otorgó el Premio Nobel de la Paz ese mismo año. En 1988 los sandinistas y los "contras" firmaron un acuerdo, en parte motivado por el plan Arias. Según el acuerdo, cesaría el fuego, se permitiría más libertad para facciones que se oponían al gobierno, y habría elecciones en 1990. Un año después, el bloque comunista de Europa del Este se desintegró, la "Guerra Fría" llegó a su etapa final, y la Unión Soviética comenzó a presionar a los sandinistas para que permitieran elecciones. Las hubo, y para sorpresa de todos, Violeta Barrios de Chamorro—la primera mujer democráticamente elegida presidente en las Américas—que era la candidata de una coalición de 14 partidos, le ganó a Daniel Ortega. Prácticamente dicho, la Revolución había terminado.

[12] A...plazo = short range, in the short run.

En fin, La *Revolución Sandinista*: otro sueño bonito y otro *fantasma* evasivo. Otro intento de resolver problemas nacionales sin la posibilidad de desprenderse de fuerzas internacionales, y otra desilusión. La Presidenta Chamorro proponía la nueva ola de privatización y *libre comercio*. Sin embargo, Nicaragua tenía muchos problemas y relativamente pocos recursos. Lo que dificultaba más la situación era que tanto la prensa como el gobierno de EE.UU. casi ignoraban a Chamorro y su pequeña república, como si todo ya estuviera resuelto. Después de Chamorro, Arnoldo Alemán fue elegido presidente. Su triunfo, igual que el de Chamorro, fue inadvertido por EE.UU. Y en 2001 Enrique Bolaños—quien fuera el vicepresidente de Alemán—fue elegido presidente. Sin embargo, en 2003 Alemán fue arrestado y sentenciado a 20 años de prisión por malversación de fondos, lavado de dinero, y corrupción.

Los miembros sandinistas parlamentarios, consecuentemente, intentaron implicar en este asunto a Bolaños. La situación empeoró cuando se supo que el entonces Secretario de Estado de EE.UU., Colin Powell le pidió a Bolaños distanciarse del FSLN (Frente Sandinista de Liberación Nacional). Se iba a tumbar del poder a Bolaños pero hubo presión de los presidentes centroamericanos, de EE.UU., de la Organización de los Estados Americanos (OEA), y de la Unión Europea para impedir un golpe de estado. En 2006 Daniel Ortega volvió al poder con sólo 37.99% de los votos, gracias a un cambio en el proceso electoral. En 2011 ganó de nuevo pero ahora con un 62.46%, y en 2014 la asamblea nacional aprobó cambios a la constitución para que Daniel Ortega pueda ser re-elegido en 2016. El país continúa con graves problemas económicos y sociales. Por ejemplo, antes de que Ortega volviera al poder en 2006,

Uruguay merece aquí un comentario, ya que ese país fue considerado la "Suiza de las Américas" por su programa social tan avanzado a principios del siglo XX. Esto gracias a la obra visionaria de José Batlle y Ordoñez (1856–1929). Sin embargo, por la década de 1960, la economía uruguaya se estancó, y ya no podía sostener sus programas sociales. Como respuesta a la crisis, y siguiendo la tradición uruguaya de un alto nivel de preocupación social por parte de la ciudadanía por Batlle y Ordoñez, en 1967 aparecieron los "tupamaros"—nombre derivado de Tupac Amaru, inca rebelde en 1780. Representando la primera fuerza guerrillera urbana en Latinoamérica, los "tupamaros" emprendieron una lucha contra el gobierno. En particular, criticaban: (1) los procesos *políticos* que a través de los años se habían burocratizado y ahora estaban casi estáticos, (2) la falta de diversidad *económica* que evitaba la entrada de Uruguay en la arena de los países desarrollados, y (3) el desequilibrio *social* que estaba apareciendo por causa del estancamiento *económico*. El movimiento de los "tupamaros" no acabó hasta que hubo una intervención militar y suspensión de los procesos constitucionales en 1973. Esta intervención duró hasta 1984. El caso de los "tupamaros" es de importancia especial, porque puso a la vista precisamente las faltas de la llamada "teoría de La Modernización."

la asamblea nacional aprobó una ley que convirtió a Nicaragua en uno de los cinco países del mundo donde el aborto de niños es legal sin excepción.

¿POR QUÉ SON ASÍ LAS COSAS?

Aparte de los casos revolucionarios ya estudiados de México, Cuba, Chile, y Nicaragua, ha habido revoluciones genuinas en Bolivia y Guatemala, que luego fueron abortadas.[13] Los problemas *socio-político-económicos* de estos países todavía están lejos de resolverse.

De todos modos, en Guatemala de 1945–1954 y Bolivia de 1952–1964, representantes internacionales observaban cuidadosamente cada maniobra, y cada paso, como si estas pequeñas repúblicas en realidad representaran una amenaza. Cada indicio más remoto de lo que pareciera "comunismo" tenía inmediatas repercusiones en EE.UU. Surgen preguntas. ¿Si hubieran dejado en paz a estos países para que buscaran su propio camino, hubieran quizá tenido más éxito? ¿Por qué no se les permitió ejercer su propia soberanía? Bueno. Una respuesta no es fácil. Cuando menos, para comprender un poco mejor la situación, tenemos que incluir a toda Latinoamérica desde las últimas décadas.

En las ciencias sociales de las universidades de EE.UU a fines de la década de 1950, y poco antes de la Revolución Cubana, había bastante optimismo respecto al futuro de Latinoamérica. Ese optimismo queda ejemplificado en estudios tales como el del historiador John J. Johnson in *Political Change in Latin America* (1958). Johnson aplicó confiado la "teoría de la modernización" al continente entero. Esa teoría, que tiene como contra-teoría la de la "dependencia" (brevemente descrita en el Capítulo 17), es "reformista" en vez de "revolucionaria." La "teoría de la modernización" cabe dentro de las fórmulas de la democracia y la libre empresa, mientras la "teoría de la dependencia," como "revolucionaria," generalmente—aunque no siempre—está cargada de elementos socialistas-marxistas. Según Johnson, efectivamente se podría poner en práctica la "teoría de la modernización" en Latinoamérica. El crecimiento de la *economía* del continente engendraría transformaciones *sociales* que a su vez harían posible el desarrollo de la esfera *política*. Entonces, como si fuera un proceso de evolución natural, los problemas *socio-político-económicos* poco a poco se resolverían. No habría habido necesidad ni de la Revolución Cubana ni de las otras revoluciones que siguieron.

El "milagro" iba a funcionar de esta manera. Desde hacía años por toda Latinoamérica había habido una transformación *social* de pueblos predominantemente rurales a poblaciones urbanas. A causa de esa transformación, la gente—como en los países desarrollados—empezaría a identificarse con, y a

---

[13] Una *revolución genuina*, como leímos en el capítulo sobre la Revolución Mexicana, es más que un *golpe de estado*, es decir, un cambio limitado a la esfera política. Es necesario que haya transformaciones profundas en las tres esferas: *social* (una re-estructuración de la composición de la composición de las clases sociales), *política* (un grupo enteramente nuevo llega al poder), y *económica* (una redistribución de las riquezas del país).

participar en, las varias organizaciones *políticas* que por naturaleza emergerían. Estas organizaciones servirían para conducir a la gente hacia una conciencia colectiva verdaderamente democrática. Lo más importante es que surgiría una clase media numerosa, fuerte, dinámica y progresista. Los miembros de esa clase media tomarían la responsabilidad de crear las condiciones *económicas* para los menos afortunados—obreros y campesinos—pudieran mejorar su nivel de vida. Dentro de poco, la *clase media* de todos los países latinoamericanos representaría la mayoría. Todo bien. Pues, eso es más o menos lo que había ocurrido en EE.UU. y Europa, y parecía que el proceso ya había comenzado en los países del sur.

La *realidad*, no obstante, fue más intransigente de lo que se esperaba. Hubo crecimiento *económico* en Latinoamérica durante la década de 1960 hasta 1970, por cierto. Sin embargo, una vez que la clase media distribuyó las riquezas a todo el mundo a través de programas *sociales*, la desigualdad se agravó. A la vez, al parecer la *política* de los países latinoamericanos tenía su propio camino, y éste no era el que pronosticaban los profetas de la "modernización." La "conciencia colectiva" de la clase media emergía, pero en los momentos críticos, muchas veces apoyaba a la oligarquía y a los ejércitos. Tal fue el caso de Argentina en 1955 al caer Perón y en 1962 con el golpe de estado, de Brasil en 1964 con la entrada de los generales, y de Chile en 1973 con Pinochet. Hubo también transiciones hacia gobiernos militares, muchos de ellos dictaduras, en Uruguay, Bolivia, Perú, Panamá, Guatemala, y Santo Domingo. Lo que fue peor, como contradicción de la "teoría de la modernización," los países que sufrieron más a causa de las dictaduras militares fueron precisamente los países que habían alcanzado el nivel más alto de desarrollo *socio-político-económico*: Argentina, Chile, y Brasil.

¿A qué se debió el fracaso? Hay en general tres explicaciones. (1) Las tradiciones culturales de Latinoamérica y sus orígenes de España y Portugal—el catolicismo y paternalismo que tendían a producir *sociedades* autoritarias y jerárquicas—no eran compatibles con el tipo de desarrollo que había ocurrido en el norte de Europa y en EE.UU. (2) el desarrollo democrático se dificultaba por el hecho de que las *economías* de Latinoamérica eran ya dependientes de las sociedades desarrolladas, lo que puso un obstáculo infranqueable por delante (la teoría de la "dependencia"). Es decir, Latinoamérica funcionaba como una clase baja de EE.UU. y Europa, y por eso no había la posibilidad de que allí surgiera una clase media dentro de la misma clase baja—esa fue la interpretación predilecta de los marxistas por razones obvias. (3) todos los países latinoamericanos estaban estrechamente ligados a EE.UU., por lo tanto las transiciones de la política de EE.UU. tenían impacto en la *política* de todo el continente. Por un lado, cuando la política de EE.UU. experimentaba una vuelta hacia la izquierda, generalmente había una evolución en Latinoamérica hacia programas más democráticos. Por otro lado, cuando EE.UU. gravitaba hacia la derecha, con más preocupación por los asuntos de escala internacional—sobre todo la supuesta amenaza del "comunismo"—había entre los países latinoamericanos una tendencia hacia dictaduras para evitar la infiltración de la "amenaza comunista." De esta manera, los ejércitos de los países latinoamericanos desde 1960 hasta fines de la década de 1980 no hicieron más que responder a los mensajes "anticomunistas" de EE.UU.

De las tres explicaciones del "fracaso" de la clase media de Latinoamérica, ¿dónde estará la verdad? ¿Es la revolución genuina el único camino a las transformaciones *socio-político-económicas* necesarias? Es dudoso, porque la violencia contenida en el camino revolucionario trae problemas. ¿Acaso hay otro camino "reformista" y con menos violencia, un camino que no viole los derechos humanos? El problema es que ese camino, desafortunadamente, tiende a favorecer más a los ricos que a los pobres. Las preguntas, al parecer, quedan sin una respuesta satisfactoria o duradera. No obstante, quizá se puede concluir que: las teorías de la "dependencia" y la "modernización" no ofrecen fórmulas válidas, y el futuro en gran parte depende de las relaciones que se establecen entre Latinoamérica y EE.UU.[14]

Parece que estamos viendo todo con ojos sumamente pesimistas. En realidad, respecto a Latinoamérica hay estrellas brillantes que penetran las zonas de oscuridad que les rodea. Vamos a fijarnos ahora en algunas de ellas.

PREGUNTAS

1. ¿Cuáles fueron los resultados de la enmienda de Platt?
2. Describa brevemente la trayectoria de Fidel Castro desde Moncada hasta el triunfo de la Revolución Cubana.
3. ¿Cuáles fueron los sucesos que revelaron la ideología marxista de Castro?
4. ¿En qué consistían la "Nueva Sociedad" y el "Nuevo Hombre" que deseaba Castro para Cuba? ¿Fue simplemente un sueño? ¿Por qué?
5. ¿Qué opinión tienen los anticastristas de la Revolución Cubana?
6. ¿Por qué cambiaron de opinión varios escritores acerca de Cuba?
7. ¿Cómo fue el caso de los marielistas?
8. ¿Cómo es la situación de Cuba hoy en día?
9. ¿Cuál es la naturaleza extraordinaria del sistema político de Chile?
10. ¿Por qué es la política chilena más pluralista que la de otros países?
11. ¿Cuáles problemas se le presentaron a Allende, y cómo trató de resolverlos?
12. ¿Cuáles fueron las medidas de Pinochet, y cómo fueron los resultados?
13. Describa brevemente la historia tumultuosa de Nicaragua hasta el régimen somocista.
14. ¿Quién fue Sandino y qué importancia tuvo?
15. ¿Cómo subió la familia Somoza al poder y cuál fue su plan para Nicaragua?

---

[14] Una nueva teoría, siguiendo el "neoliberalismo," implica la privatización, y relativamente poca intervención del estado en los asuntos económicos para dejar que los procesos de negociación entre empresas internacionales dicten la naturaleza del mercado. Esta teoría no puede recibir la atención que merece en este texto. Sin embargo, ha sido el tema de acalorados debates en las últimas décadas. (Para una lectura sobre el tema, ver los libros sobre NAFTA en la lista que corresponde al Capítulo 21).

16. ¿De qué manera fueron semejantes y diferentes las Revoluciones de Nicaragua y Cuba?
17. ¿Quiénes son los "contras"? ¿Cómo es que hubo un tipo de *jaque mate*[15] entre ellos y los somocistas?
18. ¿Quién es Oscar Arias y qué hizo?
19. ¿Cuál es la teoría de la "modernización"? ¿Cuáles fueron los problemas de esta teoría con respecto a la situación latinoamericana?
20. ¿Por qué han fracasado los "sueños" latinoamericanos?

Temas para discusión y composición

1. Hacer una breve comparación de las revoluciones de Cuba, Chile, y Nicaragua. ¿Cree usted que habría sido posible el mismo camino para las tres repúblicas?
2. ¿Cómo podría haber sido diferente la política exterior de EE.UU. para que países como Cuba, Chile, y Nicaragua pudieran haber resuelto mejor sus problemas?

Un debate amigable

Se organiza una polémica que incluye tres perspectivas: (1) que la teoría de la dependencia es válida, (2) que tendría más éxito la teoría de la modernización, y (3) que ni una ni la otra, porque Latinoamérica tiene problemas propios y únicos, por lo tanto debe encontrar un camino propio.

---

[15] Jaque mate = check mate.

CAPÍTULO 19

IDENTIDAD, MODERNIDAD, Y MÁS ALLÁ EN LA NOVELA

Fijarse en:

- La naturaleza de lo que se denomina "realismo mágico," y la manera que revela la pluralidad de las culturas latinoamericanas.
- La importancia del mestizaje hibridizado en la formación de las culturas y civilizaciones del continente.
- El significado del término "Cultura," con mayúscula, y el rol de los artistas en la formación de las Culturas en Latinoamérica.
- La función de la soledad en las expresiones culturales del pueblo latinoamericano.
- La razón por la que la literatura es de tanta importancia en un continente donde existe un índice relativamente alto de analfabetismo.
- Lo que es el "boom" de la nueva novela latinoamericana.
- La manera en la que los latinoamericanos son "más contemporáneos" en cuanto a esa nueva narrativa.

Términos:

- Boom, Creacionismo, Cultura (con mayúscula), Laberinto, Literatura de la Onda, Nueva Narrativa Latinoamericana, Primitivismo, Realismo Mágico, Mestizaje Hibridizado, Soledad, Surrealismo, Ultraísmo.

UNA EXPRESIÓN NUEVA Y VIEJA A LA VEZ

Algo maravilloso sobresalió en la literatura latinoamericana durante el siglo pasado: el "realismo mágico." El término parece contradictorio, ¿no es cierto? Si algo es "real," no tiene que ver con la "magia," y si es "mágico," se supone que no debe caber en la "realidad." ¿Cómo podemos figurar ese término en la literatura, entonces?

Bueno, la literatura tiene que presentar por lo menos un toque de verosimilitud, debe ser hasta cierto punto creíble. Ahí está la "realidad" de la literatura. Sin embargo, mucha de la literatura contemporánea de Latinoamérica también tiene algo de "magia." El componente "mágico" consiste de una dosis de imaginación que se inyecta en esa "realidad" para que la literatura tenga un aspecto ficticio. Entonces, ¿cuál es el problema? El problema es que una descripción de la naturaleza del *realismo mágico* no es fácil. El término no se presta a una descripción simple, sino como la América Latina misma, tiene muchas caras, todas complejas y ambiguas. Es por eso que existe lo que parece un sinfín de estudios sobre el fenómeno del *realismo mágico*, y la controversia continúa. De todos modos, hay que hacer la lucha[1] para comprender ese fenómeno, aunque sea un poco. Es necesario tratar ese asunto, porque el *realismo mágico* puede revelar algunas características fundamentales de las culturas latinoamericanas.

Hasta cierto punto se puede decir que el *realismo mágico* es un *mestizaje hibridizado*[2] en sentido *pluralista*, compuesto de elementos de toda la historia del continente (lo prehispánico, la "invención de América," la conquista, lo africano, lo mestizo, el Barroco, el Siglo de las Luces, la Independencia, la edad de los *caudillos*, el modernismo, la Revolución Mexicana, la novela de la tierra, la novela indigenista, la literatura afro-latinoamericana, la Revolución Cubana, etcétera). Consiste de un poco de *magia* fundida con otro poco de *realidad* que ha escapado del limbo de la conciencia colectiva de los latinoamericanos. Tiene algo de *magia*, porque la *realidad* latinoamericana inevitablemente tiene una apariencia algo "mágica." Por ejemplo, el *surrealista* francés, André Breton (1896–1966), al visitar México expresó que los mexicanos no tenían que aprender del surrealismo,[3] porque lo vivían todos los días. Sin embargo, aunque el *surrealismo* francés tenga cierto parecido con el *realismo mágico*, tienen grandes diferencias. El surrealismo fue un movimiento inaugurado en 1924 por Breton. Proponía una transformación radical de los valores sociales, científicos, y filosóficos a base de la liberación de la subconsciencia. A causa de esa liberación, se supone que el *surrealismo* es el producto de la imaginación pura que emerge directamente de las tinieblas oscuras de la mente del individuo. En cambio, la base del *realismo mágico* descansa en la "conciencia colectiva" del pueblo latinoamericano. Esa "conciencia colectiva" no necesita una "liberación," porque siempre ha existido y existe. Ha persistido a pesar de las represiones políticas, religiosas, y sociales en todo el continente. Lo que siempre le hacía falta era una "expresión" genuina.

Otro francés, Antonin Artaud (1896–1948), después de pasar un tiempo con los amerindios Tarahumara en el norte de México, reportó que se sentía como si hubiera estado en un ambiente de pura *magia*. No obstante esa *magia* tampoco fue el equivalente al *realismo mágico*: faltaba el aspecto de la "realidad" *pluralista* latinoamericana como "invención" de la "conciencia colectiva." D.H. Lawrence (1885–1930) y Malcolm Lowry (1909–1957), dos escritores de la

---

[1] Hacer…lucha = to do one's best, give it one's best effort.

[2] Quiere decir, "mestizaje" e "hibridación" en el sentido que los términos han sido usados a través de las páginas de este texto. La fusión de los dos términos debe dar la imagen de algo nuevo y diferente, una creación que ha emergido paulatinamente en la "consciencia colectiva" del pueblo latinoamericano dentro de la complejidad de sus culturas. De verdad, los dos términos deben fundirse para dar la sensación de un *mestizaje hibridizado*.

[3] Surrealismo: *sur* (bajo) + *realismo* = la "realidad" de la subconsciencia.

Gran Bretaña, también quedaron fascinados con México, e incluso escribieron novelas basadas en la *magia* mexicana y su influencia en la psicología humana: *La serpiente emplumada* (*The Plumed Serpent* [1926]) de Lawrence y *Bajo el volcán* (*Under the Volcano* [1947]) de Lowry. Sin embargo su ficción tampoco cabe dentro del *realismo mágico*; la magia de ellos es más bien una imitación y, por lo tanto, carece de la *magia* "real-inventada." ¿Qué es el *realismo mágico*, entonces? Bueno. La pregunta persiste, como si se estuviera burlando del lector, pero vamos a seguir haciendo la lucha para comprender ese fenómeno enigmático.

La ruptura entre Latinoamérica y España en el siglo XIX había conferido a los intelectuales del continente una importancia que habría sido inaudita durante la época colonial. Ahora, ocupaban una posición como voceros de sus respectivas repúblicas recién independizadas. Sobre su espalda recaía la responsabilidad de forjar una conciencia colectiva y una nación. No obstante, algo esencial faltaba. Ese algo consistía de voces que habían quedado sofocadas durante casi tres siglos de colonialismo. Poco a poco los escritores empezaron a descubrir ("¿re-inventar?") ese algo al comenzar el siglo XX con la ya llamada vuelta a la "realidad" latinoamericana en la literatura con el novomundismo, el criollismo, la novela de la tierra, y la novela indigenista. Para complementar la novela indigenista, en *Ecué-Yamba-O* de Alejo Carpentier, escrita en 1927 y publicada en 1933, tenemos el comienzo de una novela verdaderamente afro-latinoamericana. Sin embargo, ni el "africanismo" ni el "indigenismo" en sí contienen la esencia de lo "latinoamericano," porque no se puede negar categóricamente la herencia europea y la presencia mestiza. Una comprensión cabal de las culturas latinoamericanas en el sentido más amplio de la palabra tendría que incluir una re-invención y una re-interpretación de las relaciones entre Europa y América Latina—o en otras palabras lo que había sido el impacto de la Época Medieval, el Renacimiento, el Barroco, el Siglo de las Luces, y el Romanticismo en las culturas latinoamericanas.

No obstante, tampoco podemos olvidar el siglo XX, en el que muchos intelectuales latinoamericanos de las primeras décadas pasaron algunos años de formación en Europa. Allá, se decepcionaron con los efectos de la revolución científica, el racionalismo, y el positivismo—lo que fue principalmente herencia del mundo occidental. Sobre todo, con la emergencia del fascismo y el nazismo en Europa durante las décadas de 1920 y 1930, llegaron a ser cada vez más críticos de Europa como parte de su herencia cultural. Encontraron, entre otros movimientos, el *surrealismo* de Breton y sus colaboradores. Inspirados por el padre del psicoanálisis, Sigmund Freud (1856–1939), los surrealistas estaban obsesionados tanto con lo irracional como con el subconsciente. El interés en lo irracional incluía una búsqueda de las raíces del pensamiento moderno en lo "primitivo" de las culturas "exóticas." Ese "primitivismo," empero, no era nada nuevo para los jóvenes latinoamericanos radicados en París, ya que precisamente las culturas "exóticas"—al menos "exóticas" para los europeos—abundaban en América Latina, donde se vivía lo "exótico."

En cambio, lo "exótico" en Europa, como producto de la búsqueda de las raíces culturales no podía ser más que una expresión algo artificial. Por ejemplo, lo "exótico" de África había sido fuente de influencia en el arte desde que el pintor español, Pablo Picasso (1881–1973), lo introdujo a principio del siglo XX. Sin embargo, África en realidad no había sido una parte íntima de la experiencia cultural de Europa—aunque, como se ha visto, por la influencia islámica existía un eco de África cuando menos en la península. En contraste, la presencia pluralista de complejas mezclas étnicas y culturales de Latinoamérica consistía en lo "exótico" vivo, que incluye lo africano. Es decir, lo que los europeos consideraban "exótico"—y al ser trasplantado a Europa llegó a ser artificial—era parte de la vida genuina de todos los días en América Latina.

En el continente americano, las culturas amerindias y las afro-americanas forman parte de la *Cultura*—ahora hay que escribir el término en mayúscula. La *Cultura* es un conjunto de muchas culturas. Es producto de la Edad Media, el Renacimiento, el Siglo de las Luces, y el Romanticismo, desde luego. Sobre todo, tiene una fuerte corriente del movimiento que casi había sido sofocado en Europa, el Barroco, que dejó una marca profunda en Latinoamérica. La *Cultura* también es producto de culturas africanas e indígenas. Esas culturas ya no son puras sino que están fundidas—mestizadas-hibridizadas—con las culturas colonizadoras. La *Cultura*, en el sentido más general, es a la vez barroca y moderna, "exótica" y europea, pasado y presente. Es una tensión vibrante de muchas expresiones en una lucha perpetua por dejarse sentir.

La *Cultura*, tal como nació del suelo americano en la forma de una tensión entre múltiples tendencias y expresiones, ha producido lo que se llama *realismo mágico*. Quizá se puede decir que Latinoamérica fue "re-inventada" en parte a través del *realismo mágico*. El continente no es sencillamente la "utopía" que los peninsulares "inventaron" e inyectaron en la "realidad" americana después de la conquista. No es simplemente una combinación de *Padre Europa* y *Madre América* que engendró una combinación de *Hijos Naturales* (los mestizos) a la vez que abrazó una variedad de *Hijos Adoptivos* (de África). Es decir, Latinoamérica no es una simple dualidad sino una *pluralidad*. Las *culturas* y *civilizaciones latinoamericanas* están fundidas en una sola cultura, la *Cultura*. Entonces, se supone que esa *pluralidad* debe tener la clave para comprender a fondo el *realismo mágico*.

¿Qué es el *realismo mágico*, entonces? Pues, es posible que una de las expresiones más profundas de la *pluralidad latinoamericana* se encuentre en la literatura que tiene elementos *mágico-realistas*. Esto se verá a continuación.

"AHORA SOMOS MÁS QUE CONTEMPORÁNEOS"

La trayectoria literaria de Alejo Carpentier, considerado por muchos como el padre del *realismo mágico* (aunque en el principio, él lo denominaba lo "real maravilloso"), revela en sus obras la esencia de ese fenómeno. Después de *Ecué-Yamba-O*, las próximas dos novelas de Carpentier, *El reino de este mundo* (1949) y *Los pasos perdidos* (1953), demuestran la imposibilidad de recobrar y reduplicar el *pasado* cultural africano e indígena, porque no se puede tirar la

Cultura del *presente* a la basura, la *Cultura* es una parte íntima del yo de cada individuo. *El siglo de las luces* (1962), también de Carpentier, es un estudio sobre el impacto de la corriente central del pensamiento europeo—el racionalismo como producto del Siglo de las Luces—en Latinoamérica. Sugiere esta novela que a fin de cuentas el pensamiento racionalista implantado en las Américas fue limitado, porque tuvo que competir con otras tendencias que le contradecían: lo africano y lo indígena.

La próxima novela de Carpentier, *El recurso del método* (1974) se trata de la "barbaridad" de las dictaduras latinoamericanas: son el resultado de un predominio del aspecto irracional de la *Cultura*, cuando las múltiples tensiones están fuera de balance. Esa pluralidad de tensiones tiene que seguir su propia forma de "democracia," porque si no, las venas de Latinoamérica se abren, y entonces pierde su vitalidad. La *consagración de la primavera* (1978) es un intento admirable de Carpentier por sintetizar toda la América Latina a través de un enfoque en Cuba y su Revolución. En general, el autor observa la Revolución como fuente de un nuevo individuo superior y una nueva sociedad auténtica. Tomando en cuenta la historia reciente de Cuba, hay duda acerca de esas conclusiones de Carpentier. Sin embargo, la idea perdura: dentro de la *pluralidad mestizada-hibridizada* del continente existe, de una forma u otra, la identidad de los latinoamericanos y la posibilidad de una nueva comunidad humana. La última novela del escritor cubano, *El arpa y la sombra* (1979), critica el esfuerzo europeo de "civilizar" las Américas a lo largo de la historia. Sin embargo, fracasó ese esfuerzo "civilizador," como fracasará cualquier otra forma de "imperialismo" cultural. ¿Por qué? Porque la *Cultura mestizada-hibridizada* resiste. Resiste todo intento de colocarla en una rígida camisa de fuerza.[4]

Tenemos en la obra de Carpentier, entonces, el *realismo mágico* en pocas palabras.[5] La visión que ofrece no es sencillamente la de la "magia" mezclada con la "realidad." Incluye la visión del fracaso de las grandes ilusiones del mundo occidental, tanto cuanto el "utopismo" extinto de la conquista y la colonia, el del Siglo de las Luces casi olvidado, y el de las ideas europeizantes de los liberales del siglo XIX ya perdido en las tinieblas. Además, el "utopismo" de las primeras décadas de este siglo, concentrado en la obra visionaria del mexicano José Vasconcelos, *La raza cósmica* (1925)—es decir la "raza mestiza"—ha perdido su dinámica. Entonces queda la pura *soledad*, según escribió Octavio Paz en *El laberinto de la soledad* (1950) y según novelaron Gabriel García Márquez (1927–2014) en *Cien años de soledad* (1967) y el paraguayo Augusto Roa Bastos (1917–2005) en *Yo el supremo* (1974), entre otros. La *soledad* es una de las metáforas principales que han emergido sobre los orígenes prehispánicos y afro-latinoamericanos, y de la conquista, la colonización, y el siglo XIX. Durante el siglo XX, Europa también ha experimentado su propia *soledad* al confrontar los efectos de dos guerras mundiales en menos de

---

[4] Camisa de fuerza = strait jacket.

[5] En pocas palabras = in a nutshell.

cuatro décadas. A este respecto escribió Paz en 1950 que los latinoamericanos eran "contemporáneos de todos los hombres."

Actualmente, cuando diferentes culturas del mundo experimentan formas particulares de pluralización, por ejemplo, las nuevas olas de inmigración hacia Europa, y como se ha sugerido brevemente en el Capítulo Catorce, ahora son los Latinoamericanos "más que contemporáneos," porque esas transiciones nuevas para Europa forman el pasado histórico de Latinoamérica. Quizá la metáfora más apta para esas evoluciones sea, otra vez, la de Paz: un *laberinto*. No un *laberinto de dualidades* sino de *pluralidades*. El *laberinto* latinoamericano es algo íntimo, algo que se siente pero que no se puede reducir a las palabras, aunque sí se presta a "re-invenciones." Según el escritor Eduardo Galeano en *Las venas abiertas de América Latina* (1984), los latinoamericanos siempre están en búsqueda de su identidad, siempre están "re-inventando" Latinoamérica, porque es un continente de naciones que tienen una lucha común, porque están en busca de un hilo que las unifique, aunque el proyecto quede perpetuamente incompleto.

Bueno. El lector se preguntará, ¿Cómo es que hemos llegado a todas estas contemplaciones demasiado oscuras? Sin embargo, el comprender lo más posible sobre las *culturas y civilizaciones latinoamericanas* requiere esfuerzo. Por lo tanto, hay que seguir.

La voz del escritor como expresión colectiva

Desde luego, los latinoamericanos no se nutren solamente de sus novelas. Hay poesía, teatro, ensayo. Además hay pintura, escultura, arquitectura, y el arte de la cultura popular.

Inmediatamente después del *modernismo*, en la poesía hispanoamericana hubo más experimentos que en la novela o el teatro. Movimientos de vanguardia como el *ultraísmo*, fundado en 1919 con la publicación de un "Manifiesto" y del cual el argentino, Jorge Luis Borges (1899–1986) es el más conocido. Los "ultraístas" buscaban libertad de formas y nuevos modos de expresión. Tenemos a los tres grandes poetas chilenos: Gabriela Mistral (1889–1957), Vicente Huidobro (1893–1948), y Pablo Neruda (1904–1973). A Mistral—poetisa de versos de tristeza, soledad, y ternura, con una honda preocupación por los sufridos de su país—le fue otorgado el premio Nobel en 1945. Huidobro, iniciador de lo que se denominó *creacionismo*, eleva al poeta como la fuente de la nueva expresión, un "pequeño dios" del lenguaje. Neruda, cuya poesía pasó de una etapa vanguardista a la expresión ideológica de su tendencia marxista, y luego hasta versos dedicados a las clases populares y la vida cotidiana, también recibió el Nobel en 1971.

Tenemos poetisas que suman su voz a la corriente literaria que hasta entonces había sido predominantemente masculina: de Uruguay, Delmira Agustini (1886–1914), autora de poesía de intensa expresión erótica, y Juana de Ibarbourou (1895–1979), cuyas obras pasaron del narcisismo a un sensualismo pagano, y a una etapa de pesimismo y tono trágico, y de Argentina, Alfonsina Storni (1892–1938), con sus preocupaciones feministas. Tenemos la poesía conversacional y de protesta social del peruano César Vallejo (1892–1938), la expresión *tropicalista* de Carlos Pellicer (1897–1977) de México, y la profusión metafórica del ecuatoriano Jorge Carrera Andrade (1903–1979). Por supuesto, no se puede omitir al gran poeta Octavio Paz, premiado con el Nobel en 1990, cuyos versos en *Piedra de sol* (1958) recobran aspectos de la mitología prehispánica. Además, está la expresión afro-latinoamericana ya mencionada, cuya característica más notable es la *jitanjáfora*, término inventado por Alfonso Reyes para designar la complejidad de las combinaciones fonéticas que da nuevos ritmos a los versos. En fin, la poesía latinoamericana alcanzó la "contemporaneidad" cuando la novela estaba todavía envuelta en la "tierra" con temas y estilos que, con algunas excepciones, recordaban a los del siglo XIX. Esa "contemporaneidad" fue superada en el siglo XX en la forma que ha quedado plasmada por la pluma del portavoz poético de La Revolución Nicaragüense, Ernesto Cardenal (1925–).

Un poco después de que la poesía comenzó a ganar prestigio y renombre internacional, la búsqueda de una identidad cultural-social cobró nueva vida a través del ensayo. Sobresale el ensayo indigenista peruano. El ya mencionado marxista, José Carlos Mariátegui, en *Siete ensayos de interpretación de la realidad peruana* exaltaba al amerindio como fuente de la autenticidad cultural de Perú, y por extensión de toda Latinoamérica. Durante la década de 1930, el padre de la APRA, Víctor Raúl Haya de la Torre (1895–1979), escribió una serie de ensayos publicados en 1948 con el título de *Espacio-Tiempo histórico* (1948). Ese libro, que propone una América unida bajo el eje principal del indigenismo, tiene influencia del filósofo español José Ortega y Gasset (1883–1955), quien a su vez estaba influido por la teoría de la relatividad de Albert Einstein y su posible relevancia para las culturas humanas.

Bajo la influencia de la corriente *arielista*, el argentino Ezequiel Martínez Estrada (1895–1964) busca las raíces culturales de su país en *Radiografía de la Pampa* (1933) a base de una crítica de los programas liberales del siglo XIX. La obra de Martínez Estrada fue punto de partida para el ensayista y novelista, Eduardo Mallea (1903–1982), en *Conocimiento y expresión de la Argentina* (1935) e *Historia de una pasión argentina* (1939). En México, la base del ensayo en el siglo XX fue establecida y la fundación del "Ateneo de la juventud" en 1907, una organización que desde el principio sirvió como foco de actividad artística e instrumento de crítica del gobierno de Porfirio Díaz. Partiendo de esa actividad, Vasconcelos escribió *La raza cósmica*, y una década después Samuel Ramos (1897–1959) emprendió un penetrante estudio sobre la psicología colectiva del mexicano que culminó en *El perfil del hombre y la cultura de México* (1934), seguido por el internacionalmente conocido ensayo, *El laberinto de la soledad* (1950) de Octavio Paz.

El "boom" de la novela

No obstante, lo más notable de las letras latinoamericanas durante la segunda mitad del siglo XX se encuentra en el cuento y la novela, los géneros literarios que mejor se prestan a la expresión *mágico-realista*. Hubo una "explosión"—un "boom" como le dicen—de narrativa.

Obras como los cuentos fantásticos de Jorge Luis Borges en *Ficciones* (1944) y *El Aleph* (1949), *Los pasos perdidos* de Carpentier, *Al filo del agua* (1947) de Agustín Yáñez (1904–1980), *Pedro Páramo* (1955) de Juan Rulfo (1918–1986) de México, *El Señor Presidente* (1946) del guatemalteco Miguel Ángel Asturias (1899–1974), *Grande Sertão: Veredas* (1956) del brasileño Guimarães Rosa (1908–1967), y *El túnel* (1949) del argentino Ernesto Sábato (1911–2011), sirvieron como base para el lanzamiento de la nueva novela. Esos y muchos otros escritores latinoamericanos formaron alrededor de 1960 un círculo encaminado hacia un sólo fin: crear una novela auténticamente latinoamericana. Ese fin fue algo nuevo en la historia del continente. ¿Por qué fue nuevo?

Bueno, durante el siglo XIX, desde México hasta Argentina y Chile, los intelectuales tradicionalmente habían enfocada la mirada en Europa en lugar de otros países latinoamericanos, por consiguiente la comunicación entre ellos había sido relativamente mínimo. Sin embargo, hacia mediados del siglo XX esto cambió. Una nueva era se abría. Como fue descrito en el Capítulo 18, durante la década de 1960 había optimismo entre los intelectuales de EE.UU. respecto al futuro del Latinoamérica. En cambio, a los intelectuales de Latinoamérica se les hacía[6] que una ola de transformaciones políticas y sociales, y de expansión económica quedaba en el porvenir. A veces veían esa nueva ola de una manera positiva respecto al progreso económico que prometía, y a veces la veían de una manera negativa, porque podría terminar en una prolongación de la represión política y la dominación de EE.UU. Una de las primeras novelas en reflejar esa ambigüedad fue *La región más transparente* de Carlos Fuentes (1929–2012). El escenario de esa obra intenta incluir la totalidad de la ciudad de México. Fuentes ofrece una de las primeras grandes novelas urbanas con el proyecto de abarcar las aspiraciones y los temores, las costumbres y las características, y la psicología particular y colectiva, de todas las clases sociales de la capital de su país.

Fuentes continúa su estudio sociológico-cultural con *La muerte de Artemio Cruz* (1962). Un año después, Julio Cortázar (1914–1984) publica *Rayuela* (1963). La acción de esa novela compleja, una colección impresionante de estilos literarios, imágenes, y yuxtaposiciones. *Rayuela* comienza en París, y llega a su final en Buenos Aires. Intelectualmente es una de las novelas contemporáneas más brillantes del continente. Examina las relaciones entre Europa y Latinoamérica a la vez que analiza la naturaleza de la "realidad," la ficción, el lenguaje, y las artes. Pone en cuestión la supuesta oposición entre lo racional y lo irracional, lo lógico y lo ilógico, para concluir que no hay oposición de los pares de términos en cuestión sino que ha habido siglos de confusión en el mundo occidental. *La región más transparente*, novela urbana, y *Rayuela*, novela cosmopolita por excelencia, en conjunto con las novelas más

---

6 Se …hacía = it seem to them (that).

destacadas sobre el campo y las ciudades provincianas, contribuyen al establecimiento de las normas del llamado "boom" de la narrativa latinoamericana.

En 1966 el peruano Mario Vargas Llosa (1936–), galardonado con el Nobel en 2010, publicó *La casa verde*, que también debe considerarse como una de las mejores novelas del continente en la última mitad del siglo XX. Basada en muchas de las experiencias personales del autor, oscila la acción de *La casa verde* entre la ciudad de Santa María de Nieva al lado de los Andes en la zona selvática, y Piura, ciudad norteña cerca de la costa. Esa obra es un estudio panorámico de los tipos humanos, clases sociales, y vida y costumbres de diferentes zonas geográficas. Hasta el final de la década de 1960, Carlos Fuentes escribe *Cambio de piel* (1967), José Donoso (1924–1996) de Chile termina con *El obsceno pájaro de la noche* (1970), y los cubanos José Lezama Lima (1912–1976) y Guillermo Cabrera Infante (1929–2005) revelan al mundo sus maravillosos laberintos lingüísticos, *Paradiso* (1966) y *Tres Tristes Tigres* (1965).

Sin embargo, la obra más conocida del "boom" es, sin que quepa duda, *Cien años de soledad* (1967) del colombiano Gabriel García Márquez, ganador del Nobel en 1982. Su obra maestra había sido traducida a casi 30 idiomas y se habían vendido cerca de 30 millones de copias al cumplirse dos décadas de su publicación. La novela se lee como una bella leyenda, como una intricada genealogía de la familia Buendía, como un mito sobre la historia de toda Latinoamérica, o como el mito de la humanidad entera. La complejidad simple de la obra cumbre de García Márquez se destaca desde el principio, en las primeras líneas, donde se puede leer:

> Muchos años después, frente al pelotón de fusilamiento, el coronel Aureliano Buendía había de recordar aquella tarde remota en que su padre lo llevó a conocer el hielo. Macondo era entonces una aldea de veinte casas de barro y cañabrava construidas a la orilla de un río de aguas diáfanas que se precipitaban por un lecho de piedras pulidas, blancas y enormes como huevos prehistóricos. El mundo era tan reciente, que muchas cosas carecían de nombre, y para mencionarlas había que señalarlas con el dedo.

¿Podría ser más sencillo, o más bien, podría parecer más sencillo y a la vez ser más complejo? La obra comienza como un cuento de hadas,[7] pero las implicaciones son múltiples y pluralmente complejas.

En suma, la cita de *Cien años de soledad* contiene (1) la larga trayectoria de dictaduras sugeridas por el "fusilamiento," (2) la tradición patriarcal en la mención de la familia arquetípica de Latinoamérica, (3) la ciudad provinciana de Macondo como símbolo del comienzo de toda Latinoamérica, o la humanidad entra, (4) la magia (*realismo mágico*) representada como "huevos prehistóricos," y (5) referencia a la función concreta del lenguaje, función que casi todos los seres humanos hemos echado al olvido.[8] He aquí la caracterización en unas

---

[7] Cuento…hadas = fairy tale.

[8] Echar…olvido = to relegate to forgetfulness.

cuantas palabras de la *pluralidad* latinoamericana, y a la vez la síntesis *mágicorrealista* de la novela latinoamericana.

Fue sobre todo durante la época del "boom" que la mujer latinoamericana emergió como una gran escritora de prosa. Desde las obras de la argentina Silvina Ocampo (1903–1993) *Autobiografía de Irene*, (1948), la chilena María Luisa Bombal (1910–1980) *La amortajada*, (1938), las mexicanas Rosario Castellanos *Balún Canán*, (1957) y Elena Garro (1916–1998) *Recuerdos del porvenir*, (1963), y la brasileña Clarice Lispector (1920–1977) *Laços de Família* (1960), el impacto de las escritoras se dejaba sentir cada vez más. En las últimas décadas del siglo XX surgieron nuevas voces femeninas. Entre otras, están Elena Poniatowska (1932–) de México, con sus obras *La noche de Tlatelolco* (1971)—sobre la masacre en la Plaza de las Tres Culturas en 1968—además de sus excelentes novelas, *La flor de Lis* (1988) y *Tinísima* (1992). De Argentina tenemos a Luisa Valenzuela (1938–) *Cambio de armas* (1982) y *Cola de lagartija* (1983). De Chile tenemos a la sobrina de Salvador Allende, Isabel Allende (1942–) *La casa de los espíritus* (1982), *De amor y de sombra* (1984), y *Eva Luna* (1987). Sin duda, las obras de éstas y muchas escritoras más quedan a la par de las mejores obras que han salido de Latinoamérica en las últimas décadas.

Además, hay que hacer mención especial de la literatura testimonial con las experiencias personales de la gente marginada, oprimida y explotada, experiencias recogidas por escritores profesionales. Como ejemplos máximos de este tipo de literatura están: *Hasta no verte Jesús mío* (1969) de Poniatowska, *Si me permiten hablar* (1976) de Moema Viezzer, y *Me llamo Rigoberta Menchú* (1983) de Elizabeth Burgos, a la narradora—Rigoberta Menchú—se le otorgó el Nobel de la paz en 1992.

OTRAS CORRIENTES[9]

Depués del torbellino inicial del "boom," los "boomistas" escribieron una serie de novelas de dictaduras, siguiendo la tradición de *El Señor Presidente* de Asturias.

Hay, entre otras obras, la ya mencionada, *Yo el supremo* de Roa Bastos sobre el Doctor José Gaspar de Francia quien gobernó con mano de hierro a Paraguay de 1811 a 1840, la ambiciosa *Terra Nostra* (1975) de Fuentes, una obra que pretende abarcar toda la historia psicológica-social de la época colonial, *El otoño del patriarca* (1975) de García Márquez sobre una dictadura imaginaria cualquiera, y *La guerra del fin del mundo* (1981) de Vargas Llosa, novela apocalíptica basada en *Os Sertões* del escritor brasileño, Euclides da Cunha, que trata de una sublevación del profeta Antônio Conselheiro en

[9] Desafortunadamente, la producción literaria en Latinoamérica en los últimos años ha sido tan rica, abundante y variable que no se puede mencionar más que una pequeña selección de autores y obras—además del hecho que no alcanza el espacio para tratar otros géneros literarios como el teatro y el cuento, de los que también hay brillantes ejemplos.

Canudos en 1897. En años posteriores se publicaron, entre una larga serie de obras, *Gringo viejo* (1985) de Fuentes, que narra la aventura del escritor norteamericano, Ambrose Bierce (1842–1914), en la Revolución Mexicana—obra llevada a la pantalla en 1989, *El general en su laberinto* (1989) de García Márquez, novela sobre los últimos días del libertador, Simón Bolívar, y la monumental *Noticias del imperio* (1987) del mexicano Fernando del Paso (1935–), que trata de la época de la intervención francesa en México y el imperio de Maximiliano y Carlota de 1862 a 1867. También, no hay que olvidar una obra que se hizo clásica desde que apareció: *Viva o povo brasileiro* (1984) de João Ubaldo Ribeiro (1941–2014), novela que cubre cuatro siglos de acontecimientos reales e imaginarios de Brasil.

En México surgió una ola de literatura sobre las experiencias de los jóvenes de 1960, con marcada influencia en las protestas de EE.UU., la música "rock," las drogas, y los problemas de identidad personal. Esa literatura, a la que se le denominó "literatura de la onda," tuvo su comienzo en las obras de José Agustín (1944–), *De perfil* (1966), y Gustavo Sainz (1940–) *Gazapo* (1965). La literatura argentina ha sido más seria, debido en parte al trauma de la dictadura militar y la *guerra sucia*. El internacionalmente conocido, Manuel Puig (1932–1990), ofrece novelas como *La traición de Rita Hayworth* (1968). Trata de la cultura popular, con abundancia de alusiones a películas, nombres, acontecimientos y libros. Además de celebrar la cultura popular, Puig escribe sobre el efecto de enajenante de la represión política, como en el brillante ejemplo de *El beso de la mujer araña* (1976), que trata sobre la interacción de un homosexual y un preso político en una penitenciaría. Esta novela inspiró una película de Hollywood que ganó el premio Oscar. Digna de mención también es *Respiración artificial* (1980) de Ricardo Piglia (1941–), novela histórica de profunda introspección sobre el porqué de la tendencia argentina hacia la intransigencia política y social.

En fin, la producción literaria en los últimos años ha sido rica, múltiple, y variada. Ha elevado a Latinoamérica a una categoría única en cuanto a la literatura mundial: ya no es solamente "contemporánea" de todas las literaturas sino en muchos aspectos sirve de guía. Es decir, para reiterar la expresión, es "más que contemporánea." Sí, hay que decir "más que contemporánea," porque la llamada *nueva narrativa latinoamericana* no sólo revela con eficacia el fracaso de todos los "utopismos" del mundo occidental, sino también revela la belleza y la problemática de la *pluralidad cultural* de Latinoamérica, envuelta como está en su *laberinto de soledad*, y en busca de una *expresión genuina* y una *identidad*.

PREGUNTAS

1. ¿Por qué debe ser pluralista cualquier concepto legítimo del realismo mágico?
2. ¿Qué relación existe entre el realismo mágico y el surrealismo?
3. ¿Cómo se puede evaluar la magia del realismo mágico?

4. ¿Por qué debe usarse Cultura, con mayúscula, con respecto a Latinoamérica?
5. ¿Qué significa "laberinto" y "soledad" en la Latinoamérica de hoy?
6. ¿Quiénes fueron las poetisas más importantes durante la primera mitad del siglo XX? Discuta sus obras.
7. ¿Quiénes fueron dos de los ensayistas más prominentes, y cómo expresaron sus ideas?
8. ¿Quiénes son los precursores del "boom" de la novela?
9. Discuta las características más importantes de *La región más transparente* y *Rayuela*. ¿Por qué son importantes estos textos?
10. ¿Cuál es la obra más importante del "boom" y por qué?
11. ¿Cuáles son las características de la novela durante el "boom"? ¿Por qué es tan importante este momento en la literatura latinoamericana?
12. ¿Quién es Rigoberta Menchú? ¿Qué es la literatura testimonial?
13. ¿Qué es la literatura de la onda?
14. ¿Cómo se caracterizó la literatura argentina en las últimas décadas del siglo XX?
15. ¿Qué, por fin, querrá decir la expresión "más que contemporáneos" dentro del contexto de la literatura Latinoamericana?

Temas para discusión y composición

1. ¿Por qué es tan problemática la definición de realismo mágico? ¿Por qué está tan profundamente arraigado en las culturas y la "conciencia colectiva" de los latinoamericanos?
2. ¿Por qué es igualmente problemático y difícil de comprender el concepto del mestizaje-hibridizado?
3. ¿De qué forma pueden las novelas del "boom" revelar la búsqueda de la identidad en Latinoamérica?
4. ¿Qué importancia tiene la novela del siglo XX en la creación de una Cultura única—una Cultura radicalmente pluralista—en Latinoamérica?

Un debate amigable

Se organiza una discusión de "mesa redonda" que incluye varios personajes imaginarios, por ejemplo: (1) un escritor, (2) una escritora, (3) uno(a) profesor(a) de historia, (4) un(a) señor(a) de negocios, y (5) un(a) senador(a) que sirva actualmente en el gobierno federal. El tema girará alrededor de lo que debe ser la función de la literatura. ¿Debe la literatura tener fines prácticos, proponiendo cambios y soluciones a los graves problemas de Latinoamérica? ¿Debe ser la literatura para el pueblo, o para una minoría selecta? Hay que basar la discusión en la naturaleza de la literatura del "boom."

CAPÍTULO 20

OTROS ASPECTOS CULTURALES

Fijarse en:

- Lo que más destaca en el arte, la música, y el baile de Latinoamérica.
- El papel del folclore y el mestizaje-hibridizado.
- Los nuevos temas que han surgido en la expresión artística de Latinoamérica.
- El porqué son sobresalientes los latinoamericanos en las expresiones geográficas (el arte y el baile).
- Los aspectos principales del cine y la televisión en Latinoamérica.

Términos:

- Capoeira, Compadrito, Continentalización, Modernidad, Nueva Canción, Películas de Charro, Crítica Social, Documentales Étnicos y Feministas, Romance, "Shows" de Auditorio, Tango, Telenovelas, Xou de Xuxa.

LA PINTURA

Después de los tres grandes muralistas de la Revolución Mexicana, Rivera, Siqueiros, y Orozco, comenzó a ser prominente una impresionante nueva generación de pintores, con sus propios valores y estilos.[1]

El mexicano Rufino Tamayo (1899–1991) era un amerindio zapoteca de humilde origen. Comenzó su carrera bajo la tutela de Diego Rivera, se interesó en el surrealismo durante la década de 1930, y pasó gran parte de su vida en París y Nueva York, pintando temas mitológicos con una expresión soñolienta, oscura, y a veces de pesadilla. Juan O'Gorman (1905–1982), cuya obra cubre la fachada de la Biblioteca Central de la Universidad Nacional Autónoma de México, tenía interés sobre todo en la marcha del progreso de su país y del mundo occidental. En cambio, las pinturas y dibujos de José Luis Cuevas

---

[1] With respect to the following painters and media figures, as well as the writers of the previous chapter, you are invited to consult the internet. There, it is possible to find a rich array of fascinating pages, with graphic illustrations, photographs, and art works. You will enjoy the rich images created by Latin America's artists, lively Latin American music found in You Tube and elsewhere, captivating verses by the continent's premiere poets, and biographies regarding all the creative individuals mentioned in this text.

(1934–) nos sugieren que existimos en un estado de sonambulismo, que somos el espejo de nuestra imaginación, y ese espejo a menudo refleja una grotesca cara de violencia que mejor quisiéramos olvidar. El blanco de los ataques de Cuevas—frecuentemente inspirado por el pintor español Francisco José de Goya y Lucientes (1746–1828)—revela lo ridículo de la sociedad contemporánea y el estancamiento de la Revolución Mexicana.

Hablando de espejos, la pintora que ha alcanzado renombre internacional en los últimos años es la última esposa de Diego Rivera, Frida Kahlo (1907–1954). Quizá destinada a superar en originalidad y expresión a Diego, los muchos autorretratos de Frida invariablemente sugieren una imagen exprimida del dolor, la angustia, y el sufrimiento a causa de un accidente en un trolebús que la dejó casi inválida a los 18 años, la relación difícil con un marido mujeriego,[2] y sus propias tendencias bisexuales. Tenemos en su obra un testimonio personal del impulso creador ligado a sus múltiples traumas y tragedias, como las de todo el pueblo mexicano, y el de América latina en general. El espejo de Frida no sabe engañar. Revela algunas de las características más profundas de la psicología de los latinoamericanos.

El surrealismo francés dejó una impresión marcada en el chileno, Roberto Matta Echaurren (1911–2002). Después de conocer al patriarca del surrealismo, André Breton en París, Matta se quedó en Europa para hacer su carrera en los años 1930. Sus cuadros son más bien de temas universales, pero no sin huellas de su tierra de origen. El cubano, Wilfredo Lam (1902–1982), de influencia surrealista igual que Matta, ha dejado muestras de primitivismo mágico que sugieren el *realismo mágico* de la literatura afro-latinoamericana del Caribe. Las obras de Lam ofrecen, a través de formas geométricas abstractas, a veces sólo en blanco y negro, una sensación casi táctil del caos de la flora selvática. Esta contradicción—geometría y caos—culmina en una visón que agrada y al mismo tiempo aterroriza, que atrae y repele. De hecho, Bretón dijo en una ocasión que nadie más que Lam "ha logrado con tanta sencillez la unión del mundo objetivo y el mundo mágico." Otro cubano, René Portocarrero (1912–1985), al igual que Lam, expresa un interés en la fantasía y la magia que descansa bajo la superficie de las culturas del Caribe.

El colombiano, Fernando Botero (1932–) ha seguido un camino distinto. Pinta parodias exageradas de la vieja oligarquía, el ejército, y el clero de su país y de Latinoamérica. Sus figuras consisten de gente gordísima. Todos tienen las mismas caras hinchadas, la misma expresión sin emoción. Es gente egoísta y altanera, que después de haber ejercido dominio sobre las clases populares durante siglos, ahora muestra una complacencia estática y decadente. Sus caras ridículas provocan risa. Al mismo tiempo, nos recuerdan que ellos mismos han sido los autores de una tragicomedia, es decir, de una historia fascinante y a la vez brutal, carnavalesca y a la vez explosiva, alegre y triste al mismo tiempo. De Perú, destaca la obra indigenista de José Sabogal (1888–1956), que combina la

---

[2] Mujeriego = womanizer.

estética con un mensaje social, siguiendo la línea de los intelectuales peruanos, Mariátegui y Haya de la Torre.

Artistas de las repúblicas del Río de la Plata, como los escritores, tienden hacia una expresión más cosmopolita. Quizá el pintor abstracto más notable, y el que más influyó en la pintura del cono sur con su toque internacional, fue el uruguayo Joaquín Torres García (1874–1949). Regresó a su tierra después de haber estudiado en Cataluña con el arquitecto, Antonio Gaudi y Cornet (1852–1926), y después de una breve estancia en Nueva York, donde conoció a Marcel Duchamp (1887–1968). Promovió vigorosamente el arte abstracto, ejerciendo influencia en el movimiento ecléctico y dinámico llamado *Arte Madi* de Buenos Aires durante la década de 1940. Durante la misma época, el argentino Alejandro Xul Solar (1887–1963), con inspiración del artista suizo, Paul Klee (1879–1940), los surrealistas, y el expresionismo alemán, ofrecía imágenes que sugieren ansiedades del subconsciente. Sus pinturas expresan la búsqueda constante de la identidad personal y social, y la lucha por entender la esencia de la argentinidad dentro de una expresión gráfica. Es como si las cejas unidas y la cara de Frida Kahlo se hubieran sumergido en su pintura para re-emerger en forma abstracta con el grito: "¿Por qué, cómo, cuándo, dónde?" Su obra impresiona y perpleja. Su estética complace y confunde. Los países del Río de la Plata han engendrado otros pintores excelentes, por mencionar tres: Emilio Pettoruti (1892–1971), de inspiración cubista, Lino Eneas Spilimbergo (1896–1964), con pinturas que recogen influencias variadas, y Raúl Soldi (1905–1994), cuya temática predilecta es la fantasía.

Desde Brasil, el pintor Emiliano di Cavalcanti (1897–1976) fue uno de los organizadores de la *Semana de Arte Moderno* en São Paulo en 1922. Allí él, Tarsila do Amaral (1886–1973) y otros, expusieron sus obras. Durante la *Semana* hubo un intento de integrar el "modernismo" internacional—pero de interpretación brasileña—a la pintura y otros medios artísticos, con las preocupaciones nacionales y regionales del país. También hubo referencias al cosmopolitismo del Río de la Plata, lo afro-latinoamericano del Caribe, y lo indigenista de Centroamérica y la región andina. A través de esa expresión, se manifestaron las dos grandes tensiones del todo el continente: lo europeo y lo americano (amerindio, afro-latinoamericano, mestizo). En gran parte fue precisamente ese aspecto de la *Semana* lo que influyó al mexicano José Vasconcelos a escribir *La raza cósmica* después de su visita a Brasil.

No se puede mirar el arte brasileño sin considerar seriamente a dos gigantes de la arquitectura: Lúcio Costa (1902–1998) y Oscar Niemeyer (1907–2012). El primero diseñó la iglesia de San Francisco de Belo Horizonte, encargada por el Ministerio de Educación de su país, y colaboró con otros arquitectos en el diseño de la estructura de las Naciones Unidas en Nueva York. Entre él y Niemeyer, se diseñó la arquitectura ultramoderna de Brasilia, capital de Brasil trasplantada al interior del país. La construcción de Brasilia fue sin duda uno de los eventos de mayor importancia de la década de 1950 en América Latina. El esquema original de Brasilia desde el aire parece como un pájaro gigante con las alas extendidas. Hay formas cóncavas, convexas, curvilíneas, multi-angulares y parabólicas. Desde el suelo, la gente se empequeñece frente a la enormidad de los edificios monolíticos y sombríos de cemento y vidrio. Con el apoyo de Juscelino Kubitschek de Oliveira (presidente, 1956–1961), el proyecto de Brasilia sería la culminación de la modernidad internacional. Sería el símbolo del desarrollo del interior de Brasil y un recuerdo para el mundo de la grandeza del país tropical por excelencia. La arquitectura de Brasilia fue de una elegancia atrayente y emocionante mientras existía en la mente de sus creadores. La *realidad* de Brasilia, desgraciadamente, resultó otra cosa. A largo plazo, la enorme escala de la ciudad fue ineficaz, el desarrollo del interior del país fue mucho menos de lo esperado, y los edificios ahora manifiestan la fuerza destructora del tiempo. ¿Otra lección de la contradicción entre lo *ideal* y lo *real*? Quizás. De todos modos, hasta cierto punto se puede concluir que es la grandeza del *sueño* lo que más cuenta.

A fin de cuentas, si el "modernismo" brasileño de la década de 1920 fue un poco más nacionalista que internacionalista y cosmopolita, para 1960, cuestiones de identidad cultural habían cedido lugar, en gran parte, a la asimilación de estilos internacionales. No obstante, lo americano continuaba, si no en la superficie, sí en niveles ocultos e implícitos. ¿Será posible que al final del camino una identidad genuina respecto a los países latinoamericanos se encuentre en la fusión entre lo internacional y lo particular de cada país? ¿Tiene Latinoamérica un mensaje vital para el mundo respecto a la *mestización-hibridizada* de culturas y de grupos étnicos? En lo referente tanto a la pintura como a la literatura, puede que sí.

La música y el baile

Sin duda, la música y el baile representan una de las mayores contribuciones culturales de Latinoamérica al mundo. La influencia de la música del continente comenzó durante los primeros años del colonialismo, y desde entonces ha ido en aumento.

Lo que abunda más que nada es la expresión folclórica. La música folclórica de Latinoamérica deriva principalmente de tres fuentes: lo indígena, la tradición de los colonizadores europeos, y lo africano. Elementos de estas tres fuentes se localizan en muchas combinaciones de instrumentos, melodía, ritmos, y formas de expresión. El desarrollo de algunas formas de música folclórica viene desde los tiempos de la conquista. Los peninsulares trajeron lutas, arpas, violines y guitarras. Los amerindios adoptaron sus propios instrumentos de acuerdo con esos modelos extranjeros: en los Andes está el *charango*, variación de la luta, que se fabricaba de la concha de un armadillo, los *tres* y *cuatro* (guitarras de tres y cuatro cuerdas), y el *guitarrón* de México, ¡que está cargado con 25 cuerdas!), Esos instrumentos y la música que evolucionó con su uso han contribuido a la música popular de hoy en día. Mucha de esa música popular se basa en el *romance*.[3] Cantando al estilo de la tradición del Renacimiento, el *romance* ha ejercido influencia a estilos nacionalmente conocidos como los

[3] Romance = romance, historic ballad, usually in the form of a brief lyric.

corridos mexicanos, las *tonadas* de Argentina y Chile, y los *estilos* en Argentina y Uruguay.

Bailes populares acompañados por música creada desde el comienzo de la época colonial son igualmente variables. El baile antiguo, la *zamacueca* de Perú, ha evolucionado en varias direcciones, diseminándose por toda Latinoamérica. Uno de los productos de esa evolución es la *cueca* peruana. Un baile para una pareja en que los dos mantienen un pañuelo en el aire, imitando el cortejo de un gallo y una gallina. En Chile la *cueca* es un baile nacional, mientras en Argentina se llama la *chilena*. En Venezuela una variación del mismo baile se llama *joropo*, y en México existe algo semejante a la *cueca* en el *son* o el *huapango* (por ejemplo, "La Bamba"). Otro baile popular de México, acompañado por un *Mariachi* (conjunto de guitarras, guitarrones, violines, y trompetas) es el *jarabe*, entre los más conocidos de los cuales tenemos el *jarabe tapatío* del estado de Jalisco.

La música y el baile africano con fuertes tamborazos, con variedad de ritmo vivo, y con mucho *síncope*,[4] ha perdurado en el noreste de Brasil y las islas del Caribe. La *samba* de Brasil, de origen afro-latinoamericano, en la mente popular se asocia con el Carnaval anual de Río de Janeiro, donde hay escuelas de baile entre los barrios de trabajadores en que los alumnos se preparan todo el año para ese acontecimiento importantísimo de la cultura popular. La *samba* también se asocia con la *capoeira*, que vino a Brasil desde Angola. La práctica de la *capoeira* parece un tipo de *arte marcial*.[5] Es decir, dos supuestos "bailarines" giran al ritmo de la música, estirando las piernas y los brazos como si estuvieran en combate, pero sin tocarse. Este baile-lucha intrigante consiste de una mezcla de creencias católicas y africanas en una exuberancia rítmica que a veces puede llevar a los creyentes a un estado de trance. Respecto a las ricas contribuciones brasileñas, no se puede ignorar el ritmo suave y nostálgico de la *bossa nova*—creación de Antônio Carlos Jobim y otros—que ha tenido un impacto internacional. Hacia finales del siglo pasado, el sensual baile de la *Lambada* también alcanzó popularidad mundial, por su combinación de ritmos afro-brasileños y andinos.

En el Caribe, Cuba quizá ha sido el país con más variedad e influencia en lo que se refiere a géneros de baile: la *habanera*, *danza cubana*, *bolero*, *mambo*, *conga*, *rumba*, *cha-cha-cha*, y *danzón*, todos con marcados elementos de ritmos y armonizados movimientos afro-latinoamericanos. Ha habido también una abundancia de formas *híbridas* de bailes norteamericanos y latinos en los salones de los barrios populares—por ejemplo, la *samba-fox* y la *rumba-fox*. En las últimas décadas, la *salsa* de Colombia y el *merengue* de Santo Domingo pegaron[6] fuerte. Sin embargo fue la *cumbia* colombiana la que se extendió por

---

[4] Síncope = syncope, a shift of accent in a composition, that occurs when a normally weak beat is stressed.

[5] Arte marcial = martial art; the movements of the *capoeira* are much like those of karate and certain other martial arts.

[6] Pegar = to become a hit, a success.

todo el continente hacia fines del pasado siglo. Lo más importante para cualquier estudio de las culturas latinoamericanas, es que la lírica de las canciones que acompaña a todos esos bailes revela características de la psicología colectiva de los pueblos y creencias de la gente que han emergido de manera espontánea.

Sin duda, uno de los más conocidos de todos los bailes es el *tango* argentino. El nombre, según algunos investigadores, tiene su origen en los esclavos afro-argentinos de Buenos Aires en el siglo XIX, pues se le llamaba el *tango* a un tipo de tambor que usaban en sus danzas populares. Hay varias clases de *tango*, pero el de más renombre que fue el popularizado por la súper-estrella, Carlos Gardel (1890–1935), fue el *tango-canción*. Esa música une elementos de baile y música populares y folclóricos, desde Andalucía en España hasta la *habanera* cubana y la *milonga* del Río de la Plata. El tono e lúgubre y la lírica es sentimental, a veces melancólica y pesimista. La pareja lo baila con cierta forma de enajenamiento: casi no muestran expresión en la cara, no tienen tanto contacto físico como en los bailes vivos del trópico, y no se ven cara a cara salvo durante algunos momentos efímeros. Sin embargo, el baile es muy sensual, una sensualidad a base de sugerencias sutiles en vez de manifestaciones explícitas. La estructura coreográfica del *tango* es rígida y formal. Concuerda con la tradición del *compadrito*[7] del submundo de Buenos Aires, con la *dominación masculina*, el *machismo*, y el *paternalismo*.

Después de la Revolución Cubana, hubo por toda América Latina otra corriente de música políticamente comprometida. Protestaba el malestar, la corrupción, así como la explotación y la represión de dictaduras militares. La música de Chile es la más notable a este respecto. Durante las décadas de 1950 y 1960, Violeta Parra (1917–1967), entre otros, improvisaba varios números a base de canciones folclóricas de las provincias, y se las presentaba al público urbano. Los hijos de Violeta, Ángel e Isabel, se cuentan entre los que perpetuaron la tradición de lo que llegó a conocerse como la *nueva canción*. Incluía flautas, guitarras, tambores, e instrumentos de percusión de origen africano, y a menudo tenía influencia de la música de protesta de Joan Baez y otros cantantes de EE.UU. Al principio la *nueva canción* atraía sobre todo a grupos de estudiantes involucrados en las reformas universitarias de aquellos tiempos, pero poco a poco encontró un público más amplio. Queda como ejemplo clásico de la fusión de formas populares, urbanas, y extranjeras.

Hay que recalcar además que en la unión de la música afro-latinoamericana, amerindia y folclórica como expresión de música clásica europea. Las obras más ticas a este respecto son las del compositor brasileño, Heitor Villa-Lobos (1887–1959), que escribió más de 700 piezas. En *Dansas Africanas* y *Macumba*, Villa-Lobos combina el ritmo de la música de África con elementos clásicos en un *mestizaje-hibridizado* que comunica un profundo sentimiento cultural brasileño.

---

[7] Compadrito = literally, how someone calls his/her child's godfather (in Argentina the term was used in reference to the image of a flashy, boastful, rather presumptuous individual).

Integra melodías indígenas de la *Historia de un Viaje al Brasil* (1578) de Jean Léry en otras composiciones. Destaca también *Bachianas brasileiras*, una *fundición* de elementos musicales que consiste del contrapunto de Johan Sebastian Bach (1685–1750) con elementos populares y folclóricos. No se puede dejar de mencionar también al mexicano Carlos Chávez (1899–1978). Chávez llevó adelante el proyecto iniciado por Manuel Ponce (1882–1948), de crear una expresión genuinamente mexicana a base de música clásica. Otra expresión nacional en la música existe gracias a Amadeo Roldán (1900–1939) y a Alejandro García Cartula (1906–1940) de Cuba. En sus composiciones utilizaban temas del folclore nacional en un tiempo cuando formas de música popular, tales como la *samba* de Brasil, la *rumba* y la *conga* de Cuba, y el *tango* de Argentina estaban alcanzando fama internacional.

Hacia finales de la década de 1980, la música latinoamericana, igual que todas las artes, había llegado a un momento de *pluralidad* compleja que tenía repercusiones internacionales. Esas repercusiones incluían, por ejemplo, el *jazz tropical* del Caribe, la influencia continua de la *bossa nova* de Brasil, la música *texmex* del suroeste de EE.UU. y cantidad de música influida por las flautas andinas. La pluralidad comprueba nuevamente que las identidades culturales latinoamericanas que siempre en un proceso fluctuante no se encuentran simplemente en los extremos del cosmopolitismo, criollismo, indigenismo, afro-latinoamericanismo, o ultranacionalismo. Tampoco se encuentra en la llamada "civilización o barbarie." Se encuentra en la tensión—y en un balance tenue, tentativo, y a veces titubeante pero siempre *sincopado*—de muchos elementos. La *tensión* y el *balance* se deben en gran parte a que los latinoamericanos están súper adaptados a equilibrar lo que reciben del mundo para ofrecer al mismo mundo algo que se parece a una tapicería de un diseño inconcebiblemente rico y complejo. Música y baile: expresiones por excelencia del sentimiento latino-americano.

EL CINE

¿Qué se necesita para producir películas de excelente calidad? En Hollywood existe la idea, un poco errónea por cierto, que es necesario invertir millones de dólares en la producción cinematográfica, porque si no, la película será inferior, y no atraerá a la multitud de espectadores que dejarán ganancias. Eso se sigue pensando, a pesar de que algunas de las mejores películas de todos los tiempos han tenido un presupuesto bastante modesto. Desde luego, el cine latino-americano no puede competir con Hollywood en la producción de espectáculos de tecnología avanzada. No obstante, el continente ha producido obras de primera calidad.

Hacia fines del siglo XIX, Latinoamérica, igual que el resto del mundo, le dio la bienvenida al cinematógrafo. Las condiciones *socio-político-económicas* fueron determinantes en el progreso del cine. Al principio participaron activamente promotores españoles, italianos, y franceses. Sin embargo, muy pronto el mercado de cada país empezó a estar controlado por el cine de Hollywood. Eso no obstaculizó el florecimiento de contribuciones que mostraban la originalidad de la producción en Latinoamérica durante diversas épocas. A la larga, esta producción se fortalecería en gran medida por la coproducción entre países de habla hispana. Desafortunadamente, el cine latinoamericano sufrió de aislamiento económico entre los diferentes países, fenómeno que dificultó la instauración de un mercado intercontinental. Por lo tanto, la mayor parte de su producción dependía del estado financiero de cada país y de la capacidad de sus propios mercados.

Antes de 1940, Latinoamérica estaba casi a la par de EE.UU. y Europa en cuanto a la cinematografía. Durante las décadas de 1940 y 1950, la producción cinematográfica en México y Argentina todavía era impresionante. Desgraciadamente, para este tiempo las películas habían perdido su originalidad: muchas no eran más que imitaciones de Hollywood. A veces la acción no tenía nada que ver con los contextos y las situaciones latinoamericanas, sino que bien podrían haber tenido lugar en EE.UU. o Europa, y los actores se parecían demasiado a Ingrid Bergman, Clark Gable, y otros. Excepciones notables se encuentran en las películas de charros de México. Esas películas eran tipo "western," con una combinación de Gene Autry y Roy Rogers, por una parte, y John Wayne y Gary Cooper por otra.

Con actores como Pedro Infante, Jorge Negrete, Javier Solis, y otros cantantes populares, había en esas películas, como en las de EE.UU. de esa época, una división bien marcada entre los buenos y los malos. El protagonista-cantante luchaba por el bien de la comunidad y en contra de las injusticias de los terratenientes, los políticos, la policía corrupta, y los bandidos. Inevitablemente se enamoraba de una mujer demasiado estereotipada y le voceaba muchas canciones de amor y serenatas acompañadas de mariachis que milagrosamente aparecían de la nada. Las películas eran simplistas para ojos acostumbrados al cine a base de la tecnología avanzada disponible ahora.

Cabe mencionar que a partir de1930, más del 85% de la producción de películas se centralizó principalmente en México, Brasil, y Argentina. Sin embargo, representan la "Edad de Oro" del cine mexicano—que todavía se exhibe en barrios populares de ciudades latinoamericanas y en la televisión—y después el cine experimental de Brasil. Entre las producciones cinematográficas más brillantes de esa época tenemos, tenemos *El prisionero trece* (1933), *El compadre Mendoza* (1934), y *Vámonos con Pancho Villa* (1936), y una trilogía revolucionaria de Fernando de Fuentes. También están *María Candelaria* (1944) de Emilio Fernández, *Los olvidados* (1950) del español Luis Buñuel, y *O cangaceiro* (1953) de Lima Barreto sobre un famoso "Robin Hood" tipo de bandido rebelde del noreste de Brasil. Estos tres últimos filmes ganaron premios en el Festival de Cannes en Francia en 1946, 1951, y 1953, respectivamente.

Durante la década de los 1960, la presencia internacional del cine mexicano y argentino casi desaparece. Emerge así la idea de un "cine latinoamericano" como respuesta estética vinculada no tanto por el idioma español sino por temas y propuestas artísticas comunes, y por la meta de crear un mercado de cine latinoamericano, compuesto por espectadores con un profundo deseo de verse a sí mismos en la pantalla. Durante esa década, sobresalieron películas cubanas cuya cinematografía recibió apoyo del gobierno. Obras como *Memorias del Subdesarrollo* (1968) de Tomás Gutiérrez Alea, y *Lucía* (1969), un filme con fuerte mensaje feminista de Humberto Solas, ganaron fama internacional. En Brasil, también es digna de notar *Vidas secas* (1962), basada en la novela homónima de Graciliano Ramos (1892–1953).

Durante esa década y la de 1970 hubo excelentes películas de crítica social del director boliviano Jorge Sanjinés, como *Yawar Malku* (*The Blood of the Condor*) (1969) y *El coraje del pueblo* (1971). Los productores de esas obras vivieron con los campesinos, aprendieron Quechua y Aymara, y se esforzaron por traducir las expresiones indígenas a un lenguaje e imágenes accesibles al espectador hispanohablante. Semejantes prácticas fueron empleadas en una serie de filmes documentales como *Chircales* (*The Brickmakers*) (1968–1972) de Colombia, y *La hora de los hornos* (1965–1968) de Argentina (que ganó varios premios). Dividida en tres secciones de 95, 120 y 45 minutos, *La hora de los hornos* ofrece un panorama crítico de las relaciones *socio-político-económicas* dentro de Argentina y entre Argentina y el mundo exterior.

Ha habido también películas de expresión feminista como *Camila* (1984) y *Yo, la peor de todas* (1990) de Argentina. *Frida: Naturaleza viva* (1984) y *el imperio de la fortuna* (1986) de México, e *Iracema* (1974) de Brasil. Además hay buenos ejemplos de películas étnicas como *Quilombo* (1984), un intento de recapitular la conciencia colectiva del espíritu afro-latinoamericano de Brasil.

En el cine latinoamericano, a menudo ha habido una tendencia hacia la *continentalización* de toda América, es decir, hacia la unificación de todas las culturas del continente en una sola cultura, la *Cultura*. Un buen ejemplo es *Barroco* (1989) de Paul Leduc. Esta película intenta demostrar un *mestizaje-hibridizado* que funde el mundo Viejo y el Nuevo con marcados elementos afro-latinoamericanos y amerindios sintetizados con los elementos europeos. Presenta Latinoamérica como la "patria grande" compuesta de una *pluralidad* de "patrias chicas." Después de ver esta película, surge la pregunta: ¿Otra vez un gran *sueño*? Bueno, quizá en parte. Pero en términos de hoy en día es más bien el producto de múltiples tensiones arraigadas en el conflicto de la tradición y la modernidad. Por eso, más bien que *sueño*, es la expresión de la realidad latinoamericana.

El cine, entonces, puede representar la riquísima, compleja y profunda multiplicidad de tensiones que existe en Latinoamérica.

La televisión

En Latinoamérica hay una obsesión con la televisión, sobre todo en Brasil. Según un estimado en 1990, había más de 41.000.000 aparatos de televisión en la América Hispánica y 35.000.000 en Brasil. La televisión es un medio de comunicación y un pasatiempo tanto en los campos escasamente poblados como en las grandes zonas urbanas de Buenos Aires, la Ciudad de México, y São Paulo. Hay varios factores que contribuyen a la importancia de la televisión. Entre los más sobresalientes es el índice relativamente bajo de la lectura de periódicos, el empuje del comercio, y el esfuerzo de algunos comercios de usarla como medio de educación urbana y unificación nacional. Lo que es una desventaja, y podría ser un posible peligro, es que para la mayoría de los países latinoamericanos la radio y la televisión han estado bajo el control del gobierno, y por lo tanto han sido a veces utilizados como instrumento de propaganda y censura.

Para 1994 había cerca de 400 difusoras de televisión de producción variada en Latinoamérica. Argentina, Brasil, y México habían tenido sus propias producciones durante la década de 1960, pero dependían en gran parte de la traducción de programas de EE.UU., y los países de menos población dependían de la producción de los tres países grandes de Latinoamérica y de EE.UU. Algunos programas de EE.UU. como *Dallas*, *Dynasty*, *E.R.*, *NYPD Blue*, y otras "telenovelas de noche" ("evening soaps") fueron muy populares, aparte de programas educativos, sobre todo *Sesame Street*. Además, producciones latinoamericanas han imitado programas de EE.UU., como entrevistas (*Tonight Show, Late Show, Larry King Live*), juegos (*Wheel of Fortune, Jeopardy*), "soaps" (*General Hospital, The Young and The Restless*), revelación de escándalos (*60 Minutes, Primetime Live, 20//20*), y variedades (*Saturday Night Live*). El público latinoamericano disfruta y tolera programas extranjeros, pero exige también cierta cantidad de programas con sabor nacional.

Las *telenovelas* producidas en Latinoamérica han sido de mayor éxito. La forma clásica es sobre temas románticos e intrigas de familias, como lo que se encuentra en las conocidísimas *El derecho de nacer* de México y *Simplemente María* de Perú. Temas históricos han aparecido en series como las excelentes *La antorcha encendida, El carruaje, El vuelo del Águila*, y *Senda de gloria*, de México, sobre los períodos de la Independencia, Benito Juárez, Porfirio Díaz, y la Revolución Mexicana respectivamente. En Brasil, sobre todo, ha habido telenovelas que pintan la vida y costumbres de zonas específicas. Tenemos *O casarão* (*La mansión*) de São Paulo, *o bem amado* (*El bien amado*), de la cultura bahiana, *Saramandaia* del noreste, *Pantanal* (*Tierra pantanosa*), de una región en el interior del estado de Mato Grosso, y más recientemente, *O rei do gado* (*El rey del ganado*), sobre los inmigrantes italianos como ganaderos en las llanuras del sur de Brasil. En Argentina en especial, "shows de variedades musicales"[8] como *Feliz domingo* han sido muy populares. El equivalente en México fue *Siempre en domingo* y en Brasil, *Chacrinha y SilvioSantos Show*. Hay programas cómicos que también han gustado: *Planeta dos homens*, de tipo de *Laugh-In* en Brasil, *Hogar dulce hogar* en México.

Un fenómeno único, que merece comentario especial, es el notorio *Xou de Xuxa*[9] (pronunciado "shó de shusha") de Brasil, que debutó en los años 1980. Xuxa (Maria de Graça Xuxa Meneghel) llegó a ser una mega-estrella nacional con pretensiones de conquistar fama internacional. El *Xou de Xuxa* era una mezcla de programas para niños y adultos: por una parte, afirmaba lo ideal de las responsabilidades domésticas y maternales de la mujer, y por otra,

---

[8] Shows de variedades musicales = variety shows.
[9] Xou de Xuxa = Xuxa's show.

presentaba una imagen puramente exótica y sensual para los hombres. De pelo rubio, ojos azules y piel blanca, Xuxa era una combinación de Doris Day, Madonna, y Barbie doll; era la mujer que todas las niñas de Brasil deseaban ser. En cada programa, Xuxa, más un objeto de consumo que un ser humano de carne y hueso, bajaba en una enorme nave espacial, y al final del show subía en la misma nave con la promesa de volver. Entre la gran entrada y la triste despedida, Xuxa, vestida de manera provocativa, siempre estaba rodeada de niños ricos y pobres, gordos y flacos, rubios y morenos. Ella era, como decía, la *rainha dos baixinhos*.[10] Cantaba con un grupo de niños de todas las edades que siempre la rodeaban. Bailaba, jugaba, y contaba chistes con ellos, los entrevistaba, y sobre todo, les ofrecía invitaciones a una vida frívola de consumo. Esa ex–modelo brasileña de *Playboy*, ex–artista de películas medio pornográficas ("soft-porn"), y ex–amante del rey de fútbol soccer, Pelé (Edson Arantes do Nascimento), promovía bicicletas, juguetes de toda clase, ropa, zapatos, cosméticos, joyería, sopas, y galletas.

En 1991 Xuxa entró en la lista de *Forbes* como una de las estrellas con más ingreso del mundo, al lado de Madonna y Michael Jackson, entre otros. En fin, Xuxa consiguió llenar de ilusiones—sobre una vida de lujos y de un Brasil sin problemas sociales y políticos—al 70% de los brasileños que viven en la pobreza. Ni Hispanoamérica ni el mundo industrializado han visto antes un fenómeno semejante en lo que se refiere a la sociedad de consumo. "Xuxa": era una palabra mágica para gente que de otra manera quizá no tenía esperanzas.

Cabe notar, además, que la red comercial de mayor público de todo el mundo ha sido la *Rede Globo* de Brasil. *Globo* ha dominado en Brasil como nunca lo ha hecho ninguna red en EE.UU. Creada durante la dictadura militar, cada noche atrae un público de entre 70 y 90 millones de espectadores. En colaboración con el gobierno, *Globo* transformó la imagen de Brasil de un país *regional-rural* a la de un país *nacional-urbano* en la mente popular. Es la imagen, artificialmente creada por la televisión, de un pueblo en camino hacia la modernización, en el que toda la gente puede mejorar paulatinamente su condición social. Este tema de la modernización fue el resultado de un acuerdo entre *Globo* y el gobierno militar. Es que el gobierno quería combatir la teoría de que la economía brasileña "dependía" de los grandes centros de concentración capitalista de Europa y EE.UU., teoría bastante pesimista diseminada por facciones "izquierdistas" y "marxistas" (es decir, la teoría de la "dependencia").

En suma, *Globo* alcanzó casi todas las municipalidades del país, diseminando el mensaje optimista de que a los brasileños les va bien en todo. Un mensaje que ha llenado a la gente de esperanza, pero a la vez la ha mantenido en un estado de subordinación pasiva. Entonces, ¿dónde existe el balance? ¿Cómo se puede crear y perpetuar un optimismo sin que las esperanzas terminen en frustración? Quizá en *Globo* también encontremos algo "más que con-

---

[10] Rainha...baixinhos = queen of the "little people," a term of Xuxa's particular liking.

temporáneo"—la llamada *supercarretera de la información*[11] que domina cada vez más la imaginación popular, para bien o para mal.

A la larga, parece que la televisión quiere dar un brinco gigante hacia la "súpermodernidad," hacia algo "más que contemporáneo."

PREGUNTAS

1. ¿Qué características tiene la nueva pintura de México?
2. ¿Por qué será que Frida Kahlo ha alcanzado fama internacional en las últimas décadas?
3. ¿Qué pintores contemporáneos de Latinoamérica son los más prominentes?
4. ¿Qué artistas sobresalieron en la *Semana de Arte Moderno* en Brasil?
5. ¿Quiénes son los arquitectos principales de Brasil y por qué son importantes a nivel internacional?
6. ¿De dónde viene la música folclórica latinoamericana, y cómo es?
7. ¿Cómo es la influencia afroamericana en la música y el baile?
8. ¿Cómo improvisaban los amerindios los instrumentos de Europa?
9. ¿Cómo son los bailes populares de hoy en día y qué nombres tienen?
10. ¿Cuál es el baile latinoamericano más conocido mundialmente, y qué aspecto tiene?
11. ¿Qué características tiene la nueva canción?
12. ¿Quiénes son Heitor Villa-Lobos y Carlos Chávez, y qué características tiene su arte?
13. ¿Cómo fue el comienzo de la cinematografía en Latinoamérica?
14. ¿Por qué será que sobresalieron las películas cubanas, las de protesta social, y los documentales precisamente en los años entre las décadas de 1960 y 1970?
15. ¿Qué aspecto han tenido las películas latinoamericanas en los últimos años?
16. ¿Qué características tiene la televisión latinoamericana?
17. ¿Cómo es el fenómeno de Xuxa? ¿Por qué tuvo tanto éxito?
18. ¿Cuál ha sido la red comercial más grande del mundo, y cómo es que ha podido dominar la televisión brasileña?

TEMAS PARA DISCUSIÓN Y COMPOSICIÓN

1. ¿Por qué ha tenido la pintura un lugar especial en las culturas latinoamericanas?
2. ¿Qué características extraordinarias tienen las culturas latinoamericanas para que su contribución al mundo de la música y el baile sea tan importante?
3. ¿Por qué serán los latinoamericanos, sobre todo los brasileños, tan aficionados a la televisión? ¿Cómo es la televisión una influencia unificadora más fuerte en Latinoamérica que en los EE.UU.?

---

[11] Supercarretera...información = information superhighway.

Un debate amigable

Dos grupos y dos confrontaciones: (1) que el arte, la arquitectura, la música y el baile de Latinoamérica deben ser una expresión nacional, sin tanta influencia de EE.UU. y Europa, y (2) que en gran parte la pluralidad de la culturas latinoamericanas consiste en una mezcla de lo nacional y lo internacional: es una contribución valiosa, y hay que alentarla.

CAPÍTULO 21

¡QUÉ TERCOS SON LOS ESTEREOTIPOS!

Fijarse en:

- La tendencia que desafortunadamente tenemos todos de estereotipar a otros.
- El peligro de los estereotipos.
- Las condiciones que deben existir antes de que EE.UU. y Latinoamérica puedan llegar a entenderse bien.

Términos:

- Estereotipos, Etnocentrismo, Generalidades.

GENERALIDADES

Según la opinión de observadores internacionales, al comenzar el siglo XX el México de Porfirio Díaz estaba ya muy cerca de contarse entre los países más avanzados del mundo. Argentina competía con EE.UU por el dominio económico del hemisferio, y Brasil estaba próximamente destinado a la grandeza. Sin embargo, hacia mediados de siglo la realización de ese futuro brillante que se pronosticaba para esos tres países estaba muy lejos de completarse.

Después de mucha inestabilidad, para finales de la década de 1950, el futuro de Latinoamérica entera era de nuevo prometedor. Parecía que dentro de poco tiempo los regímenes militares no iban a ser más que reliquias históricas, que las sociedades manifestaban una infusión de dinamismo que no habían manifestado desde hacía décadas, y que la situación económica era cada vez más alentadora. Desafortunadamente, la región volvió al mismo valle de lágrimas.

Durante años más recientes, a veces ha brotado la misma historia de optimismo que luego da lugar a la frustración.[1] Uno de los casos más sobresalientes se trata de México. Con el tratado de Libre Comercio (TLC)[2] algunos mexicanos auguraban un futuro cercano en el que su país entraría plenamente en el "primer mundo." Sin embargo, inmediatamente hubo una sublevación de los campesinos indígenas "zapatistas" en el estado de Chiapas en 1994. El peso fue devaluado en vista de una crisis económica. En el año 2000, fue elegido

---

[1] Da lugar…frustración = give way to frustration.
[2] TLC = North American Free Trade Agreement (NAFTA)

presidente Vicente Fox quesada, candidato de oposición—Partido Acción Nacional (PAN)—al partido político que por más de setenta años ocupó el poder (PRI). Con esto hubo muchas expectativas esperanzas de renovación pero las cosas realmente no mejoraron para México. Felipe Calderón, otro candidato del PAN fue presidente de 2006–2012. Él trató de enderezar las cosas, sobre todo combatiendo el narcotráfico y la corrupción. No obstante, otra vez bajo el mandato de un candidato del PRI, Enrique Peña Nieto—quien ganó las elecciones presidenciales en 2012 con un apenas 38%—la corrupción volvió con más fuerza que nunca. Al parecer, México permanece en el callejón[3] oscuro de los pueblos del llamado "subdesarrollo."

Actualmente, por toda Latinoamérica, parece que los sueños se han esfumado, y un cinismo, a veces negro, ha dejado su huella. Tenemos décadas de economía problemática en el continente. Los salarios han bajado hasta los niveles de los años de 1960, y las consecuencias sociales están a la vista de todo el mundo: decadencia de viviendas, de educación y de servicios médicos, aumento del crimen y del narcotráfico, clase media desilusionada, y millones de desempleados en las calles. A veces parece que no tiene fin la letanía de los males *socio-político-económicos*.

Según parece, la condición humana del continente no va a mejorar mucho si la explosión demográfica continua al paso que va ahora—aunque en los últimos años ha bajado considerablemente, sobre todo en las ciudades. Entre 1970 y 1988 la población de América Latina incrementó de poco más de 200 millones a más de 400 millones, y para el año 2.020 se espera que sea de más de 700 millones. Para agravar todavía más la situación, la población latinoamericana es joven; un gran porcentaje tiene menos de quince años de edad. Es posible que al madurar, estos jóvenes echarán un ojo a su alrededor y querrán saber por qué no se han podido resolver los agobiantes problemas que abundan en sus países. Lo más probable es que no recibirán respuesta.

¿Dónde está la solución? En EE.UU., sobre todo durante la década de 1960, se decía que la educación sería capaz de resolver los problemas de América Latina. ¿Acaso eso no estaba ocurriendo ya en las naciones más educadas, Argentina, Chile, y Uruguay? Efectivamente así parecía. No obstante, también luego volaron en pedazos[4] esos pronósticos positivos para el futuro: precisamente en esas tres naciones, como ya se ha visto, hubo las dictaduras más represivas de todo el continente. Las elegantes y cuidadosamente preparadas constituciones fueron ignoradas, las cámaras de senadores y diputados clausuradas, y las cortes reducidas a la impotencia. "¿Cómo fue posible eso?," quisieran preguntar los observadores norteamericanos. "¿No estaban Argentina, Chile, y Uruguay, siguiendo el camino hacia la democracia? ¿El buen ejemplo de EE.UU.?"

Interesantes las preguntas, cargadas como están de *estereotipos* y hasta de *etnocentrismo*. ¿Por qué tiene que ser el ejemplo de EE.UU. el mejor para

---

[3] Callejón = back alley.

[4] Volar en pedazos = to make shambles of.

culturas cuyas características son tan diferentes a las de las culturas de ese país? ¿Por qué se supone que ellos quieran seguir el camino de los EE.UU. por bueno que parezca?

Estereotipos. En realidad, los latinoamericanos no podrán, y mayoritariamente no querrán, ser como "estadounidenses" en todo el sentido de la palabra. El pueblo de EE.UU. ha querido verse como proveedor de la ciencia, la tecnología, y el progreso, todo medido en términos de logros materiales en vez de morales y culturales. De verdad, muchas veces parece que la imagen que tienen los estadounidenses de ellos mismos ha sido semejante al del intrépido *Calibán* de José Enrique Rodó. Al contrario, han considerado a sus vecinos del sur como gente "atrasada," "estancada," y "presa" de sus culturas retrógradas, "víctimas" en lugar de "domadores" de su medio ambiente y de su propia naturaleza interior. No son más que *Ariel*, quizá aptos cuando se trata de valores estéticos y espirituales, pero les hace falta la industria para que realicen un progreso cabal. Son "amables," "agradables," y "alegres," pero necesitan un poco de disciplina. La verdad es que los estadounidenses han medido el "progreso" en cuanto al grado en que un pueblo sea capaz de conquistar a su medio ambiente. Hay que domar y dominar, hay que transformar el mundo (ese es su gran sueño de la "modernidad"). Sí, los latinoamericanos deben "ser como ellos." Industriosos, progresistas, trabajadores, y responsables. Sin embargo surge una nueva pregunta, ¿no es este un *estereotipo* demasiado simple de los estadounidenses? No hay remedio que responder con un rotundo sí.

ESTEREOTIPOS

De verdad, la concepción de los estadounidenses sobre sí mismos ha sido ambigua. Según el *estereotipo*, éstos han tenido una cara de Buffalo Bill, Davy Crockett, y Ernest Hemingway como hijos y herederos de la naturaleza. Otra cara de Walt Whitman, Mark Twain, y Henry David Thoreau como creadores de la cultura dentro de la naturaleza. Además de otra cara de Benjamin Franklin, Thomas Edison, y Henry Ford como hombres de pensamiento , experimento y acción. Han sido en parte Tom Sawyer, prisioneros de su obligación de civilizarse pero con la aspiración de escapar, y Huckleberry Finn, con el deseo abierto de convivir con la naturaleza.[5]

La realidad es que la cultura de EE.UU. ha sufrido transformaciones radicales en los últimos cincuenta años. Obviamente la dinámica de esta sociedad ha disminuido. No se goza de un *estatus* mundial tan dominante respecto a la fuerza económica. En cierto sentido, EE.UU. ha sido "colonizado" por el capital de Japón, Corea, Taiwán, Singapur, Indonesia, Arabia, y otros países. Y peor todavía desde los ojos de mucha gente, China ha comenzado el proceso de rebasar la economía estadounidense—aunque últimamente ha habido señales de que la explosión de su crecimiento económico está disminuyendo.

---

[5] Es de notar que estos ejemplos excluyen a las mujeres, lo que indudablemente revela algo importante sobre los propios *estereotipos* estadounidenses.

El problema es que los *estereotipos* no valen porque son generalidades, abstracciones que la realidad concreta siempre contradice hasta cierto punto. Tampoco valen los *estereotipos* porque resisten el cambio. En realidad, las culturas desconocen la permanencia; siempre están en un proceso de cambio. Las culturas de la América latina han cambiado tanto como las culturas de EE.UU. Para bien o para mal, los latinoamericanos—sobre todo de clase media—se han vuelto cada vez más como el *estereotipo* que han tenido de los estadounidenses.

A causa del consumo desaforado y la atracción hacia los productos más novedosos de la tecnología (los "shopping,"[6] los *McDonalds*, la *Coca Cola*, los *Walmart*), están desapareciendo los tacos, los jugos frescos de frutas, y los mercados al aire libre. Se oye más la música de EE.UU. y Europa e imitaciones locales que música tradicional; muchas veces *Angelina Jolie, Brad Pitt, Ben Affleck, Madonna, U-2, Miley Cyrus, Taylor Swift, Kim Kardashian,* y *Peyton Manning* y *Lebron James* les ganan en popularidad a las figuras célebres locales; la ropa de Taiwán, y Singapur predomina, y los *jeans* son los pantalones más usados; para los profesores ya no es tan indispensable un traje con camisa blanca y corbata oscura; el presidente del país ya no es el mismo *Señor Presidente* de la tradicional imagen patriarcal. Sin embargo, desde un punto de vista más favorable, tanto en Latinoamérica como en EE.UU., la mujer ya no es considerada como un ser exótico con cabellos largos y pensamientos cortos: le está llegando su época.

Al mismo tiempo, EE.UU. ya no queda tan limpio de algunas de las "enfermedades" sociales y culturales que, según los *estereotipos* estadounidenses populares, plagaban y siguen plagando a los vecinos del sur. Ahora se ha llegado a una conciencia—a base de trabajo, pena, y dolor—de que en los EE.UU. muchos de los héroes culturales (políticos, empresarios, atletas, artistas de cine y televisión, celebridades todos) son egocentristas, corruptos, inmaduros y mentirosos. En las casas y las calles no reina la paz sino la violencia endémica de raza contra raza, hombres contra mujeres, adultos contra niños, y criminales contra todos. Parece que EE.UU. no ha podido domar y dominar la violencia tal como dictaban sus propios *estereotipos*. No obstante, se podría protestar: "Bueno, ¿y estas características no son más que otros *estereotipos* sobre *estereotipos*?"

Pues sí, es cierto. Entonces, volvemos al comienzo de este libro donde se halla la pregunta: ¿Puede haber generalidades sobre Latinoamérica? La respuesta era algo ambigua. No pero sí. O sí pero no. O sí y no. O ni sí ni no. Cada generalidad, cada *estereotipo*, aunque tenga un poco de verdad, también engaña, y aunque engañe, tal vez pueda enseñarnos un poco de la verdad. Quizá no podamos tener otra manera de hablar de nuestras culturas propias y de otras culturas sin generalizar, sin crear abstracciones, y hasta sin *estereotipar* un poco. Lo peor es que los *estereotipos* añejos y disipados, al igual que los mitos viejos y gastados, resisten la muerte. Sin embargo, a pesar del afán por la *estéreo-*

---

[6] "Shopping" = shopping malls (un *anglicismo*).

tipación, ahora más que nunca EE.UU. y los pueblos latinoamericanos deben hallar la manera de convivir. Deben aprender a bailar de nuevo. Es desafortunado que el gobierno estadounidense ha tenido una obsesión por dominar a los vecinos del sur, y éstos se han obsesionado tanto con su propio resentimiento contra EE.UU., que el baile ha sido más bien una danza grotesca destina a terminar en tragedia o destrucción.

Las cosas no tienen que ser así, sin embargo. Quizás si EE.UU. y Latinoamérica se envolvieran en un abrazo no como dominante y dominado sino con respeto mutuo, podrían entonces lanzarse hacia horizontes desconocidos al compás de un nuevo ritmo. Y ese abrazo perduraría . . . Bueno, quizás pudiera perdurar, ...quizás. Pues, hay que soñar, ¿no?

PREGUNTAS

1. ¿Qué profecías ha habido para el futuro de Latinoamérica?
2. ¿Cuáles han sido los resultados de los estereotipos que se han tenido en los EE.UU. sobre los latinoamericanos, y cuáles son los resultados de los estereotipos que han tenido los latinoamericanos acerca de los estadounidenses?
3. ¿Cuál es la doble cara que se ha tenido en los EE.UU.?
4. ¿Por qué los estereotipos no valen como generalidades?
5. ¿Cómo los latinoamericanos están volviéndose como los estereotipos que ellos mismos han tenido sobre EE.UU.? ¿Cómo están dándose cuenta los estadounidenses de que la imagen que han mantenido sobre ellos mismos ha sido siempre hasta cierto punto falsa?

TEMAS PARA DISCUSIÓN Y COMPOSICIÓN

1. ¿Hasta qué punto cree usted que fue verdadera la dicotomía *Calibán/Ariel* de Rodó? ¿Cuáles son los problemas de esta oposición?
2. Si las culturas latinoamericanas fueran cada vez más semejantes a EE.UU., ¿qué se perdería y qué se ganaría? ¿Queda el balance a favor de las pérdidas o de los beneficios? ¿Por qué?
3. ¿Cree usted que se pueden hacer comparaciones y contrastes entre EE.UU. y las culturas latinoamericanas para comprenderlas mejor, o son tan diferentes EE.UU. y Latinoamérica que no se prestan a tales comparaciones? Si usted no cree que este análisis es factible, ¿cómo, entonces, puede uno llegar a comprender a fondo esas culturas tan distintas?

UN DEBATE AMIGABLE

¿Por qué no comienza usted desde ahora a inventar sus propios temas? ¡A pensar se ha dicho!

GLOSARIO—VOCABULARIO

The "vocabulary" list gives definitions for words according to their use in this text. The list usually excludes: (1) words that will in all likelihood have been learned in Spanish classes taken prior to using this text, (2) cognates whose equivalent in English should be apparent, (3) adjectives, when their corresponding nouns are given, (4) most adverbs ending in *–mente*, (5) verb conjugations (infinitives only will be given), (6) diminutives and superlatives, except in special cases, and (7) all pronouns. When noun gender might not be easily identified, masculine nouns will be designated (m.) and feminine nouns (f.). Terms falling under the "Glossary" category, primarily those requiring special elucidation, are capitalized and italicized. Quick reference to these terms as a memory-refresher is recommended.

Abastecer To supply, furnish
Abismo Abyss
Abogado (a) Lawyer
Abreviar To abbreviate
Absuelto(a) Absolved, acquitted
Abundar To abound, to be in abundance
Aburrimiento Boredom
Aburrir To bore
Abuso Misuse, abuse
Abyección Abjection of servitude, contemptible status
Acabado(a) Finished, refined
Acabar To end, finish, complete
Acalorar To hear up, inflame, excite
Acciones Stock (in reference to the stock market)
Acera Sidewalk
Acercarse (*a*) To approach, get close to
Achicarse To feel small, to make small, diminish
Acoger To receive, protect, shelter
Acomodar To arrange, place; *acomodarse* to adapt oneself
Acontecimiento Event, happening
Acudir (*a*) To respond (to a call), to attend
Acuerdo Agreement, accord
ADELANTADO A Royal deputy and colony founder who often paid his own expenses, and as a reward became governor of the colonial province and received certain privileges
Adjuntar To enclose, include
Adobe Adobe; a mixture of mud and straw formed into blocks used by villagers and peasants for the construction of their homes and other buildings

Adueñarse (*de*) To take possession (of), become the owner (of)
Afable Affable, pleasant
Afán (m.) Eagerness, anxiety
Afrancesado(*a*) "Frenchified," one affected by French ways or ideas; most notably used in Argentina during the 19th century
AFRO-AMERICANISMO Afro-Americanism; an effort—which became an active movement—to discover and give expression to the African roots of Latin American cultures through literature—in the beginning primary poetry
Agobiar To overwhelm, oppress
Agotar To exhaust, drain
Agradar To please, be pleasing
Agradecer To be grateful to someone for something
Agravar To become worse
Agrícola Agricultural
Aguacate Avocado
Aguantar To withstand, suffer through, put up with
Ahogarse To drown
Ahorcar To hang
Ahorrar To save
Aislado(*a*) Isolated
ALCALDE MAYOR Governor of a province called an *Alcaldía mayor*
Alcance (m.) Reach, scope
Alcancía (f.) Savings bank
Aldea Village, hamlet
Alejar(*se de*) To remove oneself from
Algarabía Clamor, gabble
Algodón Cotton
Aliar(*se con*) To come into alliance with
Aliento Breath
Alpaca Alpaca, a wool-bearing ruminant of the Andean area
Alrededor Surrounding
Altanería Haughtiness, arrogance
Altiplanicie (f.) Plateau, tableland
Alzar To raise, lift
Amalgama (f./m.) Amalgam—a mixture, usually of two or more metals
Amante (f./m.) Lover
Amargura Bitterness
Ámbito Boundary line, limit, scope
Amenazar To threaten
Ameno(*a*) Pleasant, agreeable
Amo(*a*) Lord, lady
ANÁHUAC The ancient name of the Valle de México
Ancho(*a*) Wide
Angosto(a) Narrow
Ansiedad Anxiety
Antepasado Ancestor
Añorar To suffer from nostalgia regarding something, someone, or sometime in the past
Apaciguar To beome pacified
Apedrear To throw stones at
Apertura Opening
Aplastar To squash, flatten
Apoderarse (*de*) To take control of
Apogeo Apogee, height, culminating point
Aportación Contribution
Apoyar To support, help, protect
Apremiante Urgent, pressing
Aprendiz (f./m.) Apprentice
Aprendizaje (m.) Apprenticeship
Apropiado(*a*) Appropriate, fit
Apropiarse (*de*) To take possession of
Apto(*a*) Capable
Arado Plow
ARAUCANOS A bellicose Amerindian group inhabiting Chile during the time of the conquest and thereafter
Árbitro(*a*) Arbitrator

ARIELISMO An attitude inspired by José Enrique Rodó's essay, *Ariel* (1900) that placed a critical eye on 19th century imitative practices, primarily of European cultures and especially positivist philosophy. Rodó's work shifted focus to the non-materialistic values inherent in Spanish American cultures
Armadura Armor
Arraigar To put down roots.
Arrasar To raze, demolish, level
Arreglar To arrange, put into order
Arriero Muleteer
Arriesgar To risk; *Arriesgarse* To take a risk
ARTE MADÍ An eclectic movement in abstract painting in Buenos Aires during the 1940s
Artesano(a) Artisan
Artificio Artifice, craft
Artimaña Trap, stratagem
Ascender To ascend, go up, be promoted
ASIENTO A monopoly granted by the king for the transportation and sale of slaves
Asombroso(a) Surprising, shocking
Astuia Cunning, sly.
Asunto Affair, business, subject matter
Atar To tie, bind
Atavío Dress, finery
Atrasado(a) Behind
Atravesar To cross
Atrever (se *a*) To dare to do something
Atrevido(a) Bold, daring, fearless
Audaz Audacious
AUDIENCIA A high court with jurisdiction over a specified territory that exists within a viceroyalty
Auto-contenido(a) Self-contained, hermetically sealed
Avance (m.) Advance, progress
Avena Oats
Aviso Announcement, warning
AYLLUS Small territorial units making up the agricultural plots in the Inca empire (comparable to the Mexican *ejidos*)
AYMARA One of the languages spoken by the Amerindians of the Inca empire and thereafter
Axial (m.) Central
Azar (m.) Random
AZTECS (more properly stated, the *MEXICAS*). The predominant Amerindian group of central Mexico at the time of the conquest, whose center of power rested in Tenochititlan, at the site of presente-day Mexico City
Azufre (m.) Sulfer

Balacear To riddle with gunshots
Balazo A slug shot from a gun, a bullet wound
BANDEIRANTES People of the São Paulo area of Brazil who, during the colonial period, engaged in exploration and slave-raiding expeditions into the interior or Brazil and Paraguay
Barrera Barrier, barricade
Barriada Slum area, so named in Peru
Barrio City ward, district
BARROCO Baroque; a movement in the arts, architecture, and philosophy, growing out of a tension between the secularized Renaissance view and the Catholic tradition of the Medieval period; occurred particularly during the 17th century in Latin America

Basura Garbage
Beldad Beauty
Bien (m.) Good, beneficial; *Bienes comunes* Common
Bienestar (m.) Well-being, comfort
Bistec (m.) Steak
Blanco Target
Bofetada Blow, slap
Boleadoras An gadget made of three leather tongs with leather encased round stones or steel balls at the extremities; used by the gauchos, which, when launched accurately, twisted around an animal's legs and threw it (comparable in use to the cowboy's lariat in the United states).
Bolero Music of a smooth, rhythmic Cuban beat, often accompanied by equally smooth dance moves
Bolsa Pocket; *Bolsa de valores* Stock market
"BOOM" (m.) A name given the remarkable "New Latin American Narrative" beginning in the latter 1950s.
Borbón Bourbon; the royal French family that replaced the Hapsburgs and ruled Spain from 1700 to 1808
Bosque (m.) Forest
Bossa Nova A musical form in Brazil, developed chiefly by Antônio Carlos Jobim in the form of "slow samba"; most popular during the 1960s and 1970s
Botín (m.) Plunder, booty, spoils of war
Brecha Breach, gap, opening
Brinco Leap, jump
Broma Jest, joke
Brotar To spring forth
Brujería Witchcraft
Brújula Magnetic needle, compass
Brusco(*a*) Abrupt, rough, crude
Buey (m.) Ox
Bulla (*a*) Racket, bustle
Burdel (m.) Brothel
Burguesía Bourgeoisie; basically commercial and professional middle-class individuals, traditionally at odds with, and occasionally in disrespect of, the working class
Burla Mockery, often with a note of contempt
Buscar To search for
Búsqueda Search, quest

Cabal Exact, complete
Caballería Cavalry
Caballero (Port. *Cavaleiro*) cavalier, gentleman
Cabecera Heading, principal, lead
Cabello Hair
CABILDO Municipal government of the colonial period; took on unwarranted autonomy prior to, and played an important role in, the early stages of the Independence movement in Spanish America
CABILDO ABIERTO Comparable to a "town house meeting," a meeting of the general public, headed by the authorities of the *Cabildo*
Cabra Goat
Cacahuate (Mex.) (m.) Peanut
Cacique (f./m.) From Taino-Arawako, a Caribbean language: originally meant an "Indian Chieftan," later used in Spanish America to signify a political boss of a provincial area
Caer To fall; *Caer bien* To make a hit, hit it off well (with someone)

Calavera Skull
Cálido(a) Hot
Callar To silence, quiet, calm
Callejón (m.) Back alley
CALPULLI Local clans making up the Aztec society
Calzada Highway, causeway
Cámara Chamber, of Congress
Cambio Change, exchange of money
Camino Road, highway
Camote (mex.) (m.) Sweet potato
Campaña Campaign
Campeonato Championship
Campesino(a) Peasant
Campo Country, countryside
Cancha Playing field, court
Candelabrazo A blow with a candelabrum
CANDOMBLÈ A Brazilian religion, consisting of a fusion of African, Catholic, and some Amerindian beliefs and practices; includes chanting and dancing that can reach a pitch during which a trance state is induced in the participants
Caña (de azúcar) Sugar cane
Capa Cloak, cover; *Capa superior* Upper crust (of society)
Capacitado(a) Qualified, capable
Capaz Capable
Capital (m.) Capital, money; (f.) Capital city
CAPITANIA (Port.) An immense stretch of land granted to an explorer-conqueror-settler in Brazil, comparable to the Spanish *Encomienda*
CAPOEIRA A Brazilian ritual-dance developed by slaves, using instruments and song to accompany two participants in the Capoeira ring; the participants' movements are comparable to the martial arts, except that they are more aesthetic, performative, and playful than combative; however, this apparent playfulness could be deceptive during the colonial period, since the movements were often used as subtly disguised preparation for possible future defense against police or soldiers representing the slave masters' efforts to maintain control over their slaves
Caporal (m.) Foreman
Captar To take in, understand
Carcajada Outburst of laughter
Cárcel (f.) Jail, prison
Carecer To lack
Carga Load, burden
Cargador(a) Porter
Cargo Burden, charge, responsibility
CARNAVAL Carnival; a season of revelry, originally beginning with the feast of the Epiphany and lasting to Ash Wednesday; it now takes place prior to Lent (the 40 weekdays preceding Easter) and theoretically lasts three days (though it can be extended up to a week)
Caro(a) Expensive, dear
Carrera Career
Carro Car, also a float in a parade
Cartógrafo(a) Cartographer
CASA DE CONTRATACIÓN The "House of Trade," a colonial Spanish institution centered at Seville and later at Cádiz, charged with regulating commerce between the New World and Spain
Casta (f./m.) Person of "Mixed blood," or better, of mixed ethnicity

Castellano(a) Castilian, Spaniard; *Castellano* The Spanish language
Casticismo (m.) "Purity," of Spanish "blood"
Castigo Punishment
Castilla Castile, the central area of Spain
Cauce (m.) River bed, channel
CAUDILLO Derived from an Arabic term meaning "leader." In Spanish America, the *Caudillo* is a charismatic, strong-willed individual, often of military background, whose rule is usually marked by populist tactics
Cazar To hunt
CE ACATL The year 1519 on the Aztec calendar when, according to legend, Quetzalcoatl, who had been shamed by other gods and went into exile, was scheduled to return and take revenge by destroying the Aztec empire—the legend also has it that Moctezuma feared Cortés was the embodyment of the Aztec god, Quetzalcoatl
Cebada Barley
Ceja Eyebrow
Celo Jealousy
Cénit (m.) Zenith
Centenar A hundred; *A centenaries* By the hundreds
Certamen (poético) (m.) A poetic tournament, with competitive poetic readings
Certero(a) Certain, sure
Césped (m.) Grass
Cicatriz (f.) Scar
CIENTÍFICOS The group of professionals acting as a technical advisory council to President Porfirio Díaz of Mexico from the 1890s to 1910
Cima Peak
Cimarrón(ona) Escaped slave
Cinc (m.) Zinc
Cinta Ribbon, tape, band
Cisma Schism
Ciudadano(a) Citizen
Ciudadania Citizenry
Clandestino(a) Clandestine, secret
Clausurar To close
Clave (f.) Key(to learning or doing or discovering something)
Clerecia Clergy
Clérigo Clergy
Clima (m.) Climate
CUATLICUE The ancient mother-goddess of the civilizations in the Mexican highlands, later integrated into the Aztec religion
Cobrar To charge, draw up, take up, become charged with
Cobre (m.) Copper
Cobrizo(a) Copper colored, swarthy
Coca Leaves containing small amounts of cocaine, chewed by the Native Americans in the Andean region in order to stave off hunger and enhance endurance in the high altitudes
Cocina Kitchen, cuisine
Codicia Covetousness
Código Code of laws
Cofre (m.) Strong box, chest, trunk
Colgar To hang
Colmar To fill up, fulfill
Colmo (para el colmo) (m.) The last straw
Colocar To place
Comarca Territory, region
Comerciante (f./m.) Merchant, trader, dealer
Comienzo Beginning
Compadrazgo State of being a *compadre*, Godfather
Compadre Godfather

Compadrito A words used especially in the *Tango* culture of Argentina, literally meaning little Godfather. It is stereotypical of male dominance
Compartir To share
Compatriota (f./m.) Patriot
Complacer To please
Comprensión Comprehension, understanding
Comprobar To prove
Comunal Common (property)
Comuneros Common people
Concebir To conceive
Concha Sea shell
Concienzudo(a) Conscientious
Concilio Council, collection of decrees
Concordar (con) To agree with
CONCORDATO Concordat, an agreement between the Pope and a sovereign government regarding the regulation of ecclesiastical matters
Conde (m.) Count
Conducta Behavior, conduct
Conferir To confer (upon)
Confianza Confidence, faith in
Conga A Cuban musical and dance style
Congelar To freeze, congeal
Conjunto United, connected, a small musical combo
Conmover To move, be moved
Cono Cone; *Cono sur* The southern tip of South America, including Argentina, Chile, and Uruguay
Conocimiento Knowledge
Consagrar Go consecrate
Conseguir To obtain, acquire
Consejero(a) Counselor
CONSEJO DE LAS INDIAS (Port. *CONSELHO DA INDIA*) The colonial institution charged with interpreting and enforcing all laws regarding the affairs of the colonies
Conservador (f./m.) Conservative, especially during the 19th century in Latin America, one who favors preservation of the traditional order and regards change with distrust
Conservadurismo (m.) Conservatism
Consultorio Doctor's office, medical clinic
Consumo Consumption
Contar To count; *Contarse (entre)* To be counted with or among
Contienda Strife, struggle, debate
Continentalización The unification of Latin America's cultures into a single expression
Contraparte (f./m.) Counterpart
CONTRARREFORMA Counter Reformation; a reform movement within the Catholic Church during the 16th century and the first half of the 17th century as a response to the Protestant Reformation
CONTRAS Antisandinistas; consisted of some of those who before the Nicaraguan Revolution backed the Somoza government and others who had become disenchanted with the Sandanista government
CONVERSO(A) Convert; the name given to a Moor or Jew who converted to the Catholic Church, although at times this "conversion" was more for reasons of convenience than a true change of faith
Cooptar To coopt, bring into the group, appoint as an assistant or associate

Coquetear To flirt
Cordillera Mountain range
Cordura Wisdom, prudence
Cornucopia Horn of plenty
Corona Crown
CORONELISMO (Port.) Comparable to a composite of the Spanish terms, *Caciquismo* and *Caudillismo*
CORPORATIVISMO A political system in which the principal economic functions (banking, industry, labor, government, wholesaling and retailing) are organized as collective bodies that address themselves directly to the person or corporate body in power
CORREGIDOR Governor of a province called a *Corregimiento*
Corrido A popular form of ballad in Mexico; became particularly common during the Mexican Revolution
Corriente (f.) Current, flow
Corroer To corrode
Cortejo Courtship
Cosechar To harvest, reap
Costeño(a) A person from a coastal region

Cotidiano(a) Quotidian, daily
Coya Daughter of Inca aristocrats
CREACIONISMO Vicente Huidobro's theory of poetry that endows the poet with supreme creative powers through language
Creible Credible, believable
Creyente (f./m.) Believer
CRIOLLISMO A trend in Spanish American literature begun at approximately the turn of the 19th century, focused on particular regions of the continent in an attempt to capture the essence of the Spanish Americans' ways of thinking and feeling, and of their way of life that distinguished them from mainstream Western ways
CRIOLLO(A) A person born of Spanish parents in the Americas
Cruce (m.) Crossing
Cuadro Picture, painting
Cuartel (m.) Barracks, military compound
Cubiertos Silverware
Cueca A folkloric dance of Peru, influenced by the *Zamacueca*
Cuenca Basin of a river
Cuenta Account; *Tomar en cuenta* To take into account
Cuento Short story, tale
Cuerda Cord, rope, twine
Cuero Rawhide, skin
Cuidar To take care of, look after
Culpar To blame
CULTURAS ALTERNATIVAS Alternate cultures, the "other" cultures of marginal ethnic groups in Latin America that a times become largely incompatible with the dominant culture, as a manifestation of their "otherness" and their complementary way of life within the larger, all-encompassing Culture
Cumbia A popular contemporary Colombian dance
Cumbre (f.) Peak
CUZCO The capital of the ancient Inca empire
Cha-Cha-Cha A music and dance style from Cuba
Chapeton(ona). A Peruvian derogatory term for a Spaniard
Charango A musical instrument, variation of the lute, used in the Andean area
Charla Chat, talk

Charro(*a*) (Mex.) Cowboy, cowgirl
CHICHIMECAS People from a subculture to the north of the Aztec empire
Chileanización Nationalization of resources and foreign-owned enterprises in Chile
Chilena A folkloric dance from Argentina, influenced by the *Zamacueca* of Peru
Chiripá (f.) Loose fitting gaucho pants
Chismear To gossip
Chispa Spark
Chiste Joke
Chocar To bump into, smash, run into
Choque Shock

Dado Given, assuming
Dandy (m.) Dandy; a person of exaggerated elegance and ostentation, in clothes and manners
Dançar (Port.) To dance
Dañar To damage, harm
Darse cuenta To become aware of, realize
Dardo Dart
Debajo (*de*) Under, underneath
Deber (m.) Duty
Débil (m.) Weak
Debilitamiento Weakening, enfeeblement
Década Decade
Dejar To leave; *Dejar de* To cease engaging in some activity
DEMAGOGO Demagogue; one who attains power by appeals to the emotions and prejudices of the people
Demarcar To demarcate, delineate, set apart
Demorar To delay
Denuncia Denunciation, accusation
DEPENDENCIA, TEORÍA DE Dependency theory, according to which "Third World" countries are subordinate to and economically dependent upon "developed capitalistic" societies; according to the theory, the only way out is by *revolutionary* means; the theory exists in contrast to the "theory of modernization," which advocates free enterprise, "capitalistic" systems as a *reformist* solution to the socio-economic problems of "Third World" countries
Deporte (m.) Sport
Deprimente Depressing
Derecha The political right
Derecho Law (practice of)
Derribar To overthrow
Derrotar To defeat, overthrow
Desacatar To treat disrespectfully
Desacuerdo Disagreement
Desafiar To defy
Desaforado(*a*) Disorderly, outrageous
Desagüe (m.) Drain, outlet
Desahogo Release (from pain or affliction)
Desarraigado(*a*) Uprooted
Descamisado(*a*) Shirtless
Descarriado(a) Going or led astray
Desdichado(*a*) Unfortunate, unhappy
Desechar To reject, exclude
Desempeñar To perform, play a part
Desempleo Unemployment
Desenterrar To disinter, dig up
Desequilibrado(*a*) Out of equilibrium
Desesperado(*a*) In a state of despair, desperate

Desfile (m.) Parade
Desgraciadamente Unfortunately
Deshacerse (*de*) To free oneself of
Desmontar To take apart, unsaddle
Deslumbrante Dazzling, bewildering
Despedida Farewell, leave-taking
Despojar To despoil; *Despojar de* To deprive of
Desprecio Contempt, scorn
Desprenderse (de) To free oneself of
Desprovisto(*a*) Deprived
Destacar To stand out
Desterrar To banish, exile
DESTINO MANIFIESTO Manifest Destiny; the 19th century doctrine according to which the United States must take upon itself the responsibility, at times interpreted as a quasi-religious duty, of expanding its dominion throughout the whole of North America
Desvalido(*a*) Helpless, destitute
Desvanecer (*se*) To disappear
Desvirtuar To spoil, ruin, invalidate
DETERMINISMO GEOGRÁFICO Geographical determinism; the theory that geographical conditions determine the social and psychological characteristics of a people
Deuda Debt
Deudor(*a*) Debtor
Diatriba Diatribe, bitter and abusive speech or writing
Dibujo Drawing
Didáctico(*a*) Didactic; for the purpose of instructing or informing
Difusora A TV or radio broadcasting station
Diluir To dissolve
Diluvio Flood
Disputado(*a*) A government representative of the people of a certain district (comparable to a U.S. Representative)
Disculpa Apology, excuse
Diseño Design
Disfrazar To disguise
Disfrutar To enjoy
Disgusto Disgust, displeasure, loathing
Disparar To shoot, fire upon
Disponible Available, disposable
Dispuesto(*a*) Disposed, ready (to engage or participate in some event or activity)
Ditabranda (Port.) A variation of *ditadura* (dictatorship); a *ditabranda* is a "soft" or benign sort of dictatorship, often considered typical of Brazilian culture—that this interpretation has been criticized as of recent
Dolor Pain
Domar To tame (a horse), control
Don (m.) Gift; *Don de palabra* Gift of gab, of speech
DONATÁRIO (Port.) Recipient of a land grant, comparable to the Spanish *encomendero*
Dorado(*a*) Browned, of a brown color
Dotar To endow, give a dowry
Dote (m.) Dowry
Dramaturgo(*a*) Playwright
Duelo Duel
Dueño(*a*) Owner
Duque (m.) Duke
Duradero(a) Long-lasting
Durar To last
Duro(*a*) Hard

Ecléctico(*a*) Eclectic; the practice of selecting from a diversity of sources whatever appears most effectively to solve a problem or fit a particular situation

Economía mixta Mixed economy, evincing both capitalistic and socialist characteristics

Eficaz Effective

Ejercer To exercise, practice, put to use

EJIDO Communal land among the Amerindians of Central Mexico, consisting of woodland, pasture, and cultivated land; re-instituted principally during Lázaro Cárdenas's land reform (1934-40)

EL DORADO The "Guilded Man," from a legend based on a Chibcha ceremony in the Colombian area; the "Guilded Man" was reportedly from a civilization fabulously rich in gold

Embajador(a) Ambassador

Embarque (m.) Shipment

Embocadura Mouth (of a river)

Emboscada Ambush

Empapar To saturate, soak

Empequeñecer To make smaller

Empinado(a) Steep (as regarding a slope)

Empleado(a) Employee

Empobrecimiento Impoverishment

Emprender To initiate (a task, journey, or conquest)

Empresa Company, firm, enterprise, undertaking; *Libre empresa* Free enterprise

Empresario(a) Manufacturer, promotor

Empuje (m.) Push, applied pressure

Enajenar To alienate

Enardecer To enrage

Encarcelar To imprison

Encargarse (*de*) To take on the task of

Encarnar To incarnate, embody

Enchufar To plug in, connect

Encima (*de*) Above, on top of

ENCOMIENDA Spanish grant of authority over land and the Amerindians residing therein; carried with it the obligation to Christianize and protect the Amerindians in exchange for tribute from them in goods and labor

Enemistad Enmity, hatred

Enfrentar (*se*) To confront

Enganchar To hook, get caught

Engañar To deceive

Enredadera A type of clinging vine

Enredado(*a*) Entangled

Enriquecer (*se*) To become rich

Ensanchar To broaden

Ensimismamiento A state of introspection, when one turns within oneself

Entendimiento Understanding

Enterrar To bury

Entrabar To engage in

Entregar To give, give up

Entrelazar To become intertwined with

Entretejer To interweave

Entretenimiento Entertainment

Entrevista Interview

Epopeya Epic narrative poem, usually of considerable length, in celebration of some heroic aspect of a people's tradition

Equipo Equipment, crew, team

Equivaler To be the equivalent of

Escabroso(*a*) Rough, rugged

Escasez (f.) Shortage, scarcity

Escaso(*a*) Scarce

Escepticismo Skepticism

ESCOLASTICISMO Scholasticism; the predominant philosophy of the Middle Ages, according to what is considered the natural order of the cosmos

Esconder To hide, conceal

Escudriñar To search out

Esfuerzo Force, effort

Esfumar To become smoke, disappear

Espada Sword

Espejo Mirror

Esperanza Hope

Espina Thorn; *Espina dorsal* Spinal column

Esquina Corner (of Street)

Estadista (f./m.) Statesperson, of admiral political stature

Estadunidense (f./m.) A person from the United States

Estallar To explode, burst open

Estancamiento Stagnation

Estancia A large landholding (the term is common in southern South America)

Estanciero(a) The owner of an *estancia*

Estaño Tin

Estatura Stature, height

Estilo A folkloric musical piece from Argentina or Uruguay; influenced by the *Romances*

Estirar To stretch, extend

Estoico(a) Stoic person apparently unaffected by grief and pain, and at times even pleasure and joy

Estorbar To hinder, obstruct

Estrecho(a) Narrow, close, rigid, austere

Estrenar To use something or do something for the first time

Estribo Stirrup

Estupefacto(a) Stupified, dumbfounded

Etapa Stage, period

Europeizante A Europeanized custom or lifestyle

Excomulgación Excommunication

Exigir To demand

Èxito Success

Expatriarse To expatriate, leave one's country

Expedidor(a) Agent, shipper, sender

Explotar To exploit, explode

EXPRESIONISMO Expressionism; a late 19th century and early 20th century movement, chiefly in painting; its goal was not to depict objective reality or a subjective impression of it, but subjective emotions and responses that objects and events aroused in the artist; eventually became a distorted and exaggerated form

Exprimir To squeeze, press

Extraer To extract, pull

Extranjero(a) Foreigner

Fábrica Factory

Facción Political party, physical features of a person

Fachada Façade

Facón (m.) Dagger, knife; used by the gauchos

Factible Feasible

Faja Band, sash

Fallecer To pass away, die

Falta Lack

Familia (*inmediata*) Immediate family; in Latin America, indicative of traditionally close family ties

Fastidiar (*se*) To become tired of, bored with

Favela (Port.) A slum district in Brazilian cities

Fazenda (Port.) A plantation, comparable to the Spanish American *hacienda*

Fecha Date (in time)

FEDERALISMO Federalism; a political philosophy that advocates a form of government in which a relatively loose collection of states making up the nation recognizes the sovereignty of the central authority, while the nation allows the states certain residual sovereign powers

FEDERALISTA Argentina; those citizens of the provincial areas after Independence who defended traditional values, yet they defended more autonomy for the provinces and lesser centralized control than Argentina's tradition would have allowed

Ferretería Hardware store

Ferrocarril (m.) Railroad, railway

Fijar(se) en To notice, pay attention to

Fijo Fixed, firmly placed

Fila File, row, rank

Finca Large landholding; commonly used in central America and northern South America

Flaco(a) Thin, skinny

Fluvial Fluvial, regarding a river

Fomentar To foment, promote, further

Fondo Depth, bottom

Foráneo(a) Foreign

Forjar To forge, form, build

Fortalecer To fortify

Fracasar To fail

Fraile (m.) Priest

Freno Brakes, restraint

Frigorífico Meat packing house and refrigeration chambers

Frontera Border

Fronterizo(a) A city, person, or other entity existing along the border of a country

Fuego Fire, warfare; *Fuegos* Fireworks

Fuente Fountain, source

Fuerte (m.) Fort

Fuerza (*motriz*) Motivating force

Fuga Flight, escape

Fundir To fuse, melt

Fusilar To execute before a firing squad

Fusionismo Fusionism; a combination of elements fused into one, typical of baroque styles and methods

Gachupín(ina) A derogatory term used in reference to a Spaniard

Galicismo Gallicism; a French word or phrase transformed into Spanish

Galleta Cookie, cracker

Gallina Chicken

Gallo Rooster

Ganas Desire, wish, inclination

Ganadero(a) Cattle owner, rancher

Ganado Cattle

Ganar To win, earn

Gañan (m.) Amerindian wage earner during the colonial period

Gastar To wear out, waste

Gasto Expense, expenditure

Género Genre, genus, class, kind

Genial (f./m.) Delightful, brilliant (especially regarding a person)

Genio Nature, disposition, temper

Gentileza Gentility, courtesy

Girar To gyrate, turn around

GOBERNADOR Governor; during the colonial period, of a province called a *Gobernía*

GOBIERNO PARLAMENTARIO Parlimentary government; a government consisting of a representative body having supreme legislative powers

Golpe (*de estado*) (m.) *Coup d'etat*, military revolt, palace revolt
Gozar (*de*) To enjoy
Granja Farm
Granjero(*a*) Owner and/or operator of a farm
Gratis Gratis, free
Gremio Guild, or brotherhood of craftsmen during the colonial period, a forerunner to trade unions
Grieta Wrinkle
Grosero(*a*) Course, rude
Guajiro(*a*) Cuban and Caribbean peasant
Guajolote (Mex.) Turkey
Guano Seabird droppings, used as fertilizer
GUARANÍ The large Amerindian group of Paraguay, northern Argentina, and southern Brazil
Güero(*a*) A person of relatively light skin, but not necessary blond
GUERRA FLORIDA A war between the Aztec nation and neighboring civilizations, especially the Tlaxcaltecas, for the purpose of taking prisoners for sacrifice to the gods
Guerrero(*a*) Warrior
Guía (f./m.) Guide
Guitarrón A large bass guitar used in Mexico, especially with *Mariachi* bands

Habanera A popular form of music and dance from Cuba
Habitar To inhabit
Habsburgo Hapsburg; royal German family; ruled Spain from 1516 to 1700, when the Bourbons took the throne
Hacendado(*a*) (Port. *Fazendeiro*-[*a*]) Hacienda (plantation) owner
Hacienda Large landholding in Spanish America, an evolutionary product of the *Encomienda* and *Repartimiento*
Hallar To find
Hambriento(*a*) Hungry
Harpa Harp
Hazaña Accomplishment, deed
Hecho Fact, deed, act
Hectárea Hectare (ten thousand square meters), slightly over two and one-half acres
Heredero(*a*) Heir, heiress
Hereje (f./m.) Heretic
Herida Wound
Herrero(*a*) Blacksmith
HIBRIDACIÓN Hybridization; the result of a "mesticizing" combination of diverse cultural traits into a complex fusion
HIDALGO (Port. *FIDALGO*) Son-of-somebody who is important, but not necessarily rich; a term used during the precolonial and early colonial period in Span, to a lesser extent in Portugal, and in America
HIDALGUISMO Rights of nobility to which virtually every Spaniard aspired during the precolonial and early colonial period in Spain and America; under certain circumstances the prestige could be purchased
Hielo Ice
Hierro Iron
Hijo(*a*) (*natural*) A child born out of wedlock
Hilo Thread
Hincapié (m.) Emphasis: *Hacer hincapié en To emphasize*
Hinchar To swell
Horno Furnace

HUASIPUNGO An Amerindian name among the Incas for the small plots of land the peasants cultivated

Hueco Vacuum, empty space

Huelga Strike (of workers)

Huir To flee

HUITZILOPOCHTLI Aztec god of war

Humilde Humble

Hundir To submerge, sink

Huracán Hurricane

Idílico(*a*) Idyllic, of picturesque, natural simplicity

Igualar To become equal with, to match

Ilustre (f./m.) Illustrious

IMAGEN POPULAR A collection of icons, legends, folktales, clichés, and popular sayings, in part true and in part fictitious, surrounding cultural visions, monuments, events, and heroes—often while they are still living. An "image" appeals to and inspires a sense of pride—though given the social class involved, it can provoke a degree of repulsion—in the general populace, thereby aiding in the creation of a collective identity

Impacientar(*se*) To become impatient

Imperio Empire

Impuesto Tax, tribute

Inaudito(*a*) Unheard of

INCAS The name given to the Amerindians making up the empire stretching from Southern Colombia to the northern tip of Argentina and Chile. The term "Incas" is somewhat of a misnomer, since it was actually the name of the Amerindian aristocracy

Incomodidad Inconvenience, annoyance, discomfort

Incongruente Incongruent, incompatible

Incurrir (*incurrir deudas*) To incur debts, become liable

INDIANISMO Indianism; in contrast to *indigenismo*, involves the literary practice of integrating Amerindian themes into the text, but from an idealized, romantic view, rather than a genuine view of Amerindian life and customs

Índice (m.) Index

Indicio Indication, evidence, sign

INDIGENISMO Indigenism; in contrast to *indianismo*, the literary practice of integrating Amerindian themes into the text through an effort to present the Amerindians' own point of view and thereby attain a heightened degree of authenticity

Indomable Untamable, unmanageable

Ineficaz Inefficient, ineffectual

Infranqueable Insurmountable

Infructuoso(*a*) Fruitless, unproductive

Infundir To infuse

Ingenuo Ingenious, creative

Ingrato(*a*) Harsh, unyielding

Ingreso Income

Inmaduro(*a*) Immature

Inquietud Restlessness, anxiety

INQUISICIÓN The Spanish Inquisition, an organization and an important instrument of the *Contrarreforma* set up for the purpose of enforcing the practice of Catholicism, which included costly wars against the Protestant countries, censorship and book burnings, a system of religious purification, a ban on persons of Jewish origin, bans on foreign travel and foreign trade, and severe punishment, sometimes death sentences, to all those who were considered heretics

Inseguro(*a*) Insecure

Insuperable Insurmountable

INTENDENTE A military and financial administrator of a political división called an *Intendencia*, a form of political división created during the Bourbon reforms for more effective military and financial administration

Intermediario(*a*) Intermediate, middle person

Intransigente Intransigent, irreconcilable

Intrépido(*a*) Intrepid, daring

Introspección (f.) Introspection, self-examination, contemplation of one's own feelings and thoughts

Inundación Flood

Inútil Useless

Invasor(*a*) Invader

Invertir To invest (money)

Ironía Irony; the use of words to convey, in a subtle manner, the opposite of their literal meanings

Izar To raise (a banner or flag)

Izquierda Political left

Jarabe(*tapatío*) (m.) A traditional folkloric dance of Mexico, accompanied by a *Mariachi* band

Jardín (m.) Garden

Jardinero(*a*) Gardner

Jazz(*tropical*) A mixture of Caribbean music and North American jazz styles

Jerarquización The process of becoming hierarchical

Jinete (f./m.) Horseman, horsewoman

Jitanjáfora The name for a fusion of avant garde literary techniques with everyday Afro-American linguistic expressions

Joropo A folkloric dance of Venezuela, influenced by the *Zamacueca* of Peru

Joya Jewel

Juego Game

Jugo Juice

Juguete Toy

Juguetón(*ona*) Playful

JUNTA A council or governing body; usually of military origin, charged with directing the affairs of a country

Labrar To labor, work

Ladrón(*ona*) Thief

Laico(*a*) Layperson

Lambada A popular dance of contemporary Brazil

Lana Wool

Lancha Raft, barge, boat

LATIFUNDIA A system of large landed estates, traditionally a holdover of European medieval serfdom

Lazo Tie, bond

Lealtad Loyalty

Lejano(*a*) Distant, far

Lema (m.) Slogan, theme, motto

Lento(*a*) Slow

Letanía Litany; a liturgical prayer consisting of a series of phrases recited by a leader and repeated by the audience

Letrado(*a*) Literate, educated, cultivated

Levantamiento Uprising

LEYENDA NEGRA The product of a campaign by Spain's enemies in Europe, especially the English, designed to defame Spanish atrocities in America in order to enhance their own image among other European countries

LEYES DE BURGOS Spanish laws of 1512-13, incorporated into the legislation designed to protect the Amerindians from unjust oppression and exploitation

LIBERAL Liberal; primarily during the 19th century in Spanish America, one who advocates political, social, and economic reforms involving greater individual freedom and rights, and unlike the conservatives, less central control by the government

Libre Free; *Libre empresa* Free trade

Licencia License, permission

Lideraje Leadership

Ligadura Ligature, binding

Ligar To link, unite, tie

Ligero(*a*) Light

Limbo Limbo; a region or condition of oblivion or neglect; in Catholicism, the intermediate place between Heaven and Earth where souls must remain due to their not having received the proper ordinances of the Church

Limosnero(*a*) Beggar

Limplar To clean

Lírica Lyrics (a short poetic form, the words of a song)

Listo(*a*) Ready

Litoral (m.) Coastal, litoral

Liturgia Liturgy

LOCALISMO Localism; villages separated by mountain ranges and other geographical impediments, which make communication difficult and prolong their integration into a coherent nation-state in the modern sense

Lograr To achieve, accomplish

Lona Canvas

Lúgubre (f./m.) Lububrious, dismal, gloomy

Lujo Luxury

Luta Lute

Llama Llama; a wool-bearing ruminant of the Andean area

Llamamiento Calling, a call to action

Llanura Plain

Llegar To arrive

MACHISMO Manliness, customarily implying sexism; the image is that of physical strength, sexual virility, and a readiness to demonstrate either one or both at a moment's notice. This self-assertion is often most evident through verbal expression liberally peppered with coarse words

MACUMBA A Brazilian religion, most common in Rio de Janeiro; it is largely of African origin, with Catholic input and faint Native American undertones; it combines drumming, dancing, and chanting, that often puts some of the practitioners in a trance-state

Madrastra Stepmother

Madurar To mature

Madurez (f.) Maturity

Malestar (m.) Malaise, indisposition

Mambo A Cuban style of song and dance

MAMELUCO(A) (Port.) A person of Amerindian and European ethnic mixture
Manchar To soil
Mandato Mandate, order
Mandatorio Mandatory, compulsory
Manganeso Manganese
Maní (m.) Peanuts
Maniobra Maneuver, procedure
Mano(de obra) (f.) Labor, usually unskilled
Manso(a) Gentle, meek
Mantener To maintain, defend a point of view
Mantenimiento Maintenance
Manto Cloak, cape
Manzana City block, apple
Maraña Jungle growth
Marfil (m.) Ivory
Marginado(a) Marginalized, barred from active participation in the social, political, and economic life of a society
Mariachi (m.) A traditional Mexican musical group that uses guitars, *guitarrones*, violins, and trumpets to accompany the songs
MARIANISMO Marianist cults to the Virgin Mary that emerged chiefly from the Spanish and Portuguese nations and contributed to a sense of national heritage and identity; each country placed itself under the protection of a national image in the form of a particular Virgin that usually appeared within the confines of that country: The Virgin of Guadalupe in Mexico, Copacabana in Peru, Luján in Argentina, and so on
Marítimo(a) Maritime, marine
MASCARADA (O MÁSCARA) Masquerade, charade, an integral part of popular festivities during the baroque period that remain alive to the present
Matadero Slaughterhouse
Matorral (m.) Thicket
MAYAS The ancient Amerindian group inhabiting the Guatemalan and southern Mexican and Yucatán region
Médico(a) Doctor of medicine
Medida Measure, size; *A medida que* By means of
Medio Medium, ambient, environment; *Por medio de* By means of
Medir To measure, judge
Membresía Membership
Menospreciar(se) To undervalue, or despise oneself
Mensaje (m.) Message
Menudo (a menudo) Often
Mercader (f./m.) Merchant, dealer, shop keeper
Mercado Market
Mercancía Merchandise
Merecer To deserve, be deserving of
Merengue (m.) A contemporary music and dance form originating in Santo Domingo
Meritocracia Meritocracy; a society rewarding its citizens exclusively on the basis of individual merit
Meseta Tableland, plateau
MESOAMÉRICA Middle America, consisting of southern Mexico and Central America
MESTIZO(A) Of mixed ethnic background, most commonly Spanish and Amerindian
MEXICA The more genuine, anthropologically baptized name for the Aztecs (though the more

common Aztec term is used in this text)

MILENARISMO Millenarism; the expectancy of a one thousand year period after the second coming of Christ, as foretold in the *Bible*, when there will be peace, serenity, joy, and freedom from strife

MITA In Quechua, "turn." An Inca institution consisting of labor donated by the subjects of the emperor as a tribute or payment (comparable to the *Repartimiento* in Mexico)

Moda Mode, style, fashion

MODERNIDAD Modernity; the general view, as a product of Renaissance and Enlightenment thought, and the Scientific and Industrial Revolutions, incorporating the idea that the emancipation of all humankind and material progress for all societies can be achieved by means of the proper ("enlightened") social, political, and economic programs

MODERNISMO (Spanish American) A literary movement of roughly the last decade and a half of the 19th century and the first decade and a half of the 20th century; aesthetically, it intensified the expression of Spanish American pluralism with the assimilation of multiple forms, styles, techniques, and themes

MODERNISMO (Brazilian) An artistic movement inaugurated in 1922 with the *Semana de Arte Moderno* and motivated by an effort to discover an authentic, all-encompassing artistic expression by a fusion of all the arts into a synthetic portrayal of Brazilian pluralism and Western World trends.

MODERNIZACIÓN, TEORÍA DE Theory of modernization; a *reformist* rather than *revolutionary* social doctrine with roots in the free enterprise "capitalist" system as an answer to social and economic problems, and democracy as a response to political problems; it counteracts "dependency theory," of Marxist or quasi-Marxist origins

Molino (*de aire*) Windmill

MONOCULTURA Monoculture; the economic dependence of a country basically on one source (i.e. petroleum in Venezuela, coffee in Colombia, sugar in Cuba, bananas in Honduras, and so on)

Montón (m.) A big pile

Moreno(*a*) A person of dark skin, most commonly of *mestizo* origin

MORO(*A*) From northern Africa, most commonly of the Muslim religion and mixed Berber and Arabic descendent

Motín (m.) Riot, uprising

Mozárabe (f./m.) A Christian that adopted the Muslim culture

Mudéjar (f./m.) A person maintaining the Muslim faith but lives as a subject of the Catholic Kings

Mudo(*a*) Mute, silent

Muestra Example, sample

Mujeriego Womanizer

Muladí (f./m.) A former Christian who is now of the Muslim faith

MULATO(*A*) A person of African and European ethnic background

Muro Wall

Nacimiento Birth
NACIONALISMO CULTURAL A form of nationalism developed through an effort to give artistic expression to the collective beliefs, sentiments, desires, and dreams of the community making up a sovereign state
NACIONALIZACIÓN The conversion of a sector of industry, agriculture, commerce, and/or public services from private to government ownership
NAHUATL The language spoken by the Aztecs and other groups in Mexico
Naipe (m.) Playing card
NATURALISMO Naturalism; the literary movement of the latter part of the 19th century which set for itself the task of realizing a "scientific" study of a particular aspect of society through narrative description; in Latin America, naturalism merged with literary realism to yield a hybrid product that is often termed *Realismo-Naturalismo* in this text
Negar To deny; *Negarse* (*a*) To refuse (to do something)
NEGRO(*A*) DE GANHO(*A*) (Port.) During the colonial period In Brazil, a slave who is allowed to work during spare moments and most often required to share earnings with the slave owner
NEOCLASICISMO Neoclassicism; a revival of classical Greek aesthetics and forms of art, literature, and music during the latter part of the 18th century, a movement that in Latin America spilled into the beginning of the 19th century
Niñez (f.) Childhood
Niquel (m.) Nickel (the metal)
Nitratos Nitrates, chemical compounds used as fertilizer
Nivel (m.) Level
Nopal (m.) Prickly pear cactus
Norteño(*a*) A person from the north (a common expression among Mexicans)
NOVELA DE LA TIERRA A subgenre of the novel the action of which often occurs in the remotely populated areas of the provinces; it portrays a struggle between characters of diverse interests, prejudices, and/or ideologies, and between humans and the forces of nature, with nature often triumphing
NOVELA PICARESCA Picaresque novel; a subgenre of the novel whose narrative is customarily in the first person and whose protagonist is a *Pícaro* (rogue) who has a sarcastic, caustic, and often a bitter view of life, human nature, and society
NOVOMUNDISMO "New-worldism"; the general literary trend, found in *Criollismo* and *Arielismo* initiated by Spanish American *Modernism*, toward renewed interest in that which is inherently "American"
Nudo Knot
Nueva canción Music of social protest created during the 1850s and 1960s, especially popular in Chile
NUEVAS LEYES The New Laws of 1542 drawn up by the Spanish Crown in order to bring about more just treatment of the Amerindians in the colonies

ÑAÑIGO A Cuban religion of African origin, sprinkled with Catholic elements, and originally limited to men

Obra Artistic work; *Obra maestro* Masterpiece: *Mano de obra* Unskilled labor
Obraje A textile workshop; became of importance during the last years of the Spanish colonial period
Obstinado(*a*) Stubborn
Ocio Leisure, idleness
Oculto(*a*) Occult, concealed
Odiar To hate
Ola Wave
OLIGARQUÍA Oligarchy; a government dominated by the traditional, and typically conservative, moneyed class
Olvido Forgetfulness
Omiso(*a*) Neglectful, remiss; *Hacer caso omiso de* To ignore
Onda Wave
Ondulación Undulation, quivering
Oneroso(*a*) Onerous, burdensome
Oprimir To oppress
Opuesto(*a*) Opposite
Orgullo Pride
Oro Gold
Oscuro(*a*) Dark
Otorgar To grant, consent
Oveja Sheep
Oximoron Oxymoron; a combination of contradictory or incongruous words

PACTO IMPLÍCITO (o *TÁCITO*) An implicit, unwritten, generally unspoken agreement between two, many, and often an entire society of parties, usually without the need of its being made explicit
Padecer To suffer
Padrino Godfather
Pago Payment
Paisaje (m.) Landscape
Paja Straw
Paladar (m.) Palate
Palanca Lever, bar; *Tener palanca* To have pull, influence
Pantalón Pants, trousers
Pantano Swamp
Pañuelo Handkerchief
Paquete (m.) Package
Papel (m.) Paper, role (in society or in a play)
Par (m.) Pair, couple, equal, on a par with
Paradero Resting place
Paradoja Paradox; the result of a combination of contradictory elements leading to vicious circularity
Parar(*se*) To stand up
Parcela Parcel (of land)
Parco(*a*) Sparing, scanty
PARDO(*A*) (Port.) A person of African and European ethnic mixture
Pareja Pair, couple
Parentesco (m.) *Kindred, related*
Paria (f./m.) Pariah, outcast
Pariente (f./m.) Relative, family, relation
PARNASIANISMO Parnassianism; a French literary technique involving an impersonal, yet obsessive cultivation of aesthetic forms of expression
Parodia Parody; a literary work that mimics another work or works, and/or some aspect of society, so as to hold it up to ridicule
Parquedad With excessive moderation, sparingly
Parra Grapevine

Partidario(a) Partison
Pasatiempo Pastime
Pasillo Hallway
Paso Pace, step
PATERNALISMO The practice of treating or governing people in a patriarcal manner, especially by providing for their needs, while allowing them a mínimum of responsibility, while expecting their loyalty in return
Patrocinar To sponsor
PATRONATO Patronage; right of the king to appoint church officials
Paulatino(a) Slow, gradual
Paulista (f./m.) A person from São Paulo, today the largest city of Brazil
Pavor (m.) Fear
Payaso(a) Clown
Pecuniario(a) Pecuniary
Pedazo Piece, morsel
Pegado(a) Tight (regarding the fit of clothing)
Pena Embarrassment, sorrow, grief, pain
Pendón Banner, standard
PENSILULAR (f./m.) A Spaniard born in Spain, in contrast to the *Criollo(a)*, a person of Spanish parents born in the colonies
Pensador(a) Thinker
Peón (m.) Unskilled worker, most commonly agricultural
Pequeñez (f.) Smallness, trifle
Pera Pear
Perder To lose
Pérdida Loss
Perdurar To endure, last a long time
Perenne (m.) Perennial
Pereza Laziness
Periodista (f./m.) Reporter (of newspaper or magazine)
Permanecer To remain
Perpetuo(a) Perpetual, constant
Perseguir To pursue
Perseverancia Perseverance
PERSONALISMO Personalism; the nature of Latin American concrete, personal, inter-relational ties, as a natural outgrowth of a paternalistic culture; exists in contrast to the relatively abstract, institutional, systematic ties more typical of Anglo-American culture
Pesadez (f.) Heaviness, tiresomeness
Pesadilla Nightmare
Pesar (*a pesar de*) In spite of
Pesca Fishing industry
Pésimo(a) Of a bad state or condition
Peyorativo(a) Pejorative, having negative connotations
Pícaro(a) Rogue, a wily, scheming, tricky person
Piedad Mercy, piety, pity
Piel (f.) skin, hide
Pigmentocracia Pigmentocracy; a term that has been attached to the racial fusion in Latin America
Pintar(se) como To depict as
Pintoresco (f./m.) Picturesque
Pintura Painting
Piña Pineapple
Pirotécnica Pyrotechnics; o for pertaining to fireworks
Placentero(a) Pleasing
Placer (m.) Pleasure
Plagar To plague, infest
Plástico(a) Plastic, pliable, flexible
Plata Silver
Platino Platinum
Playa Beach
Plazo Term, time
Plebiscito Plebiscite; a direct vote in which the political part or

individual in control is either accepted or rejected, and hence will either remain in power or step down

Plebeyo(*a*) Plebeian, person of lower class

Pleito Dispute, debate, strife

Pleno(*a*) Complete, full

Plomo Lead

PLURALIDAD Plurality. This term has two meanings in this text. (1) regarding culture, a chief characteristic that has resulted from the melding together of complex practices and traits to produce a hybridized mixture, and (2) when used regarding politics, the winning vote in elections consisting of more than two candidates, even though that winning vote is less than 50%

Poblar To populate

Poder To be able (to do something), power

Poderío Power, might, dominion

POPULISMO Populism; a political tactic directed toward the passes and usually advocating a more equitable distinction of wealth and power, although sometimes with a tinge of falsity or hypocrisy

Pordiosero(*a*) Beggar

Portavoz (f./m.) Spokesperson, mouthpiece

Porteño(*a*) A person from a port city; used commonly regarding Buenos Aires

Porvenir (m.) Future

Posar To perch

POSITIVISMO Positivism; a philosophy developed by French intellectual Auguste Comte, that emphasized mathematical and scientific knowledge, and was designed to supersede theology and metaphysics, which were considered less developed doctrines—and hence lower on the evolutionary ladder—governing human thought and conduct

Postizo(*a*) Fake, artificial

Póstumo(*a*) Posthumous, coming after, a work published after the death of the author

Postura Posture, stance, position

Preconcebir To preconceive

Predecir To foretell

Predilecto(*a*) Favorite

Prelado (eccl.) Prelate

Prensa Press (newspapers and magazines)

Presentimiento Presentment, foreshadowing

Préstamo Loan

Prestar To lend

Presuponer To presuppose

Presupuesto Budget

Pretexto Excuse

PRÊTO(*A*) (Port.) A person of relatively dark skin, predominantly of African and secondarily of other ethnic origins, unlike *Pardo*(*a*) or *Mulato*(*a*), people of a lighter mix of African and European ethnic background; recently used in preference to *Negro*(*a*), also meaning "black"

Prevalecer To prevail

Prever To forsee

Primitivismo Primitivism; in the arts, a fascination with the cultures and the way of life of the so-called "primitive" peoples, in part as a result of influence from French surrealism

Prisa Haste, urgency

Probar To prove, try (out)

Prójimo(a) Neighbor
Prometedor(a) Promising
Promovedor(a) Promotor, one who promotes
Pronosticar To forecast
Propagar To propagate, spread, disseminate
Propuesta Proposal, offer
Proseguir To continue, proceed
Prostíbulo House of prostitution
Protectorado Protectorate; a relationship of protection and partial control of a stronger nation over a dependent country
Provecho Benefit, profit, gain
Provincia Province, local environs
Prueba Proof
Pugilismo (m.) Boxing
Púdico(a) Chaste, modest
Puente (m.) Bridge
Puerto Seaport
Puesto Post, political or bureaucratic position
Punzante Sharp, pricking

QUECHUA One of the languages spoken by the Amerindians of the Inca empire and to the present
Quedar To remain, stay
Quehacer (m.) Work, chore, domestic duties
Queja Complaint, grumbling
QUETZALCOATL Aztec god of peace and culture, appropriated from the ancient Toltecs
Quienquiera Whomever
QUILOMBO (m.) (Port.) Colony of runaway slaves, the most notable of which is Palmares in the northeastern section of Brazil
QUINTO A tax consisting of one fifth of the income from the mines. It was at times reduced to as little as one twentieth, according to what was perceived to be the colonists' capacity to pay the crown its due share
QUIPUS Strings of different colors and with a variety of knots that contained messages; transferred from village to village by relay runners during the Inca period

Radicar *To reside, settle down, take roots*
Raíz (f.) Root
Rama Branch
Rango Rank (military)
Rastro Track, trace
Raza Race
Real, realista Royal, royalist
REALISMO Realism; the literary movement during the last half of the 19th century in Latin America, the works of which emphasized objective portrayals of the life and times of particular segments of society; in Latin America, realism merged naturalism to yield a hybrid product that is at times termed *Realismo-Naturalism* in this text
REALISMO MÁGICO Magical realism; a subtle merging of literature of apparently real and magical or irreal elements (due to limited space in this Glossary, see Chapter Nineteen for a more extensive definition)
Reanudar To renew, resume
Rebeldía Rebelliousness, defiance
Recaer To fall back into another era, relapse, backslide
Recaudar To collect, gather
Recelo Fear, distrust
Recetar To prescribe
Rechazar To reject
Recibo Receipt
Recio(a) Strong, coarse, harsh

Reclutar To recruit
Recobrar To recover
Recoger To gather up
RECONQUISTA Reconquest; the prolonged campaign by the Spaniards to "reconquer" the Peninsula following the Moorish invasion beginning in 700 AD: the last of the Moors were finally expelled in 1492
Recuerdo Memory, remembrance
Recurso Resource, means
REDUCCIÓN Reduction; during the Spanish colonial period, it entailed a relocation of the recently converted Amerindians into villages that could be more effectively administered
Reemplazar To replace
REFORMA Reformation; the effort in the 16th century to reconstitute the life and teachings of Christ, a period that also marked the rise of the Protestant religions
REFORMISTA Reformist; a political leader interested in social, economic, and political reforms—hence avoiding revolution—that might provide opportunities which in the long run chiefly benefit the middle class
Refrán (m.) Proverb, colloquial saying
Refuerzo Reinforcement (of fresh soldiers)
Regalar To give
REGIONALISMO Regionalism; interest in the way of life in the provincial environs of a country; in literature, a preference for the social, political, and economic characteristics of particular regions within a country
Regir To rule, govern
Regla Rule, code of conduct
Regresar To return
Retrógrado(a) Retrogressive
Rehén (f./m.) Hostage
Relámpago Lightning
Relegar To relegate
Relieve (m.) Relief, low relief in architecture; *Correr en relieve* Relay
Remediar To remedy, find a remedy for
Remodelar To recast, put into another form
RENACIMIENTO Renaissance; the humanist revival of classical art, literature, and learning; originated in Italy in the 14th century and lasted through the 16th century in certain areas of Europe and America
Rendir To yield, give up, surrender
Renegar To deny
Renombre (m.) *Renown, fame*
Renovado(a) Renewed, renovated
REPARTIMIENTO Literally indicates re-distribution; an institution set up by the Spanish Crown in order to regulate the division of Amerindians for labor, principally in the mines and agricultural zones, according to local needs; was in effect chiefly during the 17th century
Repleto(a) Replete, full
Reposar To repose, lie, rest
Represalia Reprisal
Repudiar To repudiate, reject
REQUERIMIENTO Requirement; a document presented to the villages of Amerindians prior to the Spaniards' entering them for conquest; read in Spanish with a translator, when available, the *Requerimiento* demanded of the

Amerindians that they lay down their arms, submit to the King of Spain, and embrace the Catholic religion, for if not, the conquerors would not be held accountable for the consequences

Res (m.) Beef, cattle

Rescate (m.) Ransom

Respirar To breathe, get a breath of fresh air

Respiro Breath, gasp, moment of rest

Respuesta Answer, reply

Restringir To restrict

Resucitar To be resurrected

Retirado(a) At a distance, far removed, withdrawn

Retiro Retreat, refuge

Retoño Sprout

Retratar To take a photograph

Retrato Portrait, photograph

Revés Back, reverse; *Al revés* Wrong side out, inside out

Revista Magazine

Revoltoso(*a*) Turbulent, seditious

REVOLUCIONARIO(*A*) Revolutionary; a political theorist who pushes for radical agrarian reform and more exacting labor laws, in contrast to a reformista, who tends to favor middle and/or upper class interests

Ribera Shore, bank

Rienda Reins (of a horse)

Riesgo Risk

Rincón (m.) Corner

Riña Quarrel, dispute

Rodear To surround, encircle

Romance Romance; a historical ballad, usually in the form of a few brief verses

ROMANTICISMO Romanticism; a literary and artistic movement arising in Europe at the end of the 18th century and the beginning of the 19th century; it emphasized the artist's personal subjective experience in response to the predominance of classical forms prevailing at the time

Romper To break, tear

Rostro Face

Rotundamente Categorically, completely

Rubio(*a*) Blond

Ruidoso(*a*) Noise, racket

Rumba A Cuban style of music and dance

Rumba-Fox (f.) A blending of Caribbean and North American music and dance

Rumbo Direction, destination

Ruta Route

Sable (m.) Saber

Sacar To take out

Sádico(*a*) Sadistic

Sagacidad Sagacity, sagaciousness

Sala Room, hall

Salón Salon, meeting hall, dance hall

Salsa A popular contemporary Colombian style of music and dance

Salud (f.) Health

Salvo Except, save

Samba A popular music and dance style of Brazil, combining African and some Native Amerindian elements; commonly associated with the *Carnaval*

Samba-Fox (f.) A mixture of Caribbean and North American music and dance with the Brazilian *Samba*

Sandia Watermelon

SANDINISTAS A coalition of factions that united against the Somoza regime in Nicaragua, the government they toppled in 1979

in a revolutionary conflict, and held control until 1900 when they were in their turn toppled by the electoral process

Sano(*a*) Healthy

SANTERÍA Consists of a *mestizo-hibridizado* blend of various African religions and Catholicism in Cuba; it now exists in New York City neighborhoods, and elsewhere; an estimate has it that at the time of the Cuban Revolution three quarter of the population practiced *Santería*

Saquear To plunder, loot, pillage

Sastre (f./m.) Tailor

Sátira Satire; a literary model using irony, derision, and wit to expose cultural hypocrisy, folly, and contradictory practices

Saudade (f.) (Port.) A longing or profound nostalgia for something intangible, vague, beyond and virtually indescribable, yet sensed and felt at intuitive and sentimental levels

Saya A form of petticoat

Sector (m.) An organized body within a corporate state (labor, agricultural, military, bureaucratic, professional) engaged in promoting its particular interests. Mexico under Lázaro Cárdenas, Argentina under Juan Perón, and Brazil under Getúlio Vargas set up states that were to a greater or lesser degree corporate in nature

Sed (f.) Thirst

Seda Silk

Sede (f.) Seat, center of control and functioning (of government or an important ceremony or event)

Sedentario(*a*) Sedentary

Selva Jungle

Semblanza Semblance, aspect, characteristic

Sensual Sensuous, sensual, sexy

Senzala (Port.) Slave quarters

Señal (f.) Sign, signal

Sequía Drought

SERTÃO (m.) (Port.) The backlands of the interior of northeastern Brazil

Servidumbre (f.) Servitude

Show de auditorio (m.) Variety show

Siderurgia Iron works

Siembra Sowing, seeding

Siervo(*a*) Serf

SIGLO DE LAS LUCES, o LA ILUSTRACIÓN Enlightenment; the 18th century movement in Europe placing renewed emphasis on logic, reason, and criticism of ethical and aesthetic norms, and entailing the vision of an emancipation of all humankind through rational social, political, and economic organization; coincided with the neoclassical movement in the arts

Silla (*de montar*) Saddle

Síncope (f.) Syncope; a shift of accent in a musical composition that occurs when an accustomed weak beat is stressed

MESTIZAJE-HIBRIDACIÓN The melding, blending, fusion of two or more otherwise incompatible perspectives, intellectual forms, religious beliefs, language conventions, and forms of cultural practices.

Sindicato Worker's union

Soberano(*a*) Sovereign

Sobrar To exceed, be more than enough

Sobresaliente (f./m.) Standing out, excelling, surpassing
Sobrevivir To survive
Sobrio(a) Sober, temperate
Socio(a) Business or professional partner
SOCIO-POLÍTICO-ECONÓMICO The trio of terms by which Latin America's cultures and civilizations are qualified and evaluated throughout this text
Sofocar To suffocate, put out, extinguish
Soldadera A "woman soldier," who fought alongside the men during the Mexican Revolution
Soltero(a) Umarried
Sombrío(a) Somber, gloomy
Sonámbulo(a) Sleepwalker
Son (o *Huapango*) (m.) A folkloric music and dance style of Mexico, to an extent influenced by the *Zamacueca* or Peru
Sonrisa Smile
Soñoliento(a) Sleepy
Sórdido(a) Sordid, wretched, squalid
Sorprendente Surprising
Sorpresa Surprise, shock
Sospechoso(a) Suspicious
Sostener To sustain, defend a point of view
Suavizar To soften, smooth
Subida Ascent
Sujetar To subject to
Sublevación Insurrection, revolt
Submundo Underworld
Subrayar To underline, emphasize
Subjugar To subjugate, subdue
Sueldo Wage
Sufrir To suffer
Sumamente Exceedingly
Sumergir To submerge
Sumiso(a) Submissive
Suntuoso(a) Sumptuous
Superar To exceed, pass, overcome
Superficie (f.) Surface
Suplantar To supplant, replace
SURREALISMO Surrealism; a movement in France, initiated in 1924 by André Breton, with interest in "exotic" cultures, and influence from Sigmund Freud in an effort to map out the subconscious within the creative process
Sutil Subtle

Táctil Tactile, pertaining to touch
Taller Shop, workshop
Tambor Drum
Tamborazo A heavy drum beat
TANGO Popular music and dance of Argentina, consisting of influence from Andalucía in Spain, Cuba, and Brazil, and of sentimental, yet melancholic and occasionally forlorn lyrics
Tapicería Tapestry
Tarea Task, job
Tecnocracia Technocracy; a social body under the direction of a group of scientifically trained personnel; particularly notable in the *científicos* during Porfirio Díaz's dictatorship
Tejedor(a) Weaver
Tejer To weave, knit
Telenovela Soap opera
Telúrico(a) Telluric; of or relating to the land, and its profound cultural image, and symbolic social importance
Temblor (m.) Earthquake
Temer To fear
Temporada Season of the year
Tender (*a*) To have a tendency to
TENOCHTITLAN Capital of the Aztec empire, situated on an

island in Lake Texcoco at the site of present-day Mexico City

Tenue Tenuous

Terco(a) Stubborn, obstinate

Terquedad Stubbornness

Terrateniente (f./m.) Large land owner

Terremoto Earthquake

Terreno Land, soil, field

TEXCOCO A lake in the Valley of Mexico on an island of which Tenochtitlán, the capital city of the Aztec empire, was constructed

Texmex (f.) A blend of Mexican and southwestern United States musical styles

TEZCATLIPOCA Toltec god of war, later integrated into the Aztec religion in the form of a trickter god

TIENDA DE RAYA Comparable to a "company store," where the peasants became indebted to the landowners; unable to pay their debts—since the landowners saw to it that their pay was always insufficient to liquidate the debt—they were confined to the *Hacienda*; when they died, their debt was inherited by their sons, and the vicious circle was perpetuated. This practice is of particular note in the Porfirio Díaz regime of Mexico

TIHUANACO An ancient Incan fortress on the shores of Lake Titicaca in Bolivia

Tiniebla Darkness

TITICACA A lake in northern Bolivia bordering on Peru

Títere (f./m.) Puppet

Titubear To stagger, totter, stammer, hesitate

TLALOC Ancient Mesoamerican god of rain and fertility; integrated into the Aztec religion

TLATELOLCO Site of the largest market of Tenochtitlan; during the colonial period a convent was constructed at the site; today it is the location of modern structures and has been named the *Plaza de las Tres Culturas*. In 1968 it was the site of a brutal government crackdown on protesting students, professors, and middle class supporters

TLATOANI The aristocratic class of the Aztec society

TLAXCALTECAS The people of a culture northwest of Tenochtitlan; archenemies of the Aztecs, and constantly engaged in the *Guerra Florida* with them

Tocar To touch

TOLTECAS An ancient tribe inhabiting the Valley of Mexico, prior to its invasion by the Aztecs

Tomo Tome, volume of a book

Tonada Folklore music of Argentina, influenced by the *Romance*

TONANTZIN The Aztec "Mother of the Earth," later replaced in the popular mind-set of the Amerindians throughout Mexico by the Catholic Virgin of Guadalupe

Toque (m.) Touch, a little bit of something, ringing of bells

Torbellino Whirlwind

Torcer To twist

Torpe (f./m.) Slow, clumsy, stupid

Tortuga Tortoise, turtle

Trabar To join, unite, become entangled, jammed

Traje (m.) Formal men's suit

Trámite (m.) Transactions, proceedings

Trasfondo Background
Trasladar To move to another place
Trastornar To upset, disturb
Tradado Treaty
Tratamiento Treatment
Tratar (*de*) To try (to do something)
Través (*a través de*) By means of, through
Trazar To trace
Trecho Space, distance
Tregua Truce
Tribunal (m.) Tribunal, court
Trigo Wheat
Tropicalismo Tropicalism: a particular poetic style adopted by Carlos Pellicer in his exultation of the tropics
Tumbar To overthrow
Tunsteno Tungsten
Tupamaros The name of a rebel group that appeared in Uruguay in 1967, the first urban guerrilla force in Latin America; the name comes from Tupac Amaru, who was an Inca chieftan who rebelled against the Spanish Crown in 1780
TUPÍ-GUARANÍ The linguistic base of the dialects spoken by the majority of the Amerindians in Paraguay, northern Argentina, and southern Brazil
Tutlaje (m.) Tuelege, guardianship
Ubicar To be situated, located
Ultraismo Ultraism; a movement in poetry, organized in 1919 in Argentina under the direction of Jorge Luis Borges and others
Único Only, singular, unique
UNIDAD NEOCLÁSICA A set of rules for the neoclassical unity of a literary work; a measuring rod, which includes unity of time (24 hours or less), place (one and only one), and action (conforming to the time period)
UNITARIOS "Unitarians"; of Argentina, those of the early 19th century who advocated reforms comparable to the liberals of the rest of Spanish America, except for their pressing for greater central control by the federal government
Urna Urn, ballot box
Usurpador(*a*) Usurper, one who takes power illegitimately
Utilidad Utility, public utilities
UTOPÍA Utopia; from the Greek *topos* (= place), an imaginary and indefinitely remote region of ideal perfection
Uva Grape

Vaciar To empty
Vacilar To vacillate, waiver, oscillate
Vacío(*a*) Empty, vacuum
VACÍO CULTURAL The cultural vacuum that remained after the founders of the independent Spanish American republics attempted to cleans themselves of all vestiges of their cultural and institutional past
Vagabundeo A roving about
Vagar To wander, roam
Vago(*a*) Vague, vagabond
Vaivén (m.) Fluctuation, swaying, coming and going
Valer To be of worth
Vanadio Vanadium
Vasallo(*a*) Subject (of the king)
Vecino(*a*) Neighbor
Vega Meadow
Vencer To defeat, overpower
Vendedor(*a*) Salesperson, trader
Vender To sell

Venta Sale
Ventaja Advantage
Verdura Vegetable
Vergüenza Shame
Verosimilitud Verisimilitude; appearing to be real
Vertiginoso(a) Vertiginous, giddy
Vestigio Vestige, remnant, remainder
Vestuario Wardrobe, stock of clothing
Vibrante Vibrant, vibrating
Vidrio Glass
Vigencia State of being in force, under the law
Vigilar To watch (over), keep guard
Villa Village
Villano(a) Villain
VIRREINATO Viceroyalty, a province of the colony
VIRREY Viceroy, governor of a province of the colony
Víspera Eve, as on the eve of
Vista View
Vituperio *Vituperation, blame, invective*
Viudo(a) Widower (m.), widow (f.)
Vivienda *Dwelling, lodging, house*
Vocero(a) Spokesperson
VODÚ Voodoo; a religion originating in Africa as a form of ancestor worship; characterized by participatory rites and the use of trance as a means of communicating with deities and deceased relatives; in present-day practices, makes use of spells, necromancy, and sorcery
Voltear To turn around
Voltereta Turn, turn of events
Voluble (f./m.) Voluble, fickle
Voluntad Will, good will; *Fuerza de voluntad* Will power
Volver To return
Vuelta Return

Yacimiento Deposit, field, bed
YANACONA The class of workers making up the Inca *Mita*, somewhat comparable to medieval serfs in Europe
Yerba mate (or simply *Mate*) An herbal tea consumed by the gauchos and still in widespread use in southern Argentina, Uruguay, and southern Brazil
"Yo" (m.) Self, ego
Yugo Yoke

Zafra Sugar cane harvesting season
Zamacueca Traditional folkloric music and dance of Peru; has influenced dance and music throughout Spanish America
ZAMBO(A) A person of combined Amerindian and African ethnic background
Zócalo Central plaza, square
Zorro Fox

PELÍCULAS Y VIDEOS

Following is a list of films and videos that are of special interest to the topics presented in this volume. See also Libro de consulta: Karen Ranucci y Julie Feldman (eds.). *Guide to Latin American, Caribbean and U.S. Latino made Film and Video.* London: Scarecrow Press, 1998.

FILMS FOR THE HUMANITIES AND SCIENCES

P.O. Box 2053, Princeton, NJ 08543, Teléfono [800] 257-5126.

The Amazon River (55 min.).
In the Shadow of the Incas (40 min.).
The Fall of the Maya (28 min.)
Mitos, rituales y costumbres aztecas (56 min.).
Tenochtitlan (56 min.).
Teotihuacan (56 min.).
The Civilizations of Mexico (13 min.).
Colón señaló el camino (52 min.).
The Discovery of America (13 min.).
Conquest of Mexico and Peru (13 min.).
El enigma de Quetzalcoatl (56 min.).
Temples into Churches (26 min.).
The Sword and the Cross (58 min.).
Brazil in the 16th and 17th Centuries (50 min.).
Simón Bolívar: The Great Liberator (58 min.).
Invasión (el destino de un grupo de amerindios de Brasil desde 1971, 26 min.).
¡Esplendores! Splendors of Mexico (sigue la conocidísima exhibición de 35 siglos de 35 siglos de arte en México, 28 min.).
Art and Revolution in Mexico (60 min.).
Frida Kahlo (20 min.).
Donde digo Diego Rivera (56 min.).
El pan nuestro (sobre las tradiciones de México, 56 min.).
Mexico City (40 min.).
Juan Perón (22 min.).
El abrazo (sobre el tango, 50, min.).
Mama Coca: Cocaine at Its Source (26 min.).
Castro and the Cuban Revolution (13 min.).
Fiel Castro (22 min.).

Hernández: Martin Fierro (60 min.).
Yo soy Pablo Neruda (28 min.).
The Inner World of Jorge Luis Borges (28 min.).
Octavio Paz: An Uncommon Poet (28 min.).
Carlos Fuentes: Man of Two Worlds (35 min.).
Gabriel Garcia Márquez: La magia y lo real (60 min.).
Isabel Allende: The Woman's Voice in Latin American Literature (56 min.).

FILMS INCORPORATED VIDEO

5547 N. Ravenswood Avenue, Chicago IL. 60640, Teléfono (800) 343-4312.

The Buried Mirror (Una presentación extraordinaria de Carlos Fuentes, consiste de 5 programas: La virgen y el Toro, La Batalla de los Dioses, La Edad de Oro, El Precio de la Libertad, Las Tres Hispanidades, Español e Inglés, casi una hora cada parte).
The Frescoes of Diego Rivera (35 min.).
Frida Kahlo (62 min.).
Carnaval Bahia (50 min.).

FILMMAKERS LIBRARY INC.

124 East 40th Street, New York: NY 10016, Teléfono (212) 808-4980): www.filmakers.com.

Macumba, Trance and Spirit Healing (43 min.).
Barriers of Solitude (52 min.).
Children of Zapata (24 min.).
Flowers for Guadalupe: The Virgin of Guadalupe Inspires Mexican Women. (57 min.).
The New Cuban Crisis (37 min.).
Inside Castro's Cuba (51 min.).
Celebration: A Caribbean Festival (30 min.).
El Salvador: Portraits in a Revolution (56 min.).
Amazonia: The Road to the End of the Forest (48 min.).
Children of Rio (48 min.).
Lines of Blood: The Drug War in Colombia (52 min.).
Our God the Condor (30 min.).
Scraps of Life (sobre Chile bajo Pinochet, 28 min.).
The King Does Not Lie: The Initiation of a Shango Priest (50 min.).
Coffee: A Sack Full of Power (52 min.).
The Fujimori Empire (52 min.).
Barriers of Solitude (52 min.).
Coffee Break! (27 min.).
Chile: ¿Hasta Cuándo? (57 min.).
Amazon Journal (58 min.).
Rumblings of the Earth: Wilfredo Lam, His Work and Words (23 min.).

Global Video

P.O. Box FLH-4455, Scottsdale, AZ 85206.

Inca: Lost Civilizations (60 min.).
Incas Remembered (60 min.).
Mystery of Machu Picchu (60 min.).
Aztec Empire (50 min.).
Rise and Fall of the Aztecs (50 min.).
Mexico's Great Pyramids (50 min.).
Lost Kingdoms of the Maya (60 min.).
Voices in the Stones (30 min.).
Emerging Powers: Mexico (50 min.).
Cinco de Mayo (30 min.).
Masks of Mexico (30 min.).
Pancho Villa Biography (50 min.).
Diego Rivera (35 min.).
Frida Kahlo (60 min.).
U.S. in Latin America (50 min.).
Costa Rica (60 min.).
Cuba: Island of Dreams (52 min.).
Caribbean Islands (35 min.).
Argentina (30 min.).
Evita Perón (50 min.).
Emerging Powers: Brazil (50 min.).

World Cultures on Film and Video

University of California Extension, Center for media and Independent Learning, 2176 Shattuck Avenue, Berkeley, CA 94704, Teléfono (510) 642-0460.

Popol Vuh: the Creation of the Maya (60 min.).
The Living Maya (sobre la vida cotidiana de los Mayas de hoy, cuatro programas de 58 min.).
Nomads of the Rainforest (59 min.).
Hail Umbanda (46 min.).
Before Reggae Hit of the Town (21 min.).
Voodoo and the Church in Haiti (40 min.).
Bahia: Africa in the Americas (58 min.).
Dancing with the Incas (58 min.).

Insight Media

121 West 85th Street, New York, NY 10024, Teléfono [212] 721-6316.
(Estos videos son principalmente para estudiantes de español intermedio).

Columbus: Man and Myth (30 min.).

Art and Recreation in Latin America (44 min.).
Piñatas, posadas, y pastorelas (25 min.).
People of the Caribbean (54 min.).
La muerte Viva (sobre el Día de los Muertos en México, 28 min.).

Ermal Garinger Academic Resources Center

University of Kansas, 1445 Jayhawk Blvd. 4070 Wescoe Hall, Lawrence, KS 66045, Teléfono [785] 864-4759).

Papers—Stories of Undocumented Youth (88 min.).
New Cinema of Latin America, 2 Parts. (83 min. each).
El General (sobre Plutarco Elías Calles, 83 min.).
Hecho en México (documental que busca hacer una reflexión sobre la mexicanidad, mostrando aspectos de la vida diaria de los mexicanos, 88 min.).
5 Factories (sobre el control del trabajo en Venezuela, 81 min.).
El Che (90 min.).
Jamaica for Sale (92 min.).
When Worlds Collide (87 min.).
Ghosts of Machu Picchu (56 min.).
Costa Rica: Child in the Wind (58 min.).
Evita: The Woman Behind the Myth (50 min.).
The Panama Deception (91 min.).
Secrets of the Dead: Aztec Massacre (60 min.).
Black in Latin America. 2 DVDs (240 min.).
Food for the Ancestors (sobre el Día de los Muertos, 60 min.).
The Empty ATM: Inside Argentina's Broken Economy (60 min.).
Fighting the Tide: Developing Nations and Globalization—Guatemala: The Human Price of Coffee (26 min.).

Lava (Latin American Video Archives)

Hay una impresionante selección en el internet: www.lavavideo.org

Además, hay una selección de películas latinoamericanas con: Facets Video, 1517 West Fullerton Avenue, Chicago, IL. 60614, Teléfono [800] 331-6197.

PARA APRENDER MÁS

General

Ames, Barry. *Church and Politics in Latin America.* New York: St. Martin's, 1990.

Anderson Imbert, Enrique. *Historia de la literatura hispanoamericana.* México: Fondo de Cultura Económica, 1954.

Black, Jan Knippers (ed.). *Latin America: Its Problems and Its Promises*, rev. Ed. Boulder: Westview, 1998.

Burkholder, Mark A. y Lyman J Johnson. *Colonial Latin America.* New York: Oxford University Press, 1994.

Castedo, Leopoldo. *A History of Latin American Art and Architecture from Pre-Columbian Times to the Present.* New York: Praeger, 1969.

Cockcroft, James D. *Neighbors in Turmoil: Latin America.* New York: Harper & Row, 1989.

Crow, John A. *The Epic of Latin America.* Berkeley: University of California Press, 1992.

Fuentes, Carlos. *The Buried Mirror: Reflections of Spain and the New World.* Boston: Houghton Mifflin, 1992.

González, Juan. *Harvest of Empire: A History of Latinos in America.* Westminster: Penguin, 2001.

Herring, Hubert. *A History of Latin America.* New York: Alfred A. Knopf, 1965.

Langley, Lester D. *America and the Americas: The United States in the Western Hemisphere.* Athens: University of Georgia Press, 1989.

Morse, Richard M. *New World Soundings: Culture and Ideology in the Americas.* Baltimore: John Hopkins University Press, 1989.

Nida, Eugene A. *Understanding Latin Americans: With Special Reference to Religious Values and Movements.* Pasadena: William Carey Library, 1987.

Sheahan, John. *Patterns of Development in Latin America.* Princeton: Princeton University Press, 1987.

Skidmore, Thomas E., y Peter H. Smith. *Modern Latin America.* New York: Oxford University Press, 1992.

Williamson, Edwin. *The Penguin History of Latin America.* London: Penguin, 1992.

Winn, Peter. *Americas: The Changing Face of Latin America and the Caribbean.* New York: Pantheon, 1992.

CAPÍTULO 1

Browder, John O. (ed.). *Fragile lands of Latin America.* Boulder: Westview, 1989.

Butlano, Gilbert J. *Latin America: A Regional Geography*. London: Longman, 1972.

Butterworth, Douglas y John K. Chance. *Latin American Urbanization.* Cambridge: Cambridge University Press, 1981.

Davidson, William V. y James J. Parsons. (eds.). *Historical Geography of Latin America.* Baton Rouge: Louisiana State University press, 1980.

Dealy, Glen Caudill. *The Latin Americans: Spirit and Ethos.* Boulder: Westview, 1992.

Odell, P.L. y D.A. Preston. *Economics and Societies in Latin America: A Geographical Interpretation.* New York: Wiley, 1978.

Preston, David A. *Environment, Society, and Rural Change in Latin America: The Past, Present, and Future in the Countryside.* New York: Wiley, 1980.

CAPÍTULO 2

Altman, Ida. *Emigrants and Society: Extremadura and Spanish America in the Sixteenth Century*. Berkeley: University of California Press, 1989.

Brenan, Gerald. *The Spanish Labyrinth.* Cambridge: Cambridge University Press, 1943.

Crow, John A. *Spain: The Root and the Flower.* Berkeley: University of California Press, 1985.

Díaz-Plaja, Fernando. *El español y los siete pecados capitales*. Madrid: Alianza, 1966.

Elliot, J.H. *Spain and Its World, 1500-1700.* New Haven: Yale University Press, 1989.

Liebman, Seymour B. *Exploring the Latin American Mind.* Chicago: Nelson-Hall, 1976.

Michener, James A. *Iberia.* New York: Fawcett, 1969.

Robinson, David J. (ed.). *Migration in Colonial Spanish America.* Cambridge: Cambridge University Press, 1990.

Souchère, Elena de la. *Explanation of Spain.* New York: Random House, 1964.

Stone, Samuel Z. *The Heritage of the Conquistadors.* Lincoln: University of Nebraska Press, 1990.

CAPÍTULO 3

Céspedes, Guillermo. *Latin America: the Early Years.* New York: Alfred A. Knopf, 1974.

Gerbi, Antonello. *Nature in the New World: From Christopher Columbus to Gonzalo Fernández de Oviedo*, trans. J. Moyle. Pittsburgh: University of Pittsburgh Press, 1985.

Greenblatt, Stephen. *Marvelous Possessions: The Wonder of the New World.* Chicago: University of Chicago Press, 1991.

Granzotto, G. *Christopher Columbus: The Dream and the Obsession.* London: Collins, 1986.

Jara, René (ed.) *American Images and the Legacy of Columbus.* Minneapolis: University of Minnesota Press, 1992.

Leonard, Irving A. *Portraits and Essays: Historical and Literary Sketches of Early Spanish America.* Newark: Juan de la Cuesta, 1986.

Núñez Cabeza de Vaca, Alvar. *Castaways: The Narrative of Alvar Núñez Cabeza de Vaca.* Berkeley: University of California Press, 1993.

O'Gorman, Edmundo. *La invención de América.* México: Fondo de Cultura Económica, 1958.

Todorov, Tzvetan. *The Conquest of America.* New York: Harper and Row, 1984.

Williams, Jerry M. y Robert Earl Lewis (eds.). *Early Images of the Americas: Transfer and Invention.* Tucson, University of Arizona Press, 1993.

Zamora, Margarita. *Reading Columbus.* Berkeley: University of California Press, 1993.

Zavala, Silvio Arturo. *Sir Thomas More in New Spain: A Utopian Adventure of the Renaissance.* London: Hispanic and Luso-Brazilian Councils, 1955.

Zavala, Iris. *Discursos sobre la 'invención' de América.* Amsterdan: Rodopi, 1992.

CAPÍTULO 4

Adams, Richard E.W. *The Origins of Maya Civilization.* Albuquerque: University of New Mexico Press, 1977.

Baquedano, Elizabeth. *Los Aztecas: Historia del arte, arqueología y religión.* México: Panorama, 1987.

Coe, Michael. *The Maya.* London: Thames & Hudson, 1987.

Durand, José. *La transformación social del conquistador.* México: Porrúa y Obregón, 1953.

Gibson, Charles. *The Aztecs under Spanish Rule.* Stanford: Stanford University Press, 1964.

Gossen, Gary H. y Miguel León Portilla (eds.). *South and Meso-American Native*
Spirituality: from the Cult of the Feathered Serpent to the Theology of Liberation. New York: Crossroad, 1993.

Grieder, Terence. *Origins of Pre-Columbian Art.* Austin: University of Texas Press, 1983.

Hadington, E. *Lines of the Mountain Gods: Nazca and the Mysteries of Peru.* New York: Random House, 1987.

Keating, E.W. (ed.) *Peruvian Prehistory*. Cambridge: Cambridge University Press, 1986.

Kendall, A. *Everyday Life of the Incas*. London: Batsford, 1973.

Kirkpatrick, Frederick Alexander. *The Spanish Conquistadores*. New York: Barnes & Noble, 1967.

León Portilla, Miguel (ed.). *The Aztec Image of Self and Society: An Introduction to Nahua Culture.* Salt Lake City: University of Utah Press, 1992.

Lothrop, Samuel K. *Treasures of Ancient America: Columbian Art from Mexico to Peru.* New York: Rizzoli International, 1979.

Morley, Sylvanus G. y George W. Brainerd. *The Ancient Maya.* Stanford: Stanford University Press, 1983.

Prescott, William H. *History of the Conquest of Mexico and History of the Conquest of Peru.* New York: Random House, 1957.

Ricard, R. *The Spiritual Conquest of Mexico.* Berkeley: University of California Press, 1966.

Silverblatt, Irene. *Gender, Ideologies and Class in Inca and Colonial Peru.* Princeton: Princeton University Press, 1987.

Sokolov, Raymond. *What Are What We Eat: How the Encounter between the New*

World and the Old World Changed the Way Everyone on the Planet Eats. New York: Summit, 1991.

Soustelle, Jacques. *Daily Life of the Aztecs.* Stanford: Stanford University Press, 1961.

Stern, Steve J. *Peru's Indian Peoples and the Challenge of Spanish Conquest.* Madison: University of Wisconsin Press, 1982.

Stevenson, Robert M. *Music in Aztec and Inca Territory.* Berkeley: University of California Press, 1968.

Thomas, Hugh. *Conquest: Moctezuma, Cortes, and the Fall of Old Mexico.* New York: Touchstone, 1995.

Vaillant, George C. *The Aztecs of Mexico: Origin, Rise, and Fall of the Aztec Nation.* London: Harmondsworth, 1950.

Varner, John G. y Veanette J. Varner. *Dogs of the Conquest.* Norman: University of Oklahoma Press, 1983.

Watchel, Nathan. *The Vision of the Vanquished: The Spanish Conquest of Peru through Indian Eyes 1530-1570.* New York: Harper, 1977.

Zavala, Silvio Arturo. *The Political Philosophy of the Conquest America.* México: Editorial Cultura, 1953.

CAPÍTULO 5

Bethell, Leslie (ed.). *Colonial Brazil.* Cambridge: Cambridge University Press, 1987.

Bethell, Leslie (ed.). *Colonial Spanish America.* Cambridge: Cambridge University Press, 1988.

Florescano, Enrique. *Memory, Myth and Time in Mexico: From the Aztecs to*

Independence. Austin: University of Texas Press, 1994.
Gibson, Charles. *Spain in America*. New York: Harper & Row, 1966.
Greenleaf, Richard E. y Lewis Hanke (eds.). *The Roman Catholic Church in Colonial Latin America*. New York: Alfred A. Knopf, 1971.
Hanke, Lewis. *Aristotle and the American Indians*. Chicago: University of Chicago Press, 1959.
Haring, Clarence Henry. *The Spanish American Empire*. New York: Oxford University Press, 1947.
Kann, Robert. *The Hapsburg Empire*. New York: Praeger, 1957.
Lant, James. *Portuguese Brazil: The King's Plantation*. New York: Academic Press, 1979.
Lockhart, James y Stuart B. Schwartz. *Early Latin America: A History of Colonial Spanish America and Brazil*. Cambridge: Cambridge University Press, 1983.
Ramírez, Susan E. *Provincial Patriarchs: Land Tenure and the Economics of Power in Colonial Peru*. Albuquerque: University of New Mexico Press, 1986.
Rubert de Ventos, Xavier. *The Hispanic Labyrinth: Tradition and Modernity in the Colonization of the Americas*. New Brunswick: Transaction Press, 1991.
Twinam, Ann. *Miners, Merchants, and Farmers in Colonial Colombia*. Austin: University of Texas Press, 1986.
Zavala, Silvio Arturo. *The Spanish Colonization of America*. Philadelphia: University of Pennsylvania Press, 1943.
Zavala, Silvio Arturo. *The Defense of Human Rights in Latin America, Sixteenth to Eighteenth Centuries*. Paris: UNESCO, 1964.

CAPÍTULO 6

Adrien, Kenneth. *Crisis and Decline: the Viceroyalty of Peru in the Seventeenth Century*. Albuquerque: University of New Mexico Press, 1986.
Chevalier, F. *Land and Society in Colonial Mexico*. Berkeley: University of California Press, 1966.
Diffie, Bailey W. *Latin-American Civilization, Colonial Period*. New York: Octagon Books, 1967.
Floyd, Troy S. (ed.). *The Bourbon Reformers and Spanish Civilization: Builders Or Destroyers?* Boston: Heath, 1966.
Hanke, Lewis y Jane M. Rausch. *People and Issues in Latin American History: The Colonial Experience*. New York: M. Wiener, 1993.
Jara, René y Nicholas Spadaccini (eds.). *1492-1992: Re/Discovering Colonial Writing*. Minneapolis: University of Minnesota Press, 1989.
Kicza, John E. *Colonial Entrepreneurs: Families and Business in Bourbon Mexico City*. Albuquerque: University of New Mexico Press, 1983.
Rabasa, José. *Inventing A-M-E-R-I-C-A: Spanish Historiography and the Formation of Eurocentrism*. Norman: University Oklahoma Press, 1993.
Sariola, Sakari. *Power and Resistance: The Colonial Heritage in Latin America*. Ithaca: Cornell University Press, 1972.

CAPÍTULO 7

Bakewell, Peter John. *Miners of the Red Mountain: Indian Labor of Potosí.* Albuquerque: University of New Mexico Press, 1984.

Barral Gómez, Angel. *Rebeliones indígenas en la América Española.* Madrid: MAPFRE, 1992.

Brusco, Elizabeth E. *The Reformation of Machismo: Evangelical Conversion and Gender in Colombia.* Austin: University of Texas Press, 1996.

Curtin, Philip D. *The Atlantic Slave Trade.* Madison: University of Wisconsin Press, 1969.

Davis, Darién J. (ed.). *Slavery and Beyond: The African Impact on Latin America and the Caribbean.* Wilmington: Scholarly Resources, 1995.

Estava-Fabregat, C. *Mestizaje in Ibero-America.* Albuquerque: University of New Mexico Press, 1987.

Freyre Gilberto. *The Masters and the Slaves.* Berkeley: University of California Press, 1986.

Goldwert, Marvin. *History of Neurosis: Paternalism and Machismo in Spanish America.* Lanham: University Press of America, 1980.

Graham, Richard (ed.). *The Idea of Race in Latin America, 1870-1940.* Austin: University of Texas Press, 1990.

Haberly, David T. *Three Sad Races: Racial Identity and National Consciousness in Brazilian Literature.* Cambridge: Cambridge University Press, 1983.

Hedrick, Basil Calvin. *Religious Syncretism in Spanish America.* Greeley: Museum of Anthropology, 1967.

Hemming, John. *Red Gold: The Conquest of Brazilian Indians.* Cambridge: Harvard University Press, 1978.

Kicsa John E. (ed.). *The Indian in Latin American History: Resistance Resilience and Acculturation.* Wilmington: Scholarly Resources, 1993.

Kiple, Kenneth F. *Blacks in Colonial Cuba, 1774-1899.* Gainesville: University Presses of Florida, 1976.

Kline, Herbert S. *African Slavery in Latin America and the Caribbean.* New York: Oxford University Press, 1986.

Knight, Franklin W. *Slave Society in Cuba during the Nineteenth Century.* Madison: University of Wisconsin Press, 1970.

Levine, Robert M. *Race and Ethnic Relations in Latin America and the Caribbean: A Historical Dictionary and Bibliography.* Metuchen, NJ: Scarecrow Press, 1980.

MacLachlan, Colin M. y Jaime E. Rodríguez. *The Forging of the Cosmic Race: A Reinterpretation of Colonial Mexico.* Berkeley: University of California Press, 1980.

Mörner, Magnus. *Race Mixture in the History of Latin America.* Boston: Little, Brown, 1967.

Nash, June. *We Eat the Mines and the Mines Eat Us: Dependency and Exploitation in Bolivian Tin Mines.* New York: Columbia University Press, 1979.

Pérez Luis A. *Slaves, Sugar and Colonial Society: Travel Accounts of Cuba, 1801-1899.* Wilmington: Scholarly Resources, 1992.
Ramos, Artur. *The Negro in Brazil.* Philadelphia: Porcupine Press, 1980
Restall, Mathew y Kris Lane. *Latin America in Colonial Times.* Cambridge: Cambridge University Press, 2011.
Rosenblat, Ángel. *La población indígena y el mestizaje en América.* Buenos Aires: Emecé, 1954.
Schwartz, Stuart. *Sugar Plantations in the Formation of Brazilian Society: Bahia, 1550-1835.* Cambridge: Cambridge University Press, 1986.
Scott, Rebecca J. *Slave Emancipation in Cuba: The Transition to Free Labor, 1860-1899.* Princeton: Princeton University Press, 1986.
Skidmore, Thomas E. *Black into White: Race and Nationality in Brazilian Thought.* New York: Oxford University Press, 1974.
Solaun, Mauricio y Sidney Kronus. *Discrimination without Violence: Miscegenation and Racial Conflict in Latin America.* New York: Wiley, 1973.
Toplin, Robert Brent (ed.). *Slavery and Race Relations in Latin America.* Westport: Greenwood, 1974.
Wagley, Charles y Marvin Harris. *Minorities in the New World.* New York: Columbia University Press, 1967.
Wolf, Eric Robert. *Sons of the Shaking Earth.* Chicago: University of Chicago Press, 1959.
Wright, Winthrop R. *Café con Leche: Race Class and National Image in Venezuela.* Austin: University of Texas Press, 1990.

CAPÍTULO 8

Acosta-Belén, E. *Puerto Rican Woman.* New York: Praeger, 1986.
Babb, Florence E. *Between Field and Cooking Pot: The Political Economy of Market Women in Peru.* Austin: University of Texas Press, 1989.
Castillo, Debra. *Easy Women: Sex and Gender in Modern Mexican Fiction.* Minneapolis: University of Minnesota Press, 1998.
Cypess, Sandra Messinger. *La Malinche in Mexican Literature: From History to Myth.* Austin: University of Texas Press, 1991.
De Aragón, Ray John. *The Legend of La Llorona.* Las Vegas: Pan American, 1980.
De la Maza, F. *El guadalupanismo mexicano.* México: Fondo de Cultura Económico, 1984.
Garza Tarazone, Silvia. *La mujer mesoamericana.* México: Editorial Planeta, 1991.
Glantz, Margo (ed.). *La Malinche: sus padres y sus hijos.* México: UNAM, 1994.
Gonzalbo, Pilar. *Las mujeres en la nueva España.* México: Colegio de México, 1987.
Guerra Cunningham, Lucía (ed.). *Mujer y sociedad en América Latina.* Santiago de Chile: Editorial del Pacífico 1980.

Johnson, Julie Greer. *Women in Colonial Spanish American Literature.* Westport: Greenwood. 1983.

Johnson, L.L. y S. Lipsett-Rivera (eds.). *The Faces of Honor: Sex Shame and Violence in Colonial Latin America.* Albuquerque: University of New Mexico Press, 1998.

Ladd, Doris M. *Mexican Women in Anahuac and New Spain.* Austin: University of Texas Press, 1978.

Laurin, Asunción. *Latin American Women: Historical Perspectives.* Westport: Greenwood, 1978.

Laurin, Asunción. *Sexuality and Marriage in Colonial Latin America.* Lincoln: University of Nebraska Press, 1989.

Lanyon, Anna. *Malinche's Quest.* Crows Nest, Australia: Allen & Unwin Academic, 2000.

Townsend, Camila. *Malintzin's Choices: An Indian Woman in the Conquest of Mexico.* Albuquerque: University of New Mexico Press, 2006.

Martin, Luis. *Daughters of the Conquistadores: Women in the Viceroyalty of Peru.* Albuquerque: University of New Mexico Press, 1983.

Miller, Francesca. *Latin American Women and the Search for Social Justice.* Hanover: University Press of New England, 1991.

Muriel, Josefina. *Las mujeres de Hispanoamérica.* Madrid: Mapfre, 1992.

Nash, June. *Sex and Class in Latin America.* South Hadley: Bergin and Garvey, 1980.

Rodríguez, Jeanette. *Our Lady of Guadalupe.* Austin: University of Texas Press, 1994.

Silverblatt, Irene. *Gender, Ideal and Class in Inca and Colonial Peru.* Princeton: Princeton University Press, 1987.

Smith, J.B. *The Image of Guadalupe: Myth or Miracle.* New York: Doubleday, 1983.

Tuñon Pablos, Julia. *Women in Mexico: A Past Unveiled,* trans. A. Hynds. Austin: University of Texas Press, 1999.

Yeager, Gertrude M. (ed.). *Confronting Change. Challenging Tradition: Women in Latin American History.* Wilmington: Scholarly Resources, 1994.

CAPÍTULO 9

Benassy-Berling, Marie-Cécile. *Humanismo y religión en Sor Juana Inés de la Cruz.* México: UNAM. 1983.

Carrilo Azpeitia, Rafael. *El arte barroco en México.* México: Panorama, 1982.

Echeverría, Bolívar. *La modernidad de lo barroco.* México: Era, 1998.

Goic, Cedomil. *Historia y crítica de la literatura hispanoamericana: I, Época colonial.* Barcelona: Editorial crítica. 1988.

Ingham, J.M. *Mary, Michael and Lucifer: Folk Catholicism in Central Mexico.* Austin: University of Austin Press, 1986.

Kelemen, Pál. *Baroque and Rococo in Latin America.* New York: Macmillan, 1951.

Kubler, G. y M. Soria. *Art and Architecture of Spain and Portugal and their American Dominions.* London: Harmondsworth, 1959.

Leonard, Irving A. *Baroque Times in Old Mexico: Seventeenth-Century Persons, Places and Practices.* Ann Arbor: University of Michigan Press, 1966.

Maravall, José Antonio. *La cultura del barroco.* Madrid: Editorial Ariel, 1975.

Merrim Stephanie (ed.). *Feminist Perspectives on Sor Juana Inés de la Cruz.* Detroit: Wayne State University Press, 1990.

Ochoa Zazueta, Jesús Ángel. *Muerte y muertos.* México: Sep/Setentas, 1974.

Paz, Octavio. *Sor Juana Inés de la Cruz o Las trampas de la Fe.* México: Fondo de Cultura Económica, 1982.

Picón Salas, Mariano. *De La Conquista a la Independencia.* México: Fondo de de Cultura Económica, 1969.

Pratt, Mary Louise. *Imperial Eyes: Traveling Writings and Transculturation.* New York: Routledge, 1992.

Promis Ojeda, José. *The Identity of Hispanoamérica: An Interpretation of Colonial Literature.* Tucson: University of Arizona Press, 1991.

Stevenson, Robert M. *Renaissance and Baroque Musical Sources in the Americas.* Washington: Organization of American States, 1970.

Velarde, Héctor. *El barroco, arte de la conquista.* Lima: Universidad de Lima, 1980.

Weiss, Judith A. *Latin American Popular Theatre: The First Five Centuries.* Albuquerque: University of New Mexico Press, 1993.

Westheim, Paul. *La calavera.* México: Antigua Librería Robredo, 1970.

CAPÍTULO 10

Adrien, Kenneth J. *Andean Worlds: Indigenous History, Culture, and Consciousness under Spanish Rule, 1532–1825.* Albuquerque: University of New Mexico Press, 2001.

Alva, Abel A. *Brutality and Benevolence: Human Ethology, Culture, and the Birth of Mexico.* New York: Greenwood Press, 1996.

Anna, Timothy E. *The Fall of the Royal Government in Peru.* Lincoln: University Of Nebraska Press, 1980.

Bethell, Leslie (ed.). *The Independence of Latin America.* Cambridge: Cambridge University Press, 1987.

Chasteen, John Charles. *Americanos: Latin America's Struggle for Independence.* New York: Oxford University Press, 2009.

Cussen, Antonio. *Bello and Bolivar: Poetry and Politics in the Spanish American Revolution.* Cambridge: Cambridge University Press, 1992.

Domínguez, Jorge. *Insurrection or Loyalty: The Breakdown of the Spanish American Empire.* Berkeley: University of California Press, 1980.

Golte, Jürgen. *Repartos y rebeliones: Tupac Amaru y las contradicciones del sistema colonial.* Lima: Instituto de Estudios Peruanos, 1980.

Johnson, John J. *Simon Bolivar and the Spanish American Independence, 1783–1830.* New York: Van Nostrand, 1969.

Krauze, Enrique. *Mexico Biography of Power: A History of Modern Mexico, 1810–1996.* New York: Harper Perennial, 1998.

Ladd, Doris M. *The Mexican Nobility at Independence, 1773–1808.* Gainsville: University Presses of Florida, 1978.

Lynch, John. *The Spanish American Revolution, 1808–1826.* London: Weidenfel and Nicholson, 1973.

Madariaga, Salvador de. *The Fall of the Spanish American Empire.* London: Hollis & Carter, 1947.

Phelan, John, L. *The People and the King: the Comunero Revolution in Colombia, 1781.* Madison: University of Wisconsin Press, 2011.

Rodríguez Alcalá, Hugo. *Literatura de la independencia.* Madrid: La Muralla, 1980.

Whitaker, Artur P. (ed.). *Latin America and the Enlightenment.* Ithaca: Cornell University Press, 1961.

Zea, Leopoldo. *Simón Bolívar, integración en la libertad.* México: Ediciones Edicol, 1980.

CAPÍTULO 11

Arguedas, José María. *Formación de una cultura nacional indoamericana.* México: Siglo XXI, 1975.

Bushnell, David. *The Emergence of Latin America in the Nineteenth Century.* New York: Oxford University Press, 1988.

Finer, Samuel E. *The Man on Horseback: the Role of the Military in Politics.* Boulder: Westview, 1988.

Goldwert, Marvin. *History as Neurosis: Paternalism and Machismo in Spanish America.* Lanham: University Press of America, 1980.

Goodrich, Diane Sorensen. *Facundo and the Construction of Argentine Culture.* Austin: University of Texas Press, 1992.

Hamill, Hugh M. *Caudillos: Dictators in Spanish America.* Norman: University of Oklahoma Press, 1992.

Krauze, Enrique. *Caudillos culturales en la Revolución Mexicana.* México: Siglo XXI, 1976.

Lambert, Jacques. *Latin America: Social Structures and Political Institutions.* Trad. H. Katel. Berkeley: University of California Press, 1969.

Lynch, John. *Caudillos in Spanish America, 1800–1850.* New York: Oxford University Press, 1992.

Roett, Riorden y Richard S. Sacks. *Paraguay: The Personalist Legacy.* Boulder: Westview, 1991.

Weber, David J. y Jane M. Rausch (eds.). *Where Culture Meets: Frontiers in Latin American History.* Wilmington: Scholarly Resources, 1994.

CAPÍTULO 12

Arrom, S.M. *The Women of Mexico City, 1790–1857.* Stanford: Stanford University Press, 1985.

Bullrich, Silvina. *La Argentina contradictoria.* Buenos Aires: Emecé, 1986.
Bushnell, David y Neil Macauley. *The Emergence of Latin America in the Nineteenth Century.* New York: Oxford University Press, 1988.
Delpar, Helen. *Red Against Blue: The Liberal Party and Colombian Politics, 1863–1899.* Tuscaloosa: University of Alabama Press, 1981.
Hale, Charles. *Mexican Liberalism in the Age of Mora, 1821–1853.* New Haven: Yale University Press, 1968.
Lafaye, Jacques. *Quetzalcoatl and Guadalupe: The Formation of Mexican National Consciousness, 1531–1813.* Chicago: University of Chicago Press, 1976.
Lomnitz, Larissa Adler, et al. *A Mexican Elite Family, 1820–1980: Kinship, Class, and Culture.* Princeton: Princeton University Press, 1998.
Lopez-Alvez, Fernando. *State Formation and Democracy in Latin America, 1810–1900.* Durham: Duke University Press, 2000.
Lynch, John. *Argentina Dictator: Juan Manuel de Rosas.* New York: Oxford University Press, 1981.
Musicant, Ivan. *The Banana Wars: A History of United States Military Intervention in Latin America from Spanish-America War to the Invasion of Panama.* New York: Macmillan, 1990.
Palacios, M. *Coffee in Colombia, 1850–1970: An Economic, Social and Political History.* Cambridge: Cambridge University Press, 1980.
Raat, W. Dirk. *Mexico: From Independence to Revolution, 1810–1910.* Lincoln: University of Nebraska Press, 1982.
Rock, David. *Argentina 1516–1982: From Spanish Colonization to the Falkland War.* Berkeley: University of California Press, 1985.
Vallens, V.M. *Working Women in Mexico during the Porfiriato, 1880–1910.* San Francisco: R. & E. Research Associates, 1978.

CAPÍTULO 13

Burns, E. Bradford. *The Poverty of Progress: Latin America in the Nineteenth Century.* Berkeley: University of California Press, 1980.
Bethell, Leslie (ed.). *Brazil: Empire and First Republic, 1822–1930.* Cambridge: Cambridge University Press, 1989.
Da Costa, E. V. *The Brazilian Empire: Myths and Histories.* Chicago: University of Chicago Press, 1986.
Davis, Harold Eugene. *Latin America Social Thought: The History of its Development since Independence.* Washington: University Press of Washington, 1961.
Freyre, Gilberto. *Order and Progress: Brazil from Monarchy to Republic.* Berkeley: University of California Press, 1986.
Freyre, Gilberto. *New World in the Tropics.* New York: Alfred A. Knopf, 1959.
Gledhill, John y Patience A. Shell. *New Approaches to Resistance in Brazil and Mexico.* Durham: Duke University Press, 2012.

Kern, Robert. *The Caciques: Oligarchical Politics and the System of Caciquismo in the Luso-Hispanic World.* Albuquerque: University of New Mexico Press, 1973.

Paz, Octavio. *El Laberinto de la soledad.* México: Fondo de Cultura Económica, 1950.

Rama, Carlos M. *Historia de las relaciones culturales entre España y la América Latina, siglo XIX.* México: Fondo de Cultura Económica, 1982.

Zea Leopoldo. *The Latin American Mind.* Norman: University of Oklahoma Press, 1963.

CAPÍTULO 14

Burns, E. Bradford. *Nationalism in Brazil: A Historical Survey*. New York: Praeger, 1968.

Jrade, Cahy Login. *Rubén Darío and the Romantic Search for Unity*. Austin: University of Austin Press, 1983.

Kirkpatrick, Gwen. *The Dissonant Legacy of Modernismo: Lugones, Herrera y Reissig and the Voices of Modern Spanish American Poetry*. Berkeley: University of California Press, 1989.

Meléndez, Concha. *La novela indianista en Hispanoamérica (1832–1889).* Río Piedras: Universidad de Puerto Rico, 1961.

Ortega, Julio. *Crítica de la identidad: La pregunta por el Perú en su literatura.* México: Fondo de Cultura Económica, 1988.

Rama, Ángel. *Las máscaras democráticas del modernismo.* Montevideo: Fundación Ángel Rama, 1985.

Ramos, Julio César. *Desencuentros de la Modernidad en América Latina: Literatura y política en el siglo XIX.* México: Fondo de Cultura Económica, 1989.

Saldívar, José David. *The Dialectics of Our America: Geneology, Cultural Critique, and Literary History*. Durham: Duke University Press, 1991.

Sommer, Doris. *Foundational Fictions: The National Romances of Latin America.* Berkeley: University of California Press, 1991.

CAPÍTULO 15

Aldrich, Earl M. *Regionalismo e indigenismo*. Madrid: La Muralla, 1980.

Alva Castro, Luis. *Haya de la Torre: Peregrino de la unidad continental*. Lima: Fondo Editorial "VR Haya de la Torre," 1988.

Bari de López, Camila. *Unidad e identidad de Hispanoamérica en su literatura: La relación hombre/tierra*. Mendoza: Universidad Nacional de Cuyo, 1989.

Crawford, William Rex. *A Century of Latin-American Thought*. Cambridge: Harvard University Press, 1967.

Franco, Jean. *The Modern Culture of Latin America: Society and the Artist.* Middlesex: Penguin Books, 1970.

Henríquez Ureña, Pedro. *La utopia de América.* Caracas: Ayacucho, 1978.

Martínez, José Luis. *Unidad y diversidad de la literatura latinoamericana.* México: Joaquín Mortiz, 1972.

Rama, Ángel. *Transculturación narrativa en América Latina.* México: Siglo XXI, 1982.

Ramos, Samuel. *El perfil del hombre y la cultura en México.* México: Espasa-Calpe, 1951.

Sánchez, Luis Alberto. *Vida y pasión de la cultura en América.* Santiago de Chile: Ercilla, 1935.

Torres-Rioseco, Arturo. *The Epic of Latin American Literature.* New York: Oxford University Press.

CAPÍTULO 16

Aguilar Camín, Héctor y Lorenzo Meyer. *The Mexican Revolution and the Anglo-American Powers.* La Jolla: Center for U.S.-Mexican Studies, 1985.

Aguilar Camín, Héctor y Lorenzo Meyer. *A la sombra de la Revolución Mexicana.* México: Cal y Arena, 1989.

Agustín, José. *Tragicomedia mexicana,* 3 tomos. México: Planeta, 1990–1998.

Bartra, Roger. *The Cage of Melancholy: Identity and Metamorphosis in the Mexican Character,* trans. C.J. Hall. New Brunswick: Rutgers University Press, 1992.

Becker, Marjorie. *Setting the Virgin on Fire: Lázaro Cárdenas, Michoacán Peasants, and the Redemption of the Mexican Revolution.* Berkeley: University of California Press, 1980.

Brading, David A. (ed.). *Caudillo and Peasant in the Mexican Revolution.* Cambridge: Cambridge University Press, 1980.

Brading, David A. *Prophecy and Myth in Mexican History.* Cambridge: Cambridge University Press, 1986.

Brandenburg, Frank. *The Making of Modern Mexico.* Englewood Cliffs: Prentice-Hall, 1964.

Brenner, Anita y George R. Leighton. *The Wind that Swept Mexico: The History of the Mexican Revolution of 1910–1942.* Austin: University of Texas Press, 1984.

Bruhn, Kathleen. *Taking on Goliath: The Emergence of a New Left and the Struggle for Democracy in Mexico.* College Park: Pennsylvania State University Press, 1996.

Castañeda, Jorge G. *The Mexican Shock.* New York: The News Press, 1995.

Castañeda, Jorge G. *Mañana Forever?: Mexico and the Mexicans.* New York: Vintage, 2012.

Charlot, Jean. *The Mexican Mural Renaissance, 1920–1925.* New Haven, Yale University Press, 1963.

Cockcroft, James D. *Diego Rivera.* New York: Chelsea House, 1991.

Cruz, Barbara C. *José Clemente Orozco.* New York: Enslaw, 1998.

Cumberland, Charles C. *México: The Struggle for Peace and Modernity.* New York: Oxford University Press, 1968.

Folgarait, Leonard. *So Far from Heaven: David Alfaro Siqueiros's The March of Humanity and Mexican Revolutionary Politics.* Cambridge: Cambridge University Press, 1987.

Folgarait, Leonard. *Mural Painting and Social Revolution in Mexico, 1920–1940.* Cambridge, Cambridge University Press, 1998.

Frank, Patrick. *Posada's Broadsheets: Mexican Popular Imagery 1890–1910.* Albuquerque: University of New Mexico's Press, 1998.

Gibler, John. *Mexico Unconquered: Chronicles of Power and Revolt.* San Francisco: City Lights, 2009.

Gledhill, John y Patience A. Shell. *New Approaches to Resistance in Brazil and Mexico.* Durham: Duke University Press, 2012.

Haddox, John H. *Vasconcelos of Mexico: Philosopher and Prophet.* Austin: University of Texas Press, 1967.

Herrera-Sobek, María. *The Mexican Corrido: A feminist Analysis.* Bloomington: Indiana University Press, 1990.

Holland, Gini. *Diego Rivera.* Austin: University of Texas Press, 1997.

Katz, Friedrich. *The Life and Times of Pancho Villa.* Stanford: Stanford University Press, 1998.

Knight, Alan. *The Mexican Revolution*, 2 tomos. Cambridge: Cambridge University Press, 1986.

Levy, Daniel Y Gabriel Szekely. *Mexico: Paradoxes of Stability and Change.* Boulder: Westview, 1983.

Lommitz, Larissa A. *Networks and Marginality: Life in a Mexican Shantytown.* New York: Academic Press, 1977.

Macias, A. *Against All Odds: The Feminist Movement in Mexico to 1940.* Westport: Greenwood Press, 1982.

Meyer, Lorenzo. *La segunda muerte de la Revolución Mexicana.* México: Cal y Arena, 1992.

Meyer, Michael C. *Huerta: A Political Portrait.* Lincoln: University of Nebraska Press, 1972.

Meyer, Michael C. y William L. Sherman. *The Course of Mexican History.* New York: Oxford University Press, 1983.

O'Malley, Ilene V. *The Myth of the Revolution: Hero Cults and the Institutionalizatiòn of the Mexican State, 1920–1940.* New York: Greenwood Press, 1986.

Oster, Patrick. *The Mexicans: A Personal Portrait of a People.* New York: William Morrow, 1989.

Paz, Octavio. *Posdata.* México: Siglo XXI, 1970.

Poniatowska, Elena. *Nothing, Nobody.* Philadephia: Temple University Press, 1995.

Reed, John. *Insurgent Mexico.* New York: International Publishers, 1969.

Riding, Alan. *Distant Neighbors: A Portrait of the Mexicans.* New York: Vintage, 1984.

Rodríguez, Antonio. *A History of Mexican Mural Painting.* London: Thames & Houston, 1969.

Rodríguez, Victoria Elizabeth. *Women's Participation in Mexican Political Life.* Boulder: Westview Press, 1998.
Romanell, Patrick. *The Making of a Mexican Mind.* Lincoln: University of Nebraska Press, 1952.
Ross, Stanley R. *Francisco Madero: Apostol of Mexican Democracy.* New York: Columbia University Press, 1955.
Salas, Elizabeth. *Soldaderas in the Mexican Military: Myth and History.* Austin: University of Texas Press, 1990.
Soto, Shirlene Ann. *Emergence of the Modern Mexican Woman.* New York: Arden Press, 1990.
Stein, Philip. *Siqueiros: His Life and Works.* New York: International Publishers, 1994.
Weinstein, Michael A. *The Polarity of Mexican Thought.* University Park: Penn State University Press, 1976.
Wolfe, Bertram D. *The Fabulous Life of Diego Rivera.* New York: Stein and Day, 1963.
Womack, John. *Zapata and the Mexican Revolution.* New York: Vintage, 1970.

CAPÍTULO 17

Alexander, Robert. J. (ed.). *The Ideas and Doctrines of Victor Raul Haya de la Torre.* Kent: Kent State University Press, 1973.
Avellaneda, Andrés (ed.). *Censura, autoritarismo y cultura: Argentina 1960–1983.* Buenos Aires: Biblioteca Política Argentina, 1986.
Balderston, Daniel, et al. (ed.). *Ficción y política: La narrativa argentina durante el proceso militar.* Buenos Aires: Alianza, 1987.
Barager, Joseph R. *Why Perón came to Power?* New York: Knopf, 1968.
Bouvard, Marguerite Guzmán. *Revolutionizing Motherhood: The Mothers of the Plaza de Mayo.* Wilmington: Scholarly Resources, 1994.
Conniff, Michael L. y Frank D. Mc Cann. *Modern Brazil: Elites and Masses in Historical Perspective.* Lincoln: University of Nebraska Press, 1989.
DeMatta, Roberto. *Carnivals, Rogues, and Heroes. An Interpretation of the Brazilian Dilemma.* Notre Dame: University of Notre Dame Press, 1991.
Dobyns, H.F. y P.L. Douglas. *Peru: A Cultural history.* New York: Oxford University Press, 1979.
Fraser, Nicholas y Marysa Navarro. *Eva Perón.* New York: W.W. Norton, 1980.
Gay, Roberto. *Popular Organization and Democracy in Rio de Janeiro: A Tale of Two Favelas.* Philadelphia: Temple University Press. 1994.
James, Daniel. *Resistance and Integration: Peronism and the Argentine Working Class, 1946–1976.* Cambridge: Cambridge University Press, 1988.
Lieuwen, Edwin. *Generals vs. Presidents: Neomilitarism in Latin America.* New York: Praeger, 1964.
McClintock, Cynthia y Abraham F. Lowenthal (eds). *The Peruvian Experiment Reconsidered.* Princeton: Princeton University Press, 1983.
Nunn, Frederick M. *The Time of the Generals: Latin American Professional Militarism in World Perspective.* Lincoln: Nebraska University Press, 1992.

Page, Joseph. *Perón: A Biography*. New York: Random Hose, 1983.
Pike, Frederick B. *The Politics of the Miraculous in Peru: Haya de la Torre and the Spiritualist Tradition.* Lincoln: University of Nebraska Press, 1986.
Rouquié, Alain. *The Military and the State in Latin America.* Berkeley: University of California Press, 1989.
Saba, Raúl P. *Political Development and Democracy in Peru: Continuity and Change in Crisis.* Boulder: Westview, 1987.
Schodt, David W. *Ecuador: An Andean Enigma.* Boulder: Westview, 1987.
Skidmore, Thomas E. *Politics in Brazil, 1930–1964.* New York: Oxford University Press, 1967.
Skidmore, Thomas E. *The Politics of Military Rule in Brazil, 1964–1985.* New York: Oxford University Press, 1990.
Skidmore Thomas E. *Brazil: Five Centuries of Change.* New York: Oxford University Press, 1999.
Stepan, Alfred C. *Rethinking Military Politics.* Princeton: Princeton University Press, 1989.
Summ, G. Harvey (ed). *Brazilian Mosaic: Portraits of a Diverse People and Culture.* Wilmington: Scholarly Resources, 1995.
Vanger, Milton I. *The Model Country: José Batlle y Ordóñez of Uruguay, 1905–1915.* Hanover: University Press of New England, 1980.
Wilson, Carlos. *The Tupamaros.* Boston: Branden Press, 1974.

CAPÍTULO 18

Águila, Juan M. Del. *Cuba: Dilemma of a Revolution.* Boulder: Westview, 1984.
Berryman, P. *Liberation Theology: Essential Facts about the Revolutionary Movement in Latin America and Beyond.* New York: Pantheon, 1986.
Betto, Frei. *Fidel Castro y la religión.* México: Siglo XXI, 1986.
Beverley, John y Marc Zimmerman. *Literature and Politics in the Central American Revolution.* Austin: University of Texas Press, 1990.
Blank, David B. *Venezuela: Politics in a Petroleum Republic.* New York: Praeger, 1984.
Booth, John y Thomas Walker. *Understanding Central America.* Boulder: Westview, 1982.
Calvert, Peter. *Guatemala: A Nation in Turmoil.* Boulder: Westview, 1985.
Candelaria, Michael R. *Popular Religion and Liberalism: The Dilemma of Liberation Theology.* Albany: State University of New York Press, 1990.
Careaga, Gabriel. *Mitos y Fantasias de la clase media.* México: Joaquín Mortiz, 1975.
Careaga, Gabriel. *Biografía de un joven de la clase media.* México: Joaquín Mortiz, 1977.
Carothers, Tom H. *In the Name of Democracy: U.S. Policy toward Latin America in the Reagan Years.* Berkeley: University of California Press, 1991.

Chaplin, Ari. *Chavez's Legacy: The Transformation from Democracy to a Mafia State*. Lanham: University Press of America, 2013.

Cockroft, James D. *Neighbors in Turmoil: Latin America.* New York: Harper and Row, 1989.

Coraggio, José Luis. *Nicaragua: Revolution and Democracy*. Winchester: Allen & Unwin, 1986.

Cottam, Martha L. *Images and Intervention: U.S. Policies in Latin America.* Pittsburgh: University of Pittsburgh Press, 1994.

Domínguez, J.I. *Cuba: Order and Revolution.* Cambridge: Belknap, 1978.

Dorner, Peter. *Latin American Land Reforms in Theory and Practice: A Retrospective Analysis.* Madison: University of Wisconsin Press, 1992.

Draper, Theodore. *Castroism: Theory and Practice.* New York: Praeger, 1965.

Escobar Arturo y Sonia E. Álvarez (eds.). *The Making of Social Movements in Latin America: Identity, Strategy, and Democracy*. Boulder: Westview, 1992.

García Canclini, Néstor (ed.). *Políticas Culturales en América Latina.* México: Grijalbo, 1987.

Gillespie, C.G. *Negotiating Democracy: Politicians and Generals in Uruguay.* Cambridge: Cambridge University Press, 1991.

Gott, Richard. *Guerrilla Movements in Latin America.* London: Nelson, 1970.

Guerra Sánchez, Ramiro. *Sugar and Society in the Caribbean.* New Haven: Yale University Press, 1964.

Habel, Janette. *Cuba: The Revolution in Peril.* London: Verso, 1991.

Harris, R. y C.M. Vilas. *The Sandinista Revolution. National Liberation and Social Transformation in Central America.* New York: Monthly Review Press, 1986.

Heine, Jorge y Juan M. García-Passalaqua. *The Puerto Rican Question.* New York: Foreign Press Association, 1983.

Horowitz, Irving Louis. *The Long Night of Dark Intent: A Half Century of Cuban Communism.* New Brunswick: Transaction Publishers, 2011.

Johnson, Scott (ed.). *The Case of the Cuban Poet Heberto Padilla.* New York: Gordon, 1977.

Kay, Cristóbal. *Latin American Theories of Development and Underdevelopment.* London: Routledge, 1989.

Klarén, Peter F. y Thomas J. Bossert (eds.). *Promise of Development: Theories of Change in Latin America.* Boulder: Westview, 1986.

La Feber, Walter. *The Panama Canal: The Crisis in Historical Perspective.* New York: Oxford University Press, 1979.

Lynch, Edward A. *Latin America's Christian Democratic Parties: A Political Economy.* New York: Praeger, 1993.

McBeth, B. S. *Juan Vicente Gómez and the Oil Companies in Venezuela, 1908–1935.* Cambridge: Cambridge University Press, 1983.

Martin, Edwin M. *Kennedy and Latin America.* Lanham: University Press of America, 1994.

Montgomery, Tommie Sue. *Revolution in El Salvador: Origins and Evolution.* Boulder: Westview, 1982.

Mystrom, John Warren y Nathan A. Haverstock. *The Alliance for Progress.* Princeton: Van Nostrand, 1966.

Ortiz, Fernando. *Contrapunteo cubano del tabaco y el azúcar*. Caracas: Ayacucho, 1978.

Peeler, John A. *Latin American Democracies: Colombia, Costa Rica, Venezuela.* Chapel Hill: University of North Carolina Press, 1985.

Pérez, Luis A. *Cuba: Between Reform and Revolution*. New York: Oxford University Press, 2014.

Rodríguez, Ileana. *Women, Guerrillas, and Love: Understanding War in Central America*, trans. I Rodríguez and R. Carr. Minneapolis: University of Minnesota Press, 1996.

Ryan-Ranson, Helen (ed.). *Imagination, Emblems and Expressions: Essays on Latin American, Caribbean, and Continental Culture and Identity*. Bowling: Green: Bowling Green State University Press. 1993.

Selbin, Eric. *Modern Latin American Revolutions.* Boulder: Westview, 1993.

Sigmund, Paul E. *The Overthrow of Allende and the Politics of Chile, 1964–1976.* Pittsburgh: University of Pittsburgh Press, 1977.

Tata, Robert J. *Haiti: land of Poverty*. Lanham: University Press of America, 1982.

Thomas, Hugh S. *Cuba: The Pursuit of Freedom.* New York: Harper and Row, 1971.

Thomas, Hugh S., et al. *The Cuban Revolution: 25 year later*. Boulder: Westview, 1984.

Wickham-Crowley, Timothy P. *Guerrillas and Revolution in Latin America: A Comparative Study of Insurgents and Regimes Since 1956.* Princeton: Princeton University Press. 1992.

Wright, Thomas C. *Latin America in the Era of the Cuban Revolution.* New York: Praeger, 1991.

CAPÍTULO 19

Agosin, Marjorie. *Women of Smoke: Latin American Women in Literature and Life.* Trenton: Red Sea Press, 1989.

Ángulo, María-Elena. *Magic Realism: Social Context and Discourse.* New York: Garland, 1995.

Bassnett. S. *Knives and Angels: Women Writers in Latin America.* Atlantic Highlands: Zed, 1990.

Bueno. Salvador. *El negro en la novela hispanoamericana.* La Habana: Letras Cubanas, 1986.

Castañeda. Jorge G. *Utopia Unarmed: The Latin American Left After the Cold War.* New York: Vintage, 1993.

Campra, Rosalba. *América Latina: La identidad y la máscara.* México: Siglo XXI, 1987.

Dorfman, Ariel. *Imaginación y violencia en América Latina.* Barcelona: Anagrama, 1972.

Duncan, J. Ann. *Voices, Visions, and the New Reality: Mexican Fiction since 1970.* Pittsburgh: University of Pittsburgh Press, 1986.

Fernández Olmos, Margarite y Doris Meyer (eds.). *Contemporary Women Authors of Latin America: New Translations.* Brooklyn: Brooklyn College Press, 1983.

Foster, David William. *Cultural Diversity in Latin American Literature.* Albuquerque: University of New Mexico Press, 1994.

Franco, Jean. *Plotting Women: Gender and Representation in Mexico.* New York: Columbia University Press, 1988.

Galeano, Eduardo. *Las venas abiertas de América Latina.* México, Siglo XXI, 1984.

González Echevarría, Roberto. *The Voices of the Masters: Writing and Authority in Modern Latin American Literature.* Austin: University of Texas Press, 1985.

Gugelberger Georg M. (ed.). *The Real Thing: Testimonial Discourse and Latin America.* Durham: Duke University Press, 1996.

Jörgensen, Beth E. *The Writing of Elena Poniatowska.* Austin: University of Texas Press, 1994.

Lindstrom, Naomi. *The Social Conscience of Latin American Writing.* Austin: University of Texas Press, 1998.

Martin, Gerald. *Journeys through the Labyrinth: Latin American Fiction in the Twentieth Century.* London: Verso, 1989.

Meyer, Doris. *Against the Wind and the Tide: Victoria Ocampo.* Austin: University of Texas Press, 1990.

Ricci, della Grisa, Graciela N. *Realismo mágico y conciencia mítica en América Latina: Textos y contextos.* Buenos Aires: F. García Cambeira, 1985.

Schutte, Ofelia. *Cultural Identity and Social Liberation in Latin American Thought.* Albany: State University of New York Press, 1993.

Stabb, Martin S. *In Quest of Identity: Patterns in the Spanish American Essay of Ideas, 1890–1960.* Chapel Hill: University of North Carolina Press, 1967.

Steele, Cynthia. *Politics, Gender, and the Mexican Novel, 1968–1988.* Austin: University of Texas Press, 1992.

Szanto, George. *Inside the Statues of Saints: Mexico Writers on Culture and Corruption, Politics and Daily Life.* New York: Vehicle Press, 1997.

Unruh, Vicky. *Latin American Vanguards: The Art of Contentious Encounters.* Berkeley: University of California Press, 1994.

CAPÍTULO 20

Ades, Dawn (ed.). *Art in Latin America.* New Haven: Yale University Press, 1989.

Almeida, Bira. *Capoeira: A Brazilian Art Form—History, Philosophy, and Practice.* Berkeley: University of California Press, 1986.

Appleby, David P. *The Music of Brazil.* Austin: University of Texas Press, 1983.

Baddeley, Oriana y Valerie Fraser. *Drawing the Line: Art and Cultural Identity in Contemporary Latin America.* London: Verso, 1989.
Béhague, G. *Music in Latin America: An Introduction.* Englewood Cliffs: Prentice-Hall, 1979.
Browning, Barbara. *Samba: A Body Articulate.* Bloomington: Indiana University Press, 1995.
Bullrich, F. *New Directions in Latin American Architecture.* New York: G. Braziller, 1969.
Burns, E. Bradford. *Latin American Cinema: Film and History.* Los Angeles: UCLA Latin American Studies, 1975.
Campa, Román de la. *Latin Americanism.* Minneapolis: University of Minnesota Press, 1999.
Carpentier, Alejo. *La música en Cuba.* La Habana: Letras Cubanas, 1988.
Castro, Donald S. *The Argentine Tango as Social History, 1880–1955: The Soul of the People.* Lewiston: E. Mellen, 1991.
Chaplik, Dorothy. *Latin American Art: An Introduction to Works of the Twentieth Century.* Jefferson: McFarland, 1989.
Chase, Gilbert A. *Contemporary Art in Latin America.* New York: The Free Press, 1970.
Collier, S. *The Life, Music and Times of Carlos Gardel.* Pittsburgh: University of Pittsburgh Press, 1986.
Day, Holliday T., et al. *Art of the Fantastic: Latin America, 1920–1987.* Indianapolis: Indianapolis Museum of Art, 1987.
Deffebach, Nancy. *María Izquierdo and Frida Kahlo: Challenging Visions in Modern Mexican Art.* Austin: University of Texas Press, 2015.
Desnoes, Edmundo. *Lam: azul y negro.* La Habana: Editorial Nacional de Cuba, 1963.
Drucker, Malka. *Frida Kahlo: Torment and Triumph in Her Life and Art. New York:* Bantam, 1991.
Foster, David William. *From Mafalda to Los Supermachos: Latin American Graphic Humor as Popular Culture.* Boulder: L. Rienner, 1989.
Foster, David William. *Mexico City in Contemporary Mexican Cinema.* Austin: University of Texas Press, 2002.
Fox, E. (ed.). *Media and Politics in Latin America: The Struggle for Democracy.* London: Sage, 1988.
Fraser Delgado, Celesto y José Esteban Muñoz (eds.). *Every-Night Life: Culture and Dance in Latin/o America.* Durham: Duke University Press, 1997.
García Pinto, Magdalena. *Women Writers of Latin America.* Austin: University of Texas Press, 1991.
Guillermoprieto, Alma. *Samba.* New York: Random House, 1990.
Hague, Eleanor. *Latin American Music: Past and Present.* Detroit: B. Ethridge, 1982.
Herrera, Hyden. *Frida: A Biography of Frida Kahlo.* New York: Harper & Row, 1983.

Hinds, Jr., Harold E. y Charles M. Tatum. *Handbook of Latin American Popular Culture.* Westport: Greenwood, 1985.

Johnson, Randal. *Cinema Novo: Masters of Contemporary Brazilian Film.* Austin: University of Texas Press, 1984.

King, John. *Magical Reels: A History of Cinema in Latin America.* London: Verso, 1990.

Mehuus, Marit y Kristi Anne Stølen (eds.). *Machos, Mistresses, Madonnas.* London: Verso, 1996.

Moral, Carl W. *Mexican Cinema: Reflections of a Society, 1896–1980.* Berkeley: University of California Press, 1980.

Pick, Zuzana M. *The New Latin American Cinema: A Continental Project.* Austin: University of Texas Press, 1993.

Podalsky, Laura. *The Politics of Affect and Emotion in Contemporary Latin American Cinema: Argentina, Brazil, Cuba, and Mexico.* New York: Palgrave, 2011.

Ramírez Berg, Charles. *Cinema of Solitude: A Critical Study of Mexican Film, 1967–1983.* Austin: University of Texas Press, 1992.

Roberts, John Storm. *The Latin Tinge: The Impact of Latin American Music in the United States.* New York: Oxford University Press, 1979.

Rowe, William y Vivian Schelling. *Memory and Modernity: Popular Culture in Latin America.* London: Verso, 1991.

Schaefer, Claudia. *Textured Lives: Women, Art, and Representation in Modern Mexico.* Tucson: University of Arizona Press, 1992.

Simpson, Amelia. *Xuxa: The Mega-Marketing of Gender, Race, and Modernity.* Philadelphia: Temple University Press, 1993.

Skidmore, Thomas E. (ed.). *Television Politics and the Transition to Democracy in Latin America.* Baltimore: John Hopkins University Press, 1993.

Stavans, Ilan. *The Riddle of Cantinflas: Essays on Hispanic Popular Culture.* Albuquerque: University of New Mexico Press, 1990.

Stavans, Ilan. *The Hispanic Condition: Reflections on Culture and Identity in America.* New York: HarperCollins, 1995.

Traba, Marta. *Dos décadas vulnerables en las artes plásticas latinoamericanas, 1950–1970.* México: Siglo XXI, 1973.

CAPÍTULO 21

Acuña, Rodolfo. *Occupied America: A History of Chicanos.* New York: Harper & Row, 1981.

Agosín, Marjorie y Mónica Bruno. *Surviving Beyond Fear: Women, Children, and Human Rights in Latin America.* Fredonia: White Pine Press, 1993.

Anzaldúa, Gloria. *Borderlands/La Frontera: The New Mestiza.* San Francisco: Aunt Lute Books, 1987.

Arreola, Daniel (ed.). *Hispanic Spaces, Latino Places: Community and Cultural Diversity in Contemporary America.* Austin: University of Texas Press, 2004.

Bernal, Martha y Phyllis C. Martinelli. *Mexican American Identity*. Moorpark: Floricanto, 2005.

Collier, G. y E. L. Quaratiello. *Basta!: Land and the Zapatista Rebellion in Chiapas.* Oakland: Institute for Food and Development Policy, 1994.

Davidson, Miriam. *Lives on the Line: Dispatches from the U.S.-Mexico Border*. Tucson: University of Arizona Press, 2000.

Davies, Miranda. *The Latin American Women's Movement.* Rome: Isis International, 1986.

Ganster, Paul. *The U.S.-Mexican Border Today: Conflict and Cooperation in Historical Perspective*. Lanham: Rowman and Littlefield, 2015.

Ganster, Paul y David E. Lorey. *The U.S.-Mexican Border into the Twenty-First Century*. Lanham: Rowman and Littlefield, 2007.

García Canclini, Néstor. *Transforming Modernity: Popular Culture in Mexico.* Austin: University of Texas Press, 1993.

García Canclini, Néstor. *Hybrid Cultures: Strategies for Entering and Leaving Modernity.* Minneapolis: University of Minnesota Press, 1995.

Goldman, Shifra M. *Dimensions of the Americas: Art and Social Change in Latin America and the United States.* Chicago: University of Chicago Press, 1994.

Guillermoprieto, Alma. *The Heart that Bleeds: Latin America Now.* New York: Praeger, 1994.

Gutiérrez, David G. *Walls and Mirrors: Mexican Americans, Mexican Immigrants, and the Politics of Ethnicity*. Berkeley: University of California Press, 1995.

Harrison, Lawrence E. *The Pan-American Dream.* Boulder: Westview, 1997.

Hartlyn, Jonathan y Lara Schoultz. *The United States and Latin America in the 1990s: Beyond the Cold War.* Chapel Hill: University of North Carolina Press, 1992.

Harvey, Neil. *The Chiapas Rebellion: The Struggle for Land and Democracy.* Durham: Duke University Press, 1998.

Hollander, Nancy Caro. *Love in a Time of Hate: Liberation Psychology in Latin America.* New Brunswick: Rutgers University Press, 1997.

Iglesias Prieto, Norma. *Beautiful Flowers of the Maquiladora: Life Histories of Women Workers in Tijuana*. trans. M. Stone and G. Winkler. Austin: University of Texas Press, 1997.

Jaquette, Jane S. (ed.) *The Women's Movement in Latin America.* Boston: Unwin and Hyman, 1989.

Katzenberger, Elaine (ed.) *First World. Ha Ha Ha! The Zapatistas Challenge.* San Franciasco: City Lights Press, 1995.

Kryzanek, Michael J. *U.S.–Latin American Relations.* New York: Praeger, 1990.

La Botz, Dan. *Democracy in Mexico: Peasant Rebellion and Political Reform.* Boston: South End Press, 1995.

McWilliams, C. *North from Mexico: The Spanish Speaking People of the United States.* New York: Praeger, 1990.

Meier, M.S. y F. Ribera. *The Chicanos: A History of Mexican Americans.* New York: Hill and Wang, 1993.

Malloy, James M. y Mitchell A. Seligson (eds.). *Authoritarians and Democrats: Regime Transition in Latin America.* Pittsburgh: University of Pittsburgh Press, 1987.

Miller, Francisca. *Latin American Women and the Search for Social Justice.* Hanover: University Press of New England, 1991.

Mirandé, A. y E. Enríquez. *La Chicana.* Chicago: University of Chicago Press, 1979.

Nash, June. *Sex and Class in Latin America.* South Hadley: Bergin and Garvey, 1980.

Oppenheimer, Andrés. *Bordering on Chaos: Mexico's Roller-Coaster Journey to Prosperity.* Boston: Little Brown, 1998.

Orme, Jr., William A. *Understanding NAFTA: Mexico, Free Trade, and the New North America.* Austin: University of Texas Press, 1996.

Padilla, Félix M. *Latino Ethnic Consciousness: The Case of Mexican Americans and Puerto Ricans in Chicago.* Notre Dame: University of Notre Dame Press, 1985.

Peña, Devon Gerardo. *The Terror of the Machine: Technology, Work, Gender, and Ecology on the U.S.–Mexico Border.* Austin: University of Texas Press, 1997.

Peña, Devon Gerardo. *Chicano Culture, Ecology, Politics: Subversive Kin.* Tucson: University of Arizona Press, 1998.

Pike, Frederick B. *The United States and Latin America: Myths and Stereotypes of Civilization and Nature.* Austin: University of Texas Press, 1992.

Rangel, Carlos. *The Latin Americans: Their Love-Hate Relationship with the United States.* New Brunswick: Transaction Books, 1987.

Richarson, Chad. *Batos, Bolillos, Pochos, and Pelados: Class and Culture on the South Texas Border.* Austin: University of Texas Press, 1999,

Rodríguez O., James E. (ed.). *Common Border, Uncommon Paths: Race, Culture and National Identity in the U.S. –Mexican Relations.* Yarmouth: Scholarly Resources, 1997.

Ross, John. *The Annexation of Mexico.* Monroe, MN: Common Courage Press, 1998.

Rotella, Sebastián. *Twilight on the line: Underworlds and Politics at the U.S.–Mexican Border.* New York: W. W. Norton, 1998.

Rubenstein, Anne. *Bad Language, Naked Ladies and Other Threats to the Nation: A Political History of Comic books in Mexico.* Durham: Duke University Press, 1998.

Sánchez, G. J. *Becoming Mexican American: Ethnicity, Culture and Identity in Chicano Los Angeles, 1900–1945.* New York: Oxford University Press, 1993.

Shorris, Earl. *Latinos: A Biography of the People.* New York: Avon, 1992.

Suchlicki, Jaime. *Mexico: From Montezuma to Nafta, Chiapas and Beyond.* New York: Brasseys, 1996.

Vélez-Ibañez, Carlos G. *Border Visions: Mexican Cultures of the Southwest United States.* Tucson: University of Arizona Press, 1996.

Vigil, James D. *From Indians to Chicanos: The Dynamics of Mexican-American Culture*, rev. ed. Prospect Heights, IL: Waveland Press, 1998.

Wise, Carol. *The Post-Nafta Political Economy: Mexico and the Western Hemisphere.* University Park: Penn State University Press, 1998.

Zeleny, C. *Relations Between the Spanish-Americans and Anglo-Americans in New Mexico.* New York: Arno Press, 1974.